Romantische Utopie —— Utopisch.

Romantische Utopie Utopische Romantik

Herausgegeben von Gisela Dischner und Richard Faber

Gerstenberg Verlag Hildesheim

Der Abdruck folgender Arbeiten erfolgt mit freundlicher Genehmigung der genannten Verlage:
A. von Martin: Romantischer ,,Katholizismus" (Kösel Verlag, München); A. Baeumler: Euthanasie des
Rokoko (Beck Verlag, München); G. K. Kaltenbrunner: Faulheit und Revolution (Brill Verlag, Köln); A.
Gramsci: Sozialismus und Kultur (S. Fischer Verlag, Frankfurt a. M.)

© Gerstenberg Verlag, Hildesheim 1979
Umschlagentwurf: Otto Klopprogge, Hildesheim
Herstellung: Voigt-Druck, Gifhorn
ISBN 3-8067-0820-7

„Hardenbergs Collagen"
Von K. Körner

I

In dämmriger
Schenke, da wo die
Nacht eine Säule vor
Tisch und Stuhl ge-
stellt, im
winkligen Jena vorm
Rosenkreuzner Bier
hockt der
Salineassessor, der
Lichtstein um
Lichtstein aufs
Spiel
setzt, um die
Augen der
      Nacht, die
          tiefen,
          dunklen, aus-
zulösen, –   ein-
zulösen, –
zu er-
lösen für
          manchmal und
          immer,
  für   jetzt und
  für
  nie.

II

Im Bier-
glase blühen die Götzen
auf mit furchtbaren
Zeichen der
Willkür; –   hat er keinen
                          Benimm,
                          sieht er den
                          Schein
                          nicht, den
                          Glanz von ver-
                          knöcherten
                          Herzen:
Katzbuckel heißt der
Meister von
Weimar;
                          Zerhauen den
                          Knoten – langsames
                          Nesteln rettet
                          nichts;
überall
        totes,
                wüstes,
                        taubes
        Gestein.

III

Im Kopf –
müde und
kalt – ist jene
himmlische
Geographie
längst schon

versunken,
keiner weiß den
Weg, den auf
immer unzugängliches
Meer verhüllt.

Und wie er da
sitzt und liest aus dem
Schaum des
Bieres und
schaut ins
Kristall der
neuen Welt –   Starbrillen sind
                      nötig – zum
                      Star
                      stechen ist die
                      Zeit noch
                      nicht reif und das
Blau der
Blume be-
deckt er für
jetzt rasch
wieder mit dem
Bierschaum der
redlichen
Bürger.

IV

In den
Balken, den
schwarzen unterm
Dach ver-
schreien die
Schwalben das

blaßgraue
Leben. Die
Philister rauchen dazu
seine Verse in ihren
Pfeifchen, –   es ist eine
                      lustvolle
                      Notdurft.

Nur
Narren
knien noch
immer in
brennenden
Synagogen und
beten um eine
poetische
Welt.
                      Mensch-
                      sein, welch
                      humoristische
        Rolle!

Inhaltsverzeichnis

Einleitung

,,Fabrizio und mich . . . verfolgt eine
Vision der Sintflut aus der frühen Re-
naissance, wässerig leicht gemalt will
es scheinen, ausrinnendes Blau, viel
Sandgelb. Das Merkwürdige an die-
sem Bild ist nun, daß man schwankt,
ob der Augenblick vor oder nach der
Katastrophe gedacht sei. Die bedroh-
lich blauschwarze Wolkenwucherung
am leeren Horizont scheint wie eine
wahnwitzige Vorwegnahme eines
Atompilzes zu sein, dann aber ist im
Vordergrund wieder dieser hellgol-
dene Frieden gelber Sandhügel, weiter
gegen die Tiefe des Bildes zu schwach
gezeichnet ein See, an seinen Ufern die
Silhouette einer getürmten Stadt, Un-
tergesunkenes einer alten Welt oder
schon ein zitterndes Utopia, ein neues
Jerusalem, wir zweifeln. Und doch jäh
sich in die kühne Hoffnung zu den-
ken, daß das Grauenhafteste vielleicht
schon hinter uns liegt, die Katastrophe
schon geschehen ist und nur ihre unab-
sehbar fortgreifenden Ausmaße noch
das Leiden vermehren. Aber daß wir
nicht mehr hinschauen müßten wie
gebannt auf den in der Ferne anwach-
senden Punkt der endgültigen Kata-
strophe, dieses Hinstarren, das uns an
der Lebenswurzel zernagt und zer-
mürbt. Anfangen zu leben! Als stün-
den wir am Vorabend einer sich ver-
wandelnden Zeit. Die Verfallserschei-
nungen um uns, vielleicht ist es auch
nur die Krise eines Durchbruchs, und
wir erwachen in einen Tag, an dem
unser Gang noch zögernd ist unter der
Last der Geschichte, auf unserm Ge-
sichtern aber schon ein Schein liegt,
unter dem die Dinge wieder zu glän-
zen anfangen.''
G. Leutenegger, Ninive, 1977

11

,,Utopische Romantik" – Progressive Romantik? Heißt ,,an der Spitze des Fortschritts marschieren" tatsächlich ,,konservativ sein", wie ein wenig fortschrittli-
cher und sehr reaktionärer Politiker der Bundesrepublik meint? Doch davon abgesehen, daß konservativ nicht reaktionär ist, wer weiß denn eindeutig, daß ,,die"
Romantik konservativ ist? Die Jenaer Frühromantik[1] jedenfalls ist nur insofern
konservativ, als sie sich der *unabgegoltenen* Vergangenheit erinnert, der vergangenen *Zukunft* also. Heute ist sie selbst eine solche, wie gerade auch E. Bloch meint[2],
auf dessen Geschichtstheorie wir uns eben bezogen haben: ,,Um die Studentenrevolte zu begreifen, ist von Bloch zu lernen. In ihr gab es Ungleichzeitigkeit und die
Pflicht zu ihrer Dialektik." (P. Mosler)

Es gilt nicht nur, die Studentenrevolte zu ,,begreifen" – als etwas Abgeschlossenes
und damit ,,Historisches", sondern sie selbst muß aktualisiert, also transformiert
werden. Nicht nur der letzte Beitrag versucht das – im Rekurs auf die Jenaer Frühromantik, die durch die Studentenrevolte im Benjaminschen Sinn unsere ,,*Jetztzeit*" geworden ist. – Sie zuerst hat die ,,Dialektik der Aufklärung", als die des
Fortschritts, erkannt und damit begonnen die Aufklärung über sich selbst aufzuklären und so zu retten. Dieses Programm gilt weiter – unter Einbeziehung des
Marxismus und der Psychoanalyse. – Es gilt so eindeutig wie noch nie: ,,Wo das
Rettende ist, wächst die Gefahr auch." (E. Bloch)

Sie ist und bleibt die eines – technokratischen – Faschismus. Schon der erste – ,,na-
tionalsozialistische" – Faschismus war ein solcher. Was Spätestromantiker wie A.
Baeumler spekulierten war nur ein Nebelvorhang vor der ,,gigantischen Rüstungs-
schmiede" des ,,heraufziehenden Imperiums" (E. Jünger). Doch eben deswegen
ist es kein Zufall, sondern eine Notwendigkeit, daß Baeumler die Frühromantik
denunzierte: Sein und ähnlicher Irrationalismus *konvergierte* mit dem ,,Moder-
nismus" des Stahl-Vereins, der IG-Farben usw. – Baeumlers Nietzsche-Ausgabe
paßte in die Hände der auf ,,Ordensburgen" ausgebildeten Rammjäger.[3] ,,Ge-
wagt" zu leben *bedeutete* Selbstvernichtung von Mensch und Technik.

L. Pesch hat solche Götzendämmerung nicht zuletzt Novalis und Fr. Schlegel an-
gelastet, um – totalitarismustheoretisch – einen universalen ,,Rebellions"-Begriff
zu konstruieren, der die Frühromantik dann auch zum selbstverständlichen Feind
der, abendländisch legierten, ,,wehrhaften Demokratie" von Bonn stempelt.[4] Mit
Recht; nur daß die Gleichung: ,,Rot gleich braun", eben nicht stimmt. Das wird im
Teil II dieses Bandes zur Genüge klar werden, doch wie auch immer: Pesch ist mit
und nach Baeumler ein wichtiger Beleg dafür, daß – intelligente – Reaktionäre erkannt haben, daß die Frühromantik nicht die ihre ist. Sie bündelt die Potentiale aller repressions*feindlichen* Häresien, transformiert die Aufklärung und antizipiert –
durch deren Transzendenz –, was bis heute Utopie ist; ,,konkrete" und damit uns
aufgegebene: ,,Wo die Gefahr ist, wächst das Rettende auch." (Fr. Hölderlin)

[1] In der älteren Forschung, Wilhelm Diltheys vor allem, auch „ältere Romantik" genannt. (Vgl. z. B. W. D., *Grundriß der allgemeinen Geschichte der Philosophie*, 1949, S. 21.)

[2] Zuletzt in Kursbuch 39, S. 9

[3] Vgl. auch A. Baeumler, *Nietzsche, der Philosoph und Politiker*, 1931.

[4] Vgl. L. Pesch, Die romantische Rebellion in der modernen Literatur und Kunst, 1962 und ders., Das Utopia der romantischen Kunsttheorie und die Moderne, in: Wandlungen des Paradisischen und Utopischen. Studien zum Bild eines Ideals, 1966, S. 301 ff. – Aus Platzmangel verzichten wir auf einen auch nur auszugsweisen Nachdruck Peschs. Stattdessen dokumentieren wir den frühen Aufsatz A. v. Martins und auch ihn nur deshalb, da für *die* katholisch-katholisierende Frühromantik-Kritik, die „Einleitung" in C. Schmitts „Politische Romatik" von 1925, keine Nachdruckerlaubnis zu erhalten war. (Vgl. den Neudruck in: Begriffsbestimmung der Romantik. Hersg. von H. Prang, 1968, S. 73 ff.)

I. Reaktionäre Kritik der Frühromantik

1. Romantischer ‚Katholizismus' und katholische ‚Romantik'.

Von Alfred von Martin

An dem Fortschritt der Wissenschaft (soweit diese mehr sein will als bloßes Wissen) möchte man manchmal wirklich irre werden. Zwar das Quantum festgestellter Einzeltatsachen mehrt sich täglich und stündlich – doch nur, um es täglich und stündlich schwieriger zu machen, einen Überblick über das Ganze und einen Einblick in die Zusammenhänge zu gewinnen. Aufs Große gesehen, scheint es oft, als leiste die fortschreitende Wissenschaft nur dauernd fortschreitende Zerstörungsarbeit: indem sie immer wieder die eben aufgetürmten klugen Bauten als bloße Kartenhäuser erweist, immer wieder zeigt, daß das, woran man sich eben noch glaubte halten zu können, doch nicht haltbar ist. Mit ihren immer neuen Fragestellungen scheint sie nur immer wieder alles in Frage stellen zu wollen. Und doch ist's nicht ganz so trostlos und verzweifelt, wie's oft aussieht. Das Gegeneinanderreden innerhalb ,,der Wissenschaft" ist doch oft genug nur ein Aneinandervorbeireden. Oft genug sind gar nicht die Thesen kontrovers, sondern nur die – Terminologien.

Solch ein kontroverser Terminus kat' exochān ist der der ,,Romantik". Aber es gibt ein ziemlich probates Rezept, wie man sich helfen kann, wenn ein Begriff gar zu wenig eindeutig ist: man gebrauche ihn selbst in *mehr* als *einer* Bedeutung! Wenigstens in zweierlei Bedeutung: nämlich in dem mit Recht so beliebten ,,engeren" und ,,weiteren" Sinne. Auch um streitbare Termini zum Einlenken zu bewegen, ist oft der ,,Verhandlungsweg" geeigneter als der der –,,Diktatur". Vielleicht kommt dabei doch ein wenig mehr heraus als das verpönte ,,ewige Gespräch".

Man merkt, daß wir beim Thema Carl Schmitt angelangt sind. Seine Entgegenstellung von Romantik und Katholizismus ist ja bekannt genug; eben hier (im ‚Hochland'-Heft vom November 1924) hat er – im bekannten Anschluß an seine gegenrevolutionären Gewährsmänner – die feindliche, die revolutionäre Linie klar gezeichnet: vom Protestantismus zur Romantik – und das alles unter dem Zeichen der Auflösung, der Anarchie, der Chaotik. Diesen Trennungsstrich zwischen Romantik und Katholizismus hatte zuerst *Karl Muth* in dem Kapitel ,,Klassisch oder romantisch" seines Buches über ,,Die Wiedergeburt der Dichtung aus dem religiösen Erlebnis" (Kösel 1909) gezogen. Im Gegensatz zu dem Wortführer der ,,Gralsbündler", R. v. Kralik, wird hier betont, daß Romantik ,,das Gegenteil von aller Autorität, die ungebundenste Subjektivität" ist (S. 79 A. 2). ,,Das Religiöse war ihr gerade gut genug, um ihre Gefühle, ihre Sehnsucht in die höchsten Formen zu kleiden", ...,, indem man sich eklektisch aus den verschiedenen Religionen auswählte, was einem gerade zusagte, und an Lessings ‚Nathan' tadelte, daß darin nicht ,,die Notwendigkeit unendlich vieler Religionen eingesehen" werde' (80 f.). Man empfand ,,das Bedürfnis nach einer Mythologie" – und somit das Erfordernis,

,,eine hervorzubringen" – eine Mythologie, die ,,das künstlichste aller Kunstwerke" wäre, ,,das unendliche Gedicht". Hier wird durch Muth mit den Worten Friedrich Schlegels die ästhetische Grundhaltung des romantischen Wesens prägnant herausgestellt. Die ,,späteren *Übertritte* so vieler Romantiker zum Katholizismus" aber bedeuteten ,,das *Aufgeben* dessen, was man wohl die spezifischen Ideale der Schule im Gegensatz zum Klassischen nennen darf" (81). Denn jene spezifisch romantische Art ist nicht dadurch bestimmt, daß sie das Ziel der Vollendung ,,nicht *erreicht*", sondern dadurch, daß sie es ,,nicht erreichen *will*" (82). Und das Korrelat ,,in dem Bereich der sittlichen Persönlichkeit" (84) ist jener ,,romantische Charakter", der – das *Gegenteil* von Charakter ist: ein ,,ewiges Auf- und Abtreiben" (Tieck), eine Seele, die ,,lebenslang der schwebenden Äolsharfe gleicht, in deren Saiten ... wechselnde Lüfte nach Gefallen herumwühlen" (Wackenroder). Und diesen ,,romantischen Charakter", den wir gerade ,,in unserer Gegenwart" wieder ,,aufs höchste entwickelt" sehen, diesen ,,ganzen Jammer der romantischen Stimmung", den wir heute wieder erleben, haben wir ,,von innen heraus zu überwinden" (85). ,,Insofern die Romantik aufgeregten Zeiten entspricht, ist sie auch immer modern ... Die Romantik heute zum Programm erwählen, heißt also im Grunde nicht *über* die Zeit hinausgehen, sondern höchstens modern im Sinne des *Modischen* sein" (90). Ihr Wert kann nur im Aufwühlen bestehen, in der Erregung ,,des religiösen *Interesses* und *Triebes*" – ein ,,*absolutes* Ideal" aber wird von ihr nicht einmal ,,angestrebt" (89). Und so charakterisiert heute Otto Kunze, der Herausgeber der ,,Allgemeinen Rundschau",[1] die Romantik und ihre Folgen: ,,Mit dem Ausbrechen in die Unendlichkeit haben wir den Boden unter den Füßen und über unserem Haupte die Lichter und Wegweiser des Himmels verloren"; dazu das Zitat aus dem letzten Buch von Hermann Platz: ,,Dieses Sichzurückziehen des germanischen Geistes in die Unaussprechlichkeit des Gemüts ist das große Hindernis, das der echten Werkgemeinschaft der abendländischen Völker im Wege steht." Hinter alledem steht ein ganz bestimmtes Weltanschauungsideal: das der neuen katholischen Klassik, die sich religiös auf Guardini und Abt Ildefons Herwegen, ästhetisch auf Herman Hefele, juristisch-politisch auf Carl Schmitt beruft.[2]

Das ist die *eine* Phalanx. Aber es gibt noch eine andere. Da stehen etwa Flaskamp und Werner Thormann. Dort ist ,,Romantik" noch ein katholischer Ehren- und Edelname. Und auch dort steht im Hintergrunde ein bestimmtes Weltanschauungsideal, für das man sich etwa auf ,,das Wirken Ernst Michels und seines Kreises" bezieht.[3] Es ist wohl kein Zufall, daß aus diesen Kreisen auch die Parole gegen den ,,Antiprotestantismus", d. h. gegen einen negativen und für einen nur positiven und dabei offenen Katholizismus ausging, daß man also hier wie die Romantik auch den Protestantismus anders wertet.

Gewiß ist das ,,Entweder – Oder", der katholische Kierkegaardianismus oder ,,Dezisionismus", ein unbestreitbarer Wert. Aber schlummert nicht in ihm zugleich eine Gefahr? die Gefahr einer falschen Ausschließlichkeit, die zur Erstarrung führen muß, weil sie den Zutritt der Luft hermetisch abschließt? die Gefahr des leblosen Systems, dieser Horror aller – Romantik?! Und ist es nicht vielleicht so, daß solche „Romantik" nur eben da, wo sie sich autonom und herrschend macht, das zu Perhorreszierende ist, daß sie dagegen da, wo sie Einschlag bleibt, gerade die innere Lebendigkeit verbürgt, ohne welche die *bloße* Form zur *leeren* Form wird?

Und so kommen wir denn darauf, daß sich auch hinter der scheinbar so uninteressanten Differenz der Termini etwas in höherem Sinne Bedeutsames verbirgt. Denn diese sind nicht bloße Idole, sondern – Ideale. Mit positivem oder negativem Vorzeichen. (Das negative Ideal auch Karikatur genannt.) Carl Schmitt deterioriert die „Romantik", in der er den Feind sieht, Flaskamp und Thormann verschönern sie. Ob aber der Haß oder die Liebe schärfer und heller sieht, ist eine Frage, die in jedem Einzelfall gesondert zu entscheiden ist. Und gegen den richtigen Kern einer verschönernden Idealisierung besagt es auch noch nichts, wenn der Idealisator sich im Objekt versieht und etwa zu Fr. Schlegel greift, wo vielleicht Eichendorff das geeignetere Paradigma gewesen wäre. Dergleichen ist darum nicht entscheidend, weil es ja letztlich nicht auf den Repräsentanten, sondern auf das Repräsentierte ankommt: auf die – Weltanschauung und nicht auf ihren (doch immer irgendwie zufälligen) individuellen Prototyp.

Und doch ist die Frage der Repräsentation nicht nebensächlich. Sobald nämlich die „Weltanschauung" sich historisch verpuppt – also in unserem Fall die romantische Weltanschauung Gestalt annimmt in einer im *spezifischen*, zeitgeschichtlich bestimmten Sinne so genannten „Romantik" –, kommt gerade alles auf die einzelnen Figuren an, in denen die Idee ihren Wohnsitz nimmt. Was also „Romantik" sei in irgend einem konkret-geschichtlichen Sinne (und nicht nur im Sinne einer apriorischen Begriffskategorie, für die dann nachträglich die exempla gesucht werden wie bei Strich und Hefele), wird sich immer danach richten, welche *Figuren* man als „Romantiker" gelten läßt.

„Fragen wir aber nun nach dem eigentlichen Wesen dieser geistigen Umwandlung, wie sie damals in der sogen. romantischen Schule erschien, so müssen wir vor allen anderen Novalis ins Auge fassen, weil er allein schon die ganze innere Geschichte der modernen Romantik, ihre Wahrheit und ihren Irrtum, in allen ihren Hauptrichtungen darstellt oder doch andeutet." So hat schon „der scheidenden Romantik letzter Sohn", also einer der's doch wohl wissen mußte, seine Totenklage um die Romantik intoniert.[4] „Wahrheit und Irrtum" der Romantik, beides fand Eichendorff in diesem Urbild eines Romantikers vereint. Die Neueren aber brauchten ein Idol; und wie es denn bei der Idolatrie zu gehen pflegt: man fragt dann oft wenig nach der Natur des Idols, macht man dies doch eben selbst zu seinem Götzen. Freilich ist's kein Ruhmestitel für den psychologischen Blick moderner Romantikforschung, daß man zum goldenen Kalb, um das man den literarhistorischen Tanz aufführte, ausgerechnet Friedrich Schlegel erkor. Nadlers Wort: „Mit dem ewigen Tanz um Friedrich Schlegel ist es vorbei",[5] scheint immer noch ein verfrühter Optimismus zu sein. Die Walzelnachbeterin Marie Joachimi wirkt hier noch ebenso weiter wie ein vor die unrechte Schmiede geratenes katholisches Apologetentum, so daß der frische Lufthauch, den Carl Schmitt hier einmal hineinwehen ließ, geradzu befreiend wirkte. Diese Friedrich Schlegelsche „Religion", die ihr Inhaber selbst nur mit der des Bruders zu vergleichen wagte, und der er im übrigen noch viel zu viel Ehre antat, wenn er sie wenigstens als „Philosophie der Religion" retten wollte (während es wirklich nur eine „ewige Diskussion" im Sinne von Carl Schmitt, d. h. Geschwätz, war), dieses unerträgliche Gerede von „Liebe", das nur dem „Liebesfähigen" einen Thron bauen sollte, von dessen ironisch-polemischer Höhe er tief herabsehen konnte auf die „liebeleeren" prosaischen Menschen, die „harmonisch platten" Philister – das alles blutig ernst nehmen kann wirklich nur, wem es allzu sehr an jener „romantischen Ironie" gebricht, über die Friedrich Schlegel in so beängstigendem Übermaß verfügte. Und doch: So naiv und unkritisch man den Romantiker überschätzt, wenn man ihn nur enthusiastisch nimmt, so hyperkritisch unterschätzt man ihn, wenn man ihn nur ironisch nimmt. Man gelangt damit weder psychologisch noch ideologisch zu einem historisch zutreffenden Urteil, sondern wird weder der seelischen Kompliziertheit der romantischen Naturen noch dem Eigengehalt der romantischen Ideen gerecht. Ein Standpunkt wie der von Carl Schmitt kann in seiner vollendeten Statik nicht einmal einem geistigen Ringen irgendwie gerecht werden; und, zugegeben, daß der Romantiker zwar ein ewig Werdender, aber nie ein Ringender ist, sondern nur ein ewig Sehnsüchtiger, und daß ferner seine Sehnsucht und sein „Enthusiasmus" stets wieder gekreuzt wird von der Ironie, so ist darum jene Sehnsucht und jener Enthusiasmus (wenngleich unbeständig) doch in seiner Weise und zu seiner Zeit durchaus ehrlich. Gewiß ist das nur die *eine* Seele dieser „Zweiseelenmenschen"; aber gerade ihnen darf man nicht jeglichen Ernst darum absprechen, weil er – nie vorhält. Wie bei ihnen selbst Enthusiasmus und Ironie Hand in Hand gehen, so muß es auch der Fall sein bei einer ihrer Art adäquaten Betrachtungsweise (daß Carl Schmitt eine solche gar nicht will, macht – wie die Stärke seines moralischen, so die Schwäche seines historischen Urteils aus); jede der beiden Einseitigkeiten verfälscht das Bild. Wie immer aber auch das Urteil über die Menschlichkeit der einzelnen Romantiker lauten mag und damit über die individualpsychologische Motivation ihres Denkens und ihrer Ideenbildung, so ist damit doch noch nichts ausgesagt über den Gehalt dieser Ideen selbst. Ricarda Huch mit ihrer *Unterscheidung* von „romantischen Naturen" und „romantischen Ideen" hat auch hier die rechten Stichworte gegeben. Neben der biographisch-psychologischen behält die ideologische Betrachtung doch ihr Eigenrecht, welche die Ideen *an und für sich* als Objekt nimmt. So sind die Ideen des katholisch gewordenen Friedrich Schlegel (mögen auch romantische Einschläge immer noch hie und da sichtbar bleiben) keine gewachsene Romantik mehr; und dagegen besagt es gar nichts, daß er als Mensch aus der Haut seiner romantischen Natur nie herauskonnte. „Naturam expellas furca, tamen usque recurret" – das drückt die Macht der „Natur", aber noch nicht die Wirkungslosigkeit der „furca" aus. Im romantischen Gewebe konnte das „Katholische" (und immer ein „Katholisches" in Anführungszeichen!) nur Einschlag sein; ebenso umgekehrt im Gewebe wahrhaft katholischer Ideen das „Romantische". Zum Wesen und Wert des Katholischen aber gehört, daß es keine Anführungstriche verträgt und als bloßer Einschlag nicht existieren kann, während umgekehrt das Romantische, wenn es nicht mehr souverän und mit jener „Freiheit", die „Willkür" ist, schaltet und damit sein eigentliches und letztes Wesen aufgibt, seine Giftzähne verliert und jene wohltätigen Wirkungen in die Erscheinung treten läßt, welche in ihm angelegt sind, aber nur da sich auslösen, wo starke und beherrschende Gegenkräfte objektiver Art wirksam sind.

II.

Romantik, wo sie ohne solche wohltätigen Hemmungen auftritt und „frei" sich auswirkt, ist Einsaugen des Objektiven in das Subjektive. Im Ich suchen die Romantiker die Lösung aller Lebensrätsel. Dieses Ich aber ist selbst ein vielbewegliches. Es kennt keine Entweder – Oder, sondern saugt mit „gefräßiger Teilnahme" alles in sich auf, was in seiner „Eigenart" „interessant" erscheint. Diese Vielseitigkeit, Offenheit, „unendliche" Weite ist der Vorzug der Romantik und – ihr Verhängnis. Diesem Bau, der in das Unendliche der blauen Luft hinausreichen wollte, fehlte das feste Fundament – und so mußte er in sich zusammenstürzen. Oder mit einem schon von Ernst Moritz Arndt[6] gebrauchten Bilde: „Wie die Falken zur Sonne sind die Edlen geflogen und haben nach den Urquellen des Wissens und Daseins, nach den Urgesetzen und tiefsten Gründen der Natur gefragt. Ohne Haltung und Maß haben sie sich in sich und den Dingen verstiegen; aber der Flug ist doch schön, und besser würde das Geschlecht werden, wenn viele nur so nachfliegen könnten." In dieser treffsicheren Beurteilung sind bereits die rechten Worte für die starken wie für die schwachen Seiten der Romantik gefunden. Sie hat Kräfte freigemacht, sie hat – nach den Erstarrungen der Aufklärung – wieder ein lebendiges Gefühl für das Wirken geistiger Welten geweckt; aber ihre Maßlosigkeit, ihre Schwarmgeisterei mußte zerstörend wirken. Die befreite Phantasie war die alles belebende Kraft, die, in Tiefen und Geheimnisse dringend, Unfaßbares ahnend erschaute; aber die schrankenlose Willkür der souveränen Phantasie mußte auflösend wirken, mußte zu spielerischer Haltlosigkeit, zum Chaos führen. „O mein Kind", sagt eine briefliche Selbstbeurteilung Brentanos, „wir hatten nichts genährt als die Phantasie, und sie hat uns teils wieder aufgefressen!" Weil sie der notwendigen Gegengewichte entbehrte. Weil sie alles Gestaltete als derb und platt empfand, weil ihr Umgrenzung und Form Einbuße an Unendlichkeit und Tiefe bedeutete. Hier meldet sich die Tragik, die jeder individualistischen Bewegung innewohnt. Näher als die Analogien zur Reformation liegen dabei nach manchen Seiten hin die Analogien zur Renaissance. Auch derRomantiker ist ein Typ des ästhetischen Menschen: Künstler der Geselligkeit, Meister des gesellschaftlichen ,,Witzes", gebildet in allen Feinheiten des Geschmacks, ein Ästhet auch in Fragen des moralischen Urteils[7] und der Erkenntnis, kurz: Orgiast und – Zyniker zugleich. ,,Höchste Regsamkeit des Lebens" heißt hier der letzte Wert. Das ,,beim Wort halten" wehrt Novalis überlegen ab, spottend des vielleicht sehr ,,ehrenfesten Mannes", der eben nur kein ,,Dichter" sei: ,,Jetzt sind literarische Saturnalien. Je bunteres Leben, desto besser." Von solchem Standpunkt aus ist es ,,gleichviel, gut oder schlecht zu sein". Friedrich Schlegel, hier ganz den Renaissancemenschen oder Übermenschen (auch der Präger dieser Schlagworte war ja wieder ein Romantiker) mimend, steht in Ehrfurcht vor dem großen Stil der römischen Laster und lebt in der Hoffnung auf ein Geschlecht, ,,das im Guten wie im Schlechten kräftiger, wilder, kühner, ungeheurer sein wird". Und wie für die Renaissance der ,,uomo universale" nur ein gesteigerter ,,uomo singolare" war, so ist die romantische ,,Universalität" nur ,,Universalisierung des individuellen Moments" (Novalis): ,,Gefühl der unendlichen Lebensfülle" (Fr. Schlegel) und die vollendete ,,Freiheit" *des* Geistes, der sich beliebig ,,stimmen" kann ,,wie ein Instrument". ,,Der Dichter braucht die Dinge und Worte wie Tasten", und ,,des Genius übergroße Kraft spielt mit dem Stoff" konstatiert Novalis. Diese universale Unrast kennt nur jene ,,Monatswahrheiten", von denen das Athenäum spricht. Diese universale Ironie schüttet ihr Lachen aus über alles, was gradlinig und einfach ist (und darum als starr und philiströs empfunden wird): Systeme, Überzeugungen, Charaktere. Und der Sinn dieser unendlichen Ironie ist nur eine höhere (weil eben dem Unendlichen genäherte) Stufe des Ichgefühls. Auch die romantisierte Philosophie dient schließlich nur solcher aristokratisch-esoterischen Erhebung über das profanum vulgus, das am ,,Gemeinen" hängt, weil ihm der Sinn für das ,,Ungemeine" fehlt, welcher nicht sein kann ohne ,,Philosophie und Poesie", also – ,,Bildung". Und noch im Letzten und Äußersten spüren wir den Renaissancemenschen im Romantiker, wenn er in seinem ironischen Zynismus auch vor Gott nicht Halt macht: ,,Was du unternimmst, handle groß; und wenn's nicht gelingt, bleibe fest stehen. Du wirst dann eine glorreiche Gelegenheit haben, Gott zu verachten." Weiter geht's nimmer. Alle denkbaren Möglichkeiten der Ausweitung des Ich sind erschöpft. Carl Schmitt hat schon recht mit seiner Formel von der romantischen Säkularisierung des Malebranche und dem ,,Ersatz" des allmächtigen Gottes durch das allmächtige Subjekt. Eritis sicut Deus ... Einen Wesensunterschied von Schöpfer und Geschöpf gibt es für diesen pantheistischen Monismus nicht. Der éros, der Drang nach dem ,,Unendlichen", ist als solcher schrankenlos und unbegrenzt. Und da für den naturalistischen Optimismus des Romantikers – der wie zur Renaissance so auch zur Aufklärung eine (über den lauten romantischen Protesten von den Leichtgläubigen immer übersehene) Affinität besitzt – der Mensch (und ebenso die Welt) gut und die ins „Universale" gesteigerte „Individualität" das Gute schlechthin ist, so bedarf es (in dieser Welt ohne Erbsünde) nie der Selbst*überwindung*, sondern immer nur der Selbst*entfaltung* durch „Teilnahme an allem Leben" im Sinne des einzigen Glaubenssatzes „von der Heiligkeit verschwenderischer Fülle." Alles, schlechthin alles, muß sein Blut hergeben, auf daß dieser Vampir, den das romantische Ich darstellt, wachse. Und diesem Bewußtsein von der Fähigkeit der „*unendlichen* Perfektibilität" wird vor seiner Gottähnlichkeit nicht bange, nein: „Gott werden, Mensch sein, sich bilden, sind Ausdrücke, die einerlei bedeuten." – Eritis sicut Deus sprach die Schlange, welche listiger war denn alle Tiere auf dem Felde, die Gott der Herr gemacht hatte …

Keinerlei objektive „Ordnung", die von „oben" gesetzt wäre, und in die der einzelne sich einzufügen hätte als in ein überindividuell Gegebenes. Das „Universum" ist nur „die Elongatur derselben Substanz", die im „Mikrokosmos" (oder Mikrochaos?!) ist: diesem „muß das Ganze entsprechen", meint Novalis. Und Schleiermacher erklärt gleichen Sinnes, daß jeder einzelne „Mensch" in sich „die Menschheit" und *damit* das „Universum" und die „Unendlichkeit" trage. Gefühl ist alles …, schrankenloses Gefühl und, als Inbegriff der äußersten irgend denkbaren Schrankenlosigkeit, Unendlichkeitsgefühl, in dem das entfesselte Subjekt frei „schweifend" sich ergehen kann. Nur in sich und – überall findet der Romantiker, dieser geborene Pantheist, seinen Gott.

Nicht feindlich, sondern – was schlimmer ist – gleichgültig steht er der Frage nach der objektiven „Wahrheit", der Seinsfrage in der Religion, gegenüber. Er hat nur Sinn für das Erleben und das „Schaffen". Denn als „*frei*" schaffender „Künstler" tritt er auch vor die Religion, auch hier das Recht der genialen Phantasie gegen die „harmonische Plattheit" der Hausbackenen vertretend. Auch die Religion ist diesem Nachfahren der Renaissance ein Gegenstand der Kunst, ein immer wieder neu zu schaffendes Kunstwerk. Dabei ist er, der jede „Bindung" ablehnt, sich seines „anarchischen" Tuns voll bewußt. Weder eine „organische" Anknüpfung an das „historisch Gewordene" noch gar eine Unterordnung unter eine „Tradition" kommt für die Romantik, wo sie ungehemmt und „rein" sich auswirkt, in Betracht. In einem Objektiven, endültig Geformten und Gestalteten sieht sie nur die „Erstarrung" eines „Endgültigen"; wo sie trotzdem das „Positive" in der Religion interessiert, da ist es gerade das Gegenteil des Objektiven, ist es die künstlerisch reizvolle „Individualität" in der Einmaligkeit ihrer ästhetischen Eigenart: als ein Einzelfall in der – stets vorbehaltenen – Fülle der Möglichkeiten. Die allgemeine Weltreligion ist nach Novalis jeder Gestalt fähig: und „so werden Sie", schreibt er, „das vorzüglichste Element meiner Existenz, die Phantasie, in der Bildung dieser

Religionsansicht nicht verkennen".

Auch die Religion ist zu einer Form der Phantasietätigkeit geworden, ist dem allgemeinen Poetisierungsprozeß anheimgefallen. Ganz richtig ist in Arnims „Halle und Jerusalem" von den „neuen poetischen Christen" die Rede: „von denen, die es nur in ihren Liedern sind"; ihre „Worte haben keine Kraft des ewigen Lebens", weil ihre „Liebe ohne Tat" ist. Diese nur ästhetische Stimmungsfrömmigkeit war ja, soviel sie auch von der „neuen Religion", die geschaffen werden sollte, hin- und herredete, nicht einmal imstande zur Schaffung einer „neuen Mythologie" – was für sie das Gleiche war, und wozu sie schließlich außer der Phantasie nichts benötigt hätte. Denn hier wird das religiöse Gefühl durch Kunstgefühl weniger angeregt als aufgelöst. Kunst und Religion sind für Zacharias Werner in seiner romantischen Periode „Synonyme". „Warum haben wir doch nicht *einen* Namen für diese beiden?" (an Hitzig). Und Tiecks Sternbald „gestand sich deutlich, wie die Andacht der höchste und reinste Kunstgenuß sei".

Den Romantikern war auch die Religion nur ein Panier im Kampf gegen die Aufklärung, an deren prosaischer Art sie den „hieroglyphischen Zusatz" vermißten. Sie bedeutete ihnen Erlösung (nicht etwa von so unromantischen Dingen wie Sünde und Schuld, sondern) von der erlebnisunfähigen, nichtssagenden Alltäglichkeit, von der Prosa des „gemeinen" Lebens, dem man, mit Novalis zu reden, „den Schein(!) des Ungemeinen geben" wollte. Das eben hieß ja „romantisieren". „Enthusiasmus" und „Symbole" für diesen Enthusiasmus – nichts weiter! Kein Transzendentes; kein Glaube, der Anerkennung heischen würde. Wackenroder konnte ja sogar finden, daß „Aberglaube besser als Systemglaube" sei.

III.

Und dabei „Katholizismus"? Nun vielleicht ist es, abgesehen von etwas katholischer „Stimmung", mehr Antiprotestantismus als Katholizismus (was doch schließlich noch nicht auf dasselbe hinauskommt). Denn es gibt auch einen „Katholizismus" aus bloßer *Opposition*. Und die Romantik wäre ja nicht der *vollendete* Protestantismus gewesen, wenn sie nicht gegen den Protestantismus selbst protestiert hätte. Und warum dieser Protest? Aus einer psychologischen Reaktion, die sich nun auf die Rechte derjenigen natürlichen menschlichen Neigungen beruft, die von der protestantischen Kultur allzusehr mißachtet worden waren: auf die Rechte des *poetischen* Menschen. Oder, um einen Brief Tiecks an Solger zu zitieren, auf die Rechte jener (subjektiven) „Lust am Tiefsinnigen, Mystischen und allem Wunderlichen", neben der – und das ist das eigentlich Charakteristische – in der romantischen Seele nach eigenem Geständnis „auch stets eine Lust am Zweifel lag". Aus Protest gegen den nüchternen, unpoetischen, künstlerisch sterilen Protestantismus – den die Romantiker aus diesem Gesichtspunkt[8] mit der verhaßten Aufklärung zusammensahen – „katholisieren" sie. Diese *ideologische* Haltung aber ist keineswegs etwa[9] die Vorstufe zum Katholisch-werden; vielmehr gehören hierher gerade die Nichtkonvertiten Novalis (dessen Entwicklung nach der katholisierenden „Christenheit oder Europa" zu einem immer stärker sich ausprägenden echt romantischen Synkretismus abbog), Tieck, Wackenroder, Aug. Wilh. Schlegel. Die *Übertritte* zum Katholizismus dagegen sind weit mehr *psychologisch* motiviert, als ideologisch in den Denkvoraussetzungen der Romantik begründet; bei Friedrich Schlegel aber handelt es sich um ein schrittweises Sich*heraus*entwickeln aus diesen – zu ihrem *Gegenteil*.

Tieck malt sich wohl eine Konversion aus (die betreffende Stelle in den „Herzensergießungen" – an denen er ja mitgearbeitet hat – wird ihm zugeschrieben), aber er selbst trat nicht über. Und wie malt er sie sich aus? Schauplatz: Rom, Peterskirche; dramatis persona: ein junger Künstler. Und nun: „ . . . Gesang . . . Musik . . .", die das Gemüt des jungen Künstlers „immer höher empor" hebt, sein „ganzes Wesen" durchdringt, ihn völlig „trunken" macht; – da erhebt der Priester „mit einer begeisternden Gebärde" die Hostie – Posaunenschall – „allmächtige Töne schmetterten und dröhnten eine erhabene Andacht durch alles Gebein . . . mit unwiderstehlicher Gewalt . . ." Alles Wirkungen der Kunst und insbesondere der romantischsten aller Künste, der Musik. Demselben Tieck aber bedeutet der Katholizismus eine „Belastung" des Christentums mit einem „Wust von Traditionen"; „die katholische Kirche zerschlägt alle Seelenkräfte, schlägt alles Erhabene nieder!" Darum soll die Poesie keinesfalls dem Katholizismus untergeordnet werden. Dies ist schlagend: „Katholizismus" – ja, aber unter der Oberhoheit der (souveränen) Phantasie. Einen solchen „Katholizismus" (in Anführungszeichen!) will Tieck dann freilich „verkündigen" und „verteidigen". Einen echt romantischen „Katholizismus", der nicht nach Wahrheit fragt und daher ohne Dogma leben kann, und der sich daher mit der natürlichen Abneigung des Romantikers gegen den Glauben an ein „letztes, einziges Wahrheitssystem" (eine Abneigung, zu der Tieck sich offen bekennt) recht wohl verträgt. Auch Tieck will die Religion wie Wackenroder rein künstlerisch gewertet wissen, nicht in irgend einem Sinne lehrhaft; auch ihm sind Kunst und Religion identisch. Dem Freunde Solger aber – der den „Katholizismus" der „Genoveva" richtig als ein freies künstlerisches Spiel des Dichters erkannt hatte, in dem dieser nicht sowohl ein inneres Erlebnis gestaltet habe als vielmehr eine bloße „Sehnsucht" nach solchem Erleben –, ihm erzählte Tieck, daß er fast ebenso leichtsinnig wie er in das Gebiet der Mystik und des Katholizismus *hinein*geraten sei, sich durch einen einzigen Akt der Willkür wieder aus ihm *heraus*versetzt habe. Dieser Tieck zog sich von seinen alten Freunden zurück, als diese wirklich ins katholische Lager übergingen; und in seinen „Kritischen Schriften" sprach er selbst von dem mit romantischer „Willkür" versüßlichten,

„falsch poetisierten Christentum". Aug. Wilh. Schlegel sagte es (in einem Briefe von 1846) rund heraus, seine katholischen Sympathien seien von jeher nur prédilection d'artiste gewesen.

Tatsächlich haben alle die verschiedenen Typen romantischer Religiosität, welche sich unterscheiden lassen – die Kunstreligion, die Bildungsreligion, die Naturreligion –, nur *peripherische* Beziehungen zum Katholizismus. Die „Herzreligion" Schleiermachers aber verhält sich, eben weil sie, wenigstens in ihrem Wollen, religiös (und nicht poetisch oder philosophisch) zentriert ist, schon beinahe peripherisch zur – Romantik, mit der sie sich freilich findet in der Auflösung alles Objektiven. Dieser Ichkultus, das hat Carl Schmitt mit treffender Klarheit gesehen und formuliert, hat keinen Sinn für die „Entscheidung" – für jene Entscheidung des Glaubens an das große und alles andere bestimmende Faktum der Erlösung aus Gnade – *des* Glaubens, ohne den es nun einmal ein (kierkegaardisch oder katholisch) „entschiedenes" Christentum nicht geben kann. Der Romantiker aber will sich immer, völlig unverbindlich, alle Möglichkeiten offen lassen und vorbehalten. Er ist der eigentliche Typ jenes ästhetischen Menschen, in dem Kierkegaard den wahren Feind des Christentums erkannte und bekämpfte. Denn der ästhetische Mensch ist der wahrhaft unverbesserliche Relativist. Für Novalis ist Gott „der unendliche Stoff unserer Tätigkeit", statt daß der Mensch der Stoff der unendlichen Tätigkeit Gottes wäre. Es ist nur konsequent, wenn Schleiermacher den Glauben an Gott und Unsterblichkeit überhaupt nicht mehr als Erfordernisse einer Religion ansieht, die ja gar nichts anderes mehr sein will als der Inbegriff aller höheren Gefühle. Und diese Gefühle kulminieren in der Phantasie: die Einbildungskraft ist das Organ der Unendlichkeit, sagt Fr. Schlegel, und Schleiermacher (im Athenäum): „Die Phantasie ist das Organ des Menschen für die Gottheit". Die romantische Phantasie aber ist selbstherrlich, und ihre vollendete Freiheit ist ihr höchster Ruhmestitel. Sie kehrt sich grundsätzlich an kein Gegebenes, Überkommenes und Bestehendes, an keinen Glauben der Väter und kein Bekenntnis der Kirche. Und diese phantasiegeschaffene Religion, die von Gnade nichts weiß, will nur die Tiefe und Fülle des *Lebens* ausschöpfen. Sie ist selbst nur gesteigertes Lebensgefühl. Und der „Sinn" des Lebens liegt für sie im Leben selbst. Die Romantik ist, wie schon Georg Brandes[10] gesagt hat, „trotz all ihrer katholischen Tendenzen . . . pantheistisch".

IV.

Romantik ist ihrem Wesen nach kein möglicher Dauerzustand. Nur wer in den Jahren schwärmerischer Jugend starb wie Novalis oder Wackenroder, konnte seine Romantik mit ins Grab nehmen. Die anderen mußten mit zunehmendem Alter ihre Romantik überleben. Was aber konnte danach kommen? „Farbloses Vegetieren", das ,,keine charakteristischen Blüten mehr zu treiben vermochte" – wie bei Aug. Wilh. Schlegel und Tieck –, oder die Rettung ,,in objektive Gesetzlichkeit" – wie bei Friedr. Schlegel, Zach. Werner, Clemens Brentano. So hat in einer jüngst erschienenen Studie über ,,den alten Brentano" der Frankfurter Literarhistoriker Karl Viëtor die beiden möglichen Auswege aus dem romantischen Stadium charakterisiert. ,,Schrankenloser Subjektivismus, Entfesselung der Phantasiekräfte, Leben aus einem amoralischen Ästhetizismus, literarischer Libertinismus – das war die Sphäre des jungen Brentano, weil es die der romantischen Lebenshaltung war. Die Romantik war aus der ewigen Gesetzmäßigkeit der Weltstellung des Menschen zu stark nach dieser einen Seite herausgetreten, um dem Prozeß des ,,Alterns", der sich konsolidierenden Erfahrung, vertiefter Weltbetrachtung und sittlicher Besinnung standhalten zu können." Nur eine vollkommene ,,Wandlung" konnte hier helfen, ein ,,völliges Anderswerden", eine ,,wahre Wiedergeburt", die ,,eine rigorose Verurteilung der eigenen Vergangenheit" in sich schließt. Siehe Brentano. ,,Was er vorher gelebt und geleistet hat, das will nun alles schlecht oder doch unzulänglich erscheinen. Das entfesselte, aus den natürlichen Verbindungen des komplexen Lebens gelöste Dichtertum war an einen Punkt gekommen, wo es sich selbst aufhob. Seine Dichtungen galten ihm nun als Werke eitler Selbstbespiegelung". Gewiß, der ewige ,,Zwiespalt", ,,das Nebeneinander widersprechender Tendenzen", die ,,durchgehende Dissonanz hat sich nie in ihm aufgelöst", der ,,Widerstreit zwischen den beiden Seelen" bleibt bei ihm ,,ewig ungeschlichtet". Aber was zuvor obenauf war, das ist jetzt niedergeworfen, wenn es sich auch immer wieder von neuem aufbäumt; und was in dem Romantiker, der – nach Steffens treffender (wenngleich nicht erschöpfender) Charakteristik – mit Bestimmtheit zu wissen schien, daß er nichts wolle und, ein ironisch spielender Kronos, in rein phantastischer Dialektik durch jede folgende Bestimmung die vorhergehende vernichtend, seine eigenen Kinder verschlinge – was in diesem Protoyp des Romantikers nicht zu Worte kommen konnte, das triumphiert in dem Menschen, der sich nun in Dülmen für sechs Jahre von aller Welt und – aller Literatur abschließt, weil er inne geworden ist, daß es Wichtigeres gibt als die Welt der Literatur. Und Zacharias Werner – Eben noch bedauert er, daß für die beiden Synonyma Kunst und Religion nicht ein und derselbe Name vorhanden sei, eben noch – 1802 – verteidigt er den ,,idealisierten Katholizismus" als ,,wiederaufgefundene mythologische Fundgrube", nennt er den Katholizismus, poetisch angesehen, das größte Meisterstück *menschlicher Erfindungskraft* – wobei er noch ausdrücklich bittet, in ihm den prosaischen Menschen vom poetischen zu unterscheiden und seine individuelle Überzeugung nicht nach dem zu beurteilen, was als Künstler zu sagen er sich berufen fühle; – und nach Jahresfrist –: da hat er das Eine erkannt und erwählt, das nottut, nämlich ,,Jesus Christus und seine Kirche"; die Szene seines Lebens ist nicht mehr das Theater, sondern Beichtstuhl und Kanzel; die Dinge des Glaubens, einst gut genug als reizvoller Stoff für die frei mit ihnen schaltende Phantasie und Poesie, sind ihm nicht mehr untertänige Mythologie, sondern herrschende und darum dogmatische Wahrheit, deren Ausbreitung nun auch die einst so hochmütige Poesie dienstbar gemacht wird. Aus dem in freier Willkür katholisierenden Ästheten ist ein (wenn auch ganz gewiß nicht vollkommener und idealer) Mann der Kirche geworden. Das bedeutet einen vollständigen Bruch, einen radikalen Standpunktswechsel. Und der ist bei Friedr. Schlegel nicht minder deutlich zu erkennen: nur daß er sich bei dem Manne, der aus dem Intellekt und der ,,Bildung" lebt, anders äußert als bei jenen, die mit der Seele (wenn's auch gewiß nicht immer eine schöne Seele war) lebten. Gewiß: wie dort die Zwiespältigkeit innerhalb der romantischen Psyche, so blieb hier der Zwiespalt zwischen Psyche und Doktrin. Aber ob ein Mensch nur andere Ideen aufgenommen hat, oder ob er im Zusammenhang damit selbst ein anderer Mensch geworden ist, das ist biographisch und charakterologisch zwar die entscheidende Frage, aber sie geht eben doch nur den einzelnen Menschen an. Und wie man ein Kunstwerk rein an und für sich betrachten und beurteilen kann, ohne ständige Seitenblicke auf den Menschen, dem es seine Entstehung verdankt, so auch den Niederschlag von Ideen ohne ständige Seitenblicke auf den Urheber. Und die *Werke* des späten, des katholisch gewordenen Friedr. Schlegel sind edenfalls *nicht* mehr romantisch, mochte er als Mensch und Charakter auch noch nicht alle Romantik überwunden und die ideale Ausgeglichenheit keineswegs erreicht haben. In jenen Werken aber ist der romantische Primat des Ästhetischen radikal gebrochen zugunsten der Anerkennung eines allem persönlichen Belieben und Bedürfen entrückten Objektiven.

Wer dahin gelangt ist, hat aufgehört, Romantiker zu sein. Wenigstens in einem eigentlichen Sinne des Wortes.

V.

So stehen wir noch einmal vor der Frage: Was ein Romantiker sei, und wer alles dazu gehöre. Und die Art der Beantwortung dieser letzten Frage wird stets stark bestimmend sein für die Begriffsbestimmung: können sich doch die Merkmale eines historisch zu erschließenden Genus immer nur aus den wiederkehrenden Merkmalen seiner Exemplare ergeben.

Darin also hat Thormann schon recht, daß sich gewiß ein anderes Bild des ,,Romantikers" ergibt, wenn man auch die Züge von Persönlichkeiten wie Baader und Görres hinzunimmt und dem Gesamtbild einfügt. Und sicherlich: in irgend einem Sinne gehören auch sie mit zur ,,Romantik". Soll freilich auch Baader mit in den ,,romantischen" Kreis aufgenommen werden, so muß man diesen schon ganz außerordentlich weit ziehen: dann kommt man dahin, daß schließlich – frei nach

Walzel – nicht nur Jakob Böhme, sondern bereits Plotin ein „Romantiker" ist. Wer glaubt, mit so weitgefaßten Terminologien noch fruchtbare Erkenntnisse aufzeigen zu können, der hat gewiß auch ein subjektives Recht, sich solcher Terminologien zu bedienen; denn schließlich sind die Termini ja nichts Verehrungswürdiges, dem man einen Kultus zu widmen hätte, sondern menschliche und darum bedingte Mittel, sich der Welt der Erscheinungen zu bemächtigen. Aber in der Herausstellung der Wesentlichkeiten, auf die es der geistesgeschichtlichen Betrachtung ankommt, kommen wir doch wohl weiter, wenn wir den Theosophen aus dem Kreis der „Romantik" *ausschließen*. Wohl läßt Baaders „witzige" Art und „fragmentarische" Schreibweise ihn als eine den Romantikern in manchem verwandte Natur erkennen; doch das ist mehr die Außenseite! Er ist doch keinesfalls der auf die eigene „geniale" „Individualität" gestellte Ideenimprovisator, der überall und nirgends geistig zu Hause ist, sondern eben als Theosoph in uralten Traditionen beheimatet. Wer auf die Romantik „Einfluß" übt, braucht darum noch keineswegs Romantiker zu sein!

Aber auch Görres darf – wie Eichendorff – nur mit ganz bestimmten Vorbehalten unter die „Romantiker" gezählt werden.[11] Wohl stecken in der Natur- und Lebensphilosophie von Görres' pantheistischer Periode starke subjektiv-romantisierende Elemente, das Bewußtsein eines irrationalen Urgrundes, in dessen „Dunkel" sich „die Wurzel unseres Daseins" verliert, und in dessen „unauflöslichem Geheimnis" „der Zauber des Lebens" beruht. Und aus solchem Bewußtsein erwächst ihm die Fähigkeit, „tiefer", zu „schauen", als es jene Oberflächenbetrachtung vermag, die nur das Zutageliegende sieht, eröffnet sich ihm eine „symbolische" Weltansicht, die hinter den Erscheinungen das „tiefere" Wesen des Seins erahnt. Und dieses Ahnen ist auch für Görres, in diesem romantischen Stadium, eine Gabe der Phantasie und also der poetischen Befähigung und dichterischen Intuition. Aber dieses Künstlertum gebärdet sich nicht mit jener souveränen Genialität, die aus Ästhetik das Ethische erschlägt. Und so wird die „Freiheit" hier nicht zur romantischen Willkür. Wohl sehen wir auch des jungen Görres, wie Adam Müllers, romantischen Blick ruhen auf dem ewigen Wechselspiel und Widerstreit gegensätzlich wirkender Kräfte – beharrlicher und fließender, zentrifugaler und zentripetaler; aber[12] in dieser Wandelbarkeit des „Lebens" ertrinken ihm keineswegs die dem Menschen gestellten „Aufgaben". Denn ihm ist die Welt – bei aller lebendigen Bewegtheit und aller (aus der Idee des Lebens folgenden) Entwicklung – doch nie, wie dem („reinen") Romantiker, für den (nach einer gelegentlichen Bemerkung des Dresdner Literaturhistorikers Christian Janentzky) „das Chaos" der „letzte weltanschauliche Begriff" ist, eine Welt der vollendeten Irrationalität, sondern eine Welt der Ordnung und des ewigen Sittengesetzes. Und dieser, bei Görres immer wieder zutage tretende ethische Wesenskern, dieser dem Ernst des Lebens zugekehrte starke Sinn, der in der Reflexion über das Seiende nie das klare Empfinden für das ewig Seinsollende untergehen läßt, bestimmt die im Tiefsten unromantische Art seines geistigen Bildes.

VI.

Ricarda Huch hat in ihrem Buch eine glänzende Seite über Görres. Sie findet, daß er (was freilich auch nur in eingeschränkter Weise gelten darf) „im romantischen Geiste wirkte, romantisch dachte", aber keine „romantische Natur" war. Dieser ganz auf kräftige Aktivität gestellte Willensmensch ist in der Tat eine Natur, die in allem das vollendete Gegenteil eines Friedrich Schlegel war. So hat denn die scheinbare Analogie ihrer Wandlungen nur äußerlich ein ähnliches Aussehen, die dabei wirkenden Kräfte sind völlig ungleichartig. Eichendorff aber ist wiederum ganz anders als alle jene unter sich so ungleichen Brüder. Er hatte es nicht nötig, vom Romantiker mit „katholischem" Einschlag den Weg zu finden zum Katholizismus mit oder ohne „romantischen" Einschlag. Er hatte nicht die Art der Menschen, die sich wandeln: denn er war eine von Haus aus harmonische Natur; und er hatte es nicht nötig, sich zu wandeln: denn er war der *geborene* und *gewachsene* Katholik. Er brauchte nicht umzukehren. Aber es gab für ihn auch keine Spannung zwischen seinem Katholizismus und seiner „Romantik". Gewiß war die „Poesie" und das, was er unter dem „Romantischen" verstand, sein Lebenselement; aber diese Eichendorffsche „romantische Poesie" hatte nichts, aber auch gar nichts von jener Hoffart, die keine andern Götter neben sich duldete. Bei Eichendorff hatte alles die sichere Selbstverständlichkeit der Natur: sein katholisches wie sein poetisches Fühlen; hier wie dort hatte er nichts zu verdrängen oder auch nur zurückzuschieben: alles vereinte sich bei ihm in zwanglos schöner, ruhiger Harmonie.

Eichendorff, als ein in der katholischen Weltanschauung lebender romantischer Poet, gehört in die Geschichte der *poetischen* Romantik, nicht aber in die der Romantik als einer selbständigen geistigen Bewegung. Eben diese aber und die von ihr getragene romantische Weltanschauung bedeutete eine ungesunde *Hypertrophie* des Poetischen, das über die Ufer hinausbrandete; auf diesem Boden konnte höchstens eine „katholische" Mode entstehen, wenn das Christentum gerade (nach dem in seiner echt romantischen Ironie unvergleichlich treffsicheren Wort Dorotheas) „à l'ordre du jour" war. Eichendorffs Romantik ist eine nurpoetische d. h.: sie wuchert nicht mehr uferlos und überwuchert nicht mehr alles, sondern sie wächst allein da, wo sie wirklich Nahrung findet und daher zu blühen und Frucht zu treiben vermag. Damit soll aber nicht gesagt sein, daß Eichendorffs Wesen gewissermaßen in zwei Hälften auseinanderfalle – etwa im Stile von Schülerdispositionen: 1. Eichendorff als Dichter, 2. Eichendorff als Mensch. Natürlich gehörte das Poetische mit zum „Menschen" – wie hätte er wohl sonst ein Dichter sein können! Aber es maßte sich keine falsche Alleinherrschaft an, und so konnte es Kräfte des Lebens wirken, ohne zum Zersetzungsfaktor und zum Sprengmittel zu werden.

Für diese wirklich katholische, also einem objektiv gegebenen Höheren untergeordnete und einem von da aus bedingten festen System der Werte eingeordnete „Romantik" (wenn man das eben überhaupt noch Romantik nennen will) bedeutet die Wiedererweckung der „Phantasie" nicht deren Erhebung auf den Thron eines absolutistisch regierten Reiches, sondern nur ihre Rehabilitierung nach langen Zeiten ungerechtfertigter Zurücksetzung. Das waren jene nachmittelalterlichen Jahrhunderte, in denen der katholische Sinn – wie er etwa in Wolframs „Parzival" lebt (auf den Eichendorff verweist) –, der Sinn für das heilige Geheimnis, das Mysterium, der trostlosen moralisierenden Nüchternheit einer protestantisch-aufklärerischen Kultur zum Opfer gefallen war. Demgegenüber bedurfte es nun wieder der Aufschließung jener in dieser langen Zwischenzeit mehr und mehr verkümmerten irrationalen Geisteskräfte, in denen das eigentliche *Leben* des Geistes wohnt – das in seinem letzten und tiefsten Grunde immer *religiöses* Leben ist. „Phantasie" – ja, aber eine *heilige* Phantasie, und zwar nicht im Sinne einer rein subjektivistischen Frömmigkeit, die in genialischer Selbstüberhebung sich selbst zum Maß aller Dinge machte (mit dem Erfolg, daß alles Maß einem allgemeinen Unmaß erlag), sondern im Sinne einer aller großen Gebärde abholden grundsätzlichen, stillschweigenden und selbstverständlichen Einordnung. Sinn für das Wunder und das Wunderbare – ja, aber nie im Sinne einer Versubjektivierung der objektiven Offenbarung, sondern stets in letzter Demut dastehend vor der *Heiligkeit* des Wunders. Verinnerlichung – ja, aber nicht im Sinne einer Souveränität der „reinen" Innerlichkeit, sondern als Verinnerlichung eines Positiven, als Beseelung des uns Verliehenen. Und das Mittel dazu: die Neubelebung des unmittelbaren Zusammenhanges der irdischen mit der überirdischen, transzendeten Welt, der durch die Verständigmachung und Vermoralisierung der Religion immer mehr aus dem lebendigen Bewußtsein geschwunden war. Dazu soll auch die Poesie helfen. Aber *diese* Verbindung von Religion und Poesie ist das genaue Widerspiel der typisch romantischen. Dort wollte man alles von der (souveränen) Poesie her regenerieren, das Ideal war daher die Poetisierung auch der Religion. Hier ist umgekehrt die Religion (und nicht die Poetisierung) das Höchste und Letzte, und die Poesie – als religiöse Poesie – kennt kein erhabeneres Ziel, als ihr zu dienen. Ist die romantische Religion (die darum auch gar keine Religion ist, sondern nur Religiosität) ein Spiegel bloßer subjektiver („poetischer" und mehr oder minder phantastischer) Gefühle und Empfindungen (oder gar nur Stimmungen), so ist hier die Poesie – oder soll sie sein – ein Spiegel *der* Religion: der objektiven Religion des katholischen Christentums. Das objektiv und *absolut* Gegebene aber kann nur ein Transzendentes sein, und die *feste* Gegebenheit muß ihren Ausdruck finden im (kirchlich sanktionierten) Dogma. Das sind für Eichendorff Selbstverständlichkeiten, während die eingeborene Immanenz romantischer Weltanschauung bei allem ,,Unendlichkeits"gefühl doch nur das ,,Ewigsein in einem Augenblick" kennt und, in ihrem grundsätzlich grenzenlosen ,,Freiheits"bedürfnis, jede objektive Bindung an Dogma und Kirche abweist. Solche ,,Freiheit" – die eine (*immer* ,,strenge") Gläubigkeit nicht gewähren *kann*, weil sie den Menschen, diesen Inbegriff des Relativen, an das schlechthin Absolute schmiedet –, solche romantische ,,Freiheit" kann, außer von der Poesie, nur noch von der Philosophie leben, und erst sekundär kann hier sowohl das Poetische wie das Philosophische eine religiöse Färbung annehmen. In Eichendorffs Weltanschauung dagegen ist die Philosophie durchaus bedeutungslos: Religion und Poesie allein sind die beiden Pole seiner Existenz. Und zwischen ihnen ist jene letzte Harmonie erreicht, die für den in den Nebeln romantischer Weltanschauung Befangenen immer nur Sehnsucht bleibt: – ,,wo das Diesseits und Jenseits wunderbar ineinanderklingen und . . . alle Gegensätze in dem Geheimnis der ewigen Liebe verschwinden" – wie bei Calderon. Denn ,,Dante und Calderon" sind für Eichendorff der ,,Höhepunkt" der ,,durch alle Geschichte der neueren Zeit gehenden, rechten, wahren Romantik"

Also ein zeitloses, oder doch nicht an eine *bestimmte* Zeitepoche gebundenes *Ideal* von ,,Romantik". Nur in diesem Sinne meint er es, wenn ihm die höchste Gattung der Poesie die ,,romantische" ist! ,,Romantische Poesie" ist ihm hier gleichbedeutend mit ,,christlicher" Poesie – im Sinne der katholischen, d. h. der ,,allem Unkirchlichen durchaus fremden Gesinnung, die alles Leben nur an dem mißt, was allein des Lebens wert ist." Ein fester Maßstab ist hier gegeben: ein im Transzendenten verankerter und darum aller Relativität entrückter Wert, der *über* allem bloßen ,,Leben" steht und diesem erst seinen ,,Wert" *verleiht*. Für die romantische Weltanschauung im Sinne der ,,Neueren" aber ist das Leben als solches selbst der höchste Wert. Sie wird daher auch von Eichendorff sehr hart beurteilt und verurteilt. Wohl eignet auch ihr (und das ist der Verbindungspunkt) der Sinn für das Übersinnliche; aber ohne den Glauben an ein Transzendentes mußte sie dem ,,Aberglauben an die Natur", der Naturvergötterung, und – indem der Mensch sich selbst als die Spitze der Natur sah – der Selbstvergötterung verfallen. Und wie konnte es dahin kommen? Diese ,,*neuere* Romantik" ,,war *künstlich* erzeugt": sie war nicht gewachsen aus katholischem Mutterboden. ,,Protestantisch" und ,,außerkirchlich" orientiert, kannte sie nur die Sehnsucht – die in dieser Art eben bloß auf dem Boden des Protestantismus als des verlorenen Katholizismus psychologisch möglich war: dieses ,,fast bewußtlos hervorbrechende Heimweh . . . nach der Kirche". Aber weil die wirkliche katholische Gesinnung ihnen *fehlte*, so blieben sie immer wieder in Ästhetizismus und ,,ironischer Vornehmheit" stecken.

Und (dieser Kritiker hat ein wahrhaft unbestechliches Urteil) auch Friedrich Schlegel hat so seine Aufgabe, die Aufgabe der ,,*echten* Romantik" die in der Vermittlung des Endlichen und des Unendlichen im Sinne der heiligen Symbolik der

Kirche besteht, nicht erfüllt. Dennoch sind diese „Neueren" keineswegs alle in gleicher Verdammnis, vielmehr findet sich auch unter ihnen „*rechte, wahre* Romantik': „Romantik", die nicht Chaos, sondern „Ordnung" bedeutet, weil sie ein wahrhaft *objektives* „Zentrum" besitzt. So sind vor allen andern bei Görres all die kleineren romantischen Gaben – „divinatorische Phantasie", „Tiefe", „Witz", „die unerschöpfliche Fülle von Poesie" – „durch einen unwandelbaren(!) Verstand, gleich den Gestirnen eines Planetensystems, um die ewige Zentralsonne wunderbar gruppiert und geordnet". Hier hat das Ethische den Primat vor dem Ästhetischen. Ein Mann von einer wahren Leidenschaft für die Wahrheit, ein Charakter, schlicht und dabei großartig – so hat Eichendorff selbst ihn geschildert –, feind allem Halben – eine „Propheten"natur –, so „sehen wir Görres auf den Zinnen der Zeit, weckend, warnend, mahnend, züchtigend ... und ... in rastlos wachsendem Fortschritt begriffen". Und dieses Ethische wurzelt in einem (ganz und gar unromantischen – anders ausgedrückt: den spezifischen Romantikern ganz und gar fremden) ungeheuren Ringen, das die „Freiheit" nur bei der *Wahrheit* findet, die wahrhaft objektive Wahrheit aber nur in der von Gott selbst beglaubigten – und daher allein unerschütterlichen – Wahrheit der Kirche. Wie anders Fr. Schlegel, der Athenäumsromantiker! Das „Sentimentale" (d. h. vom „geistigen Gefühl" Bestimmte) „in einer phantastischen Form" – das heißt ihm „romantisch"; und das „Höhere, Unendliche", worauf ihm alles „hieroglyphisch" hindeutet, ist nur die „heilige *Lebensfülle* der bildenden *Natur*". Die höchste, die „romantische" *Poesie* aber ist ihm, wie die Natur, ein ewiges Werden und Nievollendetsein; diese „Universalpoesie" ist ewig nur „progressiv"! Und die „höhere" Vermittlung von Endlichkeit und Unendlichkeit ist hier immer nur als eigene, menschlich-genialische poetische Schöpfung gemeint, die ihren symbolischen Ausdruck finden soll in einer „neuen Mythologie" – diesem äußersten möglichen Gegensatz zum alten Dogma. Sind doch „Mythologie" und „Symbolik" – als Formen einer „sinnbildlichen" Entfaltung der Religion – nach dem romantischen Urteil Aug. Wilh. Schlegels (in der „Europa" von 1803) fruchtbare und darum schätzenswerte „Quellen von *Fiktionen*"; bei diesem Weltmann unter den Romantikern, der alles „Wunderbare" nur poetisch – goutiert, ist die Desillusionierung am weitesten fortgeschritten und die Demaskierung am offensten.

Freilich, auch wenn für den einen „das Wunderbare" nur – „prédilection d'artiste" ist, für den andern dagegen inniges Erleben eines ganz gläubigen und vom Heiligen tief berührten Gemütes, können beide in ihrem Urteil über einen wunder*losen* Geist übereinkommen, aber nur in der Thesis (die hier zudem nur eine kritische ist), nicht in der Motivation, in der sich vielmehr die entscheidenden Gegensätze auftun. Beiden – dem (katholisierenden) Romantiker wie dem (romantisch angehauchten) Katholiken – ist der Protestantismus das Urbild des Unpoetischen und Antipoetischen; aber die Ausgangspunkte des Urteils sind hier wie dort durchaus antithetisch. Das eigentlich romantische Urteil ist von Haus aus und dominierend ästhetisch bestimmt, Eichendorff dagegen urteilt hier wieder primär religiös und erst sekundär auch ästhetisch – indem er die *Folgen* der bestimmten religiösen Einstellung für die Phantasietätigkeit und damit für das Gebiet der Kunst und Poesie empfindet. So bedauert er es tief, daß der Protestantismus so vieles Poetische – d. h. so vieles, was dem heiteren Gebiet sinnlicher Erscheinung angehört und auf die Phantasie wirkt – aus der Religion verbannt hat (wie Marienkult, Heiligenverehrung, Glauben an die Engelshierarchien, Sinn für äußeren Schmuck), daß er die Kirche zur bloßen praktischen Erbauungsanstalt herabdrückte, daß er Moralisten erzog statt Mystiker, daß schließlich durch ihn die Religion sich auflöste in Religionsphilosophie und in „idealistische" Subjektsvergötterung. Aber die Zerstörung der „Poesie" ist ihm bei alledem bloße (wenngleich notwendige) Begleit- und Folgeerscheinung. Der „Protestantismus" – der übrigens für diese aller konfessionalistischen Engigkeit ferne Betrachtungsweise weit älter ist als die Reformation (einschließlich ihrer vulgär so genannten „Vorläufer") – wird von ihm primär als revolutionärer religiöser Subjektivismus, als Hochmut des Willens zur Selbsterlösung gefaßt. Und diese antisubjektivistische Wendung ist nicht einfach die antirationalistische der Romantik, vielmehr sucht Eichendorff in dem Gefühlssubjektivismus – des Pietismus, Klopstocks und des modernen Prosaromans – die zur „neueren Romantik" selbst hinführende Linie zu treffen, eine Line, die ihm schon vorgedeutet scheint im protestantischen Kirchenlied, das bloß die Empfindungen des (von der Gnade Gottes berührten) menschlichen Herzens ausdrückt, während die Objektivität der alten Hymnik die Taten Gottes (Schöpfung, Erlösung, Heiligung) an und für sich feierte. Nichts bezeichnender als die so viel günstigere Beurteilung Lessings im Vergleich mit Klopstock! Lessing – von den Schlegels, typisch romantisch, nur als der große geistige Revolutionär und universale Anreger gefeiert – ist für Eichendorff der große Bahnbrecher ehrlichen und ernsten Kampfes für das Echte und Wahre (wenngleich ein „tragischer" Charakter); „die von Klopstock emanzipierte... Empfindsamkeit" aber ist ihm ein schlechthin auflösendes Element, da das Gefühl an sich ausschweifender ist als der Verstand. Der Pietismus und die pietistische Poesie (auf der Linie Klopstock – Novalis), diese Revolution des Gefühls gegen den Verstand, setzte das Positive, die göttliche Offenbarung, aus dem Objektiven der ewigen Wahrheit der Kirche in das Subjektive des menschlichen Herzens: jeder sollte seine eigene Offenbarung, gleichsam sich selber Kirche sein; daher die Überschwenglichkeiten einer falschen Sentimentalität. – Aber ebenso klar und bestimmt wie der protestantisch-pietistische Gefühlssubjektivismus wird auch die *andere* Tendenz der „neueren Romantik" abgelehnt, der spinozistisch-schleiermacherische Naturpantheismus.

Man sieht: die „neuere Romantik", als historische Erscheinung, wird von Eichendorff scharf genug hergenommen. Und der alte Vischer[13] behält schon Recht, wenn er meint, Eichendorff lobe „eigentlich nicht die Romantiker, sondern das, was sie gewesen wären, wenn sie gewesen wären, was sie seiner Ansicht nach hätten sein sollen"!

Und wie steht es um Eichendorffs *eigene* „Romantik"?

Auch in ihm lebt und webt der lebendige Sinn für das „Geheimnisvolle". Der scheidet ihn auch von jenen Nationalisten unter seinen *Glaubensgenossen*, denen, unbeschadet aller dogmatischen Rechtgläubigkeit, der eigentliche tiefe Sinn für das Mysterium abgeht und damit das Gefühl dafür, daß die großen Geheimnisse des Göttlichen – wenngleich ein objektiv Gegebenes, weil im Transzendenten Verankertes – bei aller Absolutheit ihres Seins doch für uns immer nur in einer im Unendlichen liegenden Annäherung ergreifbar sind. Hier möchte Eichendorff auch der Poesie eine religiöse Aufgabe zugewiesen wissen: sie soll der künstlerische Ausdruck jener Verbindung des Unendlichen mit dem Endlichen sein, die als ein ganz starkes unmittelbares Gefühl in ihm lebt. Da man aber das Unendliche nur sehnend ahnen kann, so muß auch das Wesen dieser romantischen Poesie darin bestehen, daß sie eine Poesie der Sehnsucht und der Ahnung ist,[14], und da mit dem Streben nach einem *unendlichen* Ziel von selbst die Unmöglichkeit seiner vollen Erreichung gegeben ist, so muß das Schicksal ewiger Unvollendung allerdings in Kauf genommen werden. Darin wird der christlich-romantischen freilich die antik-klassische Poesie notwendig überlegen sein; aber sie erringt sich dies Gut der vollendeten Harmonie nur um den Preis einer Beschränkung aufs Endliche, und das heißt: um den Preis eines Verzichtes auf letzten Reichtum und letzte Weite. Diejenige Kraft des menschlichen Geistes, die ihn über alle Beschränkung und Endlichkeit siegreich hinausträgt, ist die Phantasie. Wo keine befruchtende Phantasie die kalte Verständigkeit erwärmt und beschwingt, da herrscht nur die graue, trostlose Nüchternheit: das „Philistertum". Und ihm gilt der fröhlich-jugendliche Kampf, der nun doch auch wieder ein „romantisches" Programm ist: der Kampf der Eichendorff und Arnim, der Brentano und Görres, der Männer der „Einsiedlerzeitung".

„Romantik" – ja, aber nicht mehr im Sinne der Bewegung um der Bewegung willen, sondern im Sinne einer Bewegung um der Erneuerung willen: Auch die Kräfte der Phantasie, einst souverän, willkürlich, rein subjektivistisch sich gebend, sind jetzt in den Dienst einer überindividuellen großen Sache getreten. Das ist Geist der Erhebungszeit. An der Stelle des Subjektivismus steht jetzt – wir zitieren Eichendorff – „die hohe Würde alles Gemeinsamen, Volksmäßigen". Die objektiven Mächte, über die man sich eben noch mit usurpierter schrankenloser Souveränität hinweggesetzt hatte – von der Religion bis zum Volkstum –, setzen sich wieder durch, und die Phantasie sieht nun ihr Recht und ihre Ehre darin, diese objektiven Mächte zu durchdringen, um sie zu verlebendigen und das Gefühl für sie wieder zu erwecken, das in Stumpfheit und Gleichgültigkeit verloren gegangen war.

Jede Zeit hat *ihre* „Phantasten" – und als „überspannte Phantasten" galten ihrer

Zeit, nach Görres Wort, auch die Heidelberger Romantiker: weil ihre Wege – die ihnen als die geradesten erschienen[15] – den „Philistern" nur wie zwecklose Umwege vorkamen. In Wahrheit aber war gerade die reine Zwecklosigkeit einer ästhetischen Periode hier durchaus überwunden; die Phantasietätigkeit war bewußt in den Dienst größerer Aufgaben gestellt: nationaler Ziele – mehr: sittlicher Ideale – zuhöchst: religiöser Ideen. Gewiß: „*untergeordneten, beschränkten* Zwecken" sollte die Poesie auch jetzt nicht dienen,[16] aber jene Zwecke waren eben die denkbar höchsten; in der ästhetisierenden Zweckbefreitheit des reinen Spiels sollte sie sich jedenfalls nicht ergehen. Sondern aufrütteln zu nationalem, sittlichem, religiösem Handeln.

Indem man „romantisch" fühlte, fühlte man jetzt deutsch – weil der „romantische" Geist vorzüglich in Deutschland Aufnahme und und Vertiefung gefunden habe. Aber wenn das einerseits einen Gegensatz gegen das klassische Ideal der Antike bildete, so bedeutete es darum doch keineswegs eine nationale und nationalistische Verengung. Nicht nordisch-heidnisch, sondern „*christlich*-germanisch" dachte und fühlte man – in jenem weiten Sinne, wie ihn ein ideales deutsches *Mittelalter* ausgebildet und besessen hatte. Und ebenso frei und weit, fern aller konfessionellen Verengung, war – bei aller unbedingten Richtung auf das „Positive" – das *religiöse und kirchliche* Denken und Fühlen dieses Romantikerkreises. „Von Konfession war da überall keine Rede", hat Creuzer (in seinen Erinnerungen) gegen den von dem alten Voß erhobenen Vorwurf katholischer „Proselytenmacherei" betont; und Görres sagt über seinen protestantischen Freund Arnim: „Er schien seiner Sache gewiß, und ich hatte nicht zu rechten noch zu richten über seine Überzeugung, wie er auch über die meine nicht gerechtet noch gerichtet hat." Dazu nehme man, was Eichendorff (1854) in seiner „Geschichte des Dramas" schrieb: „Wir wollen auf der Bühne kein Dogma, keine Moraltheorie ... Wir verlangen nichts als eine christliche Atmosphäre, die wir unbewußt atmen, und die in ihrer Reinheit die verborgene höhere Bedeutsamkeit der irdischen Dinge von selbst hindurchscheinen läßt." Und wie Eichendorff, alles in „höhere Bedeutsamkeit" erhebend, von einem verdammenswerten „Protestantismus" noch mitten in den *katholischen* Zeiten – lange Jahrhunderte vor der Reformation- spricht, so kennt er auch eine rühmenswerte „Katholizität" bei *Protestanten* – wie er etwa bei seinem Freund Arnim, also einem derer, die ausgesprochenermaßen nicht katholisierten, „die merkwürdige Erscheinung" feststellt, daß seine Dichtungen, obleich er Protestant war und blieb, dennoch wesentlich katholischer sind als die der meisten seiner katholisierenden Zeit- und Kunstgenossen" ... „Katholischer aber als die der andern nannten wir seine Poesie, weil sie mit der Kirche durchaus auf demselben christlichen Boden steht, weil sie von unedlem Leichtsinn sowie von dem modern-philosophischen Vornehmtun gegen Gott nichts weiß und daher den Katholizismus weder willkürlich umdeutet noch phantastisch überschmückt."[17]

VII.

Das ist echt „katholische" Weitherzigkeit – „katholisch" im wörtlichsten und höchsten Sinne des Wortes –, aber es ist keineswegs Romantik. Denn diese Weitherzigkeit ist durchaus die eines Menschen, der einen ganz festen Standpunkt hat, aber um diesen Standpunkt herum nicht einen engen Zirkel, sondern einen weltweiten Kreis zieht. Romantik aber ist immer Standpunkt*losigkeit*. So war in der Romantik gewiß viel *Sehnsucht* nach Religion – aber eben die zeigt gerade das Nichthaben der Religion an. Immerhin: schon diese Sehnsucht war ein Fortschritt gegenüber dem Stadium der selbstzufriedenen Aufklärung und ihrer religiösen Sterilität. Solche Sehnsucht ist immerhin das Zeichen einer neuen *Lebendigkeit* – wenn sie auch zunächst noch ganz vom Ästhetischen überrankt wurde. Alle Aufklärung aber ist unlebendig – darum hat ihr gegenüber die Romantik Recht –, nicht als Ziel, aber als Weg: als Lockerung der verhärteten Erdkruste und Wiederbereitung des Bodens für eine höhere Art von Geistigkeit. Sie bedeutet Erlösung aus der Starrheit zur Lebendigkeit. Aber indem sie die Lebendigkeit zum Selbstzweck erhebt, bleibt sie auf dem Wege, den zu gehen ihre Bestimmung wäre, stecken; vielmehr, sie verliert sich in einem Irrweg, einer Sackgasse. Hier gibt es kein Weiter, sondern nur ein entschlossenes und entschiedenes Zurück, um zuerst wieder auf den *rechten* Weg zu gelangen und dann auf *diesem* mutig vorwärtszuschreiten. Dabei aber zeigt es sich dann, daß jener Abweg doch nicht umsonst gewesen war; denn Lebendigkeit und Aufgeschlossenheit ist immer Gewinn. Gewiß haben jene neuesten Chorführer recht, welche nicht müde werden zu betonen, daß der Katholizismus Klassik sei. Aber es gibt auch eine starre und tote Klassik; und es gibt auch einen starren und innerlich toten Katholizismus. Da dient denn ein Teilchen Romantik nur zum Guten. Freilich: Romantik hat an sich mit Katholizismus nichts zu tun – mehr: Romantik im Übermaß genossen, ist Gift. Aber Romantik in kleinen Dosen ist ein sehr heilsames Anregungsmittel. Und es gibt Momente, in denen der Körper solche Anregungsmittel nötig hat.

Das Verdienst der Romantik ist das Verdienst *jeder* subjektivistischen Bewegung: sie sieht Erstarrungen, aus denen sie heraustrachtet. Insoweit ist ihr Recht unbestreitbar. Aber indem sie nun ihren *eigenen* Weg gehen will, zeigt es sich, daß ihr ein rechter Richtpunkt fehlt, nach dem sie sich zu orientieren vermöchte. Und so muß sie notwendig in die Irre gehen. Aber *etwas* von dem, was ihr – mehr oder weniger klar – vorschwebt, beruht doch auf einem gewissen instinktiv richtigen Gefühl: das erweist sich immer dann, wenn das Objektive starr und kalt zu werden droht. Allerdings kann der Subjektivismus stets nur die Aufgabe erfüllen, von den Ufern des geistigen Todes *hinweg*zusteuern; sein eigener Gehalt kann nie ausreichen, um durch ihn mehr als eben bloße Lebendigkeit zu wirken; zu einem positiven Aufbau ist er, als Subjektivismus, nie vermögend: dazu bedarf es stets des Felsengrundes des Objektiven. Aber als lebenverbürgender *Einschlag* hat er eine dauernde Mission: als romantischer Einschlag in einer Klassik, die eben dadurch ihrer Lebendigkeit versichert ist.

Wir haben an einer früheren Stelle dieser Ausführungen gewichtige Vorbehalte angemeldet gegen eine undifferenzierte, schlagwortartige Parallelisierung von Reformation und Romantik. Hier nun wird deutlich geworden sein, daß einiges in der Tat für beide Bewegungen gelten darf – doch nur in einem genügend differenzierten Sinne. Aufgeschlossenheit, die der Verknöcherungsgefahr zu Leibe geht, Weite des geistigen Horizonts, welche weiß, daß Festigkeit nicht Engigkeit zu sein braucht, das sind die Vorzüge, die der Subjektivismus – so groß auch sein Debetsaldo sein mag – auf seiner Habenseite buchen darf. Er ist der ungeheure Zerstörer, wo er die Katholizität selbst angreift; aber er ist ein Bringer des Segens, wo er einen verengten Katholizismus umschafft in einen Katholizismus der Aufgeschlossenheit.

So ist die ,,Romantik" gut und förderlich, wo sie der Erhaltung von Lebendigkeit und Wärme dient. Ja, sogar die romantische *Ironie*, wo sie *Einschlag* bleibt, ist nur vom Segen, indem sie das Bewußtsein von der Relativität alles Irdischen immer wach erhält – gegenüber der stets irgendwo lauernden Gefahr, Bedingtheiten zu verabsolutieren, Menschlichkeiten zu vergötzen. Das ,,Gesetz der Form" allein tut es nicht; das Ende könnte eines Tages sein, daß man eine Schale ohne lebensvollen Inhalt in der Hand hielte. Die form*zersprengende* Romantik bezeichnet den *andern* Pol. Das ,,höhere Dritte *über* den Polen" aber (um in romantischer Sprache zu einem sehr unromantischen Ende zu kommen) ist ebenso weit entfernt von der Formzersprengung wie von der Selbstgenügsamkeit des Formgedankens: es ist das Objektive in der ihm wesensnotwendigen Form, die ihrerseits Gefäß eines von allen Strömen des Lebens gespeisten Inhalts ist.

---

[1] Jahrgang 1924, Nr. 52, S. 854 f.

[2] Die *kunsthistorische* Parallele stellt etwa der Vortrag des Bonner Professors *Neuß* über ,Die Bedeutung der Nazarener im 19. Jahrhundert' auf der letztjährigen Generalversammlung der Görres-Gesellschaft in Heidelberg dar, der (nach Zeitungsberichten) die Nazarener ausdrücklich auch in ,Gegensatz' zu den ,Romantikern' und deren typischen Vertreter Runge setzte. Dem reinen ,Subjektivismus' ,weicher Stimmung' wird hier das Suchen nach ,dem Objektiven' in der Kunst wie im Leben gegenübergestellt – das Suchen nach ,Wahrhaftigkeit' und ,allgemeinen großen Überzeugungen' und deren künstlerischem Äquivalent, der ,Monumentalität'. ,Strengste Zucht', so will diese Auffassung, prägt bei den Nazarenern ,große Ideen in klarer und bestimmter Form' aus.

[3] Dr. Werner Thormann in einem (in der ,Augsburger Postzeitung' und in der ,Rhein-Mainischen Volkszeitung' erschienenen) Feuilleton über ,Katholizität und Romantik', einer Besprechung meines in der ,Deutschen Vierteljahrsschrift für Literaturwissenschaft und Geistesgeschichte' (II 3, S. 367–417) veröffentlichten Aufsatzes über ,Das Wesen der romantischen Religiosität'. Der verehrte Rezensent mag in dem vorliegenden ,Hochland'-

Artikel den Versuch sehen, seiner Anregung ,einer gewissen Nüancierung der Untersu-chungsmethode' zu entsprechen. – Verwiesen sei auf die neue Auflage von Thormanns ,Prophetischer Romantik' (Matthias Grünewald Verlag). Die Red.

[4] Eichendorff, ,Über die ethische und religiöse Bedeutung der neueren romantischen Poesie in Deutschland' (Leipzig 1847), S 35.

[5] Vgl. ,Die Geisteswissenschaften', 1914, Heft 33, S. 907 ff.: ,Die neueste Forschung zur deutschen Romantik'.

[6] Geist der Zeit, 1808 (6. Aufl., Altona 1877, S. 33).

[7] Das Letzte dieser rein ästhetischen ,Moral' – richtiger: dieser Negation der Moral durch die Ästhetik – sagt wohl Brentanos Wort (im ,Godwi'): ,Man soll eine Schuld nicht gut, sondern schön machen wollen.'

[8] Das romantische Lebensgefühl ist geistig revolutionär. Der *konservative* Antiprotestan-tismus, der, aus *gegenrevolutionärem* Denken entspringend, Reformation und Revolution in innere Beziehung setzt, ist nicht mehr romantisch, sondern gehört der Geistigkeit der Restauration an.

[9] Das verkennt z. B. auch Kamradt, Zeitschrift für Theol. und Kirche, 1915, S. 198.

[10] Hauptströmungen der Literatur des 19. Jahrhunderts I (deutsche Ausgabe, Berlin 1872, S. 275).

[11] Thormann, welcher (a. a. O.) meint, meine Romantikauffassung habe für Görres keinen Raum (und in meinem Aufsatz werde er darum ,nicht genannt'), hat wohl die Bemerkun-gen auf S. 409 f. – über die Romantik des jungen Görres – übersehen.

[12] Thormanns Interpretation meiner früheren Darlegungen, als hätte ich den ,ganzen Bereich der Gegensatzlehre vor die Tore verwiesen', dürfte gegenüber dem, was ich dort a. a. O. S. 408 f. ausführte, doch nicht zu halten sein; vielmehr habe ich da (an dem Beispiel des älte-ren, im Vergleich mit dem jungen, Adam Müller) gerade zu zeigen versucht, daß es auch eine *katholische* Gegensatzlehre gibt, die aber eben eine wesenhaft *andere* ist als die genuin romantische.

[13] In der Besprechung des Eichendorffschen Buches ,Über die ethische und religiöse Bedeu-tung der neueren romantischen Poesie' im ,Jahrbuch der Gegenwart', 1848, Nr. 3.

[14] Ganz wie A. W. Schlegel es definiert: ,Die Poesie der Alten war die des Besitzes, die uns-rige ist die der Sehnsucht; jene steht fest auf dem Boden der Gegenwart, diese wiegt sich zwischen Erinnerung und Ahnung.' (Wobei freilich zur richtigen Einschätzung dieser An-tithese zwischen romantischer Moderne und klassischem Altertum der Platonismus der Romantiker in Rechung zu ziehen ist.)

[15] Nach Görres (über Arnim: in Wolfgang Menzels ,Literaturblatt', 1831, S. 107) erschien eben die Wiedererweckung der großen nationalen Vergangenheit (mit ihrem heldischen Gehalt) ,mit Recht ... am tauglichsten, um die erstarrte Gegenwart wieder einigermaßen zu erwärmen und zu beleben'; ,die Volkspoesie' sollte dazu dienen, ,um das Volk wieder zu sich selbst zu bringen'.

[16] A. W. Schlegel an Fouqué, 12. 3. 1806.

[17] Über die ethische und religiöse Bedeutung der neueren romantischen Poesie (1847), S. 100 f.

Aus: Hochland 23. Jahrgang, Dezember 1925. 3, S. 315 – 337

2. Euthanasie des Rokoko. Entdeckung der Erde und des Muttertums

Von Alfred Baeumler

> *„Man muß sich in die Gefahrenzone der faschistischen Theorie begeben, um sie für den Faschismus unbrauchbar zu machen."*
>
> J. Taubes

Über der Geschichte des Begriffs „Romantik" hat ein eigener Unstern gewaltet. Die unmögliche Vorstellung einer einheitlichen „romantischen Bewegung" ist nur aus einer einseitigen, literargeschichtlichen Einstellung zu erklären, die nur Biographien und Werke, nicht Epochen kennt. Der geistesgeschichtliche Tatbestand weiß nichts von einer Blütezeit und einem Verfall der Romantik. Hayms Begriff der romantischen Schule ist ein rein literargeschichtlicher. Es lag Haym daran, einen Abschnitt des 18. Jahrhunderts darzustellen, der zu seiner Zeit verschüttet war. Denn die Männer, die er schildert, gehören für ihn ganz ins 18. Jahrhundert. Er findet in der romantischen Schule keinen Fortschritt zu neuen Idealen: „die vorhandenen idealen Motive zusammenzugreifen und sie mannigfaltig zu mischen", den entdeckten Ideen zur Herrschaft zu verhelfen – es ist, nach Haym, die Arbeit der romantischen Schule gewesen. Ihr „idealistischer Universalismus und Enzyklopädismus" liegt ihm offen zutage. (R. Haym, Die romantische Schule. 4. Aufl. S. 13.) Diesen literargeschichtlichen Begriff der Romantik hat Haym überhaupt erst geschaffen. Vor ihm war ausschließlich derjenige Begriff des Romantischen in Gebrauch, den die rationalistischen Gegener der Heidelberger geprägt hatten: gleichbedeutend mit „mystisch" und „katholisch". (F. Schultz, „Romantik" und „romantisch". Deutsche Vierteljahrschrift. II. S. 358 f.) Als Hauptvertreter dieser „Romantik" sind später Friedrich Schlegel und Adam Heinrich Müller erschienen. So ergibt sich die paradoxe Tatsache, daß die eigentlichen Romantiker, die wahrhaften Neuerer, bis auf den heutigen Tag im Schatten der Jenenser Romantiker und der beiden berühmten „politischen Romantiker" Schlegel und Müller geblieben sind. Der Grund dafür ist wohl darin zu suchen, daß die Geistesgeschichte bisher noch zu wenig gewohnt war, auch wissenschaftliche Leistungen auf ihre geistige Einstellung hin zu bewerten. Die religiöse Romantik hat ihre Hauptleistung auf wissenschaftlichem Gebiete: sie ist die Schöpferin der germanischen Philologie, die Erneuerin der Altertumswissenschaft und die Gründerin der Rankeschen Historiographie. Diese Taten sind für die deutsche Geistesgeschichte von größter Wichtigkeit – trotzdem spielen in der heute so genannten „Geschichte des deutschen Geistes" die beiden Schlegel eine viel größere Rolle als Görres und Grimm, K. O. Müller und Ranke. Die vorliegende Darstellung vermag vielleicht etwas dazu beizutragen, diesem seltsamen Zustand ein Ende zu bereiten. Das Unheil ist dadurch vermehrt worden, daß um 1900 der gute literargeschichtliche Begriff Hayms durch einen schlechten geistesgeschichtlichen Begriff der Romantik ersetzt wurde. Haym lag es noch völlig fern, an eine „romantische Weltanschauung" zu glauben. Jetzt wurde sie, da man sie in den Quellen nicht fand, konstruiert, indem man den zum 18. Jahrhundert gehörigen „Irrationalismus" von ihm loslöste und der Romantik allein zuschrieb. Durch diese Konstruktion wurde die religiöse Romantik völlig zugedeckt; es gehört freilich auch zu ihren Eigenschaften, daß ihr die propagandistische, nach außen gehende Wirkung fehlt. Sie hat etwas vom Leben in sich, das sich still und ohne Lärm entfaltet, ganz an das Gebilde hingegeben, in dem es haust und wohnt. Durch die Trennung einer „Frühromantik" von einer „Spätromantik" war der Fehler in der geistesgeschichtlichen Periodisierung nicht mehr gutzumachen; diese Scheidung brachte ihn vielmehr erst recht ans Licht. Hayms Erkenntnis, daß die Romantik von Jena zum 18. Jahrhundert gehöre, hätte nie preisgegeben werden dürfen. Nur auf Grund dieser Erkenntnis ist die geistesgeschichtliche Scheidung zwischen der Romantik von Jena und der Romantik von Heidelberg, das heißt aber: zwischen dem 18. und dem 19. Jahrhundert möglich.

Es wird einem von Theorien unbeeinflußten Betrachter der Romantik von Jena auf den ersten Blick deutlich: hier beginnt nicht etwas, hier endet etwas. Hier stirbt das philosophischste und ästhetischste aller Jahrhunderte, wie es sich geziemt: in Schönheit und mit einem geistreichen Witz auf den Lippen. Der „Irrationalismus" dieses Jahrhunderts bläst mit dem letzten verlöschenden Atem in die Begriffswelt des Rationalismus: funkengleich stieben die Worte empor, ein herrliches Schauspiel; dann aber sinkt der Funkenregen zur Erde, und die graue Nacht kommt. Die Jenaer Romantik ist die Euthanasie des Rokoko. Der Jüngling mit der lieblichen Röte auf den Wangen ist ihre symbolische Gestalt: ganz sentiment und zugleich ganz raison, ganz sinnlich und zugleich übersinnlich, ganz Gefühl und zugleich ganz Philosophie ist Novalis die wahre Verkörperung seines Jahrhunderts im Zustande der Auflösung. Auflösung ist die geistige Signatur der Romantik (daher auch die „Auflösung aller Formen"). Daß die Romantik von Jena ein Ende ist, ersieht man am besten aus dem symbolischen Lebenslauf Friedrich Schlegels. Seine Konversion ist nicht die Erfüllung der Romantik, sondern ein Ausdruck der Ratlosigkeit: der geistige Führer einer „Bewegung", die nur scheinbar eine war, sucht, von der Zeit auf den Sand gesetzt, Halt auf dem uralten Fels der Kirche. Von dem, was nach 1800 in Deutschland wirklich vorging, hatte weder Friedrich Schlegel noch sein Bruder eine Vorstellung.

Wohl noch nie hat sich eine Generation einem so gewaltigen *Erbe* von Ideen gegenübergesehen wie die, welche in den neunziger Jahren des 18. Jahrhunderts heraustrat. Man kommt bei dem Glanz der Aphorismen leicht in Versuchung zu übersehen, daß der Reichtum dieser Generation nicht original ist. Der Ideengehalt der „Frühromantik" fließt aus der Philosophie des 18. Jahrhunderts; diese primitive Tatsache ist wichtiger, als man bisher annahm. Winckelmann und Goethe, Kant und Fichte, Herder und Hemsterhuys sind die Quellen. Frühromantische Philosophie ist individualistisch – selbst da noch, wo sie sich zur Auflösung und zum Tode wendet. Das aufklärerische Element in A.W. Schlegel und Tieck ist nicht zu übersehen. Es kommt alles auf die Einstellung an, mit der man an das deutsche Altertum herangeht. Tieck hat wohl auf die Heidelberger Romantik eingewirkt. Zwischen seiner *ästhetischen* Auffassung der Minnesänger aber und der historisch-mythischen der Brüder Grimm ist nicht die geringste Verwandtschaft. Tieck gibt seine altdeutschen Minnelieder mit der Begründung heraus: es sei ein Zeitalter da, wo man „alle Gattungen" der Poesie zu erkennen und zu lieben verstehe, und daher sei es wohl auch angebracht, an die ältere deutsche Poesie zu erinnern. (Vorrede zu den altdeutschen Minneliedern. 1803. Krit. Schriften. I. Bd. S. 189 f.) Von dem wahren und tiefen Pathos der Heidelberger Romantik gegenüber der deutschen Vergangenheit ist Tieck gänzlich unberührt. – Dagegen war in *Wackenroder* schon etwas von dem Geiste der Brüder Grimm lebendig. Der Genuß der edleren Kunstwerke ist ihm *Gebet* (Wackenroders Werke und Briefe. 1910. I S. 80). Eine Versündigung nennt der kunstliebende Klosterbruder „all das profane Geschwätz über die Begeisterung des Künstlers"; auf den unmittelbaren göttlichen Beistand kommt es an (ebenda I S. 9). Wie Ranke gelangt Wackenroder durch eine Beziehung aller Gestalten auf Gott zu einer völlig irrationalen Verehrung der historischen Individuen. Dem großen Schöpfer ist „der gotische Tempel so wohlgefällig als der Tempel der Griechen" (I S. 47). Wackenroder hat das stärkste Gefühl für das Einmalige (Bericht über Pfingstreise mit Tieck. II S. 208 f.) und er ist ein Feind der Vernunft: „wer sein System glaubt, hat die allgemeine Liebe aus seinem Herzen verdrängt! Erträglicher noch ist Intoleranz des Gefühls als Intoleranz des Verstandes; Aberglaube besser als Systemglaube." (I S. 50.) Tiefromantisch sind die schönen Worte über das Gefühl. (I S. 186.) Auf religiösem Untergrunde ist Wackenroders starke Empfindung für den Zauber der deutschen Vergangenheit, für die „vaterländische Kunst" Nürnbergs gewachsen.

Es gibt in den Jugendschriften F. Schlegels keinen Gedanken, der in das 18.

Jahrhundert nicht paßt. (Vgl. die sorgfältige Untersuchung der Bildungsgeschichte Friedrich Schlegels von Carl Enders.) Schon die Sprache gibt untrüglich zu erkennen, daß hier alles Ernte ist; die Ausdrucksweise Schlegels spiegelt in ihrer vollendeten Sicherheit und Anmut einen völlig unproblematischen Seelenzustand. Der Charakter des Schreibenden mag problematisch sein – aber was er sagt, kommt rund, schön, vollkommen heraus. Das Gegenbild ist Görres: sein scheinbar chaotischer Stil führt wohl noch Elemente des 18. Jahrhunderts mit sich fort, aber der Strom kommt aus einer Quelle, die auf der geistigen Landkarte dieses Jahrhunderts nicht mehr zu finden ist.

Die literarische Romantik von Jena ist eine „Synthese": eine Verbindung der im 18. Jahrhundert enthaltenen Gegensätze. Es ist eine wesentliche Einsicht, zu erkennen, daß die Periode des Sturms und Drangs nicht ein Vorläufer der Romantik ist. Die Romantik von Jena wächst nach historischer Logik aus dem 18. Jahrhundert heraus, das ebenso „sentimental" als „rational" gewesen ist. Die Menschen des Sturms und Drangs dagegen waren weder sentimental noch rational: sie waren *natürlich*. Der Sturm und Drang bezeichnet den Durchbruch eines Lebensgefühls, das dem 18. Jahrhundert fremd ist. Er ist ein Ereignis ohne Folgen – ein erratischer Block inmitten eines Rokokogartens. Dem geistesgeschichtlichen Tatbestand widerspricht die Entgegensetzung der „Klassik" und einer erdachten „Romantik" ebenso wie die Konstruktion einer einheitlichen Periode der deutschen Geistesgeschichte, die vom Sturm und Drang bis zur Romantik reicht. Die wirkliche geistesgeschichtliche Trennungslinie läuft zwischen dem 18. und dem 19. Jahrhundert. Das 18. Jahrhundert kann dabei als definiert vorausgesetzt werden (zum Irrationalismus des 18. Jahrhunderts vgl. mein Buch über Kants Kritik der Urteilskraft). Das 19. Jahrhundert dagegen ist noch ein großes X. Im Sturm und Drang zuckt etwas von dem Temperament und dem Realismus dieses Jahrhunderts auf. Sein wahrer Vorbote jedoch ist die Romantik – nicht die literarische freilich von Jena, sondern die religiöse von Heidelberg. Die Luft wechselt spürbar, wenn wir von jener in diese kommen. Es ist eine ernste, fast düstere Welt, in die wir treten. Der Witz, das leichte Spiel, das kühne Versprechen haben Abschied genommen. Die Worte sprühen und leuchten nicht mehr; schwer fließen die Perioden dahin. Eine neue Seele redet, eine erdgebundene, ringende, eine, die der Wirklichkeit verhaftet ist, die erkannt hat, daß im Leben die Arbeit und der Tod mitgesetzt sind. Es ist, als ob die schützende Hülle der humanistischen Begriffskultur mit einemmal zerrissen wäre und der Mensch unmittelbar mit der Mutter Erde in Berührung gekommen sei. Die Kräfte strömen wieder aus dunkler Tiefe, der Mensch fühlt sich wieder dem Geheimnis des Lebens verbunden; an Stelle des Klanges wohlgeformter Perioden vernimmt das Ohr jetzt das Rauschen des Blutes. Was für bescheidene Schriftsteller sind nicht die Grimms neben dem glänzenden Essayisten F. Schlegel! Mit dem Gefühl der Ehrfurch im Herzen – und Ehrfurcht ist der herrschende Affekt der echten Romantiker – stilisiert man nicht. Es liegt alles in dem Tone, in dem Jakob Grimm von der Poesie spricht („sie kommt aus Gott", Steig. III, 234 f.) und in dem F. Schlegel die romantische Poesie als „progressive Universalpoesie" definiert.

Der Unterschied zwischen der sogenannten „Frühromantik" und der „Spätromantik" muß an der Stelle am deutlichsten werden, wo nach der bisherigen Meinung ein wichtiger geistesgeschichtlicher Zusammenhang besteht. Es ist noch wenig beachtet worden, obwohl es bekannt ist: daß dieses Zusammenhangsmoment in der Naturphilosophie liegt. Was wir zu zeigen haben, ist, daß zwischen frühromantischer und spätromantischer Naturphilosophie wohl ein literarischer, aber kein innerer Zusammenhang besteht: der Begriff der Natur ist bei Görres und denen, die ihm nahestehen, ein anderer als bei Schelling. Schon W. Scherer hat gesehen, daß die Naturphilosophie bei der Schöpfung der altdeutschen Philologie zu Gevatter gestanden habe. Aber es war die „Naturphilosophie" von Görres, nicht die von Schelling.

Schellings Naturphilosophie ist eine Tochter des philosophischen Idealismus. Damit ist ihr geistesgeschichtlicher Ort zur Genüge bestimmt. Die Naturphilosophie wird als Gegenstück zur Philosophie des Ich entworfen: der Naturphilosoph behandelt die Natur wie der Transzendentalphilosoph das Ich behandelt. (Schelling, S. W. I. Abt. III, 12.) Nicht aus einer neuen, originalen Anschauung der Natur, sondern aus dem Geist der „Wissenschaftslehre" wird die Naturphilosophie geboren; sie ist keine Philosophie der Natur in dem Sinne, daß nun plötzlich alle Dinge unter dem Wertgesichtspunkte der Natur betrachtet würden, sondern eine Philosophie über die Natur. Die „Natur" selber aber ist das, was das 18. Jahrhundert so nannte. Sie ist nicht jenes „ewig verschlingende, ewig wiederkäuende Ungeheuer", als das sie der junge Goethe einmal sah (Werther, I. Buch. Am 18. August), sondern sie ist die natura naturans, die analog dem Ich „produziert", ja manchmal nur eine „erstarrte Intelligenz". Die ganze Vorstellungsweise ist von Fichte; der Zusatz „unbewußt" macht Schellings Begriff der Naturproduktion noch nicht zu einem originalen. Die leichte Eroberung ungeheurer Geistesgebiete, die dem jungen Schelling gelang, beruht darauf, daß er nur scheinbar neues Land erwarb – es waren gut vorbereitete Siege innerhalb des Reichs der Ideen; die wirklichen Eroberer, Görres, Jakob Grimm, Ranke, Bachofen schritten langsamer vorwärts. Aber sie stießen dafür die Pflugschar in wirklichen, neuen Boden.

Im Zentrum der Naturphilosophie Schellings steht der Begriff des *Organismus*. Die kritische Lehre von der organischen Individualität, niedergelegt in Kants Kritik der Urteilskraft, ist die Voraussetzung seiner Naturphilosophie. Der Philosophie des Organischen entspricht ein ganz bestimmter, man möchte sagen Leibnizischer Lebensbegriff: ein freudiger, aktiver Geist. Es ist ein verwandelter Fichtescher Geist. Die Natur ist lautere Produktivität, ruhelose Tätigkeit. Die „rastlose

Natur", sagt Schelling einmal. Fichtes „Ich" kennt keine Leiden; Schellings „Natur" kennt keinen Tod. Beiden Vorstellungen, dem Fichteschen „Ich" wie der Schellingschen „Natur", liegt das Gefühl einer durchaus *männlichen* Produktivität zugrunde. In Schellings „Natur" ist nichts Weibliches, Gebärendes, nichts von Wachstum, Blut und Tod: es ist eine rationale, eine wohlgeordnete Natur, die hier erscheint, ein als Natur verkleidetes *Ich*. Wohl hat Schelling, wie überall, auch hier an das Neue getastet. Er hat manchmal das Gefühl gehabt, den Idealismus zu sprengen. Einmal versteigt er sich zu dem Gedanken, die Naturphilosophie gebe eine „physikalische Erklärung" des Idealismus; durch die Naturphilosophie werde der Idealismus zum „Schein", etwas Erklärbares, und somit falle die theoretische Realität des Idealismus zusammen. Wie ein Klang aus einer andern Welt tönt es uns entgegen, wenn wir lesen: „Alles Philosophieren besteht in einem Erinnern des Zustandes, in welchem wir eins waren mit der Natur." (S. W. I. Abt. IV, 77.) Nichts ist Fichtes Idealismus ferner als dieser Gedanke der Erinnerung und der *Vergangenheit*. Aber auch Schellings Naturphilosophie ist nicht darauf aufgebaut.

Das Wesen der Romantik von Jena muß mit Beziehung auf die Kategorie der *Möglichkeit* definiert werden. In der Welt der Romantik ist alles „möglich". (Vgl. über den „Schauer der unberührten Möglichkeiten" das Buch von Carl Schmitt. 2. Aufl. S. 99.) Dieses universale „Möglichkeitsbewußtsein" ist die romantische Abwandlung des Fichteschen Aktivitätsgefühls. Die Kategorie der Möglichkeit geht aus der Vorstellung der Zeit, genauer: der *Zukunft* hervor. An ihrer Aktivitäts- und Zukunftsvorstellung ist die Frühromantik zu erkennen. Novalis kann wie im Traume Worte hinsagen, die schon ganz aus dem Bereich des Idealismus herausführen. Und doch nennt er seine Weltanschauung nicht ohne tiefen Grund einen „magischen Idealismus". Selbst Novalis ist noch Idealist; die Natur, die Vergangenheit ist nicht Herr über ihn. Sanft und groß ist der Vorzeit Gang, sagt er einmal: Ein heiliger Schleier deckt sie für den Ungeweihten; aber dessen Seele das Schicksal aus dem sanften Rieseln des Quells erschuf, sieht sie in göttlicher Schöne mit dem magischen Spiegel. (Schriften. Minor. II, 138.) Das klingt fast wie Görres; aber es klingt nur so. Es ist Novalis nicht ernst mit der Vorstellung der Vergangenheit; die „Vorzeit" wird sofort wieder von der Kategorie der Möglichkeit aufgezehrt und verwandelt sich im Handumdrehen in den Begriff der „Zeit" überhaupt oder gar in den der Ferne. Auch die „Vorzeit" ist für den Frühromantiker nur eine – Möglichkeit.

Wünscht man zu erfahren, wie die Romantik von Jena von der Heidelberger Romantik sich unterscheidet, so lese man nach einigen Seiten Novalis die Einleitung zu Arnims Roman „Die Kronenwächter": Dichtung und Geschichte. (Arnims sämtl. Werke, 3. Bd.) Die Stimmung des Abends liegt auf diesen Seiten: Ein Tag ist vorüber. Der Pflüger lenkt das Gespann zur Ruhe. Die Sonne und der Pflüger kennen einander; sie tun vereint das Ihre zum Gedeihen der Erde. Fest fortschreitend, von allen geschätzt und geschützt, sehen wir die Tätigkeit, die zur Erde sich wendet. Sie tut „mit unbewußter Weisheit" das Rechte. „Die Zerstörung kommt von der Tätigkeit, die sich von der Erde ablenkt und sie doch zu verstehen meint." Dieser Geist, der sich zur *Erde* kehrt, der einer Zeit *widerspricht*, die mit „vollendeter, ewiger Bestimmung, mit heiligen Kriegen, ewigem Frieden und Weltuntergang" ihr Zeitliches überheiligen möchte, dieser Ton einfacher Frömmigkeit ist an sich nicht neu (Hamann, Jacobi, Claudius!), aber er erhält auf einmal einen neuen, bedeutenderen Klang. Die Dichtung erscheint plötzlich an die Vergangenheit, an die *Geschichte* geknüpft; das Werk der Phantasie tritt der Wirklichkeit nahe. Es ist, als ob uns das schaukelnde Ideenschiff des 18. Jahrhunderts plötzlich auf festes Land gesetzt hätte. Wir *sind* auf festem Boden, wenn wir den Umkreis der Heidelberger Romantiker betreten: in den Herzen dieser Männer hat der Gedanke des Vaterlandes zuerst feste Wurzel geschlagen. In Heidelberg, urteilte der Freiherr vom Stein, hat sich ein guter Teil des deutschen Feuers entzündet, welches später die Franzosen verzehrte. Mit der Metaphysik der Heidelberger Romantik ist das Erlebnis der *wirklichen Nation* unzertrennlich verknüpft. Zwischen dem Patriotismus und der Philosophie der Romantiker besteht eine tiefe, entscheidende Verwandtschaft. (Über Arnim vgl. die Rede W. Scherers, Kl. Schr. II, 102 ff.)

Man hat bisher zu einseitig auf Fichte geblickt. Fichte hat durch die Tat mächtig gewirkt (seine Reden waren Taten), aber er hat gedanklich keinen neuen Einsatz mehr bringen können. Zu tief wurzelte er im 18. Jahrhundert. Der neue Einsatz kam von den Görres und Arnim, Arndt und Grimm. Er ist unlöslich gebunden an ein neues Lebens- und Naturgefühl, an eine neue Empfindung für die *Erde*. F. Meinecke hat auf eine Stelle bei Arndt aufmerksam gemacht, wo von „irdischen Gesetzen" die Rede ist, und er spricht von Arndts „erdenhaftem Patriotismus". Nicht ohne Bewegung, fügt er hinzu, wird man hier „ein frühes Aufleuchten des historisch-politischen Realismus bemerken, den das 19. Jahrhundert ausgebildet hat". (Meinecke, Weltbürgertum und Nationalstaat. 4. Aufl. S. 95.) Es handelt sich hier jedoch um *mehr* als um ein frühes Aufleuchten: es ist die Morgenröte des anbrechenden Tags. In Arndt lebt das Schollengefühl Mösers wieder auf, aber nun mit klarem Bewußtsein des Gegensatzes gegen die *Zeit*. Unter geistesgeschichtlichem Gesichtspunkt gehört Arndt zur Romantik von Heidelberg; er vermittelt, mit Arnim, Görres und Jakob Grimm, zwischen Möser und Ranke. Bei Arndt und Arnim ist die neue Naturphilosophie zu suchen, denn hier ist die neu geschaute *Natur*. Arndt beginnt mit einer umstürzenden Kritik des Rationalismus: der „dunklen Volksahnung", sagt er, ist der „Geist" ein wesenloser Schein. Und von diesem Standpunkt aus *wagt* es Arndt, das 18. Jahrhundert, das Jahrhundert des Geistes, zu kritisieren. (E. M. Arndt, Germanien und Europa. 1803. S. 72 ff.) Er wendet sich ab von dem „zerlegenden Feuerprozeß des Geistes", er wendet sich dem Leibe und der Wirklichkeit, dem *Staate* zu, „der ein sehr irdischer Leib ist und sein muß". Er rückt die Betrachtung des Lebens und des Staates wieder unter die „älteste und natürlichste Ansicht", die der Notwendigkeit und des Schicksals. Es erscheint alles zuerst *irdisch* hier „auf dem festen Boden unseres Planeten". Der Mensch sieht das Entstehen und Vergehen, er fühlt die Unbezwinglichkeit und Herrschaft der Elemente und kommt so zur Verehrung auch der Gesetze seines Leibes. Sicher geht er auf der Erde, indem er in dieser Notwendigkeit „fromm forttreibt, wie das Wasser fließt und der Baum wächst und der Vogel singt". Ruhig und still ehrt er die Schranke der Notwendigkeit als ein „heiliges Naturgesetz" (ebenda S. 152 – 156). Die Ordnung des Instinkts ist bei allen Naturwesen unverrückbar; erst das Vernunftwesen bringt „ein zweites Schicksal und eine zweite Schöpfung" in die Welt (ebenda S. 252 ff.). Der Geist hat die Natur auf den Kopf gestellt. Die *Gesetze der Erde* sollen aber die Menschen binden, nicht die „Fädchen" des Geistes (ebenda S. 306). „Ich sehe die Erde fest, ihre Gesetze klar und bestimmt ... Wie, wenn diese irdischen Gesetze die ewigen wären ... wenn aus diesem festen Boden alles Himmlische, Göttliche, kurz, alles Höhere, wenn nicht gerade entspränge, doch aus ihm sich entwickelte ... Es kommt mir dies freilich nur wie eine Ahnung, wie ein Blitz aus der Nacht: aber ich habe nichts Besseres ..." (ebenda S. 262 ff.). Wie nahe Arndt der Romantik der historischen Rechtsschule steht, erhellt aus seiner Ansicht, daß ein Volk sich seine Gesetze nicht gebe, sondern daß es sie nur kennen und anerkennen soll (ebenda S. 318). Freiheit ist „auch nur eine Idee". Kein Mensch, der im Staate lebt, kann sagen, er sei frei. Arndt erhebt die Weisheit des Volkes bewußt über alle Ideen der Vernunft ...

Das neue Verhältnis, das aus Arndts Schriften spricht, äußert sich vor allem in einer neuen Schätzung des *Leibes*. Der Leib der Erde und des Menschen ist nicht „ein bloßes Gehäuse, eine tote Form"; Lebensglut und Liebeskraft strömt uns aus dem lebendig geglaubten und als lebendig verehrten entgegen. Der aus dem Keim wachsende Baum wird zum Interpreten seines Lebens. (Briefe an Freunde. 1810. S. 122 f.) „Ein gewisses Heidentum", sagt Arndt, „hätte nie gestört werden dürfen, und jeder gutmeinende Mensch sollte dahin arbeiten, es wieder lebendig zu machen." (Briefe S. 120 ff.) *Wirklichkeit* mit *einem Wort* ist es, worum es Arndt zu tun ist. „Alles hat sich in leiblose Form, in körperlosen Geist aufgelöst." Tausende stehen im leeren Raum, ohne Welt, ohne Leben, ohne Wirklichkeit. (Geist der Zeit. Neue Ausg. v. Schirmer. I, 27 f.) Der Gegensatz eines Allgemeinen, Geistigen, von dem man redet, und eines Individuellen, Leibhaften, Irdischen, das ist – bildet das Thema sämtlicher Schriften E. M. Arndts. Und nun höre man eine der reifsten und schönsten Stellen aus *Görres'* Rheinischem Merkur. (11. Sept. 1814. Auswahl von A. Duch. 1921. S. 79.) Deutschlands Verfassung, heißt es hier, darf nicht gebildet werden, wie man in den letzten Jahrzehnten meinte, Verfassungen bilden zu können. „Man glaubte nämlich, an allgemeinen Begriffen, welche man für ein System hielt, genug zu haben, und wähnte, aus einem gedachten müsse auch notwendig ein wirkliches folgen. Und indem zu diesem Dünkel gewöhnlich eine schmähliche Leichtfertigkeit, ja Verderbtheit des Gemüts kam, so warf man freventlich die alten Grundvesten nieder, welche auf der innersten Lebensgewohnheit eines Volkes ruhten, und wollte nach neuer Bauweise auch *das* sichtbar und tastbar darlegen, was im sichern Schoße der Erde als ungesehener Anker liegen muß." Bis hierher geht Görres nicht weiter als Arndt. Dann aber kommt der eigentümlich Görressche Gedanke der *Vergangenheit* herein: ,,Der Mensch fußt – und Dank sei es seiner guten Natur – mit tiefen Wurzeln in der Vergangenheit seines Daseins, und sie erstrecken sich weit unter ihrem Boden weg in uralte Zeit, aus der sie noch die unsichtbare Kraft ziehen" (ebenda). Das Volk, die Rasse ist mit dem ,,Urfels", aus dem sie gehauen, immer in geheimem Zusammenhang und lebt mit ihm in gemeinsamem Naturleben unverwüstlich fort – sie ist noch gesund und einer *neuen* Gestaltung empfänglich. (Görres, Deutschland und die Revolution. Ausg. v. A. Duch. 1921. S. 100) Diese ,,Naturphilosophie" ist metaphysischer Hintergrund der politischen Tat des Rheinischen Merkur. Leben, immer neu sich verjüngendes organisches Leben, das Wort in einem ganz andern Tone gesprochen als von Schelling, ist der wichtigste Begriff des Rheinischen Merkur. Das Leben in Beziehung gesetzt zur *Nacht* und zur *Vergangenheit* – beides muß in seinem Geiste in enger Verwandtschaft gestanden sein –, das ist das Neue, was *Görres* hinzubringt. Erde, Leib, Volk und Natur – weiß auch E. M. Arndt. Aber Erde, Volk, Natur, Vergangenheit und *Nacht* – das konnte nur Görres in eins fühlen; dieses Gefühl hat ihn zum Führer der romantischen Bewegung von Heidelberg gemacht. Der schönste Ausdruck dieses Naturgefühls, das von der *Nacht* den Ausgang nimmt, findet sich in einer der letzten Nummern des Rheinischen Merkur. (,,Der Sternenhimmel in der Neujahrsnacht 1815 – 1816." Den Mächten, die dieses herrliche Gewächs romantischen Geistes am 12. Januar 1816 durch ein Polizeiverbot ums Leben brachten, dienten die ,,Romantiker" F. Schlegel und A. H. Müller!) Wenn allnächtlich die dunkle Erde die ,,strahlende Sonne" zudeckt, dann geht die ,,alte Nacht, die Mutter alles Geschaffenen" uns auf. ,,Die Fülle der Dinge hält sie in sich beschlossen; ewig ruhend, ewig tiefen Ernstes sinnend, in lautloser Stille harrend, hat sie ihre Sternenschleier durch die Unendlichkeit gebreitet, sie wallen und spielen von Himmelslüften leicht bewegt, unter ihnen schlafen die Kräfte leisen Schlaf, in ihrem Arme ruht die Geschichte, Tod und Leben sind wie das Kreisen eines Sonnenstäubchens in Schatten und Licht in ihr befaßt... So gerne will der Tag die Nacht um ihre Geheimnisse befragen – die Mutter, die eher denn er gewesen..." (Rhein. Merkur. Auswahl von A. Duch. S. 284 f.) Das ist eine *Anschauung* der Natur, die derjenigen Schellings geradezu entgegengesetzt ist. Hier ist die Natur nicht ein unbewußt produzierendes Ich: hier hat das unergründliche *Geheimnis* der Natur sein Auge aufgeschlagen; hier steht der Tod nicht draußen. Man hält in der Literaturgeschichte Novalis für den eigentlichen Künder der Nacht. Aber die Nacht, von der Novalis singt, ist nicht die kosmische Nacht, von der Görres stammelt. Novalis meint die Nacht des Subjekts, die Auflösung des Gemüts, den süßen Untergang des Bewußtseins, der der Aufgang der Seele ist. Görres versteht unter Nacht etwas Objektives; die große Notwendigkeit, ,,die eher denn der Tag gewesen'', die Moira, die *Natur* in einem kosmisch-gewaltigen Sinne. Der Unterschied zwischen dem 18. und dem 19. Jahrhundert liegt in diesen Auffassungen.

Görres hatte von dem Gegensatz zu Novalis ein klares Bewußtsein. In dem Aurora-Aufsatz ,,Mystik und Novalis'' (1805) scheidet er den Mystizismus der Anschauung von dem Mystizismus der Liebe. Der erstere ist der des Novalis: ,,das Genie dieses Dichters ist ein mehr philosophisches, mehr zur Universalität der Vernunftidee hinneigend''. Wie die Kunst ihre Philosophie hat, so hat die Philosophie ihre Kunst, und diese *philosophische Poesie* spricht sich am freiesten in ,,Heinrich von Ofterdingen'' aus. Bei Novalis herrscht die Anschauung vor; sein Gemüt hatte nicht Tiefe genug, um ,,ein reiches, volles, lebendiges Leben zu gestalten, es war zuviel Verflogenheit in seinem Wesen . . .'' (Charakteristiken und Kritiken von J. Görres. Hrsg. von F. Schultz. 1900 S. 81 f.) Leben gegen Philosophie – das ist der Gegensatz. Die wirkliche Weltennacht gegen die Nacht des Subjekts! – In Ph. O. Runge hat Görres seine eigene ,,Lebens''vorstellung wiedergefunden. Er hat einen feurigen Aufsatz über die ,,Jahreszeiten'' geschrieben. Runge beschreibt den Wechsel des Jahres mit den Worten: ,,blühend, erzeugend, gebärend und vernichtend''. (Ph. O. Runge, Hinterl. Schriften I. 1840. S. 66 ff.) Er hat das unmittelbare Naturgefühl der Heidelberger Romantiker.

Der Unterschied zwischen der Naturphilosophie der ,,Frühromantik'' und der Romantik von Heidelberg tritt völlig klar vor *einer* Frage heraus: der Frage nach der Bedeutung des Gegensatzes der Geschlechter, des Gegensatzes von *Mann* und *Weib*. Görres' Naturphilosophie rückt diesen Gegensatz in den Mittelpunkt des Systems; die Naturphilosophie Schellings weiß kaum von ihm: das entspricht dem Unterschiede, daß jene von Nacht und Erde weiß, diese aber nur vom lichten Tag.

Schellings Naturphilosophie war von einigen zeitgemäßen physikalischen Erscheinungen wie Magnetismus, Galvanismus u. dgl. ausgegangen. Der Begriff des Organismus lag ihr wohl zugrunde, sie hat jedoch keine eigentliche Philosophie des organischen Lebens gegeben. Görres setzt sofort mit einer *Vermenschlichung* der Naturphilosophie ein. Er ist von Anbeginn ,,Physiologe'', Philosoph der menschlichen Physis. Im Menschen ist die natura naturans zusammengefaßt. Das war im Grunde schon Schellings Idee (vgl. das ,,Epikurisch Glaubensbekenntnis Hans Widerporstens''), aber bei Görres ist das, was bei Schelling der philosophische Gedanke von Mikrokosmos und Makrokosmos bleibt, unmittelbare Anschauung und Grundgefühl. Die Vorstellung *Leben*, organisches, menschliches Dasein erhält einen neuen, geheimnisreichen Sinn. Für Schelling ist ,,Leben'' eine Kategorie, für

Görres die unerschöpfliche, alles beherrschende Grundvorstellung seines ganzen Daseins.

Das Verständnis und die Deutung des organischen Lebens ist das einzige Thema der Görresschen Naturphilosophie. Schon die „Aphorismen über die Kunst" (Koblenz, Jahr X; d. i. 1802), die ganz Schellingisch mit einer Entzweiung der absoluten Tätigkeit der Naturintelligenz beginnen, führen den Gedankengang alsbald ins Menschliche. Die absolut *produktive* Tätigkeit der Natur, der die produktive Kunst entspricht, ist *männlich* (Idealismus, Innenwelt), die absolut *eduktive* Tätigkeit und eduktive Kunst ist *weiblich* (Außenwelt, Realismus). (Aphor. über die Kunst. S. 2; 32.) Mann und Weib verhalten sich wie Denkkraft und Wahrnehmungsfähigkeit, wie Phantasie (Tätigkeit) und Sinn (Empfindung), wie Irritabilität und Erregbarkeit. (Aphor. S. 103 f.) Des Mannes Liebe ist eine produktive, des Weibes Liebe eine eduktive. Dem Manne gibt das Weib den Stoff; dem Weibe gibt der Mann die Form (ebenda 106 f.; 109). Daraus baut Görres die Theorie der Zeugung auf: „Wenn in Sympathie die Geister ineinanderfließen, wenn in Liebe die Gemüter sich umschlingen, wenn in des Daseins Vollgefühl und des Lebens höchster Flut die Organismen sich umarmen: dann geht im Augenblicke der höchsten Wechselwirkung der erste Akt im ganzen Umfang der Natur hervor; ein neuer Geist tritt auf der Wesensleiter Sprossen; ein neues Gemüt umhüllt mit seinem Zodiakalscheine ihn; eine neue Lebensflamme lodert auf; ein neues Wesen wird ins Dasein hingerufen; eine gesonderte Existenz beginnt." (Aphor. S. 111.) Im Zeugungsakt des Gezeugten wiederholt sich der Vorgang, „*und so wälzt sich des Lebens Rad durch der Zeiten Wandellauf, und hin durch die Unendlichkeit zieht sich der Menschheit Zykloide*" (ebenda 114).

Die geistesgeschichtliche Bedeutung dieser Sätze ist sehr groß. Eine neue Ansicht vom Dasein und der Geschichte des Menschen kündigt sich an. Die *Begriffe* sind alt: es sind die Grundbegriffe des Kritizismus, Stoff und Form; aber der Geist, in dem sie gebraucht werden, ist ein neuer. Nie hätte man in Weimar so von dem Mysterium der Zeugung zu reden gewagt. Dieser „Realismus" war dem 18. Jahrhundert fremd und zuwider. Schillers Philosophie der Geschlechter lief auf die Veredelung der „rohen" Triebe hinaus; Görres stellt den Naturvorgang in seiner ganzen Nacktheit hin. Niemand in Weimar, nicht einmal Goethe, hätte verstanden, wie tief dieser „rohe" Naturalismus war, hinter dem sich eine neue Philosophie, eine neue *Mythologie* verbarg. Görres tat nach dem Gefühl des 18. Jahrhunderts etwas Unerhörtes, als er den Gegensatz von Stoff und Form mit dem von Weib und Mann gleichsetzte. Wohl hatte schon Novalis mit erotischen Symbolen gespielt. Aber es blieb bei einer philosophisch-träumerischen Musik von Begriffen. Görres machte *Ernst*; er trat als Physiologe auf. Das ist nicht ein Fortschritt in derselben Richtung, sondern etwas gänzlich Neues. Novalis gibt der idealistischen Naturphilosophie einen erotischen Beigeschmack. Görres konstruiert die natürliche und die geschichtliche Welt aus dem klar erfaßten Gegensatz der Geschlechter.

Das durch die Geschichte sich wälzende „Rad der Geburten" – das ist es, was Görres geschaut hat. Er hat erkannt, daß die Geschichte nicht eine Folge von „Ideen" und „Taten", sondern ein lebendiger Zusammenhang, eine durch das Blut verbundene Folge von Geschlechtern ist. Er hat die *Mutterseite* der Geschichte erschaut, und dies ist es, was ihn zum Inaugurator der wahren romantischen Bewegung macht. Allen Unterschieden zum Trotz spüren wir in Männern wie Winckelmann, Lessing, Herder, Kant, Fichte, Schelling, Goethe, Schiller, Humboldt, Hegel das Gemeinsame einer bestimmenden Grundansicht: sie gehören ins 18. Jahrhundert, in das Zeitalter der Ideen und der *Humanität*. Mit Görres bricht das 19. Jahrhundert an, das Zeitalter der Erde und der *Nationalität*. Dem 18. Jahrhundert ist der Mensch der *Mann*; dieses Jahrhundert hat wohl die Frau verehrt, es hat sogar feminine Züge, aber es hat rein männlich-ideologisch gedacht. Männlich ist sein Geist der Kritik, der Erkenntnis, der scheulosen Forschbegierde, des Strebens nach Gegenständlichkeit und Bestimmtheit. Das Weib existiert für das 18. Jahrhundert in *metaphysischer* Hinsicht nicht. Man erweist dem Weibe die Ehre, es zum „Menschen", das heißt zum Manne zu erheben: das ist die Galanterie des „galanten" Jahrhunderts. Das 18. Jahrhundert kennt das Weib nur als *Geliebte*, nicht als Naturpotenz – nicht als *Mutter*. Die Geliebte *verlangt* die ethisch-humane Betrachtung, sie ist Mensch und will als Mensch behandelt werden. Einer zarteren Rücksicht ist das weibliche Geschlecht nie begegnet als in dem „humanen" Jahrhundert. Ein Loblied auf die Mütterlichkeit wird man in diesem Jahrhundert aber vergeblich suchen. Die Mutter ist *das Weib*, nicht die „menschlich" idealisierte Geliebte. Die Mutter läßt sich nicht idealisieren. „Mensch" im ethischen Sinne erscheint ihr gegenüber als ein zu enger Begriff. Die Tatsache des gebärenden Schoßes ist so ungeheuer, daß alle Humanitätsbegriffe vor ihr verblassen. Gebären kann nur das *Weib*, nicht der Mensch. Und weiter: Der *Mensch* denkt, aber nur der *Mann* zeugt. Man darf nicht glauben, daß diese einfachsten Tatsachen der Natur zu allen Zeiten die gleiche *geistige* Bedeutung getragen hätten. Das 18. Jahrhundert ist ein Beispiel dafür, daß ganze Zeiten die Augen vor diesen Tatsachen schließen können. Wenn uns Kindern des 19. Jahrhunderts etwas oberflächlich, etwas „nicht richtig" im 18. Jahrhundert vorkommt, dann hat es immer eine Beziehung auf diese Leugnung des Geschlechts. Der Kosmopolitismus ist ein Beispiel: man kannte die „Mutter" (und die Muttersprache) nicht, man ahnte nicht, was das „Volk" bedeutet.

Der Unterschied von Klassik und „Frühromantik" wird zu Nichts, sobald man den Maßstab dieser entscheidenden Frage anlegt: was lehren beide vom Geschlecht? Im *Wesentlichen* das gleiche. Die Klassik wahrt stärker die *natürliche* Eigenart des Geschlechts; einen metaphysischen Gegensatz der Geschlechter aber kennt sie so wenig wie die sogenannten Romantiker. Fr. Schlegels Abhandlung

über die Diotima erklärt den Ausgleich der Gegensätze für das Ideal: nur selbständige Weiblichkeit, nur sanfte Männlichkeit ist gut und schön. ,,Was ist häßlicher als überladene Weiblichkeit, was ist ekelhafter als übertriebene Männlichkeit . . .'' (Jugendschr. Minor. I, 66; 59.) Wie klar ist es, daß hier nur die Geliebte vorschwebt (das Vorbild war Caroline): Die *Mutter* ist ganz und gar ,,Weiblichkeit''; von einem humanen Geschmack wird das als ,,überladen'' empfunden. – Die Erotik von Novalis ist gut dargestellt worden von F. Giese. (Der romantische Charakter. 1919). Novalis kennt nur das junge Mädchen. Über Hyazinth und Rosenblütchen heißt es bei Giese: ,,Sich selbst findet man im andern Geschlecht wieder. Die Liebe lehrt nicht nur die höchste Erkenntnis, sie führt letzten Endes zu einer eigenen Erkenntnis, zu einer Art Selbstspiegelung im anderen Geschlechte.'' (S. 332.) Nur als eine Modifikation der Person, die nicht zu weit gehen darf, läßt Schleiermacher das Geschlecht gelten. ,,Ich glaube an die unendliche Menschheit, die da war, ehe sie die Hülle der Männlichkeit und der Weiblichkeit annahm.'' (Katech. d. Vernunft f. edle Frauen.) – Die klassische Theorie des Geschlechtsunterschieds hat W. v. Humboldt in seinen beiden Abhandlungen ,,Über den Geschlechtsunterschied und dessen Einfluß auf die organische Form'' (1794) und ,,Über die männliche und weibliche Form'' (1795) gegeben. Bei allem Bestreben, den Unterschied zu wahren, tritt doch die allzu schnelle Harmonisierungstendenz überall dazwischen: nur die Verbindung der Eigentümlichkeiten beider Geschlechter bringt ,,das Vollendete'' hervor; befriedigen kann nur die Verknüpfung beider, ,,*oder vielmehr* das reine Wesen, abgesondert von allem Geschlechtsunterschied, die Vernunft, als das Vermögen der Ideen''. (Ges. Schr. I, 327.) Das 18. Jahrhundert denkt und fühlt ,,philosophisch''; es kennt den Menschen nur als Begriff, als ,,Gattung'', nicht als Subjekt, als Mann oder Weib. Im engen Zusammenhang damit steht das *ästhetische* Ideal des Winckelmannschen Jahrhunderts: ,,Wo sich der Mensch der Betrachtung des Schönen weiht, da muß er sich von aller Parteilichkeit lossagen, und geschlechtslos allein der Menschheit angehören.'' (Humboldt, Ges. Schr. I, 359.) Humboldt beschreibt die Weiblichkeit der Venus, der Diana, der Minerva und der Juno, aber er vergißt bezeichnenderweise (die – die Hrsg.) der wichtigsten weibli
·chen Gottheit der Griechen: Demeters. (I, 336 ff.)

Die historische Bedeutung der Görresschen Naturphilosophie wird erst richtig beurteilt, wenn man erkennt, daß sie mit ihrer metaphysischen Ausdeutung des Geschlechtsgegensatzes dem Gedanken der *Polarität* zum Siege verholfen hat. Es war eine der wichtigsten Einsichten der Naturphilosophie Schellings, daß das Gesetz der Polarität ein ,,allgemeines Weltgesetz'' sei. (S. W. I. Abt. II, 489.) Aber Schelling war weit davon entfernt, die Polarität der Geschlechter zum Weltgesetz zu erheben. Das tat erst Görres. (Aphor. über die Kunst. S. 179; 184; 200.) Von Schelling wird der Geschlechtsgegensatz stets nur ganz allgemein und abstrakt nach dem Schema des Subjekt-Objekt-Gegensatzes gedacht. Subjekt und Objekt, nicht

Mann und Weib, sind die Grundkategorien der Schellingschen Naturphilosophie. Diese Naturphilosophie ist *idealistisch*; Schelling steht unter dem nämlichen geistigen Gesetz wie Fr. Schlegel, Schleiermacher, Humboldt und das ganze Jahrhundert, wenn er die Bildungen entgegengesetzter Geschlechter derselben Gattung und Art als „nur Eine Bildung, Eine Naturoperation" auffaßt, so daß die verschiedenen Individuen derselben Gattung nur Einem, „aber nach entgegengesetzten Richtungen ausgebildeten Individuum gleich gelten". (III, 48.) Das männliche und das weibliche Individuum sind „nur" nach verschiedenen Richtungen ausgebildet. Es ist die Theorie der Humanität, übertragen auf die Natur. Der *Dualismus* liegt nicht im Wesen des Natürlichen, er ist „gleichsam wider den Willen der Natur". Die Natur hat die Trennung der Geschlechter und Individuen (beides ist dasselbe, denn der Moment der höchsten Individualisierung fällt zusammen mit dem Moment der vollständigen Geschlechtsentwicklung) nicht beabsichtigt. Das Ganze, die Harmonie, bleibt auch in der Theorie der Geschlechter der Leitbegriff. Männliche Kraft des Lebens und weibliche Fülle des Stoffs vereinigen sich: „So befriedigt die eine Kraft die Sehnsucht der anderen, und beide umschlingen einander zu einem harmonischen Ganzen." (Humboldt I, 320.) Die Gattung ist der Zweck der Natur, das Individuum ist nur Mittel. „Die Natur strebt beständig die Dualität aufzuheben und in ihre ursprüngliche Identität zurückzukehren." (III, 48 ff.) Die Idee der Identität ist stärker als die Idee der Polarität. Die Identitätsphilosophie (hier nicht im Sinne der späteren Schellings gebraucht) wird im Gebiete der Natur zu einer Philosophie der reinen, an sich geschlechtslosen Gattung, wie es die Ethik des Jahrhunderts verlangt. Eine Naturphilosophie, die so ganz und gar Philosophie ist wie die Schellings, kann die Vorstellungsweise des Begriffs auch in den konkreten Problemen der Lehre von der Organisation nicht verleugnen. Denn der „Begriff" dieser Philosophie ist ja der auf dem Prinzip der Identität beruhende *Gattungs*begriff.

Görres hat gewußt, daß er Schelling in diesem entscheidenden Punkt überwinde. In einem Briefe vom 15. November 1805 schreibt er über „Glauben und Wissen": „Ich entwickle darin mein System der Philosophie, gegründet auf die Idee der Gottheit und fortgeleitet am Faden der vermittelten Geschlechtsduplizität. Wie mein Prinzip im Gegensatz ist mit dem Schellingschen, so sind es auch meine Resultate, das Endliche und die Weiblichkeit, die Schelling mit Füßen tritt, sind wieder zu Ehren gebracht..." (J. v. Görres' Ausgew. Werke u. Briefe. Herausgeg. v. W. Schellenberg. II. 1911. S. 83.) In der Tat hat dies Görres von sich sagen dürfen: Er hat das Weibliche wieder zu Ehren gebracht. Die Aphorismen über die Kunst enthalten eine sehr tiefe Apologie des Weibes (S. 206 ff.). Hier ist von etwas anderem die Rede, als wenn Schiller die „Würde der Frauen" besingt! Eine große Rolle spielt die Stellung des Weibes auch in Arndts „Briefen an Freunde" (S. 220 ff.). Auch hier ist die klassische Einstellung überwunden: das von Bachofen so oft angezogene Gastrecht, daß der Hausvater dem Fremdling die Tochter oder das Weib zuführt, wird unbefangen beurteilt. Es ist „keine Schuld und Sünde" darin. Freilich ist es für uns kein Gesetz. „Doch ist es gut, mein Bruder, daß der vollbärtige und wirklich menschlich gewordene Mensch an solche Natürlichkeiten erinnert in einem Zeitalter, wo alles, was ewig und immer Naturleben und Naturverhältnis bleiben sollte, in Fratzen von tugendloser Tugend und äffischer Moralität verstellt wird, und die abgelebte und verwelkte Welt sich mit Zierlichkeiten und Zierereien behilft." (Briefe an Freunde. S. 246.)

Die Bedeutung des Weibes für Görres' Naturphilosophie wäre das Thema einer eigenen Untersuchung. Die „Exposition der Physiologie" (1805) liest sich an manchen Stellen wie ein Liebesroman der Natur (bes. S. 59 ff.). Entscheidend ist, daß Görres die Einstellung auf das Weib als Geliebte überwunden hat. In den Planeten ist „das Mütterliche" herrschend, in den Metallen herrscht die „Weiblichkeit" vor, die Gebirge, „sichtbare Abgrenzungen der inneren Metallkönigreiche", dagegen machen den Übergang vom weiblichen Prinzip ins männliche (S. 96), usf.

Man kann von einer Erotisierung der Naturphilosophie im ersten Jahrzehnt des 19. Jahrhunderts sprechen. Im Jahre 1805 erscheint Lorenz Okens Buch über die Zeugung, das von der Wendung der Zeit zum Geheimnis der Generation unverhohlen Zeugnis ablegt. Das vorher feststehende „Ergebnis" der Untersuchung ist (nach der Vorrede): „Die (Identitäts) Tiere begründen als Urtiere der Natur die Theorie der Zeugung, aus welcher hervorleuchtet, daß Schwangerschaft keine Analysis (bei der Mutter vorhandener Keime oder eines Samentierchens), sondern ein reines durch den Akt der Zeugung gewecktes Synthesieren der Urtiere (der Samentierchen) mittels des Blutes der Mutter sei." Im Manne ist das Prinzip des Lebens überhaupt ohne Geschlechtsdifferenz; das Prinzip des Geschlechtsunterschiedes liegt im Weibe. (Die Zeugung. S. 137.) Die ganze Natur ist „nichts als Produktion des Geschlechts". Oken gibt ein Schema, nach dem Korall, Metall, Erde, Kristallisation, Magnetismus, Galvanismus auf der männlichen, Pflanze, Schwefel, Luft, Feuer, Elektrizität auf der weiblichen Seite stehen. (Die Zeugung. S. 188.) „Die ganze Natur ist durchaus nichts als ein getrenntes Geschlecht, das in seinen niedersten Begattungen die Zwitter, das Wasser und das Holz als den ewigen Koitus der Welt erzeugt..." (ebenda S. 189). „Wir haben nun aufgedeckt das Geheimnis der ewigen Liebe der Natur..." usf. (S. 200). An metaphysischer Tiefe lassen sich diese Anschauungen mit denen Görres' nicht vergleichen. Oken spricht nur aus, was in der Luft liegt. (Vgl. auch H. Steffens, Grundzüge der philosophischen Naturwissenschaft. 1806. S. XXI.) Die mystische Erotik Novalis' hat zweifellos eingewirkt. Aber alles hat hier realistischere, physiologischere Bedeutung. Am meisten erinnert noch an Novalis der frühverstorbene J. W. Ritter; auch er bringt keinen entscheidenden neuen Ton, es ist alles nur träumerisch gedacht wie bei Novalis. In diesem hellsichtigen Traumzustand spricht Ritter aber zufällig das

Wort, das den Zielpunkt unserer historischen Darstellung bildet: „Der Mann entbindet nur. So stolz sei er nicht, zu glauben, sein Kind sei seine Frucht. Er gibt allein dem Weibe seine Natur zurück, er löst die Fesseln der Frau, und treibend gebiert die Erde durch sie. Sie ist die Fortsetzung der Erde. Der Mann ist der Fremde, die Frau das Einheimische auf Erden. Sie zu ehren ist sein Geschäft. Es ist daher nichts schrecklicher als einseitige Unterwürfigkeit des Weibes; es heißt von ihrer Seite, der Erde ihr Recht vergeben. Man liebt nur die Erde, und durch das Weib liebt uns wieder die Erde. Darum findest du in der Liebe aller Geheimnisse Enträtselung. Kenne die Frau, so fällt das übrige dir alles zu." (Fragmente aus dem Nachlaß eines jungen Physikers. 1810. II. S. 98.)

Die romantische Naturphilosophie endet so mit einer Verherrlichung des Weibes als der Vertreterin der weiblich vorgestellten Natur, indes Schellings Natur nach Analogie des männlich produzierenden Ich gedacht war. Das Weib als Mutter, als fruchtbare, gebärende Erde – das ist die unausgesprochene neue Konzeption der Romantik. Ein eigenes Gefühl für die geheimnisvolle Würde des Weibes vereinigt Görres und Arnim, Brentano und Jakob Grimm. Tieck und Novalis, so nahe sie zu stehen scheinen, besitzen dieses Gefühl nicht. Tieck hat das Unheimliche in der Liebe, Novalis hat die Mystik der Liebe gefühlt. Aber sie kennen nicht den Ton, mit dem Jakob Grimm an Arnim schreibt: Naturgeschichte und Geschichte zeigen mir, „daß Frauen stets eine große und im guten Fall unbewußte heilige Gewalt auf das Leben gehabt haben". Görres, Ph. O. Runge, Arnim und Jakob Grimm philosophieren nicht über „die Liebe", sondern sie verehren das Weib. Die Beziehung auf die ewige Mutter, die Erde, ist mehr dunkel gefühlt als erkannt. Daß diese Beziehung aber wirklich gefühlt wurde, erfahren wir von dem ersten Erben der Romantik auf wissenschaftlichem Gebiet: K. O. Müller. Der Begriff der *chthonischen Religion* bei den Griechen, den er als erster gefaßt hat, ist eine Frucht der romantischen Naturphilosophie.

Aus: A. Baeumler, Das mythische Weltalter, München 1965; 1. Auflage: 1926.

II. Progressive Rezeption der Frühromantik

*,,Vergangenes historisch artikulieren
heißt nicht, es erkennen, ,wie es denn
eigentlich gewesen ist'. Es heißt, sich
einer Erinnerung bemächtigen, wie sie
im Augenblick einer Gefahr aufblitzt.
Dem historischen Materialismus geht
es darum, ein Bild der Vergangenheit
festzuhalten, wie es sich im Augenblick der Gefahr dem historischen
Subjekt unversehens einstellt. Die Gefahr droht sowohl dem Bestand der
Tradition wie ihren Empfängern. Für
beide ist sie ein und dieselbe: sich zum
Werkzeug der herrschenden Klasse
herzugeben. In jeder Epoche muß versucht werden, die Überlieferung von
neuem dem Konformismus abzugewinnen, der im Begriff steht, sie zu
überwältigen...".*
W. Benjamin,
VI. Geschichtsphilosophische These

1. Asteion. Eine vergessene republikanische Kunst

Von Johannes Ernst Seiffert

Märchen warnen uns davor, das Beste zu vergessen. Diese Warnung – ,,Vergiß das
Beste nicht!" – ist vielleicht die wichtigste in der Geschichte der Menschen. Studium ist nach seinem emphatischen Begriffe die Anstrengung, gegen das Vergessen
des Besten anzukämpfen, vigilia, die Nachtwache, seine fast vergessene Tüchtigkeit. Das Beste erscheint in Augenblicken der Gefahr als das Rettende. Dieses blitzt
in solchen Augenblicken auf als Bild oder als Klang eines Wortes, das ein Begriff
sein kann. Studium im Sinne eines dichterischen Denkens versucht die rettenden
Bilder und Begriffe zu erschließen. Hier deutet sich eine Lehre von der Bildung an,
die selber zum Bilde der Rettung gehört. Den Entwurf einer Bildung, die auf Rettung bezogen ist, verdanken wir Walter Benjamin.

An Bild und Begriff der Urbanität hat der junge, republikanisch gesonnene
Friedrich Schlegel erinnert. Wir heutigen versuchen, diese Erinnerung zu erinnern.

Hierzu besteht hinreichend Grund. Mehr noch: hierzu besteht mehr als hinreichend Grund. Bildung zum Gemeinwesen, zur Polis, ist allem Anschein zum Trotz in Deutschland noch immer Desiderat. Die Erinnerung an Friedrich Schlegels Erinnerung der Urbanität gilt so gesehen der Rettung vor dem Versinken in einem Abgrund von Barbarei. Unsere Bemühung um politische Kultur ist auf jene Bemühung Friedrich Schlegels angewiesen.

Diese unabweisbare Notwendigkeit wird überformt von einer noch weit unabweisbareren. Dem sogenannten Siegeslauf der Technik sind die Weltmeere fast zum Opfer gefallen, die Erdatmosphäre ist in Gefahr, und vor unseren Augen wird in Wirtschaft, Bildung und Rüstung dieser Siegeslauf noch einmal – ein letztesmal? – auf Hochtouren gebracht. Denkweisen, die ihm nicht dienen, werden ausgeschieden. Hierzu gehören nicht-rechnende, auf Qualitatives bezogene Denkweisen. Hierzu gehören Denkweisen demokratischer Beratschlagung. Die Herrschaft steigt nicht herab in die allgemeine Beratschlagung, sondern verfügt „von oben" und rechnet. Die Herrschaft sitzt aber auch in unserem Verhalten.

Am 23. Juni 1668 – dreihundert Jahre vor der Mairevolte, die als ein unbewußtes Fest ihm zu Ehren gedeutet werden könnte, wurde zu Neapel einer geboren, der sich, herangewachsen und seiner Aufgabe gewachsen, jenem Lauf eines Pyrrhussieges über Erde und Leben bereits an dessen Anfängen in den Weg zu stellen versuchte. Aber sein Versuch blieb vereinzelt. „Man verstand ihn nicht; man hörte ihm kaum zu; seine Ideen waren zu neuartig, zu abweichend von all denen, die man rings um ihn bejahte. Die anderen priesen das Abstrakte, das Rationale, erröteten über eine Vergangenheit, die ihnen eine Schande für ihre fortschrittliche Zivilisation schien, hielten die Geschichte für eine einzige Lüge und die Dichtung für einen Kunstgriff, verbannten die Empfindsamkeit als krank, die Einbildungskraft als toll. Er aber weigerte sich mit dem Eigensinn des Genies, den ungeheuren Körper der Menschheit als ein Objekt der Anatomie zu betrachten, und wollte durchaus den Pulsschlag des Lebens wiederfinden. Mit Hilfe der Rechtswissenschaft, der Philologie, der Bilder, der Symbole und der Sagen wurde er allmählich mit der Vergangenheit vertraut und stieg tief in den Abgrund der Jahrhunderte hinab, um dort sowohl der Geschichte unserer Entwicklung als der Idealform unseres Geistes nachzuspüren. Man nahm den goldenen Zweig, den er zurückbrachte, nicht an." Diese Kennzeichnung verdanken wir dem Historiker Paul Hazard (*Die Krise des europäischen Geistes*, S. 471 f.), der Gekennzeichnete ist derjenige, der sich früh der Technisierung, dem streamlining, des Geistes in den Weg stellte: Giambattista Vico. Insonderheit versuchte er rhetorische und topische Studien zu retten, da er die ungeheuerliche Verarmung des Denkens und Daseins auf dem einseitigen Wege naturwissenschaftlicher Denkweise voraussah.

Vielleicht leuchtet auch uns das Rettende in rhetorischer und topischer Denkweise nicht ein. Vielleicht wehren wir diese ab, indem wir uns polemisch auf ihre schlechte Möglichkeit fixieren: den Bluff mit Trick und Methode. Vielleicht imponiert uns der Technokratenausbilder, der immer seinen Rechenschieber und seinen Descartes zur Hand hat; vielleicht meinen wir, eine Synthese aus Systemtheorie und Marx würde „es" bringen. Fragt sich nur, was sie bringt. Hier soll ein anderer Weg gegangen, das heißt zuerst einmal und immer wieder: gebahnt werden.

Es war der japanische Philosoph Kiyoshi Miki, der dem „Geist der Rhetorik" einen Essay widmete. Miki starb am 26. September 1945, trotz der Beendigung des Zweiten Weltkriegs am 15. August, in einem kaiserlich-japanischen Gefängnis an Unterernährung und Krätze. Er war einer der bedeutendsten Schüler von Rickert, Nishida und Heidegger. Miki tadelt die Philosophen dessen, daß sie Aristoteles einseitig rezipieren, indem sie dessen Rhetorik weitgehend unbeachtet lassen. Mikis Essay zufolge verwandelt der Künstler das *pathos* in die künstlerische Idee; Miki nennt dies die „Sicherung des künstlerischen Wollens" und bezeichnet sie als ein Erfordernis der Literatur. Die Sicherung des künstlerischen Wollens „ist nicht möglich ohne die Tätigkeit des Denkens. Aber es handelt sich hier nicht darum, daß der Dichter eine bestimmte Doktrin festlege, sondern darum, daß er gerade das Wollen bestimme, daß sein Denken zur Idee fortschreite und dadurch sein Auge, sein Stil begründet werde. Das Wollen verbrennt, aber es ist gerade die Tätigkeit des Denkens, die jenes zum Feuer macht, kraft dessen es sich und den Gegenstand sichtbar werden läßt." „Es handelt sich nicht bloß um Redekunst, sondern um Denkart, nicht um Ausdrucksweise, sondern um den Geist der Literatur." (K. Miki: *Retoriku no seishin*) Wir halten mit Miki fest, daß Rhetorik hauptsächlich eine Denkart ist.

Wir versuchen, die Eigenart rhetorischen Denkens am Problem des städtischen Ausdrucks zu fassen. Dies ist ein Thema – im Wortsinne: – politischer Bildung und leitet uns in den Bereich nichttechnischer, nichtreduktionistischer, am Ganzen orientierter und auf Qualitäten achtender Denkweisen.

Im folgenden geht es darum zu zeigen, (1) in welch meisterlicher Weise Aristoteles das Phänomen des städtischen Ausdrucks darlegt (wir werden uns dabei von der Nikomachischen Ethik zur Rhetorik des Aristoteles bewegen), (2) daß Friedrich Schlegel gleichwohl mit des Aristoteles Darlegung nicht zufrieden ist und (3) aus welchem Grunde er damit nicht zufrieden ist, was er vielmehr zu bemängeln und neu zu entwerfen und zu denken sieht.

Das Beste des menschlichen Daseins ist nach der Lehre des Aristoteles die aretá. Was besagt dieses Wort? Aretá ist des Menschen seelische Tüchtigkeit, die er in der Welt beweist. Sie besondert sich gemäß allem, was ihm in der Welt widerfährt, in einzelne, angebbare seelische Tüchtigkeiten. Die Besonderung der aretá in die aretaí geschieht „je-weils", nämlich antwortend unvorausbestimmbarerweise dem unvorausbestimmbaren kairós. Er ist die Zeit, zu der „es sich gehört", – nämlich ihm in der ihm gemäßen Weise, in der ihm gemäßen seelischen Tüchtigkeit zu antworten. Paul Tillich sagt: ,,Im gewöhnlichen griechischen Sprachgebrauch bedeutet *kairos* die gute Gelegenheit für eine gewisse Handlung im praktischen Sinn." (Syst. Theol. III, S. 420)

Das, sit venia verbo, ,,Material" der seelischen Tüchtigkeit, der aretá, ist das páthos im allgemeinen, sind die páthä im besonderen. Aretá ist héxis, Haltung, geistgeformte Leidenschaft. Die seelische Tüchtigkeit als Haltung, Mächtigkeit, Befähigung wird erworben, erübt, gebildet im Tun – prâxıs –; sie wird darin allmählich gewonnen.

Die aretá ist mithin nicht eine ,,naturhafte", sondern eine errungene Fähigkeit. Sie muß errungen und wieder errungen werden; denn ,,leider" ist es die schlechte Haltung, die am ehesten sich verfestigt.

Die aretá als errungene seelische Tüchtigkeit befähigt zum Auswählen und zum Entschlusse. Wegen ihrer unaufhebbaren Bezogenheit auf den kairós kommt es für die aretá auf das gelingende Treffen, das Treffen des jeweils best-angemessenen Maßes an. Also nicht auf ein Zuviel oder ein Zuwenig, eine Übertreibung oder eine Unterlassung im Tun, sondern auf dessen jeweiliges Optimum. Übersetzen wir kairós mit ,,die Weil", so können wir sagen, aretá antwortet als Tun ,,je-weilig". Die Unterlassung ist Zurückbleiben hinter dem Angemessenen, die Übertreibung Hinausgehen über das Angemessene. Das Optimum ist eben das Angemessene. Dieses ist eine ,,Mittenheit" – mesótäs – zwischen dem Zurückbleiben und der Übertreibung. Die Spitze – akrótäs – des Verhaltens liegt ,,irgendwo zwischen", *sozusagen* in der ,,Mitte" (die nicht mathematisierend mißzuverstehen ist) der Exteme. Diese ,,Mitte", die zugleich Spitze ist, ist das Gegenteil von Mittelmäßigkeit. Es ist ganz falsch, Aristoteles als Propheten der Mittelmäßigkeit zu verdammen. Das Maß ist Spitze.

Wir merken uns: Das ,,Mittlere" ist stets zwischen einem Zuwenig und einem Zuviel. Es ist die Kunst der Balance im menschlichen Leben, und diese Balance ist das eigentliche Auf-der-Höhe-sein. Das Tüchtige der Seele in der Welt – aretá – ist Balanceakt, Gratwanderung. Soweit ist hier die Nikomachische Ethik des Aristoteles heranzuziehen, ohne Übertreibung bis heute die einzige Ethik die es gibt, die den Namen verdient, eine unerhört weltverbundene praktische Philosophie. Ihre *denkerische* Erschließung verdanken wir der Freiburger Schule, insbesondere Martin Heidegger, seiner frühverstorbenen Schülerin Helene Weiß, Eugen Fink und Georg Picht.

Begeben wir uns nun auf den Boden der Redekunst. Wir wenden uns dem Begriffe des asteîon zu (Aristoteles, *Rhetorik*, Buch III, Kap. 10). Asteîon – von ásty(n) = Stadt – ist der sogenannte städtische oder ,,urbane" Ausdruck: gewandt, scharf und elegant. Der Begriff asteîon gehört eng zusammen mit einem anderen: eudokimoûnton. Darin steckt eu = wohlgeraten und dokei = dünkt, kommt zum Vorschein, und zwar je-weils für je-mich und doch so, daß Übereinkunft nicht ausgeschlossen ist. Eudokimoûnton ist, was gut zum Vorschein kommt, ,,gut dünkt'' und deswegen gefällt. (Rhet. III 10, 1410 b 6 sq.)

Wie macht man es, daß asteîa und eudokimoûnta zustandekommen? Dies zu zeigen ist Aufgabe einer Rhetorik als Kunstlehre.

Um solche Wendungen richtig konstruieren zu können, ist nötig, ihre ,,Funktion'' zu verstehen, das heißt was sie leisten sollen. Hierfür wiederum ist es nötig, die Menschen zu kennen. Ihnen macht Spaß, etwas leicht aufzufassen. Auf diesem Vergnügen beruht die Wirkung des urbanen Ausdrucks, der asteîa und eudokimoûnta.

Wir vergegenwärtigen: Der städtische Ausdruck ist gewandt, scharf und elegant; gut dünkt, was gut zum Vorschein kommt und deswegen gefällt. Um asteîon und eudokimoûnton zu erreichen, muß man sich nicht nur auf die Menschen, die Adressaten, verstehen, sondern zugleich auf die ,,Struktur'' des asteîon: ihm eignet die ,,Struktur'' einer aretá, einer Tüchtigkeit der Seele in der Welt. Wie jede aretá hält der städtische Ausdruck sozusagen eine Mitte zwischen einem Zuwenig und einem Zuviel. Im Falle des asteîon besteht das Zuwenig an Ausdruck in den üblichen, jedermann geläufigen Bezeichnungen einer Sache, das Zuviel an Ausdruck aber in fremdartigen Wendungen dafür. *Der städtische Ausdruck muß verständlich und nüchtern, darf aber nicht gewöhnlich sein.* Er darf weder der Trivialität noch der totalen Verfremdung (zum Beispiel der Maniriertheit) angehören, ist, modern gesprochen, dosierte Verfremdung mit der Wirkung rascher und leichter ,,Information'', raschen und leichten Auffassens, raschen und leichten Lernens. Der Begriff asteîon gehört wesentlich einer politischen Didaktik an, deren ursprüngliche Bildungsstätte die Polis selbst ist.

Mit welchen Mitteln wird diese Wirkung erreicht? – Vorzugsweise mit Hilfe der Metapher. Metaphorá ist, was ,,*hinüber bringt* '' zur gemeinten Sache. Strukturell ist die Metapher eine bildkräftige Kurzform des ausführlicheren Vergleichs.

Nehmen wir als Beispiel für den städtischen Ausdruck eine Metapher für diesen selber: attikònhálas, attisches Salz. Es ist die Würze der Demokratie. Ludwig Börne hat diesem Thema einen kurzen, der Reichweite nach allerdings durchaus nicht kurzen, Essay gewidmet. (*Das Junge Deutschland*, hgg. v. Jost Hermand, Reclam Nr. 8703-07, S. 112 f.)

Aristoteles führt das folgende Beispiel an. Wenn Homer in der Odyssee das Alter eine Stoppel, ein verwelktes Rohr nannte, so belehrte er die Zuhörer rasch durch den Gattungsbegriff des Verwelkten, Abgeblühten. Dies ist weder trivial noch verschlüsselt-dunkel, vermittelt ein schnell aufblitzendes Erkennen, das Verständnis geht dem Hörer momentan auf und macht ihm Vergnügen. Eudokimoûnta produziert, wer in Antithesen spricht, zum Beispiel: Gewisse Leute ,,halten den allgemeinen Frieden für einen Krieg gegen ihre Privatinteressen'' (aus Isokrates' Rede an Philippos). Im Satz macht die Antithese die im Sinne städtischen Ausdrucks hergestellte Verständnis,,zündung", im Wort aber macht es die Metapher, – sofern beide weder zu fremdartig weil zu schwer verständlich noch zu gewöhnlich und oberflächlich weil kalt lassend. Metaphorisch sagte Perikles von der im Krieg gefallenen Jugend: sie ist aus der Polis verschwunden, jemand hat dem Jahr seinen Frühling genommen.

480 vor Christus besiegten die vereinigten Hellenen die Perser in der Seeschlacht bei Salamis. Friedrich Schlegel beschäftigte sich 1796 mit einer Grabrede (Epitaphios), die den Satz enthält: ,,Es hätte sich gehört, daß am Grabe der bei Salamis Gefallenen die Hellas ihr Haupt geschoren hätte, weil dort mit der Tüchtigkeit jener auch die Freiheit dieser ins Grab gesenkt ward." Mit der Metapher des Haaropfers als Zeichens der Trauer ist eine Zusammenspannung der Tüchtigkeit der gefallenen Hellenen mit der *Freiheit* der ganzen Hellas, nämlich als ,,begraben", verbunden. Aristoteles führt die zitierte Stelle als Beispiel für städtischen Ausdruck an.

Und weitere: ,,Der Weg meiner Rede geht mitten durch die Taten, die Chares verübt hat", sagte Iphikrates. Dies ist eine aus der Analogie gewonnene Metapher, deren Anschaulichkeit durch die Wendung ,,mitten durch" gesteigert wird. – Besonders spannungsgeladen die antithesis von Gefahr und Gefahr: ,,Gegen die Gefahr muß man die Gefahr zu Hilfe rufen." Wir resümieren: asteîa und eudokimoûnta werden aus analogisch-metaphorischen, zum Teil antithetischen Ausdrükken gewonnen, die eine Veranschaulichung bewirken, das heißt etwas klar vor Augen rücken.

Weit davon entfernt, bloß einen Katalog von Beispielen städtischer Ausdrücke anzubieten, konstruiert Aristoteles vielmehr den Begriff des städtischen Ausdrucks, des asteîon kai eudokimoûnton, gemäß der Verhaltenslehre seiner städtischen = politischen Philosophie: die Höhe – akrótäs – des städtischen Ausdrucks kommt zustande, wenn man die Mitte – mesótäs – zwischen zwei Schlechtigkeiten – kakíai –, dem Zuwenig der Trivialität und dem Zuviel der Verstiegenheit, einhält, und dies geschieht vorzugsweise durch analogisch-metaphorische und antithetische Konstruktionen. Die ,,Ästhetik" des städtischen Ausdrucks ist in der Verhaltenslehre der politischen Philosophie, der Nikomachischen Ethik, fundiert. Für den Einzelnen ist das städtisch-politische Leben ein ständiger Balanceakt auf einem mittleren Wege, der ein Grat ist. Aber dieser Gang auf dem Wege besitzt einen unvergleichlichen Leitfaden: aretá. Sie wird herausgestellt und befestigt in der epideiktischen Rede, insbesondere der Grabrede. So verstanden ist Rhetorik wesentlich politische Didaktik, nicht weniger. Friedrich Schlegel ist damit nicht zufrieden. Er wendet ein: Die Beispiele, die Aristoteles gibt, sind treffend gewählt, aber die Erklärung, die sie erläutern soll, ist ungenügend. (*Friedrich v. Schlegels sämmtliche Werke*, Zweite Original-Ausgabe, Vierter Band, Wien, 1846, S. 149 Fußnote) Dies setzt in Erstaunen. Die Rhetorik des Aristoteles ist die erste wissenschaftlich fundierte Rhetorik, und gerade ihre die Beispiele erläuternden grundsätzlichen Aufklärungen sollen unzureichend sein. Nach Auffassung des Referenten ließe sich zeigen, daß die Rhetorik des reifen Aristoteles nicht etwa veraltet, sondern weit voraus und noch gar nicht zureichend eingeholt ist. Der Prager deutsche Philosoph Oskar Kraus, der um die Jahrhundertwende lebte, ist hier eine rühmliche Ausnahme.[1] Das Rätsel, wieso Friedrich Schlegel hier Einwände erhebt, löst sich auf, sobald man bedenkt, daß Friedrich Schlegel von einem anderen Wissenschaftsbegriff ausgeht, und von welchem. Und inwiefern dies kein Zufall ist, daß er bei der Betrachtung des städtischen Ausdrucks von gerade diesem anderen Wissenschaftsbegriff ausgeht.

Was bei Friedrich Schlegel wie alles Wichtige so auch den städtischen Ausdruck konstituiert, ist nicht primär der Balanceakt auf dem Grat der „Werthöhe", der akrótäs des asteîon zwischen den Abgründen zweier Insuffizienzen, ist nicht primär aretá, im âthos (als Grund und Boden und Stand des Menschen in sich selbst) gesammelte Kraft des Guten, seelische Tüchtigkeit in der Polis und in der Welt. Vielmehr ist es ein davon verschiedenes „Potential", das in Friedrich Schlegels Denken nach Realisierung drängt, nämlich das „Potential" des modernen, durch die christliche Selbstbeobachtung trainierten und nun seine Kräfte in wirtschaftlicher oder kultureller Expansion regenden modernen „bürgerlichen" Individuums. Es ist das Potential der *Reflexion*, das in gewissem Sinne „unendlich" genannt werden kann. Auch dies ist uns beinahe schon Altertum, und wir danken es der Gedanken-Archäologie Walter Benjamins, daß uns Nachgeborenen ein Zugang dazu eröffnet ist. Diesen verwahrt seine Berner Dissertation von 1919: „Der Begriff der Kunstkritik in der deutschen Romantik" (Frankfurt am Main 1973).

Reflexion, als Medium oder als Dimension interpretiert, ist nicht ein schließlich leeres Immerweiter, das bei der direkten Intention beginnt, das heißt bei dem Sichrichten auf etwas *innerhalb* dieses Sichrichtens und noch nicht *über* es reflektierend; das dann mit dem Selbstbewußtsein der direkten Intention eigentlich einsetzt, zum Selbstbewußtsein des Selbstbewußtseins weitergeht, auch dieses überschreitet zum Selbstbewußtsein des Selbstbewußtseins des Selbstbewußtseins und so weiter und immer verblassender. Vielmehr ist Reflexion für Friedrich Schlegel ein Kontinuum zwischen der direkten Intention des unreflektierten Lebens und dem Absoluten als dem All der Reflexionsstufen: Nicht schlechte Unendlichkeit des Fortganges der Reflexion, sondern erfüllte Unendlichkeit der Reflexionsstufen und Reflexionszentren. Wie Klaus Briegleb (1962) gezeigt hat, sind Phantasie und Reflexion für Friedrich Schlegels literarische Kritik oder ästhetische Sittlichkeit konstitutiv. (Kl. Briegleb: *Ästhetische Sittlichkeit*, S. 213)

Mensch zu sein heißt hier, eine Stufe der Reflexion zu verkörpern in jenen Medien, welche, auf verschiedene aber nicht streng geschiedene Weise, das Absolute darstellen. Die Werke der Kunst bilden tendenziell ein Kontinuum, nämlich – paradox formuliert – das Absolute als das Kontinuum „Kunst". (Wäre das Leben ein Traum, so könnte das Absolute darin als Kunst auftreten, beziehungsweise wäre die darin auftretende Kunst als das Absolute zu entschlüsseln.) Als Kunst oder als Gesellschaft und jedenfalls geschichtlich ist das Kontinuum der Reflexionsstufen und -zentren selbst das Absolute, und zwar nicht als leerer Begriff, sondern inhaltlich bestimmterweise. Der gesellschaftliche Schriftsteller ist dem Kontinuum „Kunst" und dem Kontinuum „Gesellschaft" gleicherweise einheimisch. In diesem Sinne ist Georg Forster, nach nicht nur Friedrich Schlegels Auffassung, das eigentliche Musterbild des klassischen Schriftstellers. Gemäß dieser Auffassung ist das Kunstwerk ein Zentrum der Reflexion im Medium „Kunst", der städtische Ausdruck ein Zentrum der Reflexion im Medium „Gesellschaft". Needless to say: dies ist der Gesellschaftsbegriff eines philosophierenden Künstlers, wonach sich seine Vorzüge und Nachteile bemessen. Hier kommt es nur auf die Vorzüge an. Sie liegen darin, daß eine poetische, selbst- und weltgestalterische Lebensauffassung (etwa einer erneuerten politisch-metapolitischen Bildungswisseneschaft) von ihm schöpferischen – stiftenden – Gebrauch machen kann. Das deutsche Volk lebt – falls der Ausdruck „leben" hier nicht Euphemismus ist – in einer tragischen Entfremdung zum Geist und ist nicht dergestalt homogen, wie das athenische war, aus dessen Praxis Aristoteles Gedanken schöpfte. Was dies für eine Praxistheorie – aus der Praxis geschöpfte Anleitung zum Verhalten gemäß der aretá – bedeutet, werden wir sogleich als Differenz zwischen Aristoteles und Friedrich Schlegel sehen. Diese tut sich auf, wo Friedrich Schlegel sich auf die schon zitierte Stelle aus einer attischen Grabrede bezieht, die bereits Aristoteles als Beispiel herangezogen hat und die hier noch einmal zitiert sei:

„Es hätte sich gehört, daß am Grabe der bei Salamis Gefallenen die Hellas ihr Haupt geschoren hätte, weil dort mit der aretá jener auch die Freiheit dieser ins Grab gesenkt ward."

Zu dieser Stelle bemerkt nun Friedrich Schlegel:

„Aristoteles (Rhet. III. 10.) führt diesen Ausdruck unter einer Menge anderer Beispiele, die eben so treffend gewählt sind, als die Erklärung, die sie erläutern sollen, ungenügend ist, als ein Beispiel des Urbanen an; in einer Stelle, welche für den Alterthumsforscher einen Schatz von Belehrung enthält, und noch jetzt demjenigen, welcher sich etwa an die nicht leichte Aufgabe wagen wollte, sich über die Natur des Urbanen vollständige und strenge Rechenschaft zu geben, und den Begriff desselben wissenschaftlich zu bestimmen, viel zu denken geben kann, und willkommen sein muß. Er hat ohne Zweifel Recht, wiewohl man hier ohne seine Hinweisung kaum etwas Urbanes wahrgenommen haben würde. Es ist auch gar kein Wunder, daß die zartere Bedeutung, die eigenste Eigenthümlichkeit, der ganze

Umfang von Nebenbegriffen eines Worts aus der lebendigen Sprache, worauf es beim Urbanen ankömmt, in der todten Schrift meistens nur noch eben, oft aber gar nicht mehr fühlbar ist. Auch das gemeine Leben, und der Umgang, haben ihre Kunstsprache; wer diese mit der gesetzlichen Freiheit, und freien Gesetzmäßigkeit der gegenseitigen Mittheilung, welche das Wesen der guten Gesellschaft, und der großen Welt ausmacht, mit der Sprache des Dichters, Denkers und Redners geschickt zu mischen weiß, der besitzt die große Kunst des urbanen Ausdrucks, über dessen Wesen und Eigenthümlichkeit sich im Cicero, der hier als Kenner und als Künstler gleich groß ist, die fruchtbarsten Winke finden." (IV, S. 149)

Auch die Reflexionszentren und Reflexionsstufen im Medium „Gesellschaft" – diesen Begriff als eine Gestalt des Absoluten genommen – bilden idealiter ein Kontinuum. Von diesem philosophischen Ausgang her stellt Friedrich Schlegel dem aristotelischen Begriff des städtischen Ausdrucks die Keimform einer eigenen Theorie des „Urbanen" entgegen. Ähnlich der Kunst (als einer anderen Gestalt des Absoluten), in der der vollendete Roman, die Poesie der Poesie als geformte Prosa, ohne die ihm vorausliegenden Formen von der beginnenden Artikulation kindlichen Ausdrucks an nicht möglich wäre, verhält sichs im idealen Kontinuum „Gesellschaft": Friedrich Schlegel weist darauf hin, „daß die zartere Bedeutung, die eigenste Eigentümlichkeit, der ganze Umfang von Nebenbegriffen eines Worts aus der lebendigen Sprache, worauf es beim Urbanen ankömmt, in der todten Schrift meistens nur noch eben, oft aber gar nicht mehr fühlbar ist." Innigkeit unseres Lebens im Sprachleib bringt uns den Kontinuumcharakter des Urbanen zur Gewahrnis. „Auch das gemeine Leben und der Umgang haben ihre Kunstsprache; wer diese mit der gesetzlichen Freiheit und freien Gesetzmäßigkeit der gegenseitigen Mittheilung" – deren Gesetz also die Freiheit ist, aus der eine freie, nicht oder nur sehr unvollkommen kodifizierbare Gesetzmäßigkeit entspringt – „welche das Wesen der guten Gesellschaft und der großen Welt ausmacht, mit der Sprache des Dichters, Denkers und Redners geschickt zu mischen weiß, der besitzt die große Kunst des urbanen Ausdrucks." Sie ist im Medium der Gesellschaft, was der Roman im Medium der Kunst.

Hieße es die Analogie zu einem berühmten programmatischen Fragment des – Romantikers – Friedrich Schlegel[2] zu weit treiben, spräche man in diesem Zusammenhang vom Begriff einer progressiven Universalgesellschaft? – In jenem Fragment heißt es: „Die romantische Poesie ist eine progressive Universalpoesie." Sie ist „unter den Künsten, was der Witz der Philosophie, und die Gesellschaft, Umgang, Freundschaft und Liebe im Leben ist." (Rasch S. 38 f.) Wohin progrediert der progressive Universalismus? Zum Absoluten als absoluter Reflexion. In concreto: Zur progressiven Universalpoesie, zur progressiven Universalphilosophie (Witz), zur progressiven Universalgesellschaft. (Immerhin nicht: zum progressiven Universalstaat.) Last but not least: zur progressiven Universalerotik der „Lucinde", eines zu Unrecht verlästerten Werks: ,,Ich genoß nicht bloß, sondern ich fühlte und genoß auch den Genuß." Im dürren Idiom der Philosophie ausgedrückt, sollen auch in der Liebe direkte Intention und absolute Reflexion sich vereinen: ,,wir umarmten uns mit ebensoviel Ausgelassenheit als Religion." Was ,,Natur" ist am Menschen, findet seinen Ort in urbaner Heiterkeit: ,,Witz und Entzücken begannen nun ihren Wechsel und waren der gemeinsame Puls unseres vereinten Lebens" – hier mehr als sonst darf moderne Reflexion sich mit attischer Heiterkeit, mit hädoná, treffen.

Nicht ohne Genugtuung vermerkt der heutige, ökologisch gesonnene libertäre Sozialist die folgende Äußerung: ,,Liberal ist, wer von allen Seiten und nach allen Richtungen wie von selbst frei ist und in seiner ganzen Menschheit wirkt; wer alles, was handelt, ist und wird, nach dem Maß seiner Kraft heilig hält, und an allem Leben Anteil nimmt, ohne sich durch beschränkte Ansichten zum Haß oder zur Geringschätzung desselben verführen zu lassen." (Rasch S. 86) Auf dieser Stufe der Reflexion – der Liberale ist eine Stufe der Reflexion – kehrt uns der Begriff ,,Urbanität" wieder : ,,Urbanität ist der Witz der harmonischen Universalität, und diese ist das Eins und Alles der historischen Philosophie und Platos höchste Musik. Die Humaniora sind die Gymnastik dieser Kunst und Wissenschaft." (Rasch, S. 86) Dies verweist auf den südlichen oder südlich orientierten Humanismus, die gelehrte Muße eines Vico, das südliche Parallelstück zur Reformation und mit deren Bewegung, die noch nicht abgeschlossen ist, zu synthesieren. – Mit Thomas Mann vermag seine Figur des Serenus Zeitblom zu versöhnen, dessen Name Urbanität (und deren gelehrte Gymnastik) ausdrückt: Serenus heißt der Heitere, Unbewölkte, Ungetrübte; der Nachname Zeitblom verbindet die Begriffe Zeit und Blume.

Serenus Zeitblom bemerkt im Zweiten Kapitel von Thomas Manns ,,Doktor Faustus": ,,Hier kann ich, wie so oft, nicht umhin, mich im Vorübergehen an dem inneren und fast geheimnisvollen Zusammenhang des altphilologischen Interesses mit einem lebendig-liebevollen Sinn für die Schönheit und Vernunftwürde des Menschen zu weiden, – diesem Zusammenhang, der sich schon darin kundgibt, daß man die Studienwelt der antiken Sprachen als die ‚Humanioren' bezeichnet." Im sechsten Kapitel spricht er von einer altertümlich-volkstümlichen Schicht in uns allen, einer archaisch-apprehensiven, die es gelte ,,unter sicherem Verschluß zu halten. Dazu hilft nach meiner Meinung allein die Literatur, die humanistische Wissenschaft, das Ideal des freien und schönen Menschen."

Die Urbanität der Reflexionsphilosophie saugt das attische Salz und den städtischen Ausdruck, Witz und Asteion, als ein Konstitutivum in sich auf, und dies ist betont didaktisch gemeint: Nicht nur wird in Friedrich Schlegels Aufsatz ,,Über das Studium der griechischen Poesie" dem deutschen Schriftsteller empfohlen, die ,,eckichte Härte", den ,,barschen Ton", das ,,finstere Kolorit", überhaupt ,,die rohe Eigentümlichkeit" zu lösen ,,durch Geselligkeit" (Rasch, S. 226 f.); in den

Athenäumsfragmenten wendet sich Schlegel im selben Sinne an die Adresse der Philosophen: „Opfre den Grazien, heißt, wenn es einem Philosophen gesagt wird, so viel als: schaffe dir Ironie und bilde dich zur Urbanität." (Rasch, S. 84)

Die Progressivität der progressiven Universalgesellschaft besteht nicht zum geringsten darin, auch die Geringsten einzubeziehen in urbanisierte Philosophie oder philosophische Kultur. Divinatorisch wird als Ziel der Gattung und des Universums erblickt: Philosophie als gesellige, Geselligkeit als philosophische. Ihr dient – und jetzt tritt wieder „städtische Didaktik" in ihr Recht – der gesellschaftliche Schriftsteller, dessen klassische Norm nach Friedrich Schlegels sehr begründetem Urteil in Georg Forster verkörpert ist: „Forster bewies auch darin seine universelle Empfänglichkeit und Ausbildung, daß er französische Eleganz und Popularität und engländische Gemeinnützigkeit mit deutscher Tiefe des Gefühls und des Geistes vereinigte. Er hatte sich diese ausländischen Tugenden wirklich ganz zugeeignet. Alles ist aus einem Stück in seinen Schriften, und hat deutsche Farbe. Denn er blieb ein Deutscher; noch zuletzt in Paris fühlte er seine Deutschheit sehr bestimmt." (Rasch, S. 339) Hier ist in den Begriff von deutscher Tiefe des Gemüts noch nicht das Gift des Chauvinismus eingedrungen. An Forsters „Erinnerungen aus dem Jahre 1790 in historischen Gemälden und Bildnissen" (1793) rühmt Friedrich Schlegel: „Dieses Werk, in der ganzen deutschen Literatur das einzige seiner Art, übertrifft alle übrigen an Glanz des Ausdrucks, an feiner Ironie und an verschwenderischem Reichtum überraschend glücklicher Wendungen." Auch diese aktrótäs verdankt sich einer mesótäs, nämlich der Mittenheit zwischen Unaufrichtigkeit einerseits und grober Direktheit andererseits: „Und doch war es keine leichte Aufgabe, sich hier zwischen Szylla und Charybdis durchzuwinden, nie die Aufrichtigkeit zu beleidigen, und doch keine Schicklichkeit zu verletzen!" (Rasch, S. 340) (Dem deutschen Eskapismus ins Stammbuch, dessen Pegasus, auf Bergen gruen, unentwegt wiechert.) Forster vermittelte geselligend mitteilsam zwischen getrennten Bereichen. Der Sinn der Reflexion erfüllt sich in Vereinigung, Synthese: „Dieselbe gesellige Mitteilung befreundete also noch die einfachsten Bestandteile seines innersten Daseins, welche in seinen Schriften lebt und immer ein unter den mannigfachsten Gestalten oft wiederkehrender Lieblingsbegriff seines Geistes war. Man könnte diese gesellige Wendung seines Wesens selbst noch in dem glänzend günstigen Lichte zu erkennen glauben, worin er den Stand erblickt, welchen der Austausch sinnlicher Güter vorzüglich veranlaßt und begünstigt, den Verkehr auch der geistigen Waren und Erzeugnisse, in sich, am freiesten und gleichsam in der Mitte aller übrigen Stände auszubilden und in der umgebenden Welt zu befördern. Die Verwebung und Verbindung der verschiedenartigsten Kenntnisse, ihre allgemeinere Verbreitung selbst in die gesellschaftlichen Kreise hielt er für den eigentümlichsten Vorzug unsers Zeitalters und für die schönste Frucht des Handelns. In dem tätigen Gewühl einer großen Seestadt erblickt er ein Bild der friedlichen Vereinigung des Menschengeschlechtes zu gemeinsamen Zwecken des frohen, tätigen Lebensgenusses." (Rasch, S. 345) Hier soll nicht Handelskapital gerühmt, sondern sollen Trennnungen kritisiert werden.

Unter dem Gesichtspunkt der Kritik der Trennungen ist noch einmal der Schluß jener kritischen Anmerkung Friedrich Schlegels zu Aristoteles zu hören:

„Auch das gemeine Leben, und der Umgang haben ihre Kunstsprache; wer diese mit der gesetzlichen Freiheit, und freien Gesetzmäßigkeit der gegenseitigen Mittheilung, welche das Wesen der guten Gesellschaft, und der großen Welt ausmacht, mit der Sprache des Dichters, Denkers und Redners geschickt zu mischen weiß, der besitzt die große Kunst des urbanen Ausdrucks".

Tragisch sind im Leben oder vielmehr Nichtleben unseres Volkes Geist und Masse getrennt, mag dies nun auf einem fortwirkenden Trauma der Zwangschristianisierung beruhen oder nicht. Das „deutsche" Ressentiment gegen den deutschen Geist kann für die Welt tödlich werden, wo es sich mit Technik paart – das gab es bereits im „zweiten punischen Krieg" des Zwanzigsten Jahrhunderts, nur daß Karthago heute die Erde ist. Der vermittelnde deutsche Klassiker, Georg Forster, wurde mit atembenehmender Exaktheit aus dem Bewußtsein der Deutschen genommen. Nirgendwo ist eine Brücke zwischen den Deutschen und ihrem Geist zu sehen, und doch ist, sie zu bauen, die einzige politisch-bildnerische Aufgabe, vor der die alle anderen verblassen. Hier insbesondere ist angezeigt, was Friedrich Schlegel „Größe in Handlung" nannte (Rasch, S. 79).

Die Welt ist zu ernst, als daß man sich nicht – paradoxerweise – zur Heiterkeit zu erziehen, zu bilden hätte. Aristoteles war sehr nahe daran, die Vereinbarkeit von Städtischkeit mit Schönheit und Größe zu bezweifeln – im Megalopsychia-Kapitel der Nikomachischen Ethik (1123 b 7 sq.). Urbaner Ausdruck sollte aber großer Gesinnung im Handeln dienstbar sein. So bleibt der Begriff Urbanität nicht auf der Stufe seines Klassikers Georg Forster und seines Theoretikers Friedrich Schlegel stehen.

Anmerkung

„Die Romane sind die sokratischen Dialoge unserer Zeit. In diese liberale Form hat sich die Lebensweisheit vor der Schulweisheit geflüchtet." (Rasch, S. 7) Echt *roman*tisch und *liberal* geht es zu im Kontinuum-Diskontinuum der Reflexionsstufen, das sind Menschen, und Reflexionszentren, das sind Ausdrücke und Werke. Alle sind / alles ist hier zugelassen außer der Unterdrückung.

Etwas leicht aufzufassen dadurch, daß es als *asteion* gesagt ist, macht Spaß. Auf andere Art kann aber reizvoll sein, sich mit dem Verständnis von dunkel Gesagtem abzumühen. Aus rein methodischen Gründen wurde in diesem Papier der Begriff des *asteion* gesondert behandelt, nicht aber, um eine klassizistische Kunstauffassung zu propagieren. Schlegel selber hat später die Unverständlichkeit gerühmt.

Dem *asteion* ,,systematisch benachbart" ist das *concetto*. Waltet ersteres in der Polis, so letzteres in der Kosmo-Polis, der Einheit des Globus, wie an Werken Jean Pauls zu studieren ist. Politische Bildung heute bedürfte beider.

Schließlich darf jenes ,,Laster der Seele" (Quintilian) nicht unerwähnt bleiben, das sein Recht auf Phantastik und Esoterik geltend macht. Das Verstiegene reizt der Menschen Neugierde auf ihre Träume, Visionen, leidenschaftlichen Wünsche, kurz: auf sie selbst. Das Klingsohr-Märchen in dem Roman ,,Heinrich von Ofterdingen" des Novalis birgt ein unendliches ,,Mehr" an Wahrheit in puncto Kunst und Leben als Hegels Ästhetik, insofern es uns Menschen be-deutet: Nichts und niemand als die Poesie soll das Leben regieren («L'imagination au pouvoir!»). Daß wir Menschen zur Bildung der Erde berufen seien, wie Novalis an anderer Stelle sagt, kann nur uns als dichterisch Lebende, das heißt die Erde in Bildung (,,Kultur") Übersetzende statt sie Zerstörende meinen.

---

[1] Oskar Kraus: *Über eine altüberlieferte Mißdeutung der epideiktischen Redegattung bei Aristoteles,* Halle, 1905

[2] Friedrich Schlegel: *Kritische Schriften,* hgg. v. Wolfdietrich Rasch, Zweite, erweiterte Aufl., München, 1964, S. 38 f.

2a) Apokalyptische Mythologie. Zur Religionsdichtung des Novalis.

Von *Richard Faber*

> *„Der antiontologische Begriff von alaetheia, der Messias also, ist die Vergangenheit der gegenwärtigen Geschlechter als das Verlassen des Ursprungs."*
>
> H.-J. Krahl, Herbst 1969

Die zentrale Kategorie der Novalistischen Religionsdichtung ist die Blochsche des „Novum", – was nur ein scheinbarer Anachronismus ist; denn der apokalyptische Dichter und der apokalyptische Denker treffen sich in der (jüdisch-christlichen) *Apokalyptik*, die zuerst und entschieden rerum novarum cupida war. „Schon" sie erstrebte „die *neue* Welt"; nicht nur diese oder jene Veränderung, sondern eine andere „Welt" und nicht irgendeine, sondern die schlechthin andere; vergleichbar allenfalls der des mythischen Paradiesanfangs: dann, wenn – im Vergleich – auf das Unvergleichbare abgestellt wurde. – Schon Jes. 51,3 hieß es „nicht einfach: Das Paradies kehrt wieder, sondern eine Zeit kehrt wieder, wo die Wüste oder das verwüstete Jerusalem göttergleich sein wird. Hier liegt ein *Stil* vor; die neue Zeit, an deren Schwelle Deuterojesaja zu stehen sich bewußt ist, wird mit den *Farben* Edens, des Götterlandes, geschildert." – Diese „stilistische" Einsicht H. Greßmanns ist entscheidend: „Wo ... die Morgenröte einer neuen, besseren Zukunft anbricht, da gehört es zum Stil, sie in den Farben der Urzeit zu malen" – sie „so zu schildern, als komme das Paradies, das Götterland wieder" [1a]. Man beachte den Konjunktiv; die Wiederkehr wird *fingiert* und das, „das allen in die Kindheit scheint und worin noch niemand war: Heimat."

Mit diesen Worten endet E. Blochs „Prinzip Hoffnung" [1b], diese „*Sym*philosophie" (Novalis) einer ursprünglich syn*kretistischen* Apokalyptik. Ihr Motto könnte lauten wie dieser Satz einer „ketzerisch"-frühchristlichen Erzählung, den Bloch schon in „Fremdes Zuhause, Urvertraute Fremde" zitiert: „Ich wollte dich nach Hause führen, wo du noch niemals warst." Bloch kommentiert: „Ein bisher völlig Fremdes ist ... als das Nächste bedeutet. Freilich auch als das stets Gemeinte, auch in Ahnung sich vorspielend, ohne die es sich nicht als urvertraut erkennen ließe." [1c] – „Der Sprung zu Niegewesenem" ist zwar „wichtig, vor allem eben zum völlig bisher Fremden", aber damit dies zugleich „das stets Gemeinte" ist, muß es sich auch „in Ahnung" vorspielen [1d]: als „Zukunft in der Vergangenheit" [1e], wie Novalis, oder als „Hoffnung im Vergangenen", wie P. Szondi – mit Bezug auf den Bloch-Freund W. Benjamin – formuliert.

Auch Novalis, der *sympoetische* Erbe der apokalyptischen Synkrasie, ahnt „die neue Welt" in der ältesten, indem er seinen *Klingsohr* jene (zunächst) in Paralelle zu dieser beschreiben läßt; als deren Wiedergeburt [1f]:

Die „Gespenster"-Herrschaft der „dürren Zahl" und des „strengen Maßes", von der schon in der 5. „Hymne an die Nacht" die Rede war, und die im *Klingsohr*-Märchen in die Hände des „Schreibers" gegeben ist [1g], wird nicht, wie dort, durch Christus gebrochen, jene „Allegorie auf den wahren Messias" [1h], sondern durch die „antiken" Allegorien von Fabel, Eros und Sophie. Das Volk ruft: „ ,Heil unsern *alten* Beherrschern' ". [2] Desgleichen zeigt sich die Verlebendigung der „leblosen" (5. Hymne) Natur in einem „Mächtigen Frühling", wie er in der 5. Hymne von der „seligen Welt" am *Anfang* berichtet wurde. – Fabels Prophezeiung: „Das Lebendige wird regieren und das Leblose bilden und gebrauchen" [3] erfüllt sich in diesem: „Die Blumen und Bäume wuchsen und grünten mit Macht. Alles schien beseelt. Alles sprach und sang. Fabel grüßte überall alte Bekannte. Die Tiere nahten sich mit freundlichen Grüßen den erwachten Menschen. Die Pflanzen bewirteten sie mit Früchten und Düften und schmückten sie auf das zierlichste." [4] – Die Wiederkunft des Paradieses wurde – mit einem „hieros gamos" – im „Hochzeitsbett" besiegelt, „über dessen Himmel der Phönix mit der kleinen Fabel schwebte." „Der König (Eros) umarmte seine errötende Geliebte (Freya = Friede [5], und das Volk folgte dem Beispiel des Königs und liebkoste sich untereinander. Man hörte nichts, als zärtliche Namen und ein Kußgeflüster." [6]

Im Vorausverweis auf J. J. Bachofen, für den „in der Tat" die „gynaikokratische Weltperiode ... die *Poesie* der Geschichte" sein wird [6a], läßt sich präzisieren: Novalis malt „die neue Welt" als „das alte, herrliche Leben im *Schoße* der Natur", wo die „tausendfältigen Naturen" eine „gemeinschaftliche Freiheit vereinigte, und jedes *von selbst* erhielt, was es bedurfte." – In diesen „alten Verhältnissen" lebte die Natur insgesamt ur*kommunistisch*; unter Einschluß des Menschen selbstverständlich. „In jener Zeit verstand er uns, wie wir ihn verstanden", sagen die „Naturen". [6b] „Wir" waren eben selbst Natur [6c]: „Wie die ... *Wellen*, lebten wir in der goldenen Zeit; in buntfarbigen Wolken, diesen schwimmenden Meeren und Urquellen des Lebendigen auf Erden, liebten und erzeugten sich die Geschlechter der Menschen in ewigen Spielen; wurden besucht von den Kindern des Himmels und erst in jener großen Begebenheit, welche heilige Sagen die Sündflut nennen, ging diese blühende Welt unter ..." [6d].

Sie war die „hetärische Sumpf"-Welt Bachofens, die „schon" bei Novalis dionysischer Steigerung, ja – nur bei ihm und nicht mehr bei Bachofen [6e] – (christlich –)*eschatologischer* Vollendung fähig war [6f]: im „Lied der Toten" aus dem Nachlaß des „Heinrich von Ofterdingen". „Hier ist vielleicht zum ersten Male" wieder, „noch ganz eingetaucht in .... pietistische Atmosphäre, von dem ... dionysischen Totenreich die Rede, in dem Trauer Lust und Leid Verklärung ist" [7]; meint der konservativ-katholische Theologe H. U. von Balthasar. Aber sind es in Wirklichkeit die Toten, die da singen von ihren „stillen Festen" (1. Strophe) und ihrem „einen Kreis" (2. Str.), oder sind es nicht vielmehr die in einem unvergleichlichen Maß Lebendigen? W. Rehm nennt sie mit Recht „lebendige Tote" [8], die ein tieferes und geräumigeres Todeswissen besitzen [9] (als es z. B. die „selige" Ur-„Welt" der 5. Hymne besaß). Wie *Heinrich von Ofterdingen* selbst erscheint auch ihnen der Tod als „eine höhere Offenbarung des Lebens" [9a]: Immer lodert auf ihren Herden „*neue* Lebens-Glut" (1. Str.).

„*Keiner* wird sich je beschweren, / Keiner wünschen fortzugehen, / Wer an unsern vollen Tischen / Einmal fröhlich saß." (4. Str.) [9b] – Fröhlich ist die „Toten-Messe" [10], die währet ohne Ende. Zu ihren „vollen Tischen" kann der Tod nicht mehr, wie in der (5. Hymnen-)Antike, „furchtbar" treten und „das Gemüt in wilde Schrecken" hüllen. Jetzt „steht" in ihm „der *Himmel*", „Wolkenloses Blau" [10a]. – Aber auch „die Mitternächte" sind von „süßem Reiz"; ewiger Tag und ewige Nacht gleichen sich, sind – apokalyptisch [10b] – vertauschbar: „ . . . in Lieb und hoher Wollust / Sind wir *immer* dar versunken." (10. Str.)

„Wir nur kennen euch", der „Wollust *rätsel*hafte . . . Spiele" (6. Str.), deren „höchstes Leben" „der *Kampf* der Elemente" (7. Str.) ist. Ja, „Alles was wir nur berühren / wird ein *Opfer* kühner Lust" (8. Str.). Und dennoch: „immer *wächst* und *blüht* Verlangen", „Sich im Wechsel zu verzehren" (9. Str.). – Ein Aphorismus fragt: „ . . . in dem Augenblicke, als ein Mensch . . . den Schmerz zu lieben anfinge, läge die reizendste Wollust in seinen Armen . . . Je fürchterlicher der Schmerz, desto höher die darin verborgene Lust?" [11] Verse des „Toten-Liedes" antworten: „Wunden gibts, die ewig schmerzen, / Eine göttlich tiefe Trauer / Wohnt in unser aller Herzen. / Löst uns auf in eine Flut." – „Und in dieser Flut ergießen / Wir uns auf geheime Weise / In den Ozean des Lebens / Tief in Gott hinein . . ." (11./12. Str.).

Gott ist das unendliche Leben. So sehen ihn auch die letzten – eschatologischen – Verse der 5. Hymne: „Die Lieb' ist frei gegeben, / Und keine Trennung mehr. / Es wogt das volle Leben / Wie ein unendlich Meer. / Nur eine Nacht der Wonne – / Ein ewiges Gedicht – / Und unser aller Sonne / Ist Gottes Angesicht." – „Das ist randloser Kosmos, so ist er ebenso dem Chaos wie einer immer wieder gefüllten, gerade aus Fülle unaufhörlichen Unendlichkeit zugeordnet." [12] Mit *Novalis'* zentralem, das „Novum" akzentuierenden, Satz: „ . . . die künftige Welt ist das *vernünftige* Chaos, das Chaos, das sich selbst durchdrang, das in sich und außer sich ist."

Damit ist es endgültig nicht so, wie Balthasar schrieb, daß das Dionysische (des „Toten"-Lieds) gerade „noch . . . in christlich-pietistische Atmosphäre" eingetaucht sei, sondern es ist vielmehr das Christliche, das das Dionysische in sich aufgehoben hat und zwar das äußerste, nämlich Apokalyptisch-Christliche einer

„*Misch*freude des Tausendjährigen Reichs" [13]. Ganz deutlich wird das im „Europa"-Aufsatz, wenn Novalis die „große *Versöhnungs*zeit" verheißt [13a]. Sie ist „ein Heiland, der wie ein echter Genius unter den Menschen einheimisch, nur geglaubt, nie gesehen werden, und unter zahllosen Gestalten den Gläubigen sichtbar, als Brot und Wein verzehrt, als Geliebte umarmt, als Luft geatmet, als Wort und Gesang vernommen, und mit himmlischer Wollust als Tod unter den höchsten Schmerzen der Liebe in das Innre des verbrausenden Leibes aufgenommen wird." [13b]

„In der künftigen Welt ist alles, wie in der ehemaligen Welt – und doch alles ganz Anders. Die künftige Welt ist das Vernünftige Chaos, das Chaos, das sich selbst durchdrang – in sich und außer sich ist – Chaos oder ∞." [14] – Diesem ontologischen Unterschied entspricht poetisch der zwischen „höherem Märchen" und „Märchen": „Die Welt des Märchens ist die durchaus entgegengesetzte Welt der Welt der Wahrheit (Geschichte) – und eben darum ihr so durchaus ähnlich – wie das Chaos der vollendeten Schöpfung ..." [14]. – Ihr entspricht das „*höhere* Märchen" (zu dem ein Märchen wird, „wenn ohne den Geist des Märchens zu verscheuchen irgendein Verstand hinein gebracht wird" [15]) oder das „Gedicht", – wie es am Ende der 5. Hymne heißt –, die Poesie ganz allgemein: „Mit der Zeit muß die Geschichte Märchen werden – sie wird" auf höherer Stufe „wie sie anfing ..." [14]. – In den *Berliner Papieren* zur Fortsetzung des *Ofterdingen* findet sich die Notiz: „Das ganze Menschengeschlecht wird am Ende poetisch. Neue goldne Zeit." Und weiter vorn, wo die Papiere von einer „Märcheninszenierung an Kaiser Friedrichs Hofe" handeln, ist ausdrücklich von einer „*Herstellung* der Märchenwelt" [16] die Rede. Es geht dabei freilich nur um eine symbolisch-theatralische, aber eine Passage aus den *Lehrlingen* kann zeigen, daß „Herstellung" auch in re der Weg zur „Märchenwelt" am Ende sein soll, ja daß das Verständnis von Poesie als „Werk" und „Schöpfung" [17] sekundär ist. Nicht Poesie ist „Werk und Schöpfung", sondern sie sind Poesie: *Real*-Poesie. – Die Passage lautet: „Hätte man ... nur erst einige Bewegungen, als Buchstaben der Natur, herausgebracht, so würde das Dechiffrieren immer leichter von statten gehn, und die Macht über die Gedankenerzeugung und Bewegung den Beobachter in Stand setzen, auch ohne vorhergegangenen wirklichen Eindruck, Naturgedanken *hervorzubringen* und Naturkompositionen zu *entwerfen,* und dann wäre der Endzweck erreicht." [18] Unter der genannten Voraussetzung wird „... das Sternenrad ... das Spinnrad unseres Lebens werden, und dann können wir durch unsere Sklaven ein neues Dschinnistan uns *bauen.*" [19] Novalis erwartet die eschatologische Zauberwelt wo der Geist volle, willkürliche Gewalt haben wird, er erwartet eine „pneumatische Chemie", eine „magische Astronomie, Grammatik, Philosophie und Religion" [20]: Der „*Zauber*stab der Analogie" [21] soll herrschen.

Bei Novalis wird am Ende die Analogie wieder Magie, doch jetzt eine *reale*

„Transsubstantiation" (gegenüber der nur symbolischen des Anfangs) [21a], und zwar von jedem in jedes. *Seine* Analogie ist „analogia essentiae". [21b] Vom Lehrer zu Sais (z. B.) heißt es: „Bald waren ihm die Sterne Menschen, bald die Menschen Sterne, die Steine Tiere, die Wolken Pflanzen, er *spielte* mit den Kräften und Erscheinungen . . ." [22].

Unter Rekurs auf den – an sich feindseligen [22a] – Carl Schmitt: Dieser Lehrer – nicht einfach Novalis selber, wie Schmitt meint, – hing dem „subjektivierten Occasionalismus" an, d. h. er behandelte „die Welt als Anlaß und Gelegenheit seiner . . . Produktivität" [23]; die Welt bot ihm nur ein riesiges Ensemble von „Zufällen" [24], womit der Satz des Novalis korrespondiert: „Das Märchen ist gleichsam der Canon der Poesie. Alles Poetische muß märchenhaft seyn. Der Dichter betet den Zufall an." [25] – Der Zufall aber verneint „den Zwang einer berechenbaren Ursächlichkeit und jede Bindung an eine Norm." [26]: „Das Objekt ist substanzlos, wesenlos", nur „ein konkreter Punkt, um den das . . . Phantasiespiel schwebt" [27]; freilich – im Gegensatz zu Schmitt – ein hochernstes. „*Jedes* Willkürliche, Zufällig, Individuelle kann unser Weltorgan werden." Keine Frage; doch: „Ein Gesicht, ein Stern, eine Gegend, ein alter Baum etc. kann *Epoke* in unserm Innern machen." Und: „Dies ist der große *Realism* des Fetischdienstes." [27a] – Unbeschadet dessen *gibt* es keine Objekte mehr, „sondern nur noch ‚occasiones' "[28] – „Die Beziehung des Occasionalismus *ist* . . ., paradox formuliert, die Beziehung der nichtfaßbaren Beziehung, die Beziehung . . . der Viel-, ja der Alles-Deutigkeit" [29].

Am deutlichsten wird Novalis' *utopischer* Anarchismus in dem, womit der *Ofterdingen* schließen sollte, in der apokalyptischen [29a] „Zerstörung des Sonnenreichs" [30]. Indem Novalis' Heinrich dieses Reich zerstören läßt, damit dadurch das „ewige Reich" der poetischen Wesensanalogie vollendet werde, stellt er selber die Astralmythen samt ihren Rationalisierungen in Frage. – Mit diesen Versen erbittet Heinrichs Geliebte „Die Vermählung der Jahreszeiten" [31], was der positive Name für die „Zerstörung" ist: „Wären die Zeiten nicht so unselig, verbände / Zukunft mit Gegenwart und mit Vergangenheit sich, / Schlösse Frühling sich an Herbst, und Sommer an Winter, / Wäre zu spielendem Ernst, Jugend mit Alter gepaart: / Dann, mein süßer Gemahl, versiegte die Quelle der Schmerzen, / Aller Empfindungen Wunsch, wäre dem Herzen gewährt." [32] – Dann wäre „der vollkommene Augenblick" erfüllter Gegenwart gekommen; denn „*un*vollkommen" ist „unser Leben" nur, „weil es Perioden hat – Es sollte nur Eine Periode seyn, dann *wär's* unendlich" [32a]. Oder um einen anderen Aphorismus des Novalis zu zitieren: „Vollkommene *Gegenwart* erzeugt vollkommen freie Zunkunft und vollkommen freie Vergangenheit, die beide zugleich affizirt werden und beide wirken. In der vollkommenen Gegenwart läßt sich keins von beiden unterscheiden. Die Äußerungen, das Verhalten der neuen Einheit läßt sich aus den Eigenschaften und dem Verhalten der isolirten Elemente nicht erklären." [33]

Bevor diese „*absolute* Gegenwart" [34] Wirklichkeit geworden ist, wird sie vom Dichter repräsentiert [34a], der antizipierten Poesie. – Seine Werke setzen sie gegenwärtig und helfen dadurch, sie auch realiter heraufzuführen: „Poesie ist die große Kunst der Construction der transcendentalen Gesundheit. [34b] Der Poet ist also der transcendentale Arzt." [35] – Von nichts anderm sollte der 2. Teil des *Ofterdingen* handeln, nicht nur von der Erlösung *zur* Poesie, die ja jene Gegenwart ist, sondern auch – noch viel mehr – von der Erlösung *durch* Poesie: Der Weg erklärt das Ziel der einen großen Synthese von allem. Er ist ihr Vollzug und besteht darin, daß sich der Held alles aneignet, indem er sich und das (bereits) Angeeignete immer wieder in das Neue verwandeln läßt und so seinen gemeinsamen, das einzelne als einzelnes aber überschreitenden Sinn findet.

Heinrich, der – als Sohn der „Fantasie" [35a] – „zum Dichter geboren" war, sollte alle Zeiten und Räume der Geschichte, die Heldenzeit, das Altertum, das Morgenland, den mittelalterlichen Kaiserhof, durchwandern und in sich aufnehmen, wie er alle Bereiche der Natur als Stein, als Pflanze, als Tier und schließlich wieder als Mensch durchschreiten und innerlich sich anverwandeln sollte [36]. Ebenso sollte am Ende des Romans auch eine Vereinigung aller Sagen und Mythen, eine „Aussöhnung der christlichen Religion mit der heidnischen" und eine „wunderliche Mythologie" des ganzen Menschengeschlechtes als sinnfälliger Ausdruck des großen Versöhnungsfestes stattfinden und die „Poetisierung der Welt" verkünden [36a].

Daß sie kommt – „Wer fühlt sich nicht mit süßer Scham guter Hoffnung?" – die Geburt „eines neuen Messias" im Pluralis, verkündet Novalis *seiner* Zeit im *Europa*-Aufsatz – mit den schon einmal zitierten Worten: „Das Neugeborne wird ... eine große Versöhnungszeit (sein), ein Heiland, der wie ein echter Genius unter den Menschen einheimisch, nur geglaubt, nicht gesehen werden, und unter zahllosen Gestalten den Gläubigen sichtbar, als Brot und Wein verzehrt, als Geliebte umarmt, als Luft geatmet, als Wort und Gesang vernommen, und mit himmlischer Wollust als Tod unter den höchsten Schmerzen der Liebe in das Innre des verbrausenden Leibes aufgenommen wird." [37]

Neben und vor seiner individuellen Vielgestaltigkeit steht die *kollektive* „Empfängnis ... (des) neuen Messias" in den „tausend Gliedern" „einer jungen überraschten Kirche" „zugleich" [37a]: „Der Messias im Pluralis" [38] ist ganz real „eine neue (brüderliche) Menschheit" [39]. – Das geht auf die Zeit zurück, da Novalis zusammen mit Fr. Schlegel der Französischen Revolution anhing. Damals schrieb er an den Freund, die „heilige Revolution" sei „auf Erden erschienen", wie „ein Messias im Pluralis". Und dieses Bild behält er, wie der *Europa*-Aufsatz zeigt, auch in seiner „post"-revolutionären Phase bei. [39a]. Daß jetzt von der „Kirche" statt von der Revolution die Rede ist, verhindert das nicht; als gemeinsames Drittes bleibt die ,,(*neue*) Menschheit'', die synonym mit jener Kirche ist. [40] Und freilich, das Bild vom pluralen Messias *ist* ursprünglich biblisch und steht, wie noch viel mehr das von den ,,tausend Gliedern'', in Verbindung mit dem paulinischen Bild vom ,,mystischen Leib Christi'', der die Kirche ist, und sicher auch, ja vorrangig in Verbindung mit der Botschaft vom ,,tausendjährigen *Reich*''. Der Chiliasmus wird wachgerufen – aber unter Transformation seiner numerischen Zeitdauer in eine korporative Messianologie [40a]: der ,,Keim alles *Demokratismus*''. [40b]

Dem jungen Fr. Schlegel erschien ,,der revolutionäre Wunsch, das Reich Gottes zu realisieren'', als ein Signum der modernen Geschichte und ihrer ,,progressiven Bildung'' (Athenäums-Fragment 222). Novalis hält auch im *Europa*-Aufsatz an der Diesseitigkeit des ,,Reiches'' fest: ,, . . . sollten nicht alle wahrhafte Religionsverwandte voll Sehnsucht werden, den Himmel auf *Erden* zu erblicken?'' [41]

Geschichtliche Inkarnation dieses Himmels soll ,,eine sichtbare Kirche'' sein, ,,ohne Rücksicht auf Landesgrenzen'' [41]. Und nicht nur diese Grenzen sollen fallen. Novalis' Kirche will nämlich wirklich ökumenisch und katholisch sein: ,,Das Christentum ist dreifacher Gestalt. Eine ist das Zeugungselement der Religion als Freude an aller Religion. Eine das Mittlertum überhaupt als Glaube an die Allfähigkeit alles Irdischen, Wein und Brot des ewigen Lebens zu sein. Eine der Glaube an Christus, seine Mutter und die Heiligen. Wählt, welche ihr wollt, wählt alle drei, es ist gleich viel, ihr werdet damit Christen und Mitglieder einer einzigen, ewigen, unaussprechlich glücklichen Gemeinde.'' – ,,Die andern Weltteile warten auf Europas Versöhnung und Auferstehung, um sich anzuschließen und Mitbürger des Himmelreichs zu werden.'' [42]

Damit ist deutlich, daß jene ,,sichtbare Kirche'' nichts anderes meint als die ,,friedensstiftende Loge'', in der auch ,,Philanthropen und Enzyklopädisten'' ,,den Bruderkuß'' empfangen sollen. Ein Fragment aus der Entstehungszeit der ,,Europa'' läßt daran keinen Zweifel: ,,Noch ist keine Religion – Man muß eine Bildungs*loge* ächter Religion erst stiften. Glaubt ihr – daß es Religion gäbe – Religion muß gemacht und hervorgebracht werden – durch die Vereinigung mehrerer Menschen.'' [43]

,,Aus dem heiligen Schoße eines ehrwürdigen europäischen *Konziliums* wird die Christenheit aufstehn, und das Geschäft der Religionserweckung nach einem allumfassenden, göttlichen Plane betrieben werden. Keiner wird dann mehr protestieren gegen christlichen und weltlichen Zwang, denn das Wesen der Kirche wird echte Freiheit sein [43a] und alle nötigen Reformen werden unter der Leitung derselben als friedliche und förmliche *Staats*prozesse betrieben werden.'' [44] – Die Sichtbarkeit ist notwendig; denn Novalis' Kirchen-Loge soll – wie die mittelalterliche Kirche – nicht auf die Politik verzichten, ganz im Gegenteil. Aber da ihr vor allem andern aufgetragen ist, den Frieden zu stiften [44a] – ,,die Religionserwekkung'' geschieht nur dieserhalb oder ist gerade dies –, kann sie keine Kirche im konfessionellen Sinne sein. Überhaupt die überlieferten chiliastischen Motive sind nur Namen und Chiffren, um die Einheit der getrennten Sphären, den „ewigen Frieden" zwischen den europäischen Staaten und das „himmlische Zutrauen der Menschen zueinander" [45] zu umschreiben. [46] Nicht anders als die Vokabel von der „goldenen Zeit". – „Sie muß kommen, die heilige Zeit des ewigen Friedens" [45], ist Novalis' zentrale Botschaft im „Europa"-Aufsatz, aber – und auch hier steht er gegen die Tradition, selbst gegen die chiliastische des Pietismus – es geht nicht an, diese Zeit nur zu erwarten, gleichsam als ein „Geschenk von oben". Nein, die Menschheit ist „selbständig" und „eigenmächtig" [47], ja „allfähig" [48]. In seiner zweiten Gestalt ist das ganze Christentum nichts anderes als der Glaube „an die Allfähigkeit alles Irdischen, Wein und Brot des ewigen Lebens zu sein" [49], d. h. „Mittlertum überhaupt" [50]. – Poesie und Liebe *sind* „die vermittelnden Weltmächte", welche den Menschen zum „schöpferisch-poetischen Handeln" führen – oder welche der Mensch schaffend realisiert. Das „ewige Leben" aber ist „der ewige Frieden" und umgekehrt. („Wann und wann eher? danach ist nicht zu fragen ... sie wird, sie muß kommen, die heilige Zeit des ewigen Friedens, wo das neue Jerusalem die Hauptstadt der Welt sein wird..." [45].)

Schon im Klingsohr-Märchen sind Poesie und Liebe, „Fabel" und „Eros", nicht mehr zu scheiden, sie beide sind die wahrhaft erlösenden Weltgewalten, die zusammen das irdisch Getrennte einen und das Verlorne, das „alte Reich" zurückgewinnen [52]. Auch für Heinrich von Ofterdingen, wie für Novalis selbst, ist das Erwachen der Liebe nichts anderes als das Erwachen der Poesie, des poetischen Geistes gewesen, der dem inneren Auge eine höhere, unbekannte Welt erschließt. [53] Und die Liebe jedes von beiden transzendiert im Tod der Geliebten: „Er stand weit außer der Gegenwart, und die Welt ward ihm erst teuer, wie er sie verloren hatte, und sich nun als Fremdling in ihr fand" [54]. Mythischen Ausdruck findet dies wieder im Klingsohr-Märchen; denn zunächst sollte die Liebe, Eros selbst, geopfert werden, um dann durch den geheimnisvollen Aschentrank als innerlich wirkende Macht wieder zu erstehen [55]: „... die Liebe wird neu geboren." [56] – Wahre Liebe überliebt, übersteigt die trennenden Grenzen und zwingt das schon Entrissene, Verlorene, zurück, sie bewirkt gleichsam die Aufhebung des Unterschieds von Leben und Tod [57]; mit Novalis' eigenen Worten: „Liebe ist der Endzweck der Weltgeschichte, Liebe ist das Unum des Universum" [58], „das höchst Reale" [59]; *sic* ist „der Grund der Möglichkeit der Magie. Die Liebe *wirckt* magisch" [59a].

Das *Klingsohr*-Märchen endet mit diesen von *Fabel* gesungenen Versen: „Gegründet ist das Reich der Ewigkeit, / In Lieb' und Frieden endigt sich der Streit ..." [60]: Das Antik-Mythische wendet sich ins Christlich-Eschatologische. [60a] Unübersehbar die Paralelle zu Schlußversen der 5. Hymne: „Die Lieb' ist frei gegeben, / Und keine Trennung mehr." Im deutlichen Anschluß an Johannes' Schilderung des himmlischen Jerusalem (*Apk. 22,5*), das (nach der *Europa*) in der heiligen Zeit „des ewigen Friedens" „die Hauptstadt der Welt sein wird", schließt die Hymne mit den Zeilen: „Und unser aller Sonne / Ist Gottes Angesicht." Nach dem Aufsatz sollen die europäischen Kriege mit einem großen „Liebesmahl als Friedensfest" [61] beschlossen werden. Beschwörend fragt der Dichter: „Wo ist . . . jener allesumfassende Geist der Christenheit", der dies zuwege bringt? [62] Er soll „diesseits –" und gesellschaftsmächtig sein – „Nur die Liebe besitzt den Talisman ewigen Friedens" [63] –, indem er „alle Menschen wie ein paar Liebende" [64] zusammenschmilzt. Ganz so hat es Fabel vorm Beginn ihres Erlösungswerkes prophezeit: „Ich spinne eure Fäden, / In einen Faden ein; / Aus ist die Zeit der Fehden. / *Ein* Leben sollt ihr sein." [65]

Noch einmal wird, wie im mythischen Geschehen des Märchens selber, Ehe und Hochzeit zum höchsten Symbol der Alleinheit. In einem Emblem faßt „Klingsohr"-Novalis aufs vollkommenste „das Geheimnis der Einheit in der Zweiheit" [65a]: „Eine wunderschöne Blume schwamm glänzend auf den sanften Wogen." [66] „In dem Kelch („der schwimmenden Blume") lag Eros . . ., über ein schönes schlummerndes Mädchen hergebeugt, die ihn fest umschlungen hielt. Eine kleine Blüte schloß sich um beide her, so daß sie von den Hüften an in *eine* Blume verwandelt zu sein schienen." [67] Und in der Abendmahlshymne der *Geistlichen Lieder* heißt es unter Verschränkung der sexuellen Erfahrung mit der sakramentalen Inhabitation [67a]: „Einst ist alles Leib, / *Ein* Leib, / In himmlischem Blute / Schwimmt das selige Paar." [68] – „Das selige Paar" korrespondiert mit dem „himmlischen" [69] der Fragmentsammlung *Glauben und Liebe*. Darin wird der Staat zu einer personalen, durch Liebe verbundenen Gemeinschaftsform erhoben, deren sichtbarer Ausdruck und vollkommene Repräsentation das Königspaar darstellt, das „klassische" oder eben „himmlische" „Menschenpaar". – Das typische seiner Existenz weist aber gleichzeitig auf seine nur transitorische Funktion hin. [69a] Einst kommt der Tag, wo alle Menschen „thronfähig" geworden sind, dann tritt der ewige Frieden ein, der einstweilen in dem liebenden Menschenpaar repräsentiert wird [70]: „Jenes himmlische Paar schwimmt hoch auf der Flut, wie die Taube / Und der Ölzweig; es bringt *Hoffnung* des Landes, *wie* dort." [71] – In *Noahs* Arche.

Auch hier gilt die „apokalyptische Gleichung Endzeit = Vorzeit" (M. Hengel) – im von H. Greßmann eingangs dargelegten Sinn [72].

Novalis wird im vorliegenden Band generell als Hauptvertreter einer „progressiven" und „utopischen" Romantik präsentiert. [72a] Ist das aber wirklich vertretbar, gerade in Anbetracht der „*Staats*schrift" „Glauben und Liebe"? Scheinbar im Zug einer „theologia publica", wie sie von Varro bis Carl Schmitt das „Abendland" prägt [73], empfiehlt Novalis hier im 30. Fragment, „mit dem König und der Königin das gewöhnliche Leben (zu) veredeln, wie sonst die Alten es mit ihren

Göttern thaten. Dort entstand ächte Religiosität durch diese unaufhörliche Mischung der Götterwelt in das Leben. So könnte hier durch diese beständige Verwebung, des königlichen Paars in das häusliche und öffentliche Leben, ächter Patriotism entstehen." [74] – Das wirkliche Leben samt all seinem Elend soll verklärt werden durch die allein Mächtigen, die wie Götter über den übrigen Menschen stehen und es auch sollen, – damit „ächter Patriotism" entsteht? Sollte das der politische (Un-)Sinn der Wiederkehr der goldenen Urzeit sein, in der „wir" schon einmal „von den Kindern des Himmels" *besucht* wurden [74a]? Und nun *heim* gesucht werden sollen?

Bisher sieht man den Staat „zu wenig", heißt es bereits im 19. Fragment, aber er sollte „überall" sichtbar, „jeder Mensch, als Bürger characterisiert seyn. Ließen sich nicht Abzeichen und Uniformen durchaus einführen? Wer so etwas für geringfügig hält, kennt eine wesentliche Eigenthümlichkeit unsrer Natur nicht." [75] – Äußert sich hier nicht ein entschiedener Etatismus [76] mit deutlich *archaischen* Zügen? Wird nicht, wie akkomodiert auch immer, eine Rückkehr zum *Masken* wesen gefordert? Fragen über Fragen; genügend Fragen.

„Schon" Th. Mann sah in solchen Sätzen „die Bestimmung des *Republikanertums* als eines bürgerlichen Militarismus ... nahegelegt" und sprach deswegen – konsequent – von „romantischem *Jakobinertum*" [77]. Man kann solche Identifikation des scheinbar Entgegengesetzten stützen und ausweiten, wenn man aus einem späteren Fragment zitiert (das nicht in unmittelbarem Zusammenhang mit „Glauben und Liebe" steht): „In Republiken" ist „der Staat die Hauptangelegenheit jeder Person", und fühlt „jeder sein Daseyn und seine Bedürfnisse, seine Thätigkeiten und seine Einsichten mit dem Daseyn und den Bedürfnissen, der Thätigkeit, und den Einsichten einer mächtigen, weitverbreiteten Gesellschaft verbunden, sein Leben an ein gewaltiges Leben geknüpft". Ganz anders als „in *unsern* Städten", wie es kurz zuvor ausdrücklich heißt [78]. Novalis bekämpft hier – wie schon im 37. Fragment von „Glauben und Liebe" – jenes „kleinstädtische Wesen", das „am meisten ächten Republikanismus" verhindert: „allgemeine Theilnahme am ganzen Staate". Doch, ganz davon abgesehen, daß Novalis sie – organizistisch – mit „innige(r) Berührung und Harmonie aller Staats*glieder*" [79] synonymisiert, dieser „*ächte* ... Republikanismus" erlaubt ihm eben das 17. Fragment völlig traditionell mit dem Satz beginnen zu lassen: „Der König ist das gediegene Lebensprinzip des Staats; ganz dasselbe, was die *Sonne* im Planetensystem ist." [80] Und im 18. Fragment heißt es: „Der König ist ein zum irdischen Fatum erhobener Mensch." [81] – „Brauchen wir noch weitere Beweise?" ruft die „Linke". Aber eigentlich sollte sich gerade sie etwas besser auf Dialektik verstehen. [82] Es ist das gleiche Fragment, wo es weiter heißt: „Alle Menschen sollen thronfähig werden. [83] Das Erziehungsmittel zu diesem fernen Ziel ist ein König. Er assimiliert sich allmählich die Masse seiner Unterthanen." [84] – Mag der Gedanke einer solchen „Assimilation" zunächst auch utopisch sein, über die zutiefst egalitäre, nämlich anthropologische Aufhebung des ersten Satzes dürfte es keinen Zweifel geben. „*Alle* Menschen sollen thronfähig werden" dreht jenen Satz um.

„ . . . Wären die Menschen schon das, was sie sein sollten und werden können – so würden alle Regierungsformen einerlei sein – die Menschheit würde überall einerlei regiert, überall nach den ursprünglichen Gesetzen der Menschheit. Dann aber würde man am Ersten die schönste, poetische, die natürlichste Form wählen – Familienform – Monarchie . . ." [85]. Also doch wieder diese. Aber welche „Monarchie" muß das sein, von der – im gleichen rhetorischen Überschwang – gesagt werden kann: „Zerstäubt wird . . . der papierne Kitt seyn, der jetzt die Menschen zusammenkleistert, und der Geist wird die Gespenster, die statt seiner in Buchstaben erschienen und von Federn und Pressen ausgingen, verscheuchen, und alle Menschen wie ein paar Liebende zusammen schmelzen." [86] – Mit romantischer Verfremdung zitieren wir zum Vergleich aus einem der frühesten Werke des französischen Neomarxismus, M. Merleau-Pontys 1947 entstandenem Essay *Humanismus und Terror*: „Eine Gesellschaft ist nicht der Tempel jener Wert-Idole, die auf dem Giebel ihrer Monumente . . . stehen, sie ist das wert, was in ihr die Beziehungen des Menschen zum Menschen wert sind." [87] Konsequenz: Die von der bürgerlichen Revolution geschaffene Ordnung des Privatrechts muß in der Sphäre der gesellschaftlichen Arbeit selbst bis zu dem Punkt weitergetrieben werden, an dem sich das abstrakte Recht in ein konkretes verwandelt. [88] – Eindeutig, wir glauben keineswegs, daß Novalis seinerzeit, im Unterschied zum Merleau-Ponty des Nachkriegs, die richtige Schlußfolgerung aus seiner unglaublich frühen Kritik des „Liberalismus" gezogen hat. Er hat es nicht ge*konnt*; seine Kritik, in Deutschland früher als die Sache selbst, mußte utopisch bleiben. Doch eben deswegen hat Novalis *verkannt*, daß die formale Gleichheit – gegenüber feudaler Unterdrückung und Abhängigkeit der Individuen – einen großen geschichtlichen Fortschritt *darstellte* [88a]. Und deswegen *ist* die Aburteilung der demokratischen Staatsform im ersten Abschnitt des 67. Fragments [89] reaktionär, zumal Novalis „die Despotie eines Einzelnen" als das kleinere Übel erscheint – im Vergleich zu der von „Buchstaben und mannichfaltigen Partheimachern". – Doch, davon abgesehen, daß „Despotie" nicht Despotie meint, wie die fulminante Polemik gegen die „Sultane" (im 50. Fragment) zeigt, Novalis' Plädoyer für die Monarchie war nie eines für die vorhandene und, wir wiederholen, als eines für eine *Herrschafts*form, „transitorisch".

Wofür Novalis *mittel*fristig plädiert, ist – eher zuviel als zu wenig realistisch [89a] – eine demokratische Monarchie oder eine monarchische Demokratie; so lautet das 22. Fragment: „Es wird eine Zeit kommen und das bald, wo man allgemein überzeugt seyn wird, daß kein König ohne Republik, und keine Republik ohne König bestehn könne, daß beide so untheilbar sind, wie Körper und Seele, und daß ein

König ohne Republik, und eine Republik ohne König, nur Worte ohne Bedeutung sind. Daher entstand mit einer ächten Republik immer ein König zugleich, und mit einem ächten König eine Republik zugleich. Der ächte König wird Republik, die ächte Republik König seyn." [90]

Politisch-theologisch, doch eben nicht im Sinne des „Erfinders" C. Schmitt, der ein Politischer Monotheologe ist [91], endet die *sogenannte* „Staatschrift" mit dem Satz: „Man sei ... politisch, wie religiös, tolerant – man nehme nur die Möglichkeit an, daß auch ein vernünftiges Wesen anders incliniren könne als wir. Diese Toleranz führt, wie mich dünkt, allmälig zur erhabenen Ueberzeugung von der Relativität jeder positiven Form – und der wahrhaften Unabhängigkeit eines reifen Geistes von jeder individuellen Form, die ihm nichts als nothwendiges Werkzeug ist. Die Zeit muß kommen, wo politischer *En*theism und *Pan*theism als nothwendige Wechselglieder aufs innigste verbunden sein werden." [92]

Stempelt *Glauben und Liebe* Novalis scheinbar zum monarchistischen Reaktionär, dann *Die Christenheit oder Europa* zum christ-*katholischen*. Unsere Interpretation hat bereits gezeigt, wie unzutreffend dieser Anschein ist: Die fingierte Rede [93] des Novalis im Oktober 1799 entstanden, als die Kirche in ihrer „zufälligen Form" gestorben [94] und die „Auferstehung" in ihr „Wesen" bevorzustehen schien [95]. – Gerade indem sich Novalis der „abendländischen" Überlieferung bedient und ihre Sprache spricht, wird er zum hervorragenden Zeugen des epochalen Vorgangs der Säkularisierung; denn Novalis wertet beide um: Der Widerspruch im Gleichen ist sein charakteristischer Stilwille. Und der kommt, sofern wie hier das Gleiche die sakrale Sprache ist, einer Säkularisation gleich. Sie sucht nämlich, als „provozierenden Effekt" [96], Transposition oder gar Perversion. [97] – Bei Novalis reißt „der ‚imitatio'-Zusammenhang zwischen dem ästhetischen Gegenstand", der bisher dies nur war, weil zuerst religiöser, „und seiner Präsenz im Kunstwerk" ab. Der Gegenstand wird nicht mehr „abgebildet", sondern „eingesetzt" [98], d. h. in eine neue, ihm fremde Funktion gebracht. Genau dies konstituiert aber das *moderne* Symbol. – Also sind die überlieferten eschatologischen Motive, und darum geht es ja hauptsächlich, nur „Namen und Chriffren, ein ‚mystischer Ausdruck'" [99] für die *welt*geschichtliche Zukunft; durch ihre Hilfe wird sie rhetorisch antizipiert und in den Dienst des revolutionären „Enthusiasmus" [100] gestellt: Mit ungeheurer Liebeskraft zieht Novalis die jenseitige Welt des Übersinnlichen in den Bereich des Diesseitigen und Irdischen. [101] Freilich macht er damit zunächst „nur" rückgängig, was der jüdisch-christlichen Apokalyptik durch ihre Hellenisierung geschehen ist – ihre katholische Dogmatisierung. [102] Aber Novalis ist kein christlicher Joachimit mehr [103]; näher bei seiner Zeit, er hat das zweifellos vorhandene pietistische Erbe (Böhmes, Lavaters usw.) auch negativ aufgehoben. Nicht nur, daß ihm, wie schon Francis Bacon schrieb [104], das Reich

Gottes zum ,,Reich des Menschen" wird, der deus absconditus zum ,,homo absconditus" [105], eben darin hat auch alle bloß passive Erwartung ihr Ende. Die ,,Allfähigkeit der ... Menschheit" stellt ,,selbst" her, was kommen soll: ,,Durch Erweiterung und Bildung unserer Tätigkeit werden wir uns selbst in das Fatum verwandeln." [106] – Was sich wie Theologie gibt, ist in Wirklichkeit, wie später bei Benjamin, ihre Ablösung durch eine Ontologie des Geschichtlichen [107], im Dienste revolutionärer Praxis, – die ihr aber auch selbst dient; es gibt kein einseitiges Verhältnis.

Glaubend und handelnd muß das in der Gegenwart aus der Vergangenheit heraus Antizipierte erst verwirklicht werden: Alle Postulate, synthetisiert im Topos vom goldenen Alter oder Reiche Gottes, verlieren ihren zweifellos fiktiven Charakter, sobald sie wirksam werden, aber auch nur dann. Allein so umschreiben sie ein ideales Zielbild, das nicht Flucht aus der Wirklichkeit ist, sondern Stimulanz ihrer Erhebung zur Höhe der Idealwelt [108]. Umgekehrt, nun schon klassenkämpferisch: ,,Sobald ein Mensch, wenn er um höheren Lohn kämpft, nicht auch im Willen hat, daß die Gesellschaft verschwindet, die ihn dazu zwingt, überhaupt nur um Lohn kämpfen zu müssen, wird er auch im Lohnkampf nichts Gründliches erreichen." [109] Mit Novalis' eigenen Worten: ,,Hypothesen sind Netze, nur der wird fangen, der auswirft. / Ist nicht Amerika selbst durch Hypothese gefunden? [109a] / Hoch und vor allem lebe die Hypothese, nur sie bleibt / Ewig neu, so oft sie auch schon sich selber besiegte."[110] – Handelnd stellt der Glaube erst her, was er glaubt. [111] Und je mehr er Handeln veranlaßt, desto mehr wird er sich seiner gewiß; im Maße des Handelns nähert er sich seinem telos, das Poesie antizipiert: ,,Was bei den Philosophen die Vernunft ist, das ist im engeren Sinn bei den Poeten der Glaube", und zwar der ,,repräsentative Glaube", d. h. im Wortverstand der Glaube, der das Nichtgegenwärtige, Verlorene, Vergangene repräsentiert, wieder gegenwärtig macht [112]. – ,,Nur Literatur und Kunst" tragen ,,die Zukunft, aus der Vergangenheit in die Gegenwart." [113] Eine Zukunft, die schon der Vergangenheit zukünftig, nämlich ,,apriorisch" war. Apriorisches Denken und Dichten heißt nicht mehr zeitüberlegen – ,,metaphysisch", sondern ,,vom Voraus her" denken und dichten. Sie gehen ,,vom Zukünftigen und Notwendigen nach dem Wirklichen" und erklären ,,die Vergangenheit aus der Zukunft" [114], der jener und ihrer eigenen, aus der ,,*absoluten*" Zukunft. [115] Die Idee ist also das ,,Voraus", deshalb dieser Idealismus ,,eigentlich Futurismus" [116], als solcher aber ,,Enthusiasmus".

Im ,,apriorischen Enthusiasmus" [117] bringt der Dichter sakramental jene Zukunft zur Erscheinung: Er ,,gibt nicht wie der Philosoph eine neue Deutung der Welt, sondern unmittelbar gleich die neugedeutete Welt. Ihre Erkenntnis bleibt nicht lediglich theoretische Schau, sondern verwandelt sich in praktisches Bild." [118] – ,,Geistesgeschichtlich": ,,Bey den Alten war die Religion schon gewissermaßen das, was sie bey uns werden soll – practische Poesie." [119] – Rhetorisch kann Novalis fragen, was Silvester Heinrich tatsächlich gelehrt hat: „Sollte praktisch und poetisch eins seyn . . .?" [120] – W. Benjamin pflichtet ihm bei, wenn er schreibt: „Lebendig nährt den Willen nur das vorgestellte Bild. Am bloßen Wort dagegen kann er sich zuhöchst entzünden, um dann brandig fortzuschwelen. Kein heiler Wille ohne die genaue bildliche Vorstellung." [121] Das Verändern der Welt ist eben daran geknüpft, daß man den veränderten Zustand – und sei es noch so vage – imaginiert. Es gibt darum – Adorno entgegen – keine abstrakten Utopien. Ihnen allen ist eine Bildqualität eigen, die darin begründet ist, daß auch in der U-Topie noch ein Topos, wenn auch ein nicht lokalisierbarer, enthalten bleibt [123]; er trägt den veränderten Zustand archetypisch in sich [124]; ist Samen, Funke und Spur, „Rand" „des Fernziels", das das „Nahziel" näherbringt. (E. Bloch).

Entscheidend: Jenes ferne Zielbild ist kein Fixum und in seiner Idealität keine „translunare" Idee [125], sondern selber nur geglaubt, wenn dann auch wieder Glauben begründend: Es begründet Geschichte, obwohl selbst geschichtlich. – „Florenz Baptisterium. – Auf dem Portal die ‚Spes' Andrea Pisanos. Sie sitzt und hilflos erhebt sie die Arme nach einer Frucht, die ihr unerreichbar bleibt. Dennoch ist sie geflügelt. Nichts ist wahrer." [126] Die Flügel tragen die Hoffnung zwar weit, aber sie ist am Ziel immer schon über sich hinaus. [127] So treibt sie rastlos von Gestalt zu Gestalt. Jede Verwirklichung gefährdet den absoluten Anspruch ihres telos, weswegen sie in die Situation der „permanenten Revolution" gerät; die Hoffnung ist „revolutionäres Prinzip" [128] schlechthin.

Obwohl Novalis die „permanente *Krisis*" [129] fürchtete, erschien die Revolution auch ihm apokalyptisch – „Apokalypse ist Krisis" [130] – als die *notwendige* weltgeschichtliche Krisis, die dem Eintritt des Eschatons der Menschheit vorausgehen *mußte* [131]. Schon Kant schrieb während eines früheren Stadiums der Revolutionskriege (1794), freilich approximatorisch: „Die Nachwehen des gegenwärtigen Krieges . . . können dem politischen Wahrsager das Geständnis einer nahe bevorstehenden *Wendung* des menschlichen Geschlechts zum Besseren abnötigen, das schon jetzt im Prospekt ist." [132] Nicht nur darin überbietet Novalis Kant, daß er, statt der „bloß" relativen, die absolute Verbesserung „prospektiert" [133], sondern auch darin, daß für ihn Revolution, statt „nur" gesellschaftliche zu sein, heißt, der Totalität der Welt eine „neue Welt" entgegenzusetzen, die ebenso umfassend, nämlich in den Grundlagen, neu stiftet wie sie verneint. Das eben bedeutet, Novalis' Revolutionsbegriff ist apokalyptisch. [134] Gewaltsam wird die Eschatologie in die Geschichte „hineingezerrt und dadurch, die Geschichte zugleich bejaht und preisgegeben [135]: Die Apokalyptik wird revolutionär; wie bei Jesus die „Leidensmystik", so hat bei Th. Münzer und den ihm folgenden Revolutionären die politische Gewalt die passive Auffassung der Apokalyptik überwunden, wobei sich ihre Mystik noch stärker als die von Jesu Leiden aktiviert:„Was in-

nerliches Licht war, wird zur verzehrenden Flamme, die sich nach außen wendet".
[136] Um dadurch wieder, so hätte *Novalis* fortfahren können, ,,heftigste(s) Incitament der schlummernden Religion" [137] zu werden: ,,Wahrhafte Anarchie ist das Zeugungselement der Religion. Aus der Vernichtung alles *Positiven* hebt sie ihr glorreiches Haupt als neue Weltstifterin empor." [138]

Gerade auch aus der ,,Vernichtung'' des ,,*positiven*" Christentums. ,,Vielleicht hast Du noch die Wahl, mein Freund, entweder der letzte Christ, der Brutus der alten Religion, oder der Christus des neuen Evangeliums zu seyn" [139], schrieb Fr. Schlegel seinem Freund *Novalis*. Dieser aber wollte mehr und weniger, als die Wahl ihm bot, nämlich beides [140], gemäß seiner ,,Religionsansicht", daß ,,in der Geschichte und den Lehren der christlichen Religion die *symbolische* Vorzeichnung einer allgemeinen *jeder* Gestalt fähigen, Weltreligion – das reinste Muster der Religion, als historische Erscheinung überhaupt – und wahrhaftig also auch die vollkommenste Offenbarung zu sehen" sei. Aus eben ,,diesem Standpunkt" scheinen ihm ,,alle Theologien auf mehr oder minder glücklich begriffenen Offenbarungen zu ruhen . . ., alle zusammen jedoch" dünken ihn ,,in dem sonderbarsten Paralellism mit der *Bildungs*geschichte der *Menschheit* zu stehn und in einer aufsteigenden Reihe sich friedlich zu ordnen" [141]. Novalis' ,,Religionsansicht", so schlußfolgert er selbst, wurde nicht zuletzt durch die ,,Phantasie" gebildet: ,,das *vorzüglichste* Element meiner Existenz" [142].

Fr. Schlegels Einfluß auf Novalis ist unverkennbar; schon er hat – für Novalis – eine ,,Kunstreligion" verkündigt – ,,beynah eine Religion wie die des Künstlers" [143], der – im traditionellen Sinn – ,,durchaus irreligiös" ist – ,,daher kann er in Religion wie in Bronze arbeiten. Er gehört zu Schleyermachers Kirche" [144], was eben heißt: er vertritt wie dieser einen ,,religiösen *Atheismus*" [145], gemäß *Schlegels* Satz: ,,Jeder Begriff von Gott ist leeres Geschwätz. Aber die Idee der Gott*heit* ist die Idee, aller Ideen." Novalis merkt dazu an: ,,Von Gott weis ich nichts – von *Göttern* will ich reden und da ist der Satz bei jedem Religiösen wahr" [146]. Wie Schlegel geht es auch ihm bei seiner ,,Neuen Religion" [147] um eine ,,Neue *Mythologie*". Umso mehr, als für ihn schon ,,die *griechische* Mythologie . . . unabhängig von der Religion war." Ja, sie war ,,wesentlich *Gegenstand* der menschlichen Kunst. Die *Kunst* schien göttlich oder die Religion künstlich, und menschlich. Der Kunstsinn war der Religions-*Erzeugungs*sinn. Die Gottheit offenbarte sich durch die Kunst." [148]

Das ist eindeutig, doch es geht Novalis eben um eine ,,*Neue* Mythologie". Um keine Restauration, als ob wir wieder auf den homerischen Olymp heimkehren sollten – so wenig wie der Rousseauismus ein Zurück ins Paradies der Naturunmittelbarkeit oder die Europa-Rede eine Wiederholbarkeit des ,,Mittelalters" kennt. Aber doch um eine neue *Mythologie*, nachchristlich. Also um eine remythologisierte *Neu*zeit. [148a]

Daß sie dies *werden* konnte, setzte die Entdeckung der „hermeneutischen Dialektik von Geist und Buchstabe, von Enthusiasmus und Selbstironisierung als Vermittlungsbasis aller mythopoetischen Sprachkunst ante und post Christum natum" voraus. Erst durch sie war die Kluft zwischen heidnisch-griechischem *Poly*theismus und jüdisch-christlichem *Mono*theismus überbrückbar: „durch die quasi polytheistische Verfassung der kanonischen Offenbarungsliteratur. Darin soll das tertium comparationis liegen. Der Blick wird auf den internen Pluralismus der Heiligen *Schrift* gerichtet. Sie sei „das en kai pan, der Spinozistische Gott unter den Büchern im höchsten Grade" (XVIII, 226). Ist doch die Bibel nur „durch absichtliche Fortsetzung und Bejahung Ein Buch", mithin ein offenes System der Systemlosigkeit, das sich durch permanente Auslegungen seiner selbst endlos fortschreibt. Also ein „Nachbild von der heiligen Schrift der Natur, und dieses Nachbild selbst ist nie ganz da, es hat nur eine idealistische Existenz. – *Evangelium* der Natur" (CVIII, 257)." [149]

Novalis läßt es durch Sylvester *verkünden*: „Euch", Heinrich, „wird alles verständlich werden, und die Welt und ihre *Geschichte* verwandeln sich Euch in die Heilige Schrift, sowie Ihr an der Heiligen Schrift das große *Beispiel* habt, wie in einfachen Worten und Geschichten das Welt*all* offenbart werden kann; wenn auch nicht gerade zu, doch mittelbar durch Anregung und Erweckung höherer Sinne. – Mich", so fährt Sylvester fort, „hat die Beschäftigung mit der Natur dahin geführt, wohin Euch die Lust und Begeisterung der *Sprache* gebracht hat" [150], die, dem „Monolog" zufolge, „ein bloßes Wort*spiel*" ist [151]; genau wie – für Fr. Schlegel – die *alte* Mythologie. Das „bunte Gewimmel der alten Götter" gilt ihm als schönstes Symbol für die ursprüngliche Chaotik der menschlichen Natur, ein „hieroglyphischer Ausdruck" der *primären* Welterfahrung, „sinnlich geistig zu schauen". „Die Mythologie ist ein solches Kunstwerk der *Natur*. In ihrem Gewebe ist das Höchste wirklich gebildet; alles ist Beziehung und Verwandlung, angebildet und umgebildet, und dieses Anbilden und Umbilden eben ihr eigentümliches Verfahren, ihr innres Leben, ihre Methode, wenn ich so sagen darf" (II. 318 f.). Nur daß es (noch) kein eigenes Bewußtsein von diesem Produktionsgesetz gab. Die „Orgie der wahren Muse" war eine „bewußt*lose* Poesie", hervorgegangen „aus der unsichtbaren *U*rkraft der Menschheit" (II, 284 f.), wie „alle heiligen Spiele der Kunst" eine „Nachbildung von dem unendlichen Spiele der *Welt*, dem ewig sich selbst bildenden Kunstwerk" (II, 324). [152]

„Die *neue* Mythologie muß im Gegenteil aus der tiefsten Tiefe des *Geistes* herausgebildet werden; es muß das *künstlichste* aller Kunstwerke sein" (II, 312). Die heidnische Naivität ist unwiederbringlich verloren, der entmythologisierenden Abstraktionskraft des Denkens zum Opfer gefallen, dem selbstbewußten, auf die ureigenste Wesenstat verpflichteten Denken, das seine Welt wie eine ‚creatio ex nihilo' erschaffen muß. Dieser Akosmismus datiert auf die Intervention der Offenbarung. Nur vermittels ihrer Negationskraft kann das Universum regeneriert werden. Die sinnliche Epiphanie ist uns zum größten Geheimnis, das Natürlichste zum Allerfernsten geworden. Wir können es allenfalls als Gipfelleistung unserer religiösen Einbildungskraft wieder zur Geltung bringen. Die Freiheit will erarbeitet werden. An die Stelle der unreflektierten Mythologie hat eine programmatische Mytho*poese* zu treten [153], was völlig mit Novalis' Diktum übereinkommt, daß ,,Religionslehre ... *wissenschaftliche* Poesie" ist, ,,eine *Synthesis* von Poetik und Philosophik" [154] also.

In diesem Sinn ist es zu verstehen, wenn es im ,,ältesten Systemprogramm des deutschen Idealismus" heißt: ,,Die Poesie ... wird am Ende..., was sie am Anfang war – *Lehrerin* der Menschheit." [155] – ,,Der ächte Anfang ist Natur Poesie. Das Ende ist der 2te Anfang – und ist *Kunst*poesie." [156]

Anmerkungen

1   Novalis, *Heinrich von Ofterdingen*, EC 88, S. 113

1a) H. Greßmann, *Der Ursprung der israelitisch-jüdischen Eschatologie*, 1905, S. 217, 197, 218

b) E. Bloch, *Das Prinzip Hoffnung III*, S. 1628

c) E. Bloch, *Spuren*, 1969, S. 81. – ,,Selbstverständlich ist bereits die blaue Blume, aus den ,Erzählungen des Fremden', darauf aufgetragen, besonders weil Heinrich von Ofterdingen sie nie erblickt hatte, sich nur ,sehnte, sie zu erblicken' " – so schließt Bloch an dieser Stelle an.

d) Ebd.

e) Novalis, *Heinrich von Ofterdingen*, in: RK 130/131, S. 194

f) Vgl. die Suggestion der ,,Ofterdingen"-Paralipomena: ,,Das wieder*gefundene* Paradies." (Novalis, *Schriften. 3. Band. Das philosophische Werk II* ..., 1968, S. 591)

g) In der ,,*Christenheit oder Europa*" stellt Novalis fest: ,,Wo keine Götter sind, walten Gespenster, und die eigentliche Entstehungszeit der europäischen Gespenster, die auch ihre Gestalt ziemlich vollständig erklärt, ist die Periode des Übergangs der griechischen Götterlehre in das Christentum." (In: RK 130/131, S. 48) Damit verbindet er selbst die Herrschaftszeit der ,,dürren Zahl" und des ,,strengen Maßes" in der 5. Hymne mit der ,,Gespensterherrschaft" seiner eigenen Zeit (,,Die Christenheit oder Europa", ebd.). In der Sprache des ,,Klingsohr"-Märchens: Hier wie dort regiert der ,,Schreiber". – Wir können das hier nicht näher ausführen, sondern nur auf unsere ausführliche Interpretation der 5. Hymne und aller ,,Hymnen an die Nacht" in unserem Buch ,,*Novalis: Die Phantasie an die Macht*" (1970, S. 17 ff.) verweisen. Hier geben wir im wesentlichen wieder, was dort auf den Seiten 39–52 steht. Selbstverständlich sind die vorhergehenden Seiten bis zu einem gewissen Grad vorausgesetzt. (Von der ,,Kategorie Novum" speziell handeln wir auf den Seiten 32 bis 36.)

h) N. W. Bolz, *Über romantische Autorschaft*, in: Urszenen. Literaturwissenschaft als Diskursanalyse und Diskurskritik..., 1977, S. 47. – Bolz zitiert diese Wendung Fr. Schlegels (KA V, 873) und kommentiert: ,,Er" – Christus – ,,unterliegt, wie alle Figuren des historischen Fanum, einer deutenden Versetzung in allegorische Jetztzeit und steht so mit dem romantischen Genius tragisch-magischen Christentums, Novalis, in allegorischer Gleichzeitigkeit." (Ebd.)

[2] Novalis, *Heinrich von Ofterdingen*, EC 88, S. 115

[3] Ebd., S. 111

[4] Ebd., S. 114

[5] Vgl. G. Schulz, *Novalis. In Selbstzeugnissen und Bilddokumenten*, 1969, S. 145

6) Novalis, ebd., S. 116. – Die ,,zeitgeschichtliche" Parallele hierzu findet sich in den ,,Blumen", einem Teil von ,,Glauben und Liebe oder Der König und die Königin" (Friedrich III. und Luise von Preußen): ,,... Es ruht ewig der Tempel nun hier, / Götzen von Stein und Metall mit furchtbaren Zeichen der Willkühr / Sind gestürzt und wir sehn dort nur ein liebendes Paar – / An der Umarmung erkennt ein jeder die alten Dynasten ..." (Novalis' Schriften, 2. Bd. *Das Philosophische Werk I*, S. 483). – Ausführlich: S.

[6a] J. J. Bachofen, *Das Mutterrecht...*, GW. 2. und 3. Band, 1948, S. 24

[6b] Novalis, *Die Lehrlinge zu Sais*, in: RK 130/131, S. 23

[6c] Generell, gleichsam ontologisch heißt es in Novalis' Randbemerkung zur 51. der Schlegelschen ,,Ideen": ,,Ich weis nicht warum man immer von einer abgesonderten Menschheit spricht. Gehören Thiere, Pflanzen und Steine, Gestirne und Lüfte nicht auch zur Menschheit und ist sie nicht ein bloßer Nervenknoten, in dem unendlich verschiedenlaufende Fäden sich kreutzen. Läßt sie sich ohne die Natur begreifen – ? ist sie denn so sehr anders, als die übrigen Naturgeschlechter?" – An anderer Stelle polemisiert Novalis gegen die *Sinnen*feindschaft speziell und schreibt: ,,Mir scheint ein Trieb in unsern Tagen allgemein verbreitet zu seyn – die äußre Welt hinter künstliche Hüllen zu verstecken – vor der offnen Natur sich zu schämen und durch Verheimlichung und Verborgenheit der Sinnenwesen eine dunkle, Geisterkraft ihnen beyzulegen. Romantisch ist der Trieb gewiß – allein der kindlichen Unschuld und Klarheit nicht vortheilhaft – besonders bey Geschlechtsverhältnissen ist dies bemercklich." (*Schriften* 3. Band ..., S. 490, 560)

[6d] Novalis, *Die Lehrlinge zu Sais...*, S. 31

[6e] Bachofen schreibt sein Anti-,,Muterrecht" ausdrücklich gegen den zeitgenössischen Feminismus, da Sozialismus.

[6f] ,,Der Messias der Natur. Neues Testament – und neue Natur – als neues Jerusalem", sind ,,Lehrlings"-Suggestionen (Novalis, *Schriften*. 3. Band ..., S. 590).

[7] H. U. v. Balthasar, *Prometheus, Studien zur Geschichte des deutschen Idealismus*, 1947, S. 287

[8] W. Rehm, *Orpheus*, 1960, S. 133

[9] Vgl. W. Rehm, ebd., S. 138

[9a] Novalis, *Heinrich von Ofterdingen*, in: RK 130/131, S. 197. – Von der ,,Aufhebung des Unterschieds zwischen Leben und Tod" ist in den ,,Poeticismen" die Rede, von der ,,*Annihilation* des Todes" (*Schriften*, 2. Band. *Das philosophische Werk I* ..., 1965, S. 644).

[9b] Verse der 5. Hymne verhießen ,,nur": ,,Die Sternwelt wird zerfließen / Zum goldnen Lebenswein, / Wir werden sie genießen / Und lichte Sterne sein." (RK 130/131, S. 63)

[10] W. Rehm, ebd. S. 140. – Die ,,Toten" sind ,,*Mönche*", die ,,eine Art von Geistercolonie" zu sein ,,*scheinen*" (Novalis, *Schriften*, 3. Band ..., S. 674). Also – es überrascht nicht – sie feiern nur gleichsam eine ,,*Toten*-Messe" (W. Rehm); ja, eine ,,Messe" überhaupt. Ihr ,,Kloster" ist ,,wie eine mystisch-magische *Loge*" (Novalis, ebd., S. 673).

[10]a) Benjamin „kommentiert": „Seligkeit ist wolkenlos, kennt kein Wetter." Und er „prophezeit" – die „Utopie des wolkenlosen Tages" (Adorno, *Prismen*, 1963, S. 234) teilend – „Es kommt auch ein wolkenloses Reich . . ." (*Einbahnstraße*, 1969, S. 110). – Im 15. der *Geistlichen Lieder (Mariengedicht)* ist es da: „ . . . ein unnennbar süßer Himmel / Mir ewig im *Gemüte* steht." (RK 130/131, S. 86) En passant sei darauf hingewiesen, daß Benjamins Utopie eine sehr konkrete, nämlich ökonomische ist. Die zitierte Passage lautet im Zusammenhang: „Geld gehört mit *Regen* zusammen. Das Wetter selbst ist ein Index vom Zustande dieser Welt. Seligkeit ist wolkenlos, kennt kein Wetter. Es kommt auch ein wolkenloses Reich der vollkommenen Güter, auf die *kein* Geld fällt." (Ebd., S. 109/10) – Inwiefern auch solcher „Materialismus" bei Novalis vorgebildet ist, dazu vgl. den Beitrag W. Kloppmanns.

[10]b) 4. Buch Esra 7, 39 – 41: „Jener Tag ist . . ., daß er Sonne nicht hat, nicht Mond, nicht Sterne, nicht Wolken, nicht Donner, nicht Blitz, nicht Dunkel, nicht Abend, nicht Morgen, nicht Glanz, nicht Helle, nicht Leuchten, sondern ganz allein den Glanz der Herrlichkeit des Höchsten . . ." (zit. nach W. Nigg, *Das ewige Reich* . . ., 1944, S. 24).

[11] Novalis, *Schriften*. 3. Band . . ., S. 389

[12] E. Bloch, *Das Prinzip Hoffnung*, Bd. II, S. 945. – Blochs Ausführungen beziehen sich auf Jean Paul, doch der ist, wie hier gezeigt werden kann, überhaupt mit Novalis verwandt.

[13] E. Bloch, *Thomas Münzer. Als Theologe der Revolution*, 1972, S. 87

[13]a) In ihr sollte gerade auch die „kristliche Religion mit der heydnischen" ausgesöhnt werden (Novalis, *Schriften*. 3. Band . . ., S. ˙76). – Ausführlich: S.

[13]b) Novalis, *Die Christenheit oder Europa* . . ., S. 47

[14] Novalis, *Schriften*. 3. Band . . ., S. 280/1

[15] Novalis, ebd., S. 455

[16] Novalis, *Heinrich von Ofterdingen*, EC 88, S. 150

[17] K. Barth, *Die Geschichte der evangelischen Theologie im 19. Jahrhundert*, 1959 (2. Aufl.), S. 311

[18] Novalis, *Die Lehrlinge zu Sais* . . ., S. 25

[19] Ebd., S. 18. – „Bisher" freilich „blieb diese Idee einer die Welt nicht nur darstellenden, sondern herstellenden, ‚fabrizierenden' Dichtung, die damit im ursprünglich-universalen Wortsinn zur ‚Poiesis' würde, – Utopie." – Mit diesen Worten endet G. Goebels „Poeta *Faber*" (Erdichtete Architektur in der italienischen, spanischen und französischen Literatur der Renaissance und des Barock, 1971, S. 229), in dem er eine knappe Wort- und Bedeutungsgeschichte von „poiätäs" und „faber" gibt. – Goebel schreibt ausdrücklich, daß seine Prägung „Poeta Faber" in Analogie zur alten des „Homo faber" zustande kam. Das besondere bei *Novalis* ist von daher, daß in seinem Poeten-Begriff Homo faber und Homo *ludens* ineinander übergehen. Wenn man will, bringt Goebels „Poeta Faber" genau diese Synthese zum Ausdruck: dann, wenn man – in dieser Zusammensetzung – unter „poeta" speziell den Künstler oder gar Dichter versteht.

[20] Vgl. H. U. v. Balthasar, *Prometheus* . . ., S. 261

[21] Novalis, *Die Christenheit oder Europa* . . ., S. 46

[21]a) Ritter, Novalis' Physik- und Chemielehrer, „nimmt überhaupt die Transsubstantiation an." (Novalis, *Schriften*, 3. Bd., S. 662) – „Wahn der Transsubstantion: Grundwahn" (Novalis, *Schriften*, 2. Bd., S. 561) – und zwar positiv verstanden: „das transsubstantiierende Princip" ist das „*Genie*", wobei „Leben und genialisches Princip . . . eins" ist (Novalis, *Schriften*. 3. Band . . ., S. 168). Emphatisches „Leben" versteht sich; das poetische also: „Das Genie . . . ist *poetisch*. Wo das Genie gewirckt hat –

hat es poetisch gewirkt." (*Schriften*. 2. Band . . ., S. 536) Poesie ist „Wahnsinn nach *Regeln* und mit vollem *Bewußtseyn*." (Ebd., S. 547)

[21b) Im Gegensatz hierzu steht die „analogia proportionalitatis" der Tradition (einschließlich Kants). Sie gibt die Verhältnisgleichheit von *Wesensverschiedenem* an; $a : b = c : d$. Im anderen Fall, dem des Novalis, herrscht die Einerleiheit von $a = b = c = d = \ldots$ Ausdrücklich in diesem Fragment: „Der Stein ist nur in diesem Weltsystem Stein und von Pflanze und Thier verschieden. – Die jetzige Bestimmung und Vertheilung eines jeden Individuums in diesem Weltsystem ist wohl nur scheinbar oder relativ, zufällig – historisch-unmoralisch? . . . Dieser rechtliche Zustand soll ein moralischer werden – dann fallen alle Schranken, alle Bestimmungen von selbst weg . . ." (Novalis, *Schriften*. Band 3 . . . S. 253–5).

[22] Novalis, *Die Lehrlinge zu Sais* . . ., S. 10

[22a) Vgl. C. Schmitt, *Politische Romantik*, 1925, S. 110 – 20, vor allem 112/3.

[23] C. Schmitt, ebd., S. 23

[24] Ebd., S. 22. – „Spielen ist experimentiren mit dem Zufall." (Novalis, *Schriften*. 3. Band . . ., S. 574)

[25] Novalis, *Schriften*. 3. Band . . ., S. 449. – Eigentlich erst der – von Novalis konzipierte – moderne Dichter; Novalis selbst *träumte* „nur" von „Erzählungen ohne Zusammenhang, jedoch mit Assoziation, wie Träume. Gedichte – bloß wohlklingend und voll schöner Worte – aber auch ohne allen Sinn und Zusammenhang – höchstens einzelne Strophen verständlich –. . . eine indirekte Wirkung wie *Musik*" (ebd., S. 572). Und zwar „eigentliche Musik": „Sonaten – Symphonien – Fugen – Variationen" (ebd., S. 685).

[26] C. Schmitt, ebd., S. 22. – Der Zufall hat „seine" eigene „Regelmäßigkeit" (Novalis, zit. nach E. Köhler, *Der literarische Zufall, das Mögliche und die Notwendigkeit*, 1973, S. 9).

[27] C. Schmitt, ebd., S. 123/4.

[27a) Novalis, *Schriften*. 3. Band . . ., S. 684. – Des *Fetisch*dienstes; keiner hat die Objekte, ja Dinge ernster genommen als Novalis, und dieser Ernst soll – hegelisch – „aufgehoben" werden.

[28] C. Schmitt ebd.

[29] C. Schmitt, ebd., S. 124, Fn. 1

[29a) Wir denken ganz konkret an das slawische Henochbuch, in dem es 65, 6ff. heißt:
„Wenn aber die vom Herrn gemachte Schöpfung endet
und jeder Mensch zum großen Gericht des Herrn kommt,
dann vergehen die Jahreszeiten
Fortan gibt es keine Jahre, Monate und Tage mehr;
auch Stunden gibt es fortan nicht mehr,
noch kann man damit rechnen.
Es beginnt das eine endlose Weltalter.
Und alle Gerechten werden in dem großen Weltalter vereinigt
und Weltalter und Weltalter der Gerechten werden vereinigt,
und sie werden ewig und unverweslich.
Fortan gibt es keine Mühsal mehr bei ihnen,
noch Krankheit noch Leid noch Angst noch Not
noch Nacht noch Finsternis,
sondern nur ein großes, endloses, unzerstörbares Licht."

(*Altjüdisches Schrifttum außerhalb der Bibel*. Übersetzt und erläutert von P. Rießler, 1928, S. 472)

30   Novalis, *Schriften* 3. Band ..., S. 672

31   Ebd.

32   Novalis, *Heinrich von Ofterdingen*, EC 88, S. 143/4

32a) Novalis, *Schriften*. 3. Band..., S. 329

33   Novalis, *Schriften*. *Kritische Neuausgabe*, 4. Band, 1901, S. 363; vgl. auch Novalis, *Schriften*. 3. Band ..., S. 431.

34   Novalis, *Schriften*. 3. Band ..., S. 438

34a) Noch O. Wilde wird schreiben: ,,Die Zukunft ist, was Künstler sind.'' Er schreibt es in: ,,*Der Sozialismus und die Seele des Menschen*'' (1970, S. 63). – Novalis bestätigte: ,,*Jeder* Mensch sollte Künstler sein'' (Novalis, *Schriften*. 2. Band..., S. 59), was bei ihm damit zusammenhängt, daß ,,alle Menschen...thronfähig'' werden sollen: ,,Jeder ist entsprossen aus einem uralten Königsstamm'' (ebd., S. 489). – Der Dichter aus der ,,Atlantis''-Erzählung ist ihr Avantgardist – ,,König der Poesie'' (Novalis, *Schriften*. 3. Band..., S. 672); von Poesiens *Gnade*. Denn: ,,Es ist nicht die Krone und das Reich, was einen König macht. Es ist jenes volle, überfließende Gefühl der Glückseligkeit, der Sättigung mit irdischen Gütern, jenes Gefühl der überschwenglichen Genüge'' – sagt der alte ,,Atlantis''-König (Heinrich von Ofterdingen, in: RK 130/131, S. 114).

34b) ,,Innerstes Prinzip'' der Kunst ist für Novalis, nicht anders als für Adorno, die Utopie (Th. W. A., *Ohne Leitbild. Parva Aesthetica*, 1967, S. 180). Und doch nennt auch er Novalis einfach ,,restaurativ'' (ebd., S. 7/8). Dabei bleibt ein Satz wie ,,Kunst ist...der Statthalter einer besseren Praxis als der bis heute herrschenden'' (Th. W. Adorno, *Ästhetische Theorie*, stw 2, S. 26) hinter dem Novalisischen *zurück*. ,,Der Poesie ist'' in der Frühromantik ,,eine Machtstellung eingeräumt wie nie zuvor'' und kaum später – ,,und mit ihr...dem Künstler.'' (H. Marcuse, *Der deutsche Künstlerroman...*, 1978, S. 91) – ,,... in dem versunkenen Königreich Atlantis gewinnt das Lied des Dichters die Hand der *Königstochter, erlöst* das Land von der Trauer und führt das *Goldene* Zeitalter wieder herauf, wo Liebe und *Poesie* herrschen, wo man ,das Leben mit langsamen, kleinen Zügen wie einen köstlichen Trank' genießt und ein *ewiges* Fest feiert'' (ebd., S. 114/5); wo jenes selbst ,,nur *ein* schönes Fest'' ist (Novalis, *Heinrich von Ofterdingen*, in: RK 130/131, S. 119).

35   Novalis, *Schriften*. 2. Band..., S. 535

35a) Vgl. Novalis, *Schriften*. 3. Bd., S. 672

36   Vgl. H. J. Mähl, *Die Idee des goldenen Zeitalters im Werk des Novalis...*, 1965 S. 416

36a) Vgl. ebd. – Heinrich antizipiert sie durch seine ,,Auflösung...in *Gesang*'' (Novalis, *Schriften*. 3. Band..., S. 642).

37   Novalis, *Die Christenheit oder Europa...*, S. 47/8

37a) ,,Theologisch'': ,,...nur pantheistisch erscheint Gott ganz – und nur im Pantheismus ist Gott ganz überall, in jedem einzelnen...'' (Novalis, *Schriften*. 3. Band..., S. 314).

38   Novalis, *Schriften*. Bd. III, 1929, S. 364

39   Novalis, *Die Christenheit oder Europa...*, S. 47

39a) Sie ist eine gegen-gegen-revolutionäre; Novalis und seine Freunde wandten sich nicht gegen *revolutionäre* ,,Auswüchse'', sondern gegen die Liquidation der Revolution in ihrem Namen: nicht gegen die Jakobiner, sondern gegen das vom Direktorium repräsentierte ,,geldgierige Bürgertum'', *das* die Revolution ,,erstickt'' hatte (MEW 2, S. 568; ausführlich: G. Heinrich, *Geschichtsphilosophische Positionen der deutschen Frühromantik*, 1976, S. 41 ff.). Die Frühromantik wandte sich, wie gegen die alte feudale, so

gegen die neue *bürgerliche* Gesellschaft – was zwar utopisch aber deswegen zukunfts-
weisend war und ist.

[40] Novalis, *Die Christenheit oder Europa* . . . , S. 47

[40]a) Vgl. H. Timm, *Die heilige Revolution* . . . , 1978, S. 90. – Die, was H. Timm entgeht,
neutestamentlich *angelegt* ist; nach Apoc. 1,6 (und I. Petr. 2,9 f.) ist „das Volk, das im
messianischen Zeitalter die Erde füllen wird, ein Volk von Gesalbten, von *Christussen*"
(H. Windisch, *Friedensbringer – Gottessöhne. Eine religionsgeschichtliche Interpretation der siebten Seligpreisung*, in: Ztschr. f. ntl. Wiss. 24 (1925), S. 259).

[40]b) Novalis, *Schriften*. 3. Band . . . , S. 651

[41] Novalis, *Die Christenheit oder Europa* . . . , S. 51

[42] Ebd.

[43] Novalis, *Schriften*. 3. Band . . . , S. 557. – „Plan einer ächten Illuminaten oder Cosmo-
politen Gesellschaft", notierte sich Novalis in den verlorengegangenen „Salinenschrif-
ten" (vgl. Novalis, *Schriften*. 3. Band . . . , S. 4, Fn., sowie den Brief vom 10./11. 12.
1798 an Fr. Schlegel).

[43]a) In einem Fragment aus der Entstehungszeit der „Europa" spricht Novalis vom „Vorzug der Quäker Sitte – daß jeder aufsteht, und spricht, wenn er begeistert ist": „In Got-
tesdienstlichen Versammlungen *sollte* jeder aufstehn und aus dem Schatze *seiner* Erfahrungen göttliche Geschichten den Andern mittheilen." (Novalis, *Schriften*. 3.
Band . . . , S. 567, 566) – Inwiefern das Quäkertum in die Genealogie des Herrenhuter-
tums und damit des Novalis gehört, dazu vgl. E. Troelsch, *Die Soziallehren der christlichen Kirchen und Gruppen*, 1912, S. 912 ff.)

[44] Novalis, *Die Christenheit oder Europa* . . . , S. 51. – In Analogie zum – partiellen – „Experiment" des Quäker-Staates in Pennsylvanien? (Vgl. E. Troelsch, ebd., S. 914)

[44]a) „Nur die Religion kann Europa wieder aufwecken und die Völker sichern, und die
Christenheit mit neuer Herrlichkeit sichtbar auf Erden in ihr altes, *friedensstiftendes*
Amt installieren." (*Die Christenheit oder Europa*, in: RK 130/31, S. 50)

[45] Novalis, ebd., S. 51

[46] Vgl. H. J. Mähl, ebd., S. 381

[47] Vgl. ebd., S. 46

[48] Vgl. ebd., S. 47. – Apodiktisch: „Bey dem Menschen ist kein Ding unmöglich." (Novalis, *Schriften*. 3. Bd . . . , S. 680)

[49] Vgl. H. J. Mähl, ebd., S. 51

[50] Vgl. ebd. – Ausführlich: Novalis, *Schriften*. 2. Band . . . , S. 441 ff.

[51] ——

[52] Vgl. W. Rehm, *Orpheus* . . . , S. 68

[53] Vgl. H. J. Mähl, ebd., S. 411

[54] Novalis, *Heinrich von Ofterdingen*, EC 88, S. 122

[55] Vgl. H. J. Mähl, ebd., S. 403

[56] Novalis, *Schriften*. Band III, 1929, S. 644

[57] Vgl. W. Rehm, ebd., S. 101

[58] Novalis, *Schriften*. 3. Band . . . , S. 253/4

[59] Novalis, ebd., S. 248

[59]a) Ebd., S. 255

[60] Novalis, *Heinrich von Ofterdingen*, EC 88, S. 116

[60]a) „Vernunft und List hat Finten in den Mythos eingelegt; seine Gewalten hören auf, un-
bezwinglich zu sein. Das *Märchen* ist die Überlieferung vom Siege über sie." (W. Benjamin, *Angelus novus*, S. 254) Es „gibt . . . Kunde von den frühesten Veranstaltungen,

die die Menschheit getroffen hat, um den Alb, den der Mythos auf ihre Brust gelegt hatte, abzuschütteln." (W. Benjamin, *Illuminationen*, S. 429) – Für Novalis ist auch „unsre heilige Geschichte" als solche „Veranstaltung" zu sehen: „Höchst sonderbar" ihre „Ähnlichkeit ... mit Mährchen – Anfänglich eine Bezauberung – dann die wunderbare Versöhnung..." (Novalis, *Schriften*. 3. Bd..., S. 639)

61 Novalis, *Die Christenheit oder Europa*..., S. 50

62 Ebd., S. 51

63 Novalis, *Schriften*. 2. Band..., S. 483. – Sie ist der „mystische Souverain" (ebd. S. 487).

64 Novalis, *Heinrich von Ofterdingen*, EC 88, S. 105

65 Novalis, *Heinrich von Ofterdingen*, in: RK 130/131, S. 181

65a) H. J. Mähl, ebd., S. 331

66 Novalis, *Heinrich von Ofterdingen*, EC 88, S. 102

67 Novalis, ebd., S. 103

67a) Vgl. H. Timm, ebd., S. 98

68 Novalis, *Geistliche Lieder*, in: RK 130/131, S. 76

69 Novalis, *Schriften*. 2. Band..., S. 484

69a) „... Könige ad hunc actum, *Transitorische* Könige." (Novalis, *Schriften*. 3. Band..., S. 403)

70 Vgl. H. J. Mähl, ebd., S. 337

71 Novalis, ebd.

72 Ausführlich: R. Faber, *Politische Idyllik*..., 1976, S. 48/9, Fn. 24

72a) Vgl. auch L. Marcuse, Reaktionäre und progressive Romantik (1952) in: *Begriffsbestimmung der Romantik*, Hg. v. H. Prang, Wege der Forschung, Bd. CL, 1968

73 Vgl. R. Faber, *Die Verkündigung Vergils: Reich – Kirche – Staat. Zur Kritik der „Politischen Theologie"* 1975

74 Novalis, *Schriften*. 2. Band..., S. 493

74a) Novalis, *Die Lehrlinge zu Sais*..., S. 31

75 Novalis, *Schriften*. 2. Band..., S. 489

76 „Jeder Staatsbürger ist Staatsbeamter. Seine Einkünfte hat er nur als solcher." Mit diesen Sätzen beginnt das 18. Fragment (*Schriften*. 2. Band..., S. 489).

77 Th. Mann, *Werke, Politische Schriften und Reden* 2, S. 116

78 Novalis, *Schriften*. 3. Band ..., S. 653, 652

79 Novalis, *Schriften*. 2. Band ..., S. 496

80 Ebd., S. 488

81 Ebd., S. 489

82 Schon Amtmann Just schrieb an Novalis: „... wenn sich nach diesem Aushängeschild (*Glauben und Liebe*) ein Monarch in Ihnen einen eingefleischten Monarchisten kaufen wollte, und Sie dann nach dem Kaufe näher besähe, würde er sich trefflich betrogen finden." (Zit. n. H. Schanze, *Romantik und Aufklärung*, Untersuchungen zu F. Schlegel und Novalis, Nürnberg 1966, S. 158) Und tatsächlich, F. W. III. lehnte „Glauben und Liebe" ab. (Vgl. R. Samuel, in: Novalis, *Schriften*. 2. Band..., S. 479/80.)

83 Mit bezug auf das 17. Fragment läßt sich zitieren, was in den „*Lehrlingen*" verheißen wird: „... dann legt die Sonne ihren strengen Zepter nieder und wird wieder Stern unter Sternen..." (ebd., S. 15).

84 Ein Gedanke, der sich schon 1794 findet: „Mich interessiert jetzt zehnfach jeder übergewöhnliche Mensch – denn eh die Zeit der Gleichheit kommt, brauchen wir noch übernatürliche Kräfte...". Und damals in folgendem Kontext: „Ich sehne mich unge-

duldig nach Brautnacht, Ehe und Nachkommenschaft. Wollte der Himmel, meine Brautnacht wäre für Despotismus und Gefängnisse eine Bartholomäinacht, dann wollte ich glückliche Ehestandstage feiern." (Zit. n. G. Schulz, *Novalis*..., S. 41) – Jetzt hat der ,,Gedanke" die Formulierung gefunden, daß die *Monarchie* ,,auf der freiwilligen Annahme eines Idealmenschen" beruht. R. Brinkmann interpretiert in unserem Sinn: ,,Solange die Menschenrechte nicht konkret realisiert sind – und es war der Fehler der Revolutionäre, sie als Tatsache vorauszusetzen –, solange eine politisch uneingeschränkte Gleichheit aller Bürger eines Gemeinwesens in der vertrackten Welt der Tatsachen nicht möglich ist, auch durch einen Gewaltstreich der Revolution nicht mit einem Schlage herbeigeführt werden kann, ist ein Leitbild im Sinne eines Ideals nötig, nach dem die Staatsbürger sich in Richtung auf eine wahrhaft humane Emanzipation hin bilden können, wenn eben diese Emanzipation aus dem Zustand anarchischer Usurpation von Rechten herauskommen und wahre Gleichheit in Friede und Freiheit einschließen soll. Das Ideal bliebe aber in der politischen Wirklichkeit abstrakt, wenn es nicht eine Möglichkeit gäbe, es in ihre konkrete empirische Realität zu projizieren und ihm dort eine Anschauung zu geben. In *diesem* Sinne ist der König ,ein zum irdischen Fatum erhobener Mensch'. Er kann plausibel machen, daß ,alle Menschen [...] thronfähig werden' sollen, das heißt aber nichts anderes, als die gleiche Freiheit und Unabhängigkeit gewinnen sollen, die jetzt der idealisierte König vorstellt." (*Frühromantik und Französische Revolution*, in: Deutsche Literatur und Französische Revolution..., 1974, S. 185) – Brinkmann bezieht sich offensichtlich u. a. auf Nr. 762 der späteren ,,Fragmente und Studien", wo es heißt: ,,Wenig Menschen sind Menschen – daher die Menschenrechte äußerst *unschicklich*, als wirklich vorhanden, aufgestellt werden." Und vorher: ,,Die absolute Gleichheit ist... das Ideal – aber nicht natürlich – Von *Natur* sind die Menschen nur relativ gleich – welches die alte Ungleichheit ist – der Stärkere hat auch ein stärckeres Recht. Ebenfalls sind die Menschen von Natur nicht frei, sondern vielmehr mehr oder weniger gebunden." (*Schriften*. 3. Band..., S. 416)

85 Novalis, *Schriften*. 2. Band..., S. 503
86 Ebd., S. 488
87 M. Merleau-Ponty, *Humaismus und Terror I*, 1966, S. 8
88 Vgl. J. Habermas, *Theorie und Praxis*, 1967 (2. Aufl.), S. 103)
88a) Vgl. G. Heinrich, ebd., S. 70
89 Novalis, *Schriften*. 2. Band..., S. 503
89a) Über seine Verbindung zur (späteren) Reformpartei in Sachsen vgl. R. Samuel, in: Novalis, *Schriften*. 4. Band..., S. 19* – 21*.
90 Novalis, ebd., S. 490
91 Vgl. neben unserer ,,Vergil"-Arbeit auch R. F., *Der Collage-Essay. Eine wissenschaftliche Darstellungsform*..., 1979, S. 70 Fn. 2 – Schmitt schreibt über Novalis: ,,... er bekennt sich als Royalisten und Monarchisten, aber ,alle Menschen sollen thronfähig werden'... *(Politische Romantik*..., S. 112).
92 Novalis, ebd., S. 503
93 Ihre Rhetorik bedürfte wie die von ,,Glauben und Liebe" einer eigenen Darstellung; hier sei nur soviel bemerkt: Novalis' ,,Sprechstil", gerade in dieser ,,Rede", ist ,,apodiktisch" (vgl. H.-J. Mähl, ebd., S. 339 ff.); er selbst spricht von der ,,Rhetorischen *Gewalt* des Behauptens" (*Schriften*. 3. Band..., S. 269). Näherhin ist seine ,,Rede" – als einzig ausgeführte – unter die von ihm projektierten ,,Politischen *Predigten*" zu zählen (ebd., S. 589), von *denen* gilt: ,,Predigten sollten eigentlich *Legenden* heißen, denn der eigentliche Stoff der Predigten ist der Legendenstoff." (Ebd., S. 565) Was gar

nicht überrascht, heißt es doch einige Seiten weiter: „Legende = *Evangelium*" (ebd., S.
567) – „oder umgekehrt", wie unter Verwendung einer typischen Novalis-Formel
fortgefahren werden kann und muß. Denn mit einem anderen synonymen Wort: Novalis' „Rede" ist eine „Fabel"; völlig berechtigt spricht H. Timm von der „*Europa*-Fa-
bel" (ebd., S. 79), was uns veranlaßt, zum Schluß den „Grafen von Hohenzollern" zu
zitieren: „Wenn ich das alles recht bedenke, so scheint es mir, als wenn ein Geschichtsschreiber notwendig auch ein *Dichter* sein müßte, denn nur die Dichter mögen sich auf
jene Kunst, Begebenheiten schicklich zu verknüpfen, verstehn. In ihren Erzählungen
und *Fabeln* habe ich mit stillem Vergnügen ihr zartes Gefühl für den geheimnisvollen
Geist des Lebens bemerkt. Es ist mehr Wahrheit in ihren *Märchen*, als in gelehrten
Chroniken. Sind auch ihre Personen und deren Schicksale *erfunden*: so ist doch der
Sinn, in dem sie erfunden sind, wahrhaft und natürlich. Es ist für unsern Genuß und unsere Belehrung gewissermaßen einerlei, ob die Personen, in deren Schicksalen wir den
unsrigen nachspüren, wirklich einmal lebten, oder nicht. Wir verlangen nach der Anschauung der großen einfachen Seele der Zeiterscheinungen, und finden wir diesen
Wunsch gewährt, so kümmern wir uns nicht um die zufällige Existenz ihrer äußern Figuren." (Heinrich von Ofterdingen, in: RK 130/131, S. 144/5) Was „Glauben und Liebe" speziell angeht kann diese Passage der „Fragmente und Studien" zitiert werden:
„Mein Glauben und Liebe beruht auf Repraesentativen Glauben. So die *Annahme* – der
ewige Frieden ist schon da – Gott ist unter uns – hier ist Amerika oder Nirgends – das
goldne Zeitalter ist hier – wir sind Zauberer – wir sind moralisch undsofort." (*Schriften*.
3. Band..., S. 421)

94   „... das alte Papsttum liegt im Grabe, und Rom ist zum zweiten mal eine Ruine ge-
      worden." (Novalis, *Die Christenheit oder Europa*..., S. 51)
95   Vgl. W. Malsch, „*Europa*". *Poetische Rede des Novalis: Deutung der französischen
      Revolution*, 1965, S. 186/7
96   H. Blumenberg, *Die Legitimität der Neuzeit*, 1966, S. 62
97   Nach L. Pesch, dem christ-katholischen *Kritiker* der Frühromantik, hat diese das
      Christentum „für neue Heilslehren" usurpiert *(Die romantische Rebellion in der mo-
      dernen Literatur*... 1962, S. 32)
98   H. Blumenberg, ebd., S. 68
99   H. J. Mähl, ebd., S. 381
100   Novalis' Randbemerkung zu einer von Fr. Schlegels *Ideen* lautet: „Wenn du von Reli-
      gion sprichst, so scheinst du mir den Enthusiasmus überhaupt zu meinen, von dem die
      Religion nur *eine* Anwendung ist" (Novalis, *Schriften*. 3. Bd., S. 489)
101   Vgl. R. Samuel, *Die poetische Staats- und Geschichtsauffassung Friedrich von Harden-
      bergs*, 1925, S. 169
102   Ausführlich: R. Faber, *Die Verkündigung Vergils*..., I, 3–5.
103   Für sein joachimitisches Erbe aber folgende Belege: „Der hl. Geist ist mehr als die Bi-
      bel. Er soll unser Lehrer des Christentums sein..." (3026. Frgm.) – „Wer hat die Bibel
      für geschlossen erklärt? Sollte die Bibel nicht noch im Wachsen begriffen sein?" (2883) –
      „In den Evangelien liegen die Grundzüge künftiger und höherer Evangelien." (3024) –
      „... Nicht auch ein Evangelium der Zukunft?" (Novalis, *Schriften*. 3. Band..., S.
      557) – Sekundär: R. Faber, *Politische Idyllik*..., IV, 1.
104   Zu Novalis' Bacon-Rezeption vgl. U. Gaier, *Krumme Regel*..., 1970, S. 160 ff.
105   Wir beziehen uns auf E. Bloch; mit bezug auf W. Benjamin schreibt H. Schweppenhäu-
      ser – ganz novalistisch, wenn man will: „Als homo absconditus ist" der Bürger „actu die
      Leiche, potentia der König eines Menschentums, das erst im Reich, im messianisch um-

gewälzten Dasein, zum Leben wird und den Menschen König unter Königen, nämlich autonom unter Autonomen, sein läßt." (*Physiognomie eines Physiognomikers,* in: Zur Aktualität Walter Benjamins..., st 150, S. 171)

[106] Novalis, *Schriften.* Band III, 1929, S. 369

[107] Vgl. H. H. Holz, Prismatisches Denken, in: *Über Walter Benjamin*..., 1968, S. 82.

[108] Vgl. H. J. Mähl, ebd., S. 344

[109] E. Bloch, *Das Prinzip Hoffnung,* Bd. III, S. 1510

[109a] Schärfer A. Breton: ,,Kolumbus mußte mit Verrückten ausfahren, um Amerika zu entdecken." (*Erstes surrealistisches Manifest,* in: Die Manifeste des Surrealismus, 1968, S. 12) Immerhin heißt es auch in den ,,Lehrlingen": ,,...je willkürlicher das Netz gewebt ist, das der kühne Fischer auswirft, desto glücklicher ist der Fang. Man ermuntre nur jeden, seinen Gang so *weit* als möglich fortzusetzen, und jeder sei willkommen, der mit einer *neuen* Phantasie die Dinge überspinnt.' " (Ebd., S. 25/6) – Nüchterner und doch damit übereinstimmend, schreibt L. Kolakowski: ,,...irreale Bestrebungen sind die notwendige Voraussetzungen für reale." (In: A. Neusüss (Hg.), *Utopie. Begriff und Phänomen des Utopischen,* 196, S. 430) ,,Schon" O. Wilde schrieb: ,,Eine Weltkarte, in der das Land Utopia nicht verzeichnet ist, verdient keinen Blick, denn sie läßt die eine Küste aus, wo die Menschheit ewig landen wird." (Ebd., S. 35)

[110] Novalis, *Schriften.* 1. Band..., 1960, S. 403; vgl. auch 3. Band..., S. 372.

[111] Der zeitgenössische Lyriker W. H. Fritz, der nicht zufällig ein Verehrer E. Blochs ist (vgl. ,,*Sehnsucht. Gedichte und Prosagedichte*", 1978, S. 57), hat ein Gedicht mit dem Titel ,,Atlantis" geschrieben: ,,Ein Land, / das es nie gab." Es endet mit dem – novalisischen – Satz: ,,Im Hafen / liegen die Schiffe, / die bei jeder Ausfahrt / das Meer *hervorbringen.*" (In: *Schwierige Überfahrt. Gedichte,* 1976, S. 17)

[112] Vgl. W. Rehm, ebd., S. 25 und Novalis, *Schriften.* 3. Band..., S. 421.

[113] H. Schanze, *Romantik und Aufklärung*..., 1966, S. 141

[114] Novalis, *Schriften.* 3. Band..., S. 464/5

[115] Absolut im Sinne E. Blochs: ,,...die *Richtung* ist ... überall verwandt, ja in ihrem noch verdeckten Ziel die gleiche; sie erscheint als das einzig Unveränderliche in der Geschichte." (*Das Prinzip Hoffnung III,* S. 1627)

[116] H. U. v. Balthasar, ebd., S. 263

[117] Ebd., S. 266

[118] H. A. Korff, *Geist der Goethezeit,* Bd. III, 1957 (3. Aufl.), S. 269

[119] Novalis, zit. nach W. Malsch, ebd., S. 148

[120] Novalis

[121] W. Benjamin, *Einbahnstraße*..., S. 67. – G. Sorel, von dessen Einfluß auf Benjamin in unserem zweiten Beitrag die Rede sein wird, schreibt: ,,... wir bringen nichts Großes zur Ausführung, ohne daß farbige und reinlich abgezeichnete Bilder auftreten, die unsere Aufmerksamkeit ausschließlich für sich in Anspruch nehmen ..." (*Über die Gewalt*..., 1969, S. 173).

[123] Vgl. H. H. Holz, ebd., S. 72

[124] Vgl. ebd., S. 98

[125] Ausführlicher: R. Faber, *Novalis*..., S. 32 ff. (Kap. ,,Kategorie Novum").

[126] W. Benjamin, ebd...., S. 82

[127] Vgl. H. H. Holz, ebd., S. 106

[128] J. Taubes, *Abendländische Eschatologie,* 1947, S. 19

[129] Vgl. Novalis, *Schriften.* 2. Band..., S. 490.

[130] H. W. Kuhn, *Der Apokalyptiker und die Politik*..., 1960, S. 19.

[131] Vgl. ebd., S. 127. – Pointiert heißt es im „Blütenstaub": „Die meisten Beobachter der Revoluzion, besonders die Klugen und Vornehmen, haben sie für eine lebensgefährliche und ansteckenden Krankheit erklärt. Sie sind bei den Symptomen stehngeblieben und haben diese auf eine mannichfaltige Weise untereinander geworfen und ausgelegt. Manche haben es für ein bloß lokales Übel gehalten. Die genievollsten Gegner drangen auf Kastrazion. Sie merkten wohl, daß diese angebliche Krankheit nichts als Krise der eintretenden *Pubertät* sey." (Novalis, *Schriften*. 2. Band..., S. 459)

[132] I. Kant, *Der Streit der Fakultäten*, in: Werke XI, 1964, S. 368

[133] Ausführlicher: R. Faber, *Novalis*..., S. 66 ff.

[134] Vgl. J. Taubes, ebd., S. 9

[135] Vgl. A. Schweitzer, *Geschichte der Leben-Jesu-Forschung*. Bd. 2, 1966, S. 444

[136] *K. Marx, Die Frühschriften*, 1964, S. 17

[137] Fr. Schlegel, KA II, 1967, S. 265

[138] Novalis, *Die Christenheit oder Europa*..., S. 45

[139] Novalis, *Schriften*. 4. Band. *Tagebücher, Briefwechsel, Zeitgenössische Zeugnisse* ..., 1975, S. 508

[140] Vgl. H. Timm, ebd., S. 102

[141] Novalis, ebd., S. 271

[142] Ebd.

[143] Novalis, *Schriften*. 3. Band..., S. 562

[144] Ebd., S. 488. – Vgl. Novalis' Hymnus auf Schleiermacher in: „*Die Christenheit oder Europa*", in: RK 130/131, S. 48/9.

[145] H. Timm, ebd., S. 28

[146] Novalis, *Schriften*. 3. Band..., S. 488

[147] Daß diese apokalyptisch qualifiziert ist, folgt aus dem Zusammenhang, in dem das – frühe – Wort von der „Neuen Religion" steht: „...Sagen der Zukunft – *tausendjähriges* Reich. Neue Religion." (*Schriften*. 2. Band..., S. 288)

[148] Novalis, *Schriften*. 3. Band..., S. 686

[148a] Vgl. H. Timm, ebd., S. 164. – Die Novalis allein „mögliche Mythologie ... des Xstenthums" ist ein „*Freyes* Fabelthum" (*Schriften*. 3. Band...,, S. 666).

[149] H. Timm, ebd., S. 166

[150] Novalis, *Heinrich von Ofterdingen*, in: RK 130/131, S. 207

[151] Novalis, *Monolog*, in: ebd., S. 5

[152] Vgl. H. Timm, ebd., S. 168

[153] Vgl. ebd., S. 168/9

[154] Novalis, *Schriften*. 3. Band..., S. 420/1

[155] Das älteste Systemprogramm des deutschen Idealismus... Sitzungsberichte der Heidelberger Akademie der Wiss. Phil. – hist. Klasse, 1917, S. 7

[156] Novalis, *Schriften*. 2. Band..., S. 536

Überarbeitete Fassung von R. F., Novalis: *Die Phantasie an der Macht*, 1970, S. 39 – 52 und S. 9 – 64.

2b) Französische Aufklärung und deutsche Romantik

Von Werner Krauss

Das Bedürfnis, der Romantik einen Stammbaum zu geben, hat in den letzten Jahrzehnten die seltsamsten Blüten gezeitigt. Ganz offenbar verquickte sich diese Quellensuche mit einer Expansionstendenz der Romantikforschung, mit dem Bestreben, das Herrschaftsgebiet dieser Bewegung möglichst über ihre Vorzeit auszudehnen und zugleich damit das Herrschaftsgebiet der Aufklärung möglichst zu verengen. Die Vorromantik konnte allein durch die Annexion von weiten Gebieten der vor ihr liegenden Epoche gesichert werden. Die Operation wurde in zwei verschiedenen Richtungen ausgeführt: einmal in der zeitlichen Reihe durch die Amputation der spätaufklärerischen Epoche, die ohne weiteres dem neu entdeckten Stilbereich der Präromantik einverleibt werden konnte. Der Schnitt wurde aber auch in der Vertikale vorgenommen: d. h., die Präromantik, das Romaneske, der Stil der Sensibilität, begleitet nunmehr das ganze 18. Jahrhundert als Neben- und Gegenströmung in seinem Ablauf. Die Aufklärung muß damit von vornherein die Hälfte ihres Gebiets einer Gegenbewegung abtreten. Die Herrschaft der Vernunft sieht sich von vornherein durch eine sensibilisierte romaneske Zone in ihrer Wirkung beeinträchtigt und in Frage gestellt.

Wie aber? Heißt es nicht offene Türen einrennen, die Sensibilität auf die Fahne einer Epoche zu schreiben, die, wie die Aufklärung, dem weltanschaulichen Sensualismus huldigt? Der Gegensatz von Verstand und Sinnlichkeit wird in der Aufklärung zugunsten der letzteren entschieden.

Neben diesem inhaltlichen Einwand gegen die Präromantikkonzeption ist aber noch ein anderer hervorzuheben, der einer äußerst simplen geschichtsmethodologischen Erwägung entspringt: Der ganze Begriff ist erst post festum geschaffen worden; er konnte unmöglich ins Bewußtsein der ihm Unterworfenen dringen. Die Gegenwart weiß sich stets an der Spitze des Geschichtsprozesses, nicht aber am Anfang einer noch unbekannten Bewegung. Ein solcher Messianismus wurde außerhalb seiner religiösen Domäne noch nirgends wahrgenommen. Die Bezeichnung Präromantik war eine Etikette, an der sich die Bezeichneten selbst nicht erkennen konnten.

Nun wird man uns nicht ganz zu Unrecht entgegenhalten, daß es unmöglich ist, in der Begriffsbildung der Geschichtsepochen nur solche Nomenklaturen zu wählen, die im Vokabular und im Bewußtsein der entsprechenden Epoche sich ausweisen lassen. Einfachstes Beispiel: ein so allverbreiteter Begriff wie „Mittelalter", der selbstverständlich erst nach dem Ende des Mittelalters erfunden werden konnte und doch unmöglich von uns entbehrt oder ersetzt werden kann.

Als Kriterium der geschichtlichen Epochenbegriffe kann nur dann seine Verankerung im Bewußtsein einer Epoche gefordert werden, wenn sie zum geschichtlichen Selbstbewußtsein gelangt ist. Seit dem 18. Jahrhundert ist diese große Wendung eingetreten. Das siècle éclairé, siècle des lumières, das Jahrhundert der Aufklärung nennt sich selbst schon seit den 20er Jahren des 18. Jahrhunderts mit diesem Namen, der ein erstmaliges geschichtliches Selbstbewußtsein im Verhältnis zu allen früheren Epochen ankündigt. Der Begriff der Aufklärung ist in allen Kulturbereichen verankert als illuminismo, ilustración, enlightment usw. Alle seitdem geprägten modernen Stil- und Epochenbegriffe sind aus dem Bewußtsein und aus dem programmatischen Wollen dieser entsprechenden Bewegungen entnommen. Romantik, Junges Deutschland, Impressionismus, Symbolismus, Expressionismus und viele andere.

Es ist erstaunlich, daß man so einfache, klare Dinge so gründlich verwirren und *verunklären* konnte. Der Begriff der Präromantik ist demnach nicht nur ein mißlungener Test, Zeugnis eines gröblichen Mißverständnisses einer Epochenbewegung, sondern darüber hinaus eine geschichtsmethodologisch unhaltbare Konzeption.

Will das besagen, daß sich die Präromantikforschung durch keinerlei geschichtliche Realität, durch keinen Gegenwert von Wirklichkeit gedeckt weiß, daß alles, was sie vorbringt, aus der Luft gegriffen ist? Natürlich ist dies nicht der Fall. Der anhaltende Erfolg der Präromantikforschung wäre ohne das Bestehen eines evidenten Sachverhaltes schlechthin unerklärlich. Die Erscheinungen selbst sind richtig wahrgenommen: nur ihre Auslegung ist verfehlt. Alle diese Merkmale, welche die Präromantikforschung anführt, haben wirklich bestanden. Aber sie widersprechen nicht nur nicht den herrschenden Tendenzen der Aufklärung, sondern sind in ihrem innersten Lebenskern zutiefst verwurzelt.

Es wird sich also darum handeln, den Blickpunkt von der Präromantik bis zu dem Ansatz einer wirklich geschichtlichen Fragestellung zu verschieben. Wir fragen nicht mehr danach, was der Romantik an Vorläuferschaft und an vorbereiteten Tendenzen vorausgeht, sondern wir fragen zuvörderst nach den Elementen, die, aus der vorausgegangenen Aufklärung stammend, ihre Wirksamkeit auf die Romantik nicht verloren: Motive der Aufklärung, die von der Romantik gewahrt und im Sinne der Weiterbildung oder auch einer Verbildung verwandelt wurden.

Es ist unumgänglich, diese Betrachtung an einem genauer auszuführenden, möglichst symptomatisch gewählten Beispiel anzustellen. Ein unumstrittenes Merkmal der Romantik ist ihre Hinwendung zu einem verherrlichten, verinnigten, poetisierten Mittelalter. Man braucht nur an Novalis, Tieck, Kleist, Brentano zu erinnern, in Frankreich an Chateaubriand und an Victor Hugos Notre Dame de Paris . . . Die „communis opinio" geht wohl auch heute noch dahin, daß gerade durch den Mittelalterkult die Romantik einen unmißverständlichen Trennungsstrich gegen die

Aufklärung gezogen hat.

Das Verhältnis der Aufklärung zum Mittelalter sieht man dadurch bestimmt, daß im 18. Jahrhundert die „gotischen Sitten" immer wieder verspottet wurden. Solche Meinungen bestanden, und zwar nicht grundlos: die Aufklärung als eine politische Oppositionsbewegung mußte ihren Kampf gegen das zähe Nachleben der aus dem Mittelalter überkommenen Institutionen führen.

Die Beziehung der Aufklärung zum Mittelalter ist aber damit keineswegs erschöpfend bezeichnet. Gerade auf dem politischen Feld wird eine entgegengesetzte und weit bedeutsamere Richtung versuchen, eine „Konstitution" der französischen Nation aus den freiheitlichen Einrichtungen des Mittelalters herzuleiten. Im Verlauf des 18. Jahrhunderts wird der Kampf mit dem Feudalismus immer mehr durch den Kampf mit dem Absolutismus überschattet. Es gilt dabei den Nachweis zu erbringen, daß die despotische Willkür ein moderner Gewaltakt war, durch den die uralt verbrieften Volksfreiheiten vernichtet wurden. Auf das vergangene Mittelalter fiel damit ein verklärendes Licht.

Schon *Hotman* (Franco-Gallia, 1573) hatte sich in der Epoche der Bürgerkriege des 16. Jahrhunderts auf diesen Weg begeben und dem Zentralisierungswillen des Königtums die Privilegien und Freiheiten des Mittelalters entgegengesetzt. Diese Gedankengänge wurden am Ende des 17. Jahrhunderts von dem Grafen *Boulainvilliers* wieder aufgenommen und durch ein umfassendes Quellenstudium erheblich vertieft. *Boulainvilliers* ist ohne Zweifel der Adelsrevolte zuzurechnen, mit einer allerdings von Fénélon und Chevreuse deutlich abzuhebenden Richtung. *Boulainvilliers* fordert Gleichheit innerhalb seines Standes. Seine mediävalistischen Studien sind darauf konzentriert, den Aspekt der Gemeinfreiheit als den ursprünglich mittelalterlichen herauszuarbeiten. Die Konzeption *Boulainvilliers* löste Widerspruch und Zustimmung aus. Sie entfesselte eine Diskussion, die vor der Französischen Revolution nicht mehr zur Ruhe kommen sollte. Der Gegenstand dieser Debatte war das wahre Gesicht der Nation im Augenblick ihrer mittelalterlichen Konstituierung. Am heftigsten wurde der Theorie *Boulainvilliers* vom *Abbé Dubos* in seiner „Histoire critique de l'établissement de la monarchie française", 1734, widersprochen. *Dubos* sieht überall in der französischen Geschichte die Kontinuität der civitas romana weiterwirken. Der Feudalismus konnte diesen Zug der nationalen Geschichte verdunkeln, nicht aber beseitigen. *Montesquieu* sah scharfsinnig in *Dubos*' Theorie die Theorie des dritten Standes. Er hielt sie für weit gefährlicher als die Exzentrizitäten *Boulainvilliers*, mit denen er weitgehend sympathisierte. Während Voltaire sich auf die mittelalterfeindliche Theorie des Abbé *Dubos* stützte, wurde durch die ungeheure Wirkung von *Montesquieus* „Geist der Gesetze" das Interesse an der mittelalterlichen Geschichte bis zum Anbruch der Revolution wachgehalten.[1] Als Ergebnis der großen, im Dreieck *Boulainvilliers-Dubos-Montesquieu* begonnenen Debatte ist festzuhalten, daß die Grundfreiheiten der französischen Nation, ihre „Konstitution", in der Epoche ihrer mittelalterlichen Geburt gesucht werden müssen.

Sehr viel schwieriger als die Herstellung eines Verhältnisses zur mittelalterlichen Geschichte war eine Würdigung der Literaturgeschichte des Mittelalters, aus dem doch nur sporadische Fragmente überkommen waren. Und trotzdem fehlte es auch auf diesem Gebiet nicht an Impulsen.

Für die zuerst von *Fontenelle* und *Charles Perrault* verfochtene Theorie des kontinuierlichen geschichtlichen Fortschritts war der Eindruck der langen geistigen Stagnation im Mittelalter ein besonderes Problem. In der Tat kann man gerade bei *Fontenelle* einen ernsthaften Ansatz zu einem besseren Verständnis der mittelalterlichen Geisteshaltung gewahren. In seinem Nachruf auf *Leibniz* hat er die Ergebnisse der mittelalterlichen Geschichtsschreibung des deutschen Philosophen ausführlich dargestellt. Der geistige Verfall gilt nunmehr als eine Erscheinung der späteren Jahrhunderte – ein für die damalige Zeit umstürzender Gedanke, den *Fontenelle* besonders hervorhebt: „Le 10e et 11e siècles passent pour les plus barbares du christianisme: mais il (Leibniz) prétend que ce sont le 13e et le 14e; et qu'en comparaison de ceux-ci le 10e fut un siècle d'or, du moins pour l'Allemagne . . ." Die letzten Intentionen dieser Leibnizschen Rückwendung zur Frühgeschichte werden mit wenigen Sätzen aufgedeckt: „Ce qui l'intéresse le plus, ce sont les origines des nations, de leurs langues, de leurs mœurs, de leurs opinions, sur tout l'histoire de l'esprit humain, et une succession de pensées qui naissent dans les peuples, les unes après les autres, ou plutòt les unes des autres, et dont l'enchaìnement bien observé pourrait donner lieu à des espèces de prophéties."[2] In seiner Würdigung dieser bedeutenden historischen Leistung kann *Fontenelle* nicht umhin, auf eine unhaltbare Auffassung hinzuweisen, die ihre Wurzel in dem allzu großen Entgegenkommen *Leibnizes* dem herrschenden deutschen Feudalismus gegenüber hatte. Die allgemeine Meinung – sagt *Fontenelle* – geht dahin, daß der hohe Erbadel aus den kaiserlichen Beamten hervorgegangen ist, wogegen *Leibniz* den Erbadel als eine von jeher bestehende Einrichtung angesehen haben wollte. So verlegt er den Ursprung der großen Familien „dans cet abyme du passé dont l'obscurité leur est si précieuse". Mit diesem Sakasmus streift *Fontenelle* die Schwäche des großen Mannes, er trifft jedoch zugleich den von ihm stets verachteten Adel ins Gesicht.

Fontenelle begnügte sich nicht, sein Interesse für das Mittelalter in seinen feinsinnigen und einfühlsamen Gelehrtenmonographien zu bekunden. In seiner „Geschichte des französischen Theaters" beschäftigt er sich eingehend mit den mittelalterlichen Manifestationen der Dichtkunst.[3] Um den Fortschritt dieser Darstellung richtig einzuschätzen, braucht man nur die gipfelnde literarhistorische Leistung des vergangenen Jahrhunderts heranzuziehen, die Abhandlung *Huets* über die Romane (1670). *Huet* war der erste, der das Wesen der Wandermotive erkannte und sie auf ihrem Weg bis zu den indischen Quellen zurück begleitete. Der Ritterroman wird aus dem schauerlichen Zerfall der staatlichen Gewalten im merovingischen Europa erklärt. Die Ritter erscheinen nun als Beschützer der Schwachen. Der Wert der Ritterromane, als deren einziges Beispiel das Rolandslied erwähnt wird, liegt für *Huet* in der Vertiefung unserer historischen Kenntnis der vergangenen Zeiten. Eine große Lücke aber bleibt in dieser Darstellung zwischen dem Rolandslied und dem Gargantua bestehen.

In *Fontenelles* Aufriß sind nicht nur die Erscheinungen der mittelalterlichen Poesie erheblich verdichtet – durch umfassende Zitate sollen die Dichter für sich selber sprechen: ,,Je ne ferais pas si bien connaître ces poètes par tout ce que je pourrais dire d'eux, que par quelques morceaux de leurs ouvrages, que j'ai crû que l'on me permettrait de rapporter ici." *Fontenelle* ist sich der Neuheit der von ihm angerissenen Materie wohl bewußt: ,,Peut-être que je sortirai un peu des bornes de l'histoire du théâtre: mais j'espère qu'une matière assez agréable par elle-mème et assez peu traitée me fera obtenir la grâce des plus sévères lecteurs." In der Tat beginnt die eigentliche Geschichte des französischen Theaters erst mit dem 15. Jahrhundert. Die Darstellung der vorhergehenden Epoche ist daher gezwungen, die Lyrik und die Epik in den Vordergrund zu rücken.

Der Ursprung des Minnesangs, dieser ältesten nachantiken Dichtung, liegt für *Fontenelle* im 11. Jahrhundert. Der Zerfall des Lateinischen ermutigte die Dichter, in ihrer vulgären Sprache zu schreiben. *Fontenelle* versucht dann die Namen der troubadours, der conteurs, der chanterres, der jongleurs, der menestrels zu erklären. Da alle Dichtung aus dem Gesang stammt, ist die enge Wechselbeziehung zwischen Musik und Dichtung ein besonderes Zeichen der Ursprünglichkeit des Troubadourgesangs. Man stößt unter den alten Troubadours auf eine erstaunliche Zahl altadliger Namen: ,,Tel qui par les partages de sa famille n'avait que la moitié ou le quart d'un vieux château, bien seigneurial, allait quelque temps courir le monde en rimant, et revenait acquérir le reste du château." Dieser adlige Ursprung der Dichtkunst mag erstaunen, wenn man bedenkt, daß prätentiöse Bildungsverachtung noch heute zum Wesen des französischen Adels gehört. ,,Je ne puis répondre autre chose, sinon que ces vers-là se faisaient sans étude et sans science, et que par conséquent ils ne déshonoraient pas la noblesse." *Fontenelle* läßt keine Gelegenheit vorübergehen, um seine adelsfeindlichen Gefühle zu äußern. Die Troubadourkunst aber ist in Anbetracht ihrer sozialen Herkunft nur als Naturdichtung möglich – darin ist für *Fontenelle* ihre Schwäche, doch auch ihr Reiz begründet· ,,Aussi leurs ouvrages étaient-ils sans règles, sans élevation, sans justesse: en récompense, on y trouvait une simplicité qui se rend son lecteur favorable, une naïveté qui fait rire sans paraître trop ridicule, et quelquefois des traits de génie imprévus et assez agréables." Die Provence und die Picardie sind die beiden Ursprungsländer dieser ,,étincelles de poésies".

Im weiteren Verlauf seiner Darstellung werden *Rutebeuf* und *Hébert* genannt.

„Soll man es für möglich halten, daß der große Boccaccio sich seine Stoffe bei diesen unbekannten, dem Anschein nach so verächtlichen Dichtern holte?" Das ist nur ein kleiner Ausschnitt aus *Fontenelles* liebevoll ausgeführter Vorgeschichte des franszösischen Theaters, dessen spätmittelalterliche Erzeugnisse, insbesondere Maître Pathelin mit seinen an Molière gemahnenden Zügen, von ihm eingehend gewürdigt werden. Die „Histoire du théàtre français" erschien im 3. Band der Œuvres von 1742. Drei Jahre später bemächtigt sich der Kompilator *La Morinière* des Fontenelleschen Traktates, um eine Einführung seiner Anthologie „Bibliothèque poétique" zusammenzustellen.[4] Wenn wir im folgenden feststellen können, daß der Faden der mittelalterlichen Literaturstudien nicht mehr abreißen solle, so blieb doch die breitere gebildete Allgemeinheit davon unberührt. Für sie ist die Neubewertung der Epoche Marots und Ronsards die große Errungenschaft des Jahrhundert.

Der zeitliche Vorrang gebührt zweifellos dem 1722 verstorbenen *Abbé Massieu*, der eine ganze Reihe von mittelalterlichen Dichtern herausstellt: so Helynand, Hugues de Bercy, Blondel usw. Er kennt sechs Versromane von Chrestien de Troie: den „Roman de la Rose" hält er für die beste Schöpfung der französischen Dichtung, die dem Zeitalter Franzens I, vorausging.

Auf *Massieu* greift vor allem der grundgelehrte *Abbé Goujet* zurück, und zwar im IX. Band seiner „Bibliothèque française" (1745). Dem ganzen Zeitraum werden schon über dreihundert Seiten gewidmet. In jenen Jahren war aber der große Gelehrte schon tätig, der für die Apotheose der mittelalterlichen Dichtung die stärksten Impulse geben sollte: *Lacurne de Sainte-Palaye*. Frühzeitig machte er sich mit den mittelalterlichen Handschriften vertraut. Sein wichtigstes Anliegen ist aber die provenzalische Minnelyrik. Zunächst erlernt der in Auxerre Gebürtige die provenzalische Sprache. Dann unternimmt er eine Forschungsreise nach Italien, zuerst 1739 und dann wieder 1769. Trotz seiner umfassenden Vorbereitung ist *Lacurne* nicht selbst zum Abschluß seines großen Werkes über die Provenzalen gekommen – vielmehr überließ er die Materialien dem Abbé *Millot*, der 1774 mit einer dreibändigen „Histoire des troubadours" herauskommt.

Die weitschichtigen Interessen *Lacurnes* umfassen alle Bereiche der mittelalterlichen Dichtung und Sprache. 1756 veröffentlicht er die berühmte Singfabel von Aucassin et Nicolette – 1759 eine Abhandlung „sur l'ancienne chevalerie", Ein altfranzösisches Wörterbuch (Glossaire de l'ancienne langue française) wurde 1762 für den Druck bereitgestellt.

Neben diesen gelehrten Bestrebungen stehen in der Spätaufklärung Versuche einer Popularisierung der mittelalterlichen Dichtung: da ist vor allem Graf *Tressan* zu nennen, ein äußerst begabter Dilettant. Mit seiner Modernisierung mittelalterlicher Werke hatte er Erfolg: Tristan, Jehan de Saintré und Gérard de Nevers (1780/81). Graf Tressan war alles andere als ein „Präromantiker"; aufklärerischnaturwissenschaftliche Probleme beschäftigten ihn lebenslänglich. Es bedarf wohl keines weiteren Beweises für den Ursprung der mittelalterlichen Interessen, die mit der Aufklärung geboren sind und keineswegs eine Randerscheinung darstellen.

Eine breitere Grundlage als in der französischen Literatur erlangte jedoch das Interesse für mittelalterliche Dichtung in der spanischen Aufklärung. Die Zäsuren zwischen den einzelnen Literaturepochen sind in Spanien ungleich schwächer als in Frankreich: sie konnten das Weiterleben der älteren Dichtung niemals verhindern.

Beschäftigung mit dem Mittelalter ist schon bei den spanischen Humanisten gang und gäbe. Das bedeutsamste Denkmal dieser Zuneigung ist die 1588 von *Argote de Molina* veranstaltete Neuausgabe des „Conde Lucanor". In ihrer Zuwendung zum Mittelalter bevorzugt jedoch die spanische Aufklärung die rein geschichtliche Fragestellung. Hier war dem französischen Klassizismus alle Wirkungsmacht genommen. Das gilt bis zu einem gewissen Grad auch für die Sprachgeschichte, für die die riesige Materialsammlung „Origenes de la lengua", einem Werk des valencianischen Polygraphen und Polyhistorikers *Gregorio Mayans y Siscar*, einen ersten Baustein brachte. 1735 wird in Madrid die „Academia de Historia" gegründet. Sie bildet den Sammelpunkt auch für die mittelalterlichen Studien. Hier werden Arbeiten vorgelegt wie „Sobre el primer poblador de España y sobre el principio del reino de Navarra (Hilarión Domínguez), wie „Sobre las leyes y el gobierno de los godos" von Campomanes oder wie die Studie, mit der sich der große aufklärerische Staatsmann Jovellanos vorstellte: „Sobre los juegos, espectáculos y diversiones públicas usadas en lo antiguo en las respectivas provincias de España." Damit ist das Feld der mittelalterlichen Literarhistorie eröffnet. Bevor wir jedoch bei diesem Thema verweilen, ist noch des größten spanischen Medievisten, des Padre *Enrique Flórez*, Verfassers der noch heute als Handbuch unentbehrlichen „España sagrada" (seit 1747), zu gedenken. Das Thema der mittelalterlichen Chroniken beschäftigte die vielseitige Gelehrsamkeit von *Cerdá y Rico*. In seinem Nachlaß fand sich eine ausgeführte Geschichte des Westgotenreichs.[5]

Das sind nur einige wenige symptomatische Daten, die für die Breite der mediävistischen Interessen im spanischen „Dieciocho" zeugen sollen.

Wie aber steht es mit der Literaturgeschichte? Die schon genannte Abhandlung von *Jovellanos*[6] verrät die sichere Beherrschung der geschichtlichen Elemente, die auch die klassizistische Geschmacksrichtung nicht mehr verdunkeln konnte. *Jovellanos* behandelt alle öffentlichen Vergnügungen, u. a. die Jagd, die Stierkämpfe, die Turniere usw.: so entsteht ein Panorama der mittelalterlichen Freizeitgestaltung.

Die Erweiterung der Thematik kommt der soziologischen Vertiefung der literargeschichtlichen Betrachtung zugute. Aus den wenigen verfügbaren Quellen (von denen auch die moderne Literaturgeschichte noch zehrt) wird die Geschichte des spanischen Theaters im Mittelalter entwickelt, in den Grundzügen so, wie wir sie auch heute noch sehen. Der usprünglichen Vermischung von geistlichem und weltlichem Spiel folgt die Trennung, aus der einerseits die ,,autos" und andererseits die Ansätze zu wirklichem Theaterspiel hervorgingen. Neben dem Adel sind es in steigendem Maß die Städte und Munizipien, die der Dichtung im Mittelalter eine Freistaat gewähren!

Die Reaktion auf die klassizistische Verneinung der spanischen Dichtung und auf den in Frankreich und in Italien während des 18. Jahrhunderts immer wieder bekundeten Zweifel an dem Wert und Nutzen des spanischen Beitrags für die Menschheitskultur war das mächtigste Stimulans für die Erforschung der spanischen Geistes- und Literaturgeschichte. Literarhistorischer Nationalismus ist die unvermeidliche Mitgift dieser Bestrebung: er kann zu neuen Einsichten, aber auch zu unhaltbaren Positionen führen. In seinem ,,Discurso sobre la historia" erkannte *Forner*, daß die epische Gestalt des Bernardo Carpio sich als eine spanische Gegenschöpfung zum Rolandszyklus darstellt.

Andererseits ging der in Italien verbannte Jesuit *Lampillas* so weit, von einem spanischen Einfluß auf die entstehende Literatur der Italiener zu sprechen. *Lampillas* hatte die Minnelyrik im Auge, wobei er Provenzalen und Katalanen verknüpfte. Aber abgesehen von solchen Entgleisungen hat *Lampillas* in seiner Geistes- und Literaturgeschichte bedeutende Einsichten vermittelt. Vor allem hat er sich als erster an einer systematischen Darstellung des arabischen Mittelalters in Spanien versucht. All diese Impulse flossen in dem gewaltigen Unternehmen zusammen, das der gelehrte *Tomás Antonio Sánchez* zwischen 1779 und 1790 ans Licht brachte. Die vier Bände enthielten Werke wie das Cidpoem, die ,,Milagros" von Berceo und das ,,Libro de buen amor" des Arcipreste de Hita. Spanien hat damit den Ruhm erworben, als erstes Land der Welt einen unter einem wissenschaftlichen Gesichtspunkt zusammengestellten Corpus seiner mittelalterlichen Literatur geschaffen zu haben.

Es versteht sich, daß diese beliebig herausgegriffenen Daten der Ergänzung und einer vertieften Betrachtung in jeglicher Richtung bedürfen. Die empfindlichste Lücke könnte jedoch allein durch eine Einbeziehung des deutschen Beitrags zur aufklärerischen Mittelalterforschung geschlossen werden. Zweifellos hat sich die geschichtswissenschaftliche Bearbeitung der mittelalterlichen Jahrhunderte nirgends mehr als in Deutschland verdichtet. Praktische Fragen der kaiserlichen, der fürstlich-territorialen und der reichsstädtischen Politik förderten diese Entwicklung ebenso wie die schon aus dem 17. Jahrhundert stammenden Wissenschaftstraditionen. Was uns jedoch vor allem berühren müßte, das ist die systematische Rezeption der Resultate der deutschen Mediävalistik in Frankreich. Zeitschriften wie die ,,Bibliothèque germanique" erleichterten durch breit angelegte Auszüge die Kenntnis der wissenschaftlichen Neuerscheinungen von jenseits des Rheines. Selbst eine so popularisierende Zeitschrift wie ,,Le Pour et Contre" sah sich veranlaßt, durch regelmäßige Korrespondenzen über die Wissenschaftslage an den deutschen

Universitäten dem Wunsch ihres Publikums nachzukommen. Einflüsse deutscher Gelehrter lassen sich in Montesquieus Konzeption des Lehenswesens mit Sicherheit nachweisen.

Trotz des nur andeutenden und notwendig fragmentarischen Charakters dieser Skizze läßt sich aus den angeführten Daten doch eine Folgerung mit Sicherheit ziehen: die moderne Beschäftigung mit dem Mittelalter ist weder das Erzeugnis einer „präromantischen" Geisteshaltung noch der romantischen Rückzugsbewegung zu einer idealisierten Vorzeit – sie gründet vielmehr mit allen ihren Wurzeln im geschichtlichen Weltbild der Aufklärungsepoche.

Die Romantik fand also den Weg zum Mittelalter schon deutlich bezeichnet vor sich. Dieser Weg ist von einer progressiven Geistesrichtung eingeschlagen worden. Wie ist es zur Umkehr dieser ideologischen Richtung gekommen? Liegt eine solche Umkehr überhaupt im ursprünglichen Ansatz der romantischen Mittelalterideologie begriffen?

Das erste und berühmteste Manifest der mittelalterlichen Zuwendung ist *Novalis'* 1799 geschriebener Aufsatz „Die Christenheit oder Europa". Die glänzenden Qualitäten dieser musikalischen und dabei in lockeren Sätzen aufgesetzten Prosa erleichtern die Lektüre. Beim Versuch einer Deutung wird man aber auf Schritt und Tritt an den fatalen Aphorismus *Hardenbergs* erinnert: „Mehrere Namen sind einer Idee vorteilhaft." Bei einer oberflächlichen Lektüre wird man nichts weiter als die religiöse Reaktion auf Aufklärung und Revolution gewahren. Man wird von der Verheißung einer Wiederkehr des Christentums ausgehen, die Apologie des Jesuitenordens nicht übersehen und schließlich in der spezifischen Konzeption der Gesellschaft eine allen Gegenrevolutionären teure Idee erkennen: die Auffassung nämlich, daß die Menschen zu einer positiven Gemeinschaftsbildung nicht fähig sind, ohne die Vermittlung einer metaphysischen oder religiösen Instanz.

Bei näherer Sicht verschiebt sich aber der erste Eindruck. Die Wurzel der modernen Entwicklung wird in der Verderbnis der Klerisei gesehen. Die Degeneration des Klerus verschuldete das Auseinandertreten von Glauben und Wissen. Der ersehnte christliche Zustand ist eine dialektische Aufhebung und zugleich Bewahrung der vorher durchlaufenen Stadien und der vorher gemachten Errungenschaften. An dieser neuen Wirklichkeit muß auch das Prinzip der Aufklärung und das der Französischen Revolution beteiligt sein. *Novalis* geht so weit, die Hohepriesterschaft *Robespierres* als ein Vorzeichen in Anspruch zu nehmen: „Historisch merkwürdig bleibt der Versuch jener großen eisernen Maske, die unter dem Namen Robespierre in der Religion den Mittelpunkt und die Kraft der Republik suchte..." (*Novalis*, Die Christenheit oder Europa. Schriften, herausgegeben von Paul Kluckhohn II, 78).

Im übrigen ist es schwer erkennbar, worin sich die für *Novalis* richtunggebende Idee der Gottheit von der romantischen Idee einer in Poesie verwandelten Humanität unterscheidet. Dieses utopische Friedensreich steht politisch im Zeichen der Akratie, der aufgehobenen Staatlichkeit, zugunsten des organischen Zusammenhangs der von Vormundschaft befreiten gesellschaftlichen Elemente.

Der Funktionswandel der Mittelalterideologie trat erst ein, als durch die Heilige Allianz ein weltenweites Kartell der feudalistischen Großmonarchien zusammengewoben war, und zwar im Zeichen eines Pazifismus, der den Gefängnisfrieden der Völker zu sichern hatte. Der Mittelalterkult führt die Beherrschten zur quietistischen Ergebung in ihr Schicksal; den Herrschenden gibt er das Stichwort an die Hand, das ein System der brutalen Bedrückung in die verklärende Beleuchtung eines esoterischen Geschichtsbilds erhebt.

Noch ehe das Junge Deutschland den Zusammenhang der Mittelalterromantik mit der Völkerunterdrückung aufgezeigt hatte, enthüllte ein deutscher Fürst – rara avis – diese ganze Verflechtung mit rücksichtsloser Offenheit. Der Fürst ist kein anderer als Karl August, über dessen letzte Lebenstage (1828) ein Brief *Humboldts* an *Goethe* Rechenschaft gibt. Der Brief ist von *Eckermann* in seinen wichtigsten Stellen wörtlich zitiert. Er enthält die erstaunlichen Worte:

,, ... nie habe ich den großen menschlichen Fürsten lebendiger, geistreicher, milder und an aller ferneren Entwicklung des Volkslebens teilnehmender gesehen als in den letzten Tagen, die wir ihn hier besaßen."

Wenn hier noch ein Zweifel über den Sinn des Ausdrucks ,,Entwicklung des Volkslebens" aufkommen sollte, so würde er durch die späteren Abschnitte völlig zerstreut:

,,Auf einmal ging er desultorisch in religiöse Gespräche über. Er klagte über den einreißenden Pietismus und den Zusammenhang dieser Schwärmerei mit politischen Tendenzen nach Absolutismus und Niederschlagen aller freieren Geistesregungen. Dazu sind es unwahre Bursche, rief er aus, die sich dadurch den Fürsten angenehm zu machen glauben, um Stellen und Bänder zu erhalten! – Mit der poetischen Vorliebe zum Mittelalter haben sie sich eingeschlichen. –"

,,Bald legte sich sein Zorn und nun sagte er, wie er jetzt viel Tröstliches in der christlichen Religion fände. ,Das ist eine menschenfreundliche Lehre', sagte er: ,aber von Anfang an hat man sie verunstaltet. Die ersten Christen waren die Freigesinnten unter den Ultras' " (Eckermann: Gespräche mit Goethe, Leipzig 1948, 552 f).

Der innere Zusammenhang zwischen dem Mittelalterkult und der allgemeinen Tendenz des Religionsbetriebs, der durch die Niederhaltung der demokratischen Bewegung gebildet wird, ist hier mit aller Klarheit begriffen. Mit welch leidenschaftlicher Anteilnahme der Großherzog zwei Jahre vor der Julirevolution den Blick nach Frankreich richtete, verrät der aktualisierende Vergleich der Fraktionen des Christentums mit denen der rebellischen französischen Kammer, in der sich damals Ultras und Liberale (Freigesinnte) befehdeten.

Das äußerte derselbe Fürst, der einstmals *Goethe* gedrängt hatte, ihm auf dem Feldzug gegen die junge französische Republik Gefolgschaft zu leisten, derselbe, der *Herder* wegen seiner freiheitlichen politischen Meinung ernstlich verwarnen zu müssen glaubte. Im Lauf der Jahre hatte sich Karl August zu einer klaren und präzisen Stellungnahme in den Grundfragen der Nation durchgerungen, der Goethe zeit seines Lebens auszuweichen versuchte.

Es ist sehr wahrscheinlich, daß Karl August in seinen letzten Lebensjahren schon Kunde hatte von der seltsamen Konstellation am kronprinzlichen Hof. Der nachmalige Friedrich Wilhelm IV. versammelte Restaurationsideologen wie *Karl Ludwig von Haller, Jarke* u. a. um sich. In diesem Kreis wird mit einem ganz unromantischen, trockenen Ernst die Forderung aufgestellt, den Patrimonialstaat wieder aufzurichten und alsomit die Rückkehr zu den politischen Formen des Feudalismus zu betreiben. Die reaktionäre Funktion der Mittelalterideologie ist aber nicht nur durch solche Versuche einer Wiederbelebung der vorvergangenen Weltzeit bestimmt – noch wichtiger und verhängnisvoller vielleicht war die geschichtsmethodologische Orientierung der Historischen Schule an den Epochen einer relativ lange währenden Stabilität. Geschichtliche Relevanz hat für die Historische Schule nur das Fortleben der Tradition. Entwicklung ist nur als ein Jahrtausende währender Prozeß der unbewußten Umstellungen denkbar. Nicht die Epochen der Wandlung, sondern die Epochen der Stagnation bestimmten dieses Geschichtsbild. Die Weltanschauung der Historischen Schule verbindet völligen Verzicht auf alle gesellschaftliche Aktivität mit einer unbegrenzten Bereitschaft, sich liebend in alle Formen der Restauration und der traditionalistischen Reaktion einzuleben.

Die romantische Mittelalterideologie ist natürlich nicht das einzige aus der Aufklärung übernommene Motiv. Begriffe und Komplexe wie Generation, Ironie, Geselligkeit und vor allem Volksgeist (Voltaires ,,Esprit des Nations'' nachgebildet) erschließen ein fruchtbares Feld einer weiter gespannten Betrachtung.

Obwohl es schwer ist, von einem einzigen Punkt aus allgemeinere Feststellungen zu treffen, so hat man doch ein Recht zu erfahren, was sich aus diesen Einzeldarlegungen für die Erkenntnis der Grundprobleme der Romantik folgern läßt. Ich nenne nur die beiden großen Probleme: 1. Was ist die Romantik? 2. Kann man von einer gegensätzlichen politischen Einstellung der deutschen zu der französischen Romantik sprechen, als ob sie sich wie Reaktion und Fortschritt gegenübertreten wurden?

Die berühmteste und zugleich simpelste Definition des Romantischen stammt von *Stendhal*: ,,Klassisch ist, was unsern Großeltern gefallen hatte – romantisch, was unserer Generation gefällt.''

Romantik ist also Modernismus. In Deutschland begann die Romantik als eine publizistisch-politische Bewegung mit dem Bestreben, die Folgerung der leidenschaftlich bejahten Französischen Revolution für die Umgestaltung der deutschen

Welt und der politischen Welt überhaupt zu ziehen. Alle Äußerungen des jungen *Friedrich Schlegel* und des jungen *Hardenberg* liegen in dieser Richtung. Diese erste Station währt bis zu dem letzten Jahre des 18. Jahrhunderts. Wenn man nun sagt, die Romantik sei von diesem Zeitpunkt an von der Revolution abgefallen, so ist das nur eine halbe Wahrheit. Die andere Hälfte der Wahrheit ist nämlich die, daß auch die Revolution ganz offenkundig in jenen Jahren von der Romantik abgefallen war. Der Niedergang der Revolution und ihr Umschlag in einen kriegerischen Despotismus waren nicht mehr zu verbergen. Es war für die Zeitgenossen sehr schwer und fast unmöglich, in diesem Abfall der Revolution die Permanenz ihrer wesentlichen Errungenschaften wahrzunehmen.

Die deutsche Frühromantik setzt nunmehr den Hebel an einer anderen Stelle an. Sie will jetzt die Revolution auf das Gebiet der Literatur übertragen. Sie zerbricht das hierarchische Schema der poetischen Gattungen und legt theoretisch den Horizont des Romanes frei als der einzig dem modernen Lebensgefühl angemessenen literarischen Aussageform. In der Kunstrevolution verwirklicht sich das emanzipierte Individuum. Der romantische Individualismus ermöglicht zwei entgegengesetzte Wege: auf der einen Seite die quietistische Anpassung an alles Gegebene, auf der andern das politische Rebellentum, der Weg von *Immermann* zu *Heine*, von der Heidelberger Romantik zum Jungen Deutschland.

In Frankreich beginnt die Romantik mit einer offen gegenrevolutionären Einstellung, die von *Chateaubriand* bis *Barant* gewahrt wird. In *Thierrys* Geschichtsschreibung wird die französische Romantik liberal, bei *Victor Hugo* radikal.

Wir folgern daraus, daß die deutsche Romantik kein Produkt der Restauration ist – sie ist, wie wir sahen, ein Erzeugnis der Revolution – und daß die französische Romantik sich erst später mit der Entwicklung der französischen Industriegesellschaft zu einer fortschrittlichen Haltung durchgerungen hat. Die antithetische Kennzeichnung der beiden nationalen Stile der Romantik läßt sich nicht aufrechterhalten.

Georg Lukács hat in seinen gleich nach Kriegsende erschienen Schriften die deutsche Romantik als Reaktionsbewegung en bloc verurteilt. Darin kam der Standpunkt jener vor uns liegenden Jahre vorzüglich zum Ausdruck. Es mußte überhaupt erst einmal der Ariadnefaden in der deutschen Literaturentwicklung gefunden werden. Vielleicht konnte nur ein grob antithetisches Verfahren, eine Schwarz-Weiß-Malerei, dem Bedürfnis der ersten Stunden gerecht werden.

Es ist aber unumgänglich, daß wir uns von solchen Einseitigkeiten befreien und daß wir uns der Verpflichtung einer vertieften Verantwortung gegenüber dem kulturellen Erbe nicht entziehen. Die behutsame Art, mit der *Franz Mehring* die romantische Schule behandelt, kann dabei noch immer als vorbildlich gelten. Ich schließe daher mit seinen der Romantik gewidmeten Worten:

,,In die Tage des alternden Goethe fiel die Blüte und auch schon der Untergang der romantischen Dichterschule. In ihr spiegelte sich der Zweispalt wider, den die Fremdherrschaft zwischen den nationalen und den sozialen Interessen des Bürgertums geschaffen hatte. Nationale Ideale ließen sich nur in dem Mittelalter finden, wo die ausgeprägteste Klassenherrschaft der Junker und Pfaffen bestanden hatte. So flüchteten die romantischen Dichter in die ‚mondbeglänzte Zaubernacht des Mittelalters', aber da die mittelalterlichen Ideale sich doch nicht in unverstümmelter Herrlichkeit wiederherstellen ließen, nachdem ein revolutionärer Sturm über den europäischen Boden gefegt war, so mischten sie den feudalen Wein, den sie aus den Kellern der Burgen und Klöster holten, mit manchen Tropfen vom nüchternen Wasser der bürgerlichen Aufklärung.

Daher ist diese Schule nicht ohne anerkennenswertes Verdienst. Sie hat die Schätze der mittelalterlichen Dichtung wieder entdeckt, nicht nur die höfischen und ritterlichen Dichter, sondern auch die Nibelungen, ein nationales Epos, das sich wohl mit den homerischen Gesängen messen darf. Vor allem hat die romantische Dichterschule die köstlichen Schätze der Volksdichtung gehoben: die Märchen der Gebrüder Grimm und Des Knaben Wunderhorn, eine Sammlung alter Volkslieder, die Arnim und Brentano herausgaben. Daneben verdanken wir ihr eine außerordentliche Erweiterung unseres poetischen Gesichtskreises; da sie keinen festen Boden unter den Füßen hatte, so schweifte sie hinweg zu den Kunstschätzen aller Völker und Zeiten und brachte vieles Treffliche heim, wie die klassische Übersetzung Shakespeares durch Schlegel" (Mehring: Deutsche Geschichte vom Ausgang des Mittelalters, S. 132 f., Berlin 1946).

---

[1] Vgl. das noch heute unüberholte Buch von Carcassonne „Montesqieu et le problème de la constitution française au 18e siècle", 1926.

[2] *Fontenelle*, (Euvres, VI, 460, 1790.

[3] Ebenda, III, 2 ff.

[4] Der Tatbestand des Plagiats wurde von La Morinière durch einige Zitierungen Fontenelles in raffinierter Weise verdeckt. In Barbiers Anonymenlexikon und ihm folgend im Quérard wird der Abbé Coujet als Autor der Einführung genannt. Es ist jedoch so gut wie ausgeschlossen, daß dieser äußerst gewissenhafte Gelehrte sich in dieser Weise mit fremden Federn geschmückt haben sollte.

[5] Über *Francisco Cerdá y Rico*, Angel González Palencia, „Eruditos y libreros del s glo XVIII", Madrid 1948.

[6] Wieder abgedruckt in „Clásicos castellanos", 110. S. 787 ff.

[7] Vgl. *Menéndez y Pelayo*, „Ideas estéticas", III, 334.

[8] Ebenda, III, 351 f.

In: Wiss. Zschr. der Karl-Marx-Universität Leipzig, 12 Jg. (1963), S. 496 – 501

2c) Hülsens idealistische Romantik

Von Martin Oesch

> „Nichts ist falscher als zu glauben,
> daß man es in der Romantik mit einer
> einzelnen Richtung zu tun habe. Mit
> gewissen Modifikationen ist sie ...
> nichts als die Generation, welche in
> den neunziger Jahren heraustrat und
> von 1790 bis 1800 jene entscheidende
> Lebensepoche durchmachte, welche
> zwischen dem zwanzigsten und drei-
> ßigsten Lebensjahre liegt."
>
> *Dilthey*[1]

Die Französische Revolution wurde in der deutschen Gelehrtenrepublik von Männern wie Kant, Klopstock, Lavater, Campe, W. v. Humboldt und Schiller begeistert begrüßt.[2] Schien es doch als wäre eine Idee in die Realität getreten, ein philosophischer Gedanke politische Wirklichkeit geworden! Gentz schrieb 1790: „Sie [scil. die Revolution] ist der erste praktische Triumph der Philosophie".[3] Aber die Ausschreitungen seit dem August 1792, und besonders der berüchtigte 21. Januar 1793 ließen viele Befürworter an der französischen Sache irre werden, machten die Zweifelnden zu Gegnern und die Gegner zu erbitterten und handlungsbereiten Feinden.[4]

1. Fichte und die Revolution

Wer in dieser Situation Schriften zur Verteidigung und zum Verständnis der Revolution veröffentlichte, mußte wissen, daß seine Worte an politischer Elle gemessen wurden.[5] Im Jahre 1793 erschienen zwei anonyme Schriften, deren eine ultimative Forderung an die Fürsten enthielt und deren andere ein Plaidoyer für die Revolution war: Die „Zurückforderung der Denkfreiheit von den Fürsten Europens" und „Beiträge zur Berichtigung der Urteile des Publikums über die Französische Revolution".[6] Ihr Autor, Johann Gottlieb Fichte, hatte ein Jahr zuvor mit seiner, gleichfalls anonym erschienenen Abhandlung „Versuch einer Kritik aller Offenbarung" die wissenschaftliche Öffentlichkeit auf sich aufmerksam gemacht. Ihm kam zu Hilfe, daß man dieses Werk zunächst für die längst erwartete Religionskritik Kants hielt.[7]

Fichte hatte sich mit dieser Schrift einen Namen gemacht, und als man einen

Nachfolger für Karl Leonhard Reinhold, den Bahnbrecher der Kantischen Philosophie in Jena suchte, wählte man ihn.

Aber Fichte war, wie viele wußten, nicht nur der ungenannte Autor der Offenbarungskritik, die ihn berühmt, sondern auch der Verfasser der Revolutionsschriften, die ihn berüchtigt machten. Das Mißtrauen der Weimarer Regierung konnte zwar, vor allem mit Hilfe des Geheimrats Hufeland beschwichtigt werden,[8] erwachte aber bereits wenige Jahre später, 1798 im sogenannten Atheismusstreit. Der Transzendentalphilosoph wurde dann offen als Demokrat bezeichnet oder das „große Ich von Oßmannstedt" (Goethe) als Jakobiner verschrieen.[9]

Fichtes Eintreten für die Ziele der Französischen Revolution und besonders für die Verwirklichung der Menschenrechte[10] ist aber nur im Falle der „Zurückforderung" als Agitieren anzusehen.[11] Fichte hat, der Möglichkeit beraubt, selbst handelnd in die Geschichte einzugreifen, aus der Not eine deutsche Tugend gemacht.[12] Fichte in einem Brief an Reinhold: „Ich denke nicht auf unmittelbar politische Wirksamkeit... Der Gelehrte hat mittelbar zu wirken."[13] Sein Ziel bleibt also politisch bestimmt! Forberg, Fichtes schillernder Mitstreiter, notierte: „Fichte will durch die seinige [Philosophie] den Geist des Zeitalters leiten: er kennt dessen schwache Seite, drum fasset er ihn von Seiten der Politik."[14] Der Rückzug, den Fichte vornimmt, geht in Richtung Reform statt Revolution,[15] dennoch hat Fichte den Zusammenhang zwischen der Revolution und seinem System wiederholt unterstrichen, so auch in dem berühmten Brief an Baggesen aus dem Jahre 1795: „Mein System ist das erste System der Freiheit; wie jene Nation von den äußern Ketten den Menschen losreis't, reist mein System ihn von den Fesseln der Dinge an sich, des äußern Einflußes los, u. stellt ihn in seinem ersten Grundsatze als selbstständiges Wesen hin."[16]

Im ersten System Fichtes, der Wissenschaftslehre von 1794/95 lassen sich ohne interpretatorischen Zwang die politischen Parolen der Revolution,[17] umgewandelt in mehrdeutige Begriffe, wiederfinden.

Die das Ich allein begründende Tathandlung wäre als der Urakt, der auslösende Schritt zur Revolution anzusehen. Dieser Akt begründet Praxis und Theorie. Fichte hat ihn in einer Formel beschrieben: „Das Ich *setzt sich selbst*, und *es ist*, vermöge dieses bloßen Setzens durch sich selbst".[18] Darin wird die *Freiheit* und die Selbständigkeit auf eine philosophische Formel gebracht.[19] Für das Ich ist Sein = Gesetztsein und dies absolut (I, 292). Das Ich ist das Unbedingte, das, was bedingt ist, ist vielmehr nicht das Ich: das Nicht-Ich. Eine solche Beschreibung mag, hier ohne eine wirkliche Entfaltung des Gedankens vorgetragen, äußerst abstrakt klingen, aber nur sie gibt getreu den Ausgangsgedanken Fichtes wieder. Das Ich ist nicht etwas Dinghaftes, kein Sein, wie er damals sagte, sondern ein Aussichselbstsein, ein ursprüngliches Sicherzeugen, reine Agilität.

Das Motiv der *Gleichheit* ist bewahrt in dem Gedanken, daß dieses Ich, wie

Fichte sagen kann, eines jeden Ich sei. Fichte führt in einer Abgrenzung zu Spinoza aus: „daß eines jeden Ich selbst die einzige höchste Substanz ist" (I, 317). Die Absolutheit des Ich war Fichte offenbar nicht unvereinbar mit seiner Pluralität. – Hierin liegt zugleich ein religionskritisches Element. In der ersten Wissenschaftslehre hat daher der Gottesbegriff der Tradition keinen Stellenwert, Deus gilt als undenkbar (I, 447 f).

In der Konsequenz solchen Denkens liegt, daß der Annihilation des zentralen Subjekts die Aufwertung des Gedankens der *Brüderlichkeit* korrespondiert. Fichte verknüpft ihn in der „Bestimmung des Gelehrten" (1794, *Werke* I, 232) mit dem Vernunftbegriff: Der Mensch will „diesen Begriff nicht nur in sich selbst realisieren, sondern auch außer sich realisiert sehen. Es gehört unter seine Bedürfnisse, daß vernünftige Wesen seinesgleichen außer ihm gegeben seien."

2. Der Bund freier Männer und Hülsen.

Fichte wußte, daß ein solcher Gedanke konkrete Gemeinschaft und Solidarität freiheitlich denkender Menschen forderte. Nun war das sittliche Niveau der Jenaer Studenten ihm ein Ärgernis und er wollte mit der ihm eigenen Energie und Hartnäckigkeit das Unwesen der „Orden", der Verbindungen also, bekämpfen. Fichte hatte dabei auch erwogen, mit rechtlichen Schritten zum Ziel zu kommen.[20] Vor allem sollten gute Beispiele zur Besserung der Zustände beitragen. Ein Kreis, in dem versucht wurde, den Gedanken in die Praxis zu übersetzen, war der „Bund freier Männer",[21] deren besondere Interessen der Verbesserung der Gesellschaft, der Pädagogik galten. Steffens schrieb: „dennoch ist es gewiß, daß eben aus der Fichteschen Schule junge Männer hervorgingen, die mit einem wahrhaft praktischen Sinne eine große Begeisterung verbanden. Der Begriff persönlicher Unabhängigkeit ward jetzt nicht so aufgefaßt, als solle man sich von der Welt trennen ... die Freiheit erkannten die jungen Männer in der aus der Selbstbestimmung hervorgehenden Tat".[22] Dem Bund gehörten nach der Aufzählung Flitners über 50 Männer an,[23] zu ihren Gründern übrigens auch ein Franzose, Claude Camille Perret (damals ein Freund Sinclairs), der unter Napoleon Karriere machen sollte.[24] Die bekannteren Namen sind Johann Erich von Berger,[25] Herbart, Köppen, Rist, der Bremer Smidt und Hülsen.[26]

Hülsen erschien in diesem Kreise vielen als eigenständige, imponierende Persönlichkeit. Seine Freunde verglichen ihn mit Plato oder Aristoteles, Schleiermacher nannte ihn den sanftesten und parteilosesten Menschen und Schelling war „von der Herrlichkeit seines Gemütes und Geistes genug erfüllt",[27] F. Schlegel schließlich hielt von ihm apriori mehr als von Schelling.[28] Noch Dilthey stellt ihn in eine Reihe mit „Schelling, Schlegel, Hardenberg und Berger".[29]

Aus dem schmalen Werk von sechs Arbeiten Hülsens,[30] von denen eine posthum erschien, referiere ich einen Aufsatz aus dem Jahre 1797,[31] der Hülsens Weg von Fichte zur Romantik zu dokumentieren vermag. Vergleiche mit anderen Arbeiten und die Erwähnung einer von Benjamin ins Licht gerückten Briefstelle sollen die kurze Darstellung abrunden.

3. Der Aufsatz „Über Popularität"

Die Philosophie soll, sagt Hülsen (damit ein Motiv der Aufklärung aufgreifend) nicht für den Philosophen, sondern für den *wirklichen Menschen* dasein (74). Das Denken sei Sache aller und die Philosophie nichts als der Ort der Artikulation des freien menschlichen Wesens. Daher gelte auch umgekehrt, daß der wirkliche Mensch nicht vom Philosophen zu trennen sei (78).

Die Forderung nach Popularität, nach „menschlicher Wahrheit" (73) werde erfüllt, wenn die *Realität* im Gedanken *zur Anschauung* komme – damit der Gedanke nicht leer bleibe. [32] (Der Gegensatz zwischen bloßem Gedanken[spiel][33] und dem wirklichen Gegenstand (76) wird von Hülsen als Gegensatz zwischen „bloßem Wort" und „selbstthätiger Kraft" (72) beschrieben.[34]) Der Realität will Hülsen habhaft werden, das, was ist, soll zu Wort kommen; und für das unmittelbare *Gefühl, das* Realität garantiert, für das Lebensgefühl, gebraucht Hülsen einen Begriff aus dem Sturm und Drang: *Kraft.*[35]

Der Kraftbegriff spielt in den weiteren Ausführungen eine erhebliche Rolle. Der Mensch ist und handelt durch lebendige Kraft (73), heißt es, der Verstand ist Kraft (79), das Handeln der Vernunft wird als unendliche Erweiterung der Kraft beschrieben (92). „Die bildende Kraft [des Menschen] . . . ist *ideale* Kraft, d. h. Kraft in sich selbst oder selbstthätige Kraft" (94). Dieser Kraftbegriff, der ebenso wie der Gegensatz zum bloßen Wort aus der Philosophie Fichtes stammt,[36] und dessen Wurzeln sich leicht innerhalb der pietistischen Schultradition bis zu Thomasius zurückverfolgen lassen, will verstanden werden als Formel für die *Selbsttätigkeit, Selbständigkeit und Freiheit* des Menschen.

Die radikale Freiheit des Menschen

Hülsen sieht in der „freien Thätigkeit" des Menschen (83 pass.) den Kern und Angelpunkt seines anthropologischen Entwurfs. Jeder ist der Schöpfer seiner Welt: „Das Ideal eines jeden ist seine eigne freie Selbstthätigkeit, als ein unendliches Handeln: und das Reale eines jeden ist das Wirkliche in der Anschauung als Gefühl seines Daseyns . . . Aber alle Wirklichkeit ist das *Verhältniß in einem Bewusstseyn,* d. i. der Mensch und seine Welt. Sein Ideal realisiren heißt folglich: seine Selbstthätigkeit als seine Welt anschauen. Die Welt eines jeden[37] soll eines jeden *That* seyn, und also praktisch aus ihm zur Vollendung hervor gehen." (85) In gut monadologischer Tradition schreibt Hülsen weiter: „Aber meine That ist nur *meine*. Alle die sie demnach anschauen, müssen sie anschauen *als* die meine, und so die Welt eines jeden. *Aus* einem jeden muß sie hervorgehen, und von allen als *seine* Welt angeschaut werden." Das Ich, von dem hier die Rede ist, ist das vereinzelte, das jemeine, der durch nichts weiter bestimmte Ausgang oder Anfang allen Tuns. Durch die „Thätigkeit überhaupt" ist der Mensch „wirklich" „im ganzen Umfange seines Daseyns" (80).

Nicht einmal der Zeit ist der Mensch unterworfen. „Im Menschen ist nur *eine* Zeit durch die Identität des Handelnden" (81). Wie um sicher zu gehen, daß auch der Begriff der alles stiftenden Tätigkeit (des Handelnden) nicht als ein fixiertes Seiendes (Sein) aufgefaßt wird, hebt Hülsen den Prozeß- und Aufgabencharakter hervor. „Aber daß ich überhaupt bin, als freie unendliche Thätigkeit, damit ist für die Welt, die *meine* seyn soll, noch gar nichts gethan. Die Vernunft überhaupt, oder die freie Thätigkeit *ist*, heißt nur es gibt eine Kraft *unendlich zu handeln*; und – die Welt überhaupt, oder die Anschauung der Vernunft *ist*, heißt darum ebenfalls nur, es gibt einen Gegenstand zum *unendlichen Behandeln*. Das also ist nicht die Vernunft, die überhaupt *ist*, in dem lebendigen Ausdrucke: Ich bin! sondern deren Seyn Selbstthätigkeit in einem unendlichen Handeln ist. Man kann von ihrem Seyn also das Handeln nicht trennen sondern darin eben besteht es, und beides ist eines und dasselbe. So auch die Welt, als realer Ausdruck der Vernunft."(91)

Mit diesen fast deklamatorischen Sätzen schärft Hülsen ein, daß nicht das Tun als solches, als ontologische Bestimmtheit interessiert, sondern die Tätigkeit in actu, das tatsächliche Tun (Fichtes ‚Tathandlung' liegt dem voraus). Und dieses Tun ist wesentlich nicht abgeschlossen, sondern ins „Unendliche" zu steigern (94 ff).

Ist nun das Ich, das sich schafft, und in einem unabschließbaren Prozeß entfaltet, selbst ein Produkt seiner Tätigkeit? Anders gefragt, wenn jeder sich seine Welt schafft, wer erschafft den Schöpfer? Liegt alledem *eine* allgemeine Tätigkeit zugrunde, und was ist dann unter Tätigkeit zu verstehen? Hülsen stellt solche Fragen nicht ausdrücklich, sondern versperrt den Weg zu weitertreibendem Raissonnement durch die Behauptung, daß jedes Bewußtsein immer schon in einer *Einheit* aufgehoben sei.

Einheit des Bewußtseins. Der ganze Mensch.

Das Tun des einzelnen Ich ist zugleich ein Tun des allgemeinen Wesens. „Es gibt keine *Vernünfte*, sondern der Mensch in seinem praktischen Wesen, oder in seiner ewigen Freiheit, ist einer und derselbe mit Allen. Handelt der Mensch; so handelt das vernünftige Wesen." (87) Die reine Handlung, das unbedingte Sichaufschwingen zum Ideal (86) ist in der Harmonie zwischen sich, der Welt und der einen Vernunft (76) bereits am Ziel seines Strebens.

Die Übereinstimmung „durch" die Einheit des Bewußtseins gilt Hülsen als Identität von Vernunft und „wirklicher" Anschauung (95). Oder der Welt als „Ausdruck" der Vernunft (92). Hülsen geht es aber hierbei nicht um den Aufweis einer Bedingung, ohne die das Tun der Vernunft nicht denkbar wäre, sondern um den ganzen, ungeteilten Menschen: „Was wir alle wirklich sind, im ganzen Umfang unseres Daseyns, das sind wir wirklich als *Menschen*, und was wir *im* Menschen theilen, ist darum nie etwas anders als ein Gedanke ohne Gegenstand. Wir können es nicht. Denn der, welcher den Menschen theilt, ist notwendig selbst der Mensch, als *Einer* im ganzen Umfange seines Daseyns. Er theilet also nichts; denn Er und das zu theilende sind eines und dasselbe." (97) Der ganze Mensch ist ihm aber zugleich Mensch unter Menschen: „jeder ist nur, *der* er ist, in so fern er *unter Menschen* ist" (82). Dennoch bleibt es dabei, daß das „ganze Wesen" des Menschen in der einen Tätigkeit der Vernunft mit ihren Momenten des Bildens und Nachbildens und der implizierten Einheit des Bewußtseins besteht (96).

Aufgrund dieser starken Unterstreichung der Einheit und schon vorhandenen Harmonie ist es nicht verwunderlich, wenn bei Hülsen schließlich das Handeln den Schein des ruhenden Seins erhält: „Was überhaupt *ist*, das ist als solches *vollendet*, denn das Seyn kann nicht erst *werden*. So die Vernunft in ihrer *Selbstthätigkeit*, und die Welt als *ihr Ausdruck*. Was aber nur *handelnd* ist, ist auch nur *handelnd vollendet*, folglich ins Unendliche hinaus. So die Vernunft als bildende Kraft, und die Welt als ihr Gegenstand". (98)

4. Von Fichte zur Romantik

In diesen „Philosophischen Briefen" setzt Hülsen andere Akzente als Fichte.[38] Für Hülsen ist es selbstverständlich, vom einzelnen Ich aus zu denken und es in der *Einheit und Harmonie* mit dem objektiven zu sehen. Prinzipiell ist ihm das Einzelne das Absolute. Hülsen greift damit einen Gedanken Fichtes auf, den dieser zwar geäußert, aber systematisch nicht entwickelt hatte. Fichtes Ich ist zunächst abstrakt-allgemein. Fichte *erzählt* nur, daß dieses Ich eines jeden Ich sei. (Die Gleichung absolutes Ich = Deus kennt die Wissenschaftslehre von 1794/95 nicht.) Die Akzentverschiebung ist von größerer Bedeutung als man zunächst vermuten mag, zumal Hülsen im einzelnen Ich das empirisch-reale mitmeint: „das Reale *eines jeden* ist das Wirkliche in der Anschauung als Gefühl *seines* Daseyns", hieß es (85) [Sperrung von mir]. In seinem Aufsatz „Über Gleichheit" von 1799 führt Hülsen aus: „In dieser bestimmten Rücksicht betrachte ich also den Menschen, und nehme ihn auf, wie ich ihn finde. Wie ich ihn finde, ist der Mensch nur *Einer* im ganzen

Umfange seines Daseyns: denn er selbst ist seine eigne und ganze Sphäre, und alle Bestimmungen in ihm können darum nur Wahrheit haben durch diese Beziehung auf ihn selbst" (op. cit. 165). Hülsen zieht das Unbedingte in die Sphäre des Bedingten, um das Unbedingte des Bedingten herauszustellen (cf. *BildungsTrieb*, 117). An die Stelle eines wechselseitigen Bestimmens von Ich und Nicht-Ich bei Fichte tritt eine Einheit und Harmonie des Empirischen und Idealen, Absoluten und Einzelnen. Denn was ist, kann nicht erst werden (98).

Auch in seinen Aussagen über *das Handeln und die Zeit* scheint Hülsen Fichte zunächst zu folgen. Aus dem Handeln entsteht alles, ihm verdankt sich alles, in ihm hat alles Konstituieren seinen Ausgang. Selbst die Zeit entspringt dem Handeln (81). Und doch ist ihm das Handeln Handeln im Augenblick. Der Augenblick, das Jetzt ist das Wahre. (Fichte hatte demgegenüber ausgeführt, daß „für die bloße reine Vernunft... alles zugleich" sei (I, 410). Es ist etwas anderes, die Zeit zu transzendieren, oder einen ihrer Momente zu verabsolutieren.) In seinem ersten Beitrag zum *Athenaeum* schreibt Hülsen: „Er [der Mensch] ist und lebt aber auch nur in und mit seinem Handeln, und folglich nur in den Verhältnissen des gegenwärtigen Augenblicks" (160).

Diese Unterstreichung der Bedeutung der Gegenwart gefährdet den ursprünglichen Gedanken, daß alles dem Handeln entstamme, und verliert schließlich die Konzeption einer zeitlosen Zeitkonstitution. Zwischen der Bestimmung des Triebes als „innrer Möglichkeit" des freien Handelns zum Zwecke der Selbstbestimmung (*BildungsTrieb* 100,104) und dem Satz, daß „alles was wir ... suchen und fodern mögen" nichts anderes sei als „unsre eigene freie That in einer wirklichen Anschauung und folglich ewig und immer die *Gegenwart*" (op. cit. 161) liegt der entscheidende Schritt von einer auf die Zukunft ausgerichteten, revolutionären Ethik zu einer im Prinzip platonischen Beruhigung des Gedankens in sich selbst.[39]

„Der Zweck des freien Handelns" liegt weder in der Zukunft noch in der Ferne.[40] „Der Zweck des freien Handelns und das Erkenntniß von ihm sollen nämlich unzertrennlich seyn von dem freien Handeln selbst. Demnach wäre jenes Princip, das wir zur Möglichkeit beider in der Freiheit voraussetzen, selbst gar nichts anders, als *Selbstthätigkeit, in ihrer eigenen freien Aufforderung zum Handeln überhaupt*. Als Gebot ausgedrückt könnte es daher nicht anders lauten, als: *Sey thätig überhaupt.*" (*Bildungstrieb*, 102).[41] So wenig wie zwischen dem Handeln und dem behandelten Gegenstand soll (op. cit. 103, 113, 116) eine Kluft zwischen Gebot und Tat sein. Mit diesem Imperativ verschwindet der Geist der Utopie. Hülsen räsoniert wie ein krasser Sensualist: „Von einer Zukunft, *als* Zukunft, wissen wir nicht das mindeste, denn eine solche ist für uns keine mögliche Anschauung". Aber die Gegenwart widerspricht unsern Wünschen und Forderungen, und enthält nicht, was wir suchen", fährt Hülsen fort, wie in einer Reminiszens an kritisch-revolutionäre Gedankengänge; um sogleich sein neues Ziel zu fixieren: ,,Dennoch suchen wir alles in ihr mit einer nothwendigen Anforderung und Kraft unsers Handelns; da die Zukunft gar nichts anders ist, als unsre eigne ewige Freiheit, die wir in der Wirklichkeit ausdrücken, um zu wissen, wie wir wirklich freie und ewige Wesen sind" (*Gleichheit*, 160).

Die Gegenwart ist Hülsen mehr als ein reiner Ursprung des Handelns. Die Erinnerung an das Goldene Zeitalter und die Vorausträume idealer Zustände werden in sie hineingesehen.[42] Die Abkehr von politischer Realität und Rückprojektion des Utopischen in die schlechte Gegenwart führt dazu, daß die Existenz zum Wesen erhoben wird, der flüchtige Moment zum schönen Augenblick. Die Erfüllung, die man sich durch die Revolution versprach, wird, da dies Ereignis in Deutschland ausblieb (Parusieverzögerung!), in der Gegenwart einfach gefunden. Die Verklärung dessen, was ist, durch den Schein und Widerschein fremder Befreiungsakte. In einer solchen Idealität bleibt die Freiheit nur als Titel. Hülsen verliert Fichtes Blick für die (politische) Realität und es fehlt ihm die Kraft, die Spannung zwischen der Utopoie und der Gegenwart auszuhalten.[43]

Hülsens spezifischer *Platonismus* besteht genauer darin, daß er die Welt nicht einfach aufteilt in Realität und Idealität, daß er vielmehr das Einzelne, die Praxis, den Augenblick als das Wahre ausgibt und die Idealität in sie hineinträgt. Beide Seiten werden nicht vermittelt. Der Schein wird der Wahrheit nur aufgesetzt. ,,Das ist der hohe Sinn eines Augenblicks, wo die himmlische Freude unsern Busen hebet, und unser Auge erglänzt im reinsten Genusse des Lebens. Da reicht unser Daseyn durch die unendlichen Zeiten, die angeknüpft sind im Gefühle der Gegenwart, und Eines sind unsre Wesen, und über uns im Sternenkranze schauen wir das Bild unsers schönen Vereins. So ewig wandelt der Mensch in der Harmonie eines Gottes; denn wer gebietet seinem Leben, das nur Leben in ihm selbst ist? und wo endet die Natur in ihrer Unendlichkeit? Der Mensch ist unser Gott, durch den wir stehen und bleiben, und keiner stürbe dahin aus dem Kreise des Lebens, ohne daß die Freude in uns allen verstummte". Und wie in einer Parodie zum ältesten Evangelium heißt es weiter: ,,Es frage darum aber Niemand, *wo* und *wann* wird das geschehen?" (*Gleichheit*, 173). Die revolutionäre Antizipation des Nochnicht verklingt in einer emphatischen Doxologie des Humanum.

In den nachgelassenen *Philosophischen Fragmenten*[44] setzt Hülsen an den Eingang zu diesem Heiligtum die Erleuchtung: ,,Wo es dem Menschen gelungen ist, in die Verklärung seines Geistes dem Leben der Zeit die ewige Idee und mit ihr die ewige Liebe einzubilden; da ist die Zeit für ihn abgelaufen, und er führt auf ewige Weise ohne Wandel und Tod – ob er gleich stirbt[45] – ein seliges, harmonisches und unsterbliches Leben."[46] Vor einem Abgleiten in begrifflose Mystik wird Hülsen allerdings durch die Herkunft seines Denkens aus dem Fichteschen Ethos bewahrt.[47] Auch die Grundsätze seines republikanischen Anfangs verleugnet Hülsen nicht.

Hülsens romantischem Denken fehlt das klerikale und das reaktionäre Element. (Ich gehe aus von seinen Schriften bis 1800. In diesem Jahr erschien der letzte von ihm veröffentlichte Aufsatz, die philosophisch unergiebige „Natur-Betrachtung".[48] Der Nachlaß ist nicht ohne weiteres heranzuziehen.)

Sein von Walter Benjamin begeistert kommentierter Brief vom 18. Dez. 1803 an A. W. Schlegel[49] enthält neben einer deutlichen Absage an die sich abzeichnende konservativ-reaktionäre Wende der Brüder Schlegel, die sich am Motiv alter Ritter- und Burgenherrlichkeit entzündete, einen radikaldemokratischen Passus: „Man muß den Menschen erst vergessen, wenn man in Rittern und Herren noch eine Größe finden will. Nenne mir immer nur die Tugenden jenes Zeitalters, und gründe auf ihnen den Wunsch, daß es zurückkehren möge. Wir wollen die Tugenden in ihrem *innern* Wesen betrachten und sie dann hoffentlich weit herrlicher wieder finden, *wenn wir die Gesellschaft von ihrem größern Übel befreit haben*"[50]. Das alles wird Friedrich an seinen „Versuch über den Begriff des Repuablikanismus" erinnert haben.[51]

Auch mit seiner Forderung, die Kunst habe sich der Wahrheit unterzuordnen und nicht umgekehrt, rückt Hülsen von den Schlegels ab[52]. Mit diesem Brief endet auch Hülsens Korrespondenz mit den Brüdern[53] und damit eine Freundschaft, an deren Beginn Friedrich geschrieben hatte „Wenn mich meine Rechnung nicht trügt, so ist keiner von den neuesten so gemacht, mich ganz zu verstehen, zu überschauen und zu beurteilen wie dieser Hülsen, von dem ich weit mehr halte als von Schelling."[54]

Hülsens Weg, seine von den Schlegels bewunderte konsequente Vereinigung von Praxis und Theorie, verlor sich gegen Ende im Bedeutungslosen. Die letzten sechs Jahre seines Lebens verbringt Hülsen als Bauer in Holstein. Gegen den Preis, den er mit dem Verlust der ursprünglichen Tätigkeit und Lebenswelt zu zahlen hatte, dürfte der Trost leichtfertig wirken, hier sei ein Charakter vom Wandel des Zeitgeistes nicht korrumpiert worden.

---

[1] W. Dilthey, *Das Erlebnis u. d. Dichtung*. Kleine Vandenhoeck-Reihe 191S, S. 201.

[2] Hierzu Jäger im Nachwort zu Campe, *Briefe über die Französische Revolution*, Ausgabe 1977, S. 76. R. Samuel, *Die poetische Staats- und Geschichtsauffassung Friedrich von Hardenbergs*, 1925 (1975), meint sogar, daß sich „am Anfang die ganze öffentliche Meinung Deutschlands auf seiten der Revolution" gestellt habe und erwähnt außer den Genannten noch Wieland, Novalis und Friedrich Schlegel, die die Sache der Revolution zur ihrigen machten (S. 69 f). – Johanna Krüger bringt Friedrich Schlegels „plötzlich erwachtes Interesse für die französische Revolution" im Jahre 1793 in Zusammenhang mit dem Einfluß, den Karoline damals auf ihn ausübte (J. Krüger, *Friedrich Schlegels Bekehrung zu Lessing*, 1913 (1978), S. 29f).

[3] Zitiert nach E. Sauer, *Die französische Revolution von 1789 in zeitgen. deutschen Flugschriften . . .*, 1913 (1978), S. 79.

[4] In dieser Zeit hätten, schrieb Mauthner, ,,selbst Klopstock und Schiller die Spuren ihres Freiheitskampfes zu verwischen" versucht (*Der Atheismus u. s. Gesch. im Abendland*, IV, 1923, S. 8.) Einen raschen Wechsel von heller Begeisterung für die Revolution zu scharfer Verurteilung innerhalb eines Jahres (1791/92) vollzog Lavater (cf. E. Trösch, *Die helvet. Revolution im Lichte d. deutsch-schweiz. Dichtung*, 1911, S. 26).

[5] 1792/93 wurde Campe, der in seinen *Briefen* von den französischen Zuständen im Juli/August 1789 begeistert berichtet hatte, gemaßregelt! Nachwort zur Ausg. 1977, S. 72 u. 91.

[6] Neue Ausgabe: Fichte, *Schriften zur Revolution*, ed. B. Willms, Ullstein 3001, 1973.

[7] Daß Kant selbst den ,Irrtum' berichtigte, kam dem unbekannten cand. theol. ebenso gelegen wie dem Verlagsbuchhändler Hartung in Königsberg. Fichte: ,,Ich hatte der Schrift meinen Namen und eine bescheidne Vorrede vorgesetzt, die mein Verleger im Anfange unterschlug" (Fichte, *Briefwechsel*, ed. Schulz, I, 2. Aufl. 1930, repr. 1967, S. 269, vgl. S. 214).

[8] ,,Allein das Engagement seiner Freunde, besonders Hufelands, konnte die Bedenken der Weimarer Regierung zerstreuen." Z. Batscha in Fichte, *Ausgewählte politische Schriften*, ed. Batscha/Saage, stw 201, S. 37.

[9] Vgl. Max Wundt, *Fichte*, 1927, S. 44f. Als ,Jakobiner' bezeichnete man damals fast alle Regimegegner in Deutschland. Hierzu das Kap. ,,Deutsche Jakobiner" in *Hölderlin und die Französische Revolution* von P. Bertaux, 1969, S. 13ff. Bertaux liefert Lebensbilder folgender deutschen Jakobiner: Oelsner, Wekhrlin, Rebmann, Archenholtz, Campe, G. Forster, Huber, C. F. Cramer, J. F. Reichardt. – Auch C. Träger nennt in seinem Aufsatz ,,Fichte als Agitator der Revolution" (in *Wissen und Gewissen*, 1962, S. 162f) einige Namen.

[10] *Briefwechsel* I, 348.

[11] Träger, op. cit., S. 181.

[12] Die Wendung nach innen hatte Fichte schon 1790 – wenn auch in einem andern Zusammenhang – vollzogen: ,,Da ich das außer mir nicht ändern konnte, so beschloß ich das in mir zu ändern. Ich warf mich in die Philosophie" (Brief vom Nov. 1790, *Briefwechsel*, I, 142). Die Philosophie hat bereits hier die Funktion der Trösterin. Angestrebt war das Handeln nach außen, nämlich ein nicht-akademischer Beruf! (*Briefw.* I, 61f.)

[13] *Briefwechsel* I, 566.

[14] Forberg, ,,Fragmente aus meinen Papieren"; hier zitiert aus Schulz, *Fichte in vertraulichen Briefen seiner Zeitgenossen*, 1923, S. 44.

[15] Fichtes Haltung läßt nicht erkennen, daß er sich sehr lange einen Dienst im Staat der Revolution gewünscht hatte. Noch am 12. Sept. 1798 schreibt er an Franz Wilhelm Jung, dem Mainzer Hofrat und Freund Hölderlins: ,,Ich möchte wirken, so lange ich es vermag, durch Wort und Schrift: dieß ist der Zweck meines Lebens. Wo ich den bessern Wirkungskreis finde, da bin ich am liebsten. Man läßt mir nur Gerechtigkeit wiederfahren, wenn man mich für einen Verehrer der politischen Freiheit und der Nation hält, die dieselbe zu verbreiten verspricht. Ich bin auch fest überzeugt, daß sich weit mehr wirken läßt auf Menschen, die der politischen Freiheit theilhaftig, allen ihren Mitbürgern gleich und Niemandens geborne Herren noch Sklaven sind, als auf solche, die an diesem edlen Theile der menschlichen Kraft gelähmt sind. In *dieser* Rücksicht wäre mir nichts erwünschter, als mein Leben dem Dienste der großen Republik für die Bildung ihrer künftigen Bürger zu weihen." (*Briefwechsel*, I, 593). So offen Fichte hier für die Nation der Revolution eintritt, wird doch deutlich, daß er sich mit einer Rolle *in* ihr begnügen würde. – Träger geht in seiner Kritik an Fichte gewiß zu weit, wenn er schreibt, daß dieser es nicht vermocht habe, ,,den Schafspelz einer abstrakten Humanität abzuwerfen" und Aufklärung der Revolution

vorgezogen habe (op. cit., 190f.) Träger setzt voraus, daß Abstraktion Verrat sei.

[16] *Briefwechsel*, I, 449. Hierzu auch Baggesen an Reinhold (8. 6. 1794): ,,Fichtes System ist mir in der Philosophie das, was die revolutionäre Republik in der Politik ist" (Schulz, *Fichte in vertr. Briefen*, S. 16).

[17] Sie waren zugleich die Themen des Jakobinismus, vgl. Bertaux, S. 109.

[18] Fichte, *Werke* ed. Medicus, I, 290. – Fichte wird hier nach dieser Ausgabe zitiert.

[19] Friedrich Schlegel hat die *bürgerliche* Freiheit im Sinne Kants als eine *Idee* bezeichnet, ,,welche nur durch eine ins Unendliche fortschreitende Annäherung wirklich gemacht werden kann" (Versuch über den Begriff des Republikanismus", jetzt in *Friedensutopien*, ed. Batscha/Saage, stw 267, S. 95). Ihre, wenn auch utopische, *politische Realisation* würde besagen, daß alle äußeren Zwangsgesetze entfielen und nur das Sittengesetz Geltung behielte, also Abschaffung jeder Herrschaft und Gleichheit aller.

[20] ,,Die Orden können nur ausgerottet werden, wenn ihnen mit Vernunftgründen und mit physischer Gewalt zugleich zu Leibe gegangen wird" Fichte, *Briefwechsel*, I, 434 vgl. auch 416.

[21] Auch ,,Literarische Gesellschaft" oder ,,Gesellschaft freier Männer" genannt; zum Thema die gründliche Arbeit von Willy Flitner, *August Ludwig Hülsen und der Bund der freien Männer*, 1913.

[22] Henrik Steffens, ,,Was ich erlebte"; hier zitiert aus *Dichtung der Romantik*, ed. K. Balser, Bd. 12, 1961, S. 56. – Goethe tadelte übrigens an Fichte, daß er mit Leuten umgehe, die unter ihm seien! (*Fichte in vertraulichen Briefen*, ed. Schulz, S. 45).

[23] op. cit. S. 128f.

[24] Vgl. Perrets Brief an Fichte vom 16. März 1798 (*Briefwechsel* I, 584ff). Hierzu auch Bertaux, *Hölderlin und d. Frz. Rev.*, S. 104.

[25] Berger war Hülsens bester Freund. Über ihn *ADB* Bd. 2 (1875), S. 376f, auch J. E. Erdmann, *Grundriß*, Bd. II, 3. Aufl. 1878 S. 532f. Berger war auch Pate des kleinen Immanuel Hartmann [!] Fichte, s. Fichte, *Briefwechsel* I, 542f.

[26] Flitner, op. cit. S. 2.

[27] Flitner, S. 23.

[28] *Krisenjahre*, Bd. III, 1958, S. 47.

[29] Dilthey, *Leben Schleichermachers*, ed. M. Redeker, Bd. I, 1970, S. 229.

[30] *Prüfung der von der Akademie d. Wiss. zu Berlin aufgestellte Preisfrage: Was hat die Metaphysik seit Leibniz und Wolff für Progressen gemacht?* Altona 1796. – Brief ,,Über Popularität in der Philosophie", in *Philosophisches Journal*, 1797 – ,,Über den BildungsTrieb" in *Philosophisches Journal*, 1798 – ,,Über die natürliche Gleichheit der Menschen" in *Athenäum*, 1799 – ,,Naturbetrachtungen auf einer Reise durch die Schweiz" in *Athenäum*, 1800 – ,,Philosophische Fragmente aus Hülsens Nachlaß", Vorwort von Fouqué, hg. von Schelling in *Allgemeine Zeitschrift von Deutschen für Deutschen*, 1813.

[31] Hülsen, ,,Über Popularität in der Philosophie" (Philosophische Briefe an Hrn. v. Briest in Nennhausen, 1. [einziger] Brief) in: *Philosophisches Journal einer Gesellschaft Teutscher Gelehrten*, ed. J. G. Fichte und F. I. Niethammer, 7. Bd. 1. H., 1797 (repr. 1969), S. 71ff. Die Zahlen in Klammern bedeuten Seitenzahlen dieser Ausgabe.

[32] ,,Sichtbare Wahrheit in der Harmonie des Wirklichen für alle und jeden Menschen"(74).

[33] ,,Der kategorische Imperativ, die Typik, der Schematismus, die Antinomieen der reinen Vernunft und die Amphibolie der ReflexionsBegriffe, so wie überhaupt jede altsteife und mönchische SchulForm" (73f).

[34] Bei Fichte geläufig als Gegensatz zwischen ,,Geist" und ,,Buchstaben".

[35] Max Wundt hat wiederholt auf den Zusammenhang zwischen Fichte und dem Sturm und

Drang hingewiesen vgl. *J. G. Fichte*, 1927, S. 85, 123, 297, 304; *Fichte-Forschungen*, 1929, S. 9, 12f, 19, 31.

[36] Eine anschauliche Deskription seines Kraftbegriffs liefert Fichte an einer Stelle im *Grundriß*, wo der Handlung Kraft und dieser Streben als ruhende Kraft vorhergehen (*Werke* I, 564).

[37] Im Druck irrtümlich: „eden".

[38] Ich beziehe mich auf den Fichte der epochemachenden *Grundlage der gesammten Wissenschaftslehre als Handschrift für seine Zuhörer*, der ersten Wissenschaftslehre von 1794/95. – Hierzu Friedrich Schlegels Zeugnis: „Die französische Revolution, Goethes Meister und Fichtes Wissenschaftslehre – die größten Triebkräfte – dieses Zeitalters" zit. nach A. Biese, *Dt. Literaturgesch.*, Bd. 2, 15. Aufl. 1919, S. 317.

[39] Zu diesem Thema L. Zurlinden, *Gedanken Platons in der deutschen Romantik* (Unters. z. neueren Sprach- und Literaturgeschichte, NF 8), 1910 (1976).

[40] Bemerkenswert der Satz Flitners: „Über das politische Pathos der jungen Leute" wäre Hülsen bereits 1796 hinweg gewesen (op. cit. S. 24). In dieser Zeit habe auch Berger, unter dem Einfluß Hülsens „die Hülle des Jacobinismus" fallengelassen und „gefunden, daß die Menschheit noch Zeit habe" (Flitner S. 17). Vermutlich dürfte auf Hülsen und seine Freunde das Scheitern großer Reformpläne vor allem in der Schweiz nicht ohne Eindruck geblieben sein (Flitner S. 15f). – Was Habermas von Nietzsche sagt, beleuchtet in anderer Farbe auch Hülsens Position: „Die Anstrengung des letzten Willens streicht nämlich den eignen Entwurf in die Zukunft durch, nimmt jeweils die Gegenwart, wie sie ist, nicht nur hin, sondern bejaht sie auch in ihrer Tiefe." J. Habermas, *Politik, Kunst, Religion*, 1978, S. 17.

[41] Carl Schmitts Formel ist hier zutreffend: „Romantik ist subjektivierter Occasionalismus, d. h. im Romantischen behandelt das romantische Subjekt die Welt als Anlaß und Gelegenheit seiner romantischen Produktivität." (Carl Schmitt, „Romantik", in: *Wege d. Forsch.* CL, S. 89)

[42] Vom Goldenen Zeitalter hatte im Winter 1791 Novalis Friedrich Schlegel vorgeschwärmt: Dilthey, Schleiermacher I, 236: „mit wildem Feuer trug er [Novalis] mir einen der ersten Abende seine Meinung vor: es sei gar nichts Böses in der Welt, und alles nahe sich wieder dem goldenen Zeitalter."

[43] Dies unterscheidet Hülsen wesentlich von anderen Denkern der Frühromantik

[44] Erschienen in Schellings *Allgemeiner Zeitschrift von Deutschen für Deutsche* 1813, S. 264 – 302, mit einem Vorwort von Fouqué und einem Nachwort des Herausgebers. Schellings Edition läßt nicht erkennen, wo es sich um Bruchstücke früher Arbeiten und solche des reifen Hülsen handelt. Vermutlich stammen die Texte des Buchstabens „C" aus einer Zeit *vor* der Bekanntschaft mit Fichtes Philosophie (S. 289ff).

[45] Wörtlich zitiert aus Joh. 11, 25.

[46] Op. cit. 284.

[47] Flitner behauptet, Hülsens Denken gehe „in Mystik über" (op. cit. 84). Hülsens Mystik ist, sofern man von einer solchen reden will, atheistisch und nicht ohne genauere Differenzierung mit Flitner als ‚religiös' zu bezeichnen. Hülsens Einheitsdenken beschreibt Flitner als Monismus oder Pantheismus, von dem er einschränkend sagen kann, er nehme „einen direkt irreligiösen Charakter" an (89), ohne jedoch seine Charakteristik zu überdenken. Außerdem zieht Flitner für seine Deutung unkritisch den Nachlaß heran.

[48] „Natur-Betrachtungen auf einer Reise durch die Schweiz" in: *Athenäum*, 3. Bd., 1. St., Berlin 1800, S. 34 – 57. Dorothea Schlegel hat sie treffend als „Hexameter ohne Absatz" bezeichnet (Dor. Schlegel, *Briefwechsel* ed. J. M. Raich, I, 1881, S. 22).

[49] W. Benjamin, *Der Stratege im Literaturkampf*, st 176, 1974, S. 134: „Der Brief gehört zu den seltenen Dokumenten, in denen das Grundmotiv der Aufkärung mit jenem unvergleichlichen Klange vibriert, den es über dem Resonanzboden der Romantik annimmt. Er denunziert die Unmündigkeit des deutschen Bürgertums, die in diesen ‚Krisenjahren' zum Verhängnis der Frühromantik geworden ist".

[50] *Krisenjahre der Frühromantik aus dem Schlegel-Kreis*. Hg. von J. Körner, Bd. I, 1936, S. 60.

[51] Jetzt in *Friedensutopien. Kant, Fichte, Schlegel, Görres*, stw 267, 1979, S. 93ff. Ursprünglich in der Zeitschrift *Deutschland*, 3. Bd. 7. St., 1796.

[52] „Sie [die Kunst] ist nicht selbst das göttliche Wesen, so daß wir es etwann umkehren, und den Menschen als Künstler zu ihrem Objekte machen müßten. Nur in der Wahrheit kann die Kunst uns die Gottheit offenbahren, und jede Täuschung wird daher nothwendig ein Schatten in ihrem Lichte." (op. cit. I, 59). Damit nimmt Hülsen eine Position ein, die vom *Systemprogramm*, dessen Autor bis heute unbekannt ist, abweicht. Hier hieß es, „*daß Wahrheit und Güte, nur in der Schönheit* verschwistert sind" (*Hegel-Studien*, Beih. 9, 264). Henrich hat darauf hingewiesen, daß das Fragment „mindestens ebenso sehr ein Agitationsprogramm wie eine Systemskizze ist" (op. cit.11). Vielleicht wäre es daher sinnvoll, wenn man aus Gründen fichtescher Argumentationsweise (Henrich, 6) und wegen des Agitationsmoments den (oder die) Verfasser im Umkreis Fichtes sucht. Und es bleibt Diltheys Wort richtig: „In solchen Epochen soll man nicht pedantisch Prioritätsfragen nachgehen und überall sehen wollen, wie die Ideen aus einem Kopfe in den anderen übergehen." (*Erlebnis und die Dichtung*, Kl. Vandenhoeck-Reihe 191 S, S. 210).

[53] op. cit. Bd. III, S. 49.

[54] op. cit. Bd. III, S. 47.

3a) Die Öffnung der Geschichte Zur Subjekt-Objekt-Beziehung in der Frühromantik.

Von Norbert W. Bolz

Für Imme

Goethe hat einmal gesagt, jede wahre Sehnsucht müsse auf ein bestimmtes unerreichbares Objekt gerichtet sein. Darin ist ihm die Romantik-Kritik gefolgt. So hält man ein substanzloses Kreisen der Seele in sich selbst, das Verharren im Stadium der Sehnsucht ohne Form und Objekt, eine ästhetische Anmaßung des Unendlichen noch immer für Wesensbestimmungen der Romantik und kontrastiert ihr den großen Klassiker, dem alles Werk und runde Form wurde. Simmel definiert Goethes Ökonomie bündig: ,,keine seelische Energie rein, gleichsam leergehend, in sich schwingen zu lassen, sondern für eine jede Anknüpfung, Gegenbild und Halt in der objektiven Welt zu suchen"[1].

Und wenn das empirische Gegenbild die Sehnsucht kompromittierte?

Vielleicht ist die Frage nach der Sehnsucht der deutschen Frühromantik weniger je beantwortet, als in ihrer beharrlichen Rätselhaftigkeit einem wieder aufgeklärten Bewußtsein lästig geworden. Erkenntnistheoretisch lautet sie: Sind die Aufbaukategorien der frühromantischen Welt aus der Erfahrung eines Mangels erwachsen? Rechnen Novalis und Friedrich Schlegel zu jenen großen Sehnsüchtigen, denen Armut zur äußersten Produktivkraft umschlug? Und was besagt das Allegorischwerden von Armut, Sehnsucht, Liebe im Diskurs der Frühromantik?

Bekanntlich ist der Eros der großen Sokratischen Sehnsucht, die in ewiger Zweiheit gründet, häßlich; seine Mutter ist die Armut qua Mangel. Zumindest das Leben des Novalis aber steht im Zeichen einer geringeren, weil erfüllbaren Sehnsucht – und Erfüllung heißt der zweite Teil des Ofterdingen. Entsprechend sind die Zielbestimmungen seiner Lebensphilosophie zwar fragmentarisch, nicht aber problematisch entwickelt. Novalis' Begriff der Armut ist demnach unsentimental und positiv, d. h. nicht als Mangel bestimmt. In den Hymnen an die Nacht wird diese wie die Armut umgewertet: statt Negationen von Licht und Fülle sind sie reine Positiva. ,,In der Armuth dichterischer Hütte" erscheint die ,,neue Welt" (N I 145). Und von der erzählten Zeit des Ofterdingen, dem legendarischen 13. Jahrhundert, heißt es einmal: ,,Eine *liebliche* Armuth schmückte diese Zeiten" (N I 203); wie auf einigen Fresken des Trecento, die das Bild jener Zeit verklären, ist Armut ein Schmuck, kein Mangel. So zeichnet die allegorische Figur des armen Bergmanns Armut als Bundesgenossen eines seligen Wissens von der Natur. Armut meint hier eine Freiheit von Besitz als asketische Positivität, die das Leben vor dem Warencharakter rettet.

Nun klärt sich der Satz auf: „Man kann die Poesie nicht gering genug schätzen."
Denn Armut ist ihr Ort und Gegenstand zugleich: „Poesie der Armuth – des Zer-
störten und Verheerten." (N I 336, 335) Sie intendiert die verstreuten „Elemente
des Endzustandes (...) in *jeder* Gegenwart"[2]. Dies weist die früh-romantische
Poesie auf die empirische Welt an. Es ist aber nach Maßgabe des gesellschaftlichen
Bewußtseins der Frühromantiker klar, daß die Idylle keine Lösung ihres Formpro-
blems: der gestalteten Erfüllung, sein konnte. Und doch war die Erfüllung nur mit
Elementen aus der Äußerlichkeit der empirischen Welt darzustellen. Den Ausweg
weist der Begriff der Romantisierung, die zum Apriori der ästhetischen Formung
wird; als immer schon verwandelte geht Empirie in die Dichtung ein.

Romantisierung muß als eine Technik der Naturbehandlung gedacht werden, die
der technischen Naturbeherrschung so entgegengesetzt ist, wie das ästhetische
Subjekt dem transzendentalen. Magische Praxis – bei Mystikern stets eine der Kontemplation – gilt der Frühromantik als Präfiguration jener Romantisierung. Ihr
Erbe ist der die Vorzeit beschwörende Poet.

Eine geschichtsphilosophische Präzisierung Fr. Schlegels erhellt, daß sich die
Frühromantiker als Exponenten einer Spätzeit empfunden haben, die immer von
Formen der Auflösung bestimmt ist: das historische Vorbild der Romantisierung
findet er in der alexandrinischen Spätantike, deren Synkretismus eine spezifisch
ästhetische Einheit der verstreuten Kulturformen stiftete; es liegt „der große Gedanke zum Grunde, daß alles poetisiert werden soll"[3], um ein homogenes Kontinuum der Erfahrung zwischen Subjekt und Objekt zu schaffen. Daß so ein Stand
von Erfahrung, der auratisch genannt werden darf, wiedergewonnen werde, verspricht ein Bild der Dinge aus vorkapitalistischer Zeit, der vom Warencharakter
unentstellten: „Zog schon das Geheimniß der Natur und die Entstehung ihrer
Körper den ahndenden Geist an: so erhöhte die seltnere Kunst ihrer Bearbeitung
die romantische Ferne, aus der man sie erhielt, und die Heiligkeit ihres Alterthums,
das sie sorgfältiger bewahrt, oft das Besitzthum mehrerer Nachkommenschaften
wurde, die Neigung zu diesen stummen Gefährten des Lebens." (N I 203) Diese
Dinge haben ihr Geheimnis und ihre Geschichte unter der Herrschaft der Warenform verloren. Der verdinglichten Welt ästhetisch Widerstand zu bieten, ist vielleicht der innerste Sinn der Romantisierungslosung gewesen. Romantisieren heißt
ja: dort potenzieren, wo die Sachlichkeit der Warenbesitzer depotenziert. Jene
Steigerung ist qualitativ, quantifizierend die Tauschabstraktion.

Poesie und Prosa. Vielleicht ist dies nur eine andere Gestalt des Gegensatzes von
Romantisierung und Verdinglichung – und zugleich die Formel des Verhältnisses
der Frühromantik zu Goethe. Nicht ästhetisch, rein politisch ist die Kritik am Wil-
helm Meister, der die Poesie, statt sie als Helden der Philosophie zu verklären, zum
Arlequino einer Farce depotenziere: Triumph der Prosa, die Wünsche nehmen
Vernunft an – doch die Darstellung bleibt poetisch.

„Die blinde Revolte, die falsche Poesie der Romantik besteht nach Goethe gerade in ihrer Heimatlosigkeit im bürgerlichen Leben. Diese Heimatlosigkeit hat notwendigerweise eine verführerische poetische Kraft, entspricht sie ja gerade der unmittelbaren, der spontanen Auflehnung gegen die Prosa des kapitalistischen Lebens."[4] Doch sind nicht die inkommensurabelsten Gestalten Goethes romantisch in diesem Sinne: Mignon und der Harfner, die Schiller erschrocken als „monströse Schicksale" aus seinem ästhetischen Bewußtsein verbannte? Als romantische Wesen tauchen sie, unberührt von der Warenprosa, aus Zwischenwelten auf. Deshalb wird nur den in der „neuen Objektivität"[5] der Warenwelt Befangenen die frühromantische Poetisierung des Lebens als Mystifikation erscheinen. In Wahrheit belehnt sie die Erfahrungsgegenstände mit der „Würde des Unbekannten"[6]. Denn gerade den entfremdeten Dingen eignet eine falsche Vertrautheit als Ware, aus der sie erst wieder in jene romantische Ferne gerückt werden müssen, um sich einmal als Ding-Gefährten des Menschen zu zeigen.

Es kann nach dem bisher Gesagten nicht mehr überraschen, daß Novalis den Tod das romantisierende Prizip unseres Lebens heißt. „Durch den Tod wird das Leben verstärkt." (N III 559) Gerade die dem Leben polar entgegengesetzte Kraft spannt es zu höherer Intensität, denn nur der Tod, als Kraft gedacht, hat Macht über das Vergangene. „Der Tod macht das gemeine Leben so poetisch." (N I 343) In diesem Gedanken läßt die Frühromantik alle „klassizistische Abstraktion vom Tode" hinter sich. „Es macht das Paradoxon der eigentlichen Romantik aus, daß hier das Todeserlebnis das Lebensgefühl bestimmt. Zugleich mit dem Mythus wird der Tod, den die Klassiker zu ästhetisieren, d. h. zu leugnen bestrebt gewesen waren, in seiner unergründlichen Bedeutsamkeit neu empfunden."[7] Mit überlegenem Bewußtsein hat Novalis die Schwelle bezeichnet, die ihn von der apollinischen Klassik trennt: diese hat den Tod nicht sowohl enträtselt als vielmehr ästhetisiert. „Ein entsetzliches Traumbild, Das furchtbar zu den frohen Tischen trat" (N I 143), ist der „Angst und Schmerz und Thränen" bringende Tod für jene alte götterbeseelte Welt gewesen; an ihrem im deutschen Klassizismus noch einmal wiederholten Versuch, „die grause Larve" im Bild des Knaben mit der umgekehrten Fackel zu verschönen, hat die Frühromantik deutlich das Unbefriedigende, Kraftlose verspürt.

Die Dichtung sangs dem traurigen Bedarfe
Doch unenträthselt blieb die ewge Nacht
Das ernste Zeichen einer fernen Macht. (N I 142)

Auf die Rätselfrage, die der Tod ist, gibt der apollinische Geist nur den schönen Schein einer Antwort. Die Ambivalenz des apollinischen Todesbegriffs bestätigt – contre coeur – die Goethe-Deutung Florens Christian Rangs. Nach Rang verkündet Goethes Gedicht „Selige Sehnsucht" einen Tod, der vielmehr das Ende des Todes, den man bisher Leben nannte, ist. Rangs sokratische Interpretation der Goetheschen Liebe als Sehnsucht aus Mangel und begehrenlose Reinheit erzwingt eine vereindeutigende Bestimmung des Untergehenden als ,,sehnsüchtig des Tods, der nicht löscht, sondern leuchtet."[8] Doch die vom Goethe des ,,Divan" gelobte Selige Sehnsucht des Lebendigen nach dem Flammentod verharrt noch zweideutig zwischen einer ängstlichen Relativierung des Todes in der Gestaltreihe der Metamorphosen und der ,,kathartisch-mystische(n) Idee, die der Romantik (von Novalis und Zacharias Werner bis zu Richard Wagners ,Tristan') so am Herzen lag, daß aus dem irdischen Tode Leben hervorgehe, die Idee der Sehnsucht nach dem Tode als dem Erlöser von einem Leben, das ein Sterben ist, als dem Spender neuen Lebens, als der höchsten Liebesnacht, die alles irdische Liebesverlangen erfüllt und auslöscht"[9].

Recht verstanden ist dieser Begriff des Todes frei von aller Metaphorizität. Er bezeichnet die Befreiung des bestimmenden Ich aus dem Gefängnis der Transzendentalphilosophie durch seine Streuung und Vervielfältigung, ohne es in Formlosigkeit zerfallen zu lassen; ,,er bringt subjektfremden Faktor herein"[10], d. h. im Diskurs der Romantik stiftet der Begriff des Todes die existenziale Einheit von Subjekt und Objekt. Man kann in ihm den Archimedischen Punkt der frühromantischen Allegorisierung der Welt sehen, fern von allem Ästhetizismus, der den Tod der Dinge zur Form ihrer letzten Schönheit umdeuten möchte.[11]

Wenn sich kultische Momente im frühromantischen Bewußtsein finden, so nicht im Verhältnis zum Tod, sondern zum kämpfenden Heros, der den Tod sucht. ,,Im Tode (. . .) lebt der Krieger. Todeslust ist Kriegergeist. Romantisches Leben des Kriegers." (N I 346) Was in Hegels Bild des Krieges den isolierten Einzelnen widerfährt, denen die gesellschaftliche Totalität ,,ihren Herrn, den Tod, zu fühlen"[12] gibt, verklärt Novalis zur Todessuche. Eigentlich duldet Hegels Krieg keinen romantischen Krieger; vielmehr formiert er den jugendlichen Geist der Insurrektion im Dienste des Staates: ,,der tapfere Jüngling, an welchem die Weiblichkeit ihre Lust hat, das unterdrückte Prinzip des Verderbens tritt an den Tag und ist das Geltende. Nun ist es die natürliche Kraft und das, was als Zufall des Glücks erscheint, welche über das Dasein des sittlichen Wesens und die geistige Notwendigkeit entscheiden; weil auf Stärke und Glück das Dasein des sittlichen Wesens beruht, so ist *schon entschieden*, daß es zugrunde gegangen."[13] Die Frühromantik entzieht sich dieser Dialektik durch eine archaisierende Verkleinerung: der poetisch gemalte Krieg soll groß und philosophisch sein, doch ,,wie ein Zweykampf" (N I 346). Im allegorischen Krieger zeigt sich die Begeisterung eines neuen fremden Lebens, wie im fahrenden Sänger der Hymnen auf dem Weg der großen Religionssynthese – Hellas, Palästina, Indostan – die Gewißheit einer ,,neuen Heymath" (N I 148).

· Kein Kult des Todes lastet mehr auf dem Lebendigen, sondern der Tod ist das Verstärkende des Lebens. Die Ahnen bannen nicht; sie helfen und sehnen sich nach unserer Hilfe. In der ,,Stunde der Geburt der neuen Welt" vergeht ,,des alten Todes Schrecken" (N I 147), und mit der Gewißheit dieser neuen Welt wandelt er sich in Stärkung.

Vielleicht waren ähnliche Gedanken allen Frühromantikern in dieser Einfachheit vertraut. Novalis hat so gedacht und gelebt. Unter den Paradoxien seiner Religionssynthese ist die des chtonischen Himmels wohl die eindringlichste. ,,Hinunter in der Erde Schooß, Weg aus des Lichtes Reichen" führt die frohe Fahrt zum ,,Himmelsufer" (N I 153). Dies Bild ist mythologisch ausgewiesen. Welcker hat die Phaiaken, die als Schiffer Odysseus zur Heimat geleiten, Fährmänner des Todes genannt, woran anschließend Bachofen von einem ,,durch den Tod vermittelten Übergang in die jenseitige leuchtende Heimat"[14] spricht. Vorzeichen der seligen Fahrt, die der Tod für Novalis ist, finden sich im je gegenwärtigen Leben überall dort, wo der Blick auf die Erde, ,,hinunter", auf den Boden gerichtet ist.

Mir däucht aus fernen Tiefen scholl
Ein Echo unsrer Trauer
Die Lieben sehnen sich wol auch
Und sandten uns der Sehnsucht Hauch.
Hinunter zu der süßen Braut,
zu Jesus dem Geliebten

(N I 156)

zieht das Sehnen der Frühromantiker. Die Klagen der Trauer verhallen nicht ungehört. Ihr antwortet die Sehnsucht der Lieben und Ahnen. Darin meldet sich der Anspruch, den die Vergangenheit auf unsere schwache messianische Kraft (Benjamin) hat. Bedeutender als der Grabesort ist die Richtung der romantischen Sehnsucht, und das Motiv aus den Paralipomena des Ofterdingen: ,,alte Kleinodien in Gräbern" (N I 350), bleibt dem ästhetischen Totenkult, der die Poesie in ein heiliges Grabmal verwandelt, das den Staub des Geistes sammelt, noch fern. Gerade der Blick auf die Erde, in dem sich das romantische Subjekt den durch die Arbeit der Ahnen ,,verherrlichten Boden" in einer auratischen Naturerfahrung vergegenwärtigt, läßt sehen, wie der Tod als Verstärkung des Lebens wirken kann: eine durch die auratische Gegenwart und sedimentierte Kultur der Ahnen verdoppelte Welt wird leicht und poetisch. ,,Die Natur scheint dort menschlicher und verständlicher geworden, eine dunkle Erinnerung unter der durchsichtigen Gegenwart wirft die Bilder der Welt mit scharfen Umrissen zurück, und so genießt man eine doppelte Welt, die eben dadurch das Schwere und Gewaltsame verliert und die zauberische Dichtung und Fabel unserer Sinne wird. Wer weiß, ob nicht auch ein unbegreiflicher Einfluß der ehemaligen, jetzt unsichtbaren Bewohner mit ins Spiel kommt, und vielleicht ist es dieser dunkle Zug, der die Menschen aus neuen Gegenden, sobald eine gewisse Zeit ihres Erwachens kömmt, mit so zerstörender Ungeduld nach der alten Heymath ihres Geschlechts treibt" (N I 237) – der Tod ist das romantisierende Prizip des Lebens. Er weiht in das Geheimnis der Umkehr ein.

Wie im wahren Historiker der Prophet sich rückwärts kehrt (Fr. Schlegel), so sind die Bergleute umgekehrte Zukunftsdeuter; ,,verkehrte Astrologen" nennt sie Novalis. Ihr chthonischer Blick ist auf die ,,Denkmale der Urwelt" gerichtet: ,,es ist als triebe den Bergmann ein unterirdisches Feuer umher." (N I 260) Der wahre Herr der Erde ähnelte nicht dem naturbeherrschenden transzendentalen Subjekt Kants, sondern dem eingeweihten, das, mit der Natur ,,verbündet", ,,nieder zu ihrer Werkstatt geht." (N I 247) Man muß dieser chthonischen Elemente der frühromantischen Bilderwelt eingedenk sein, will man die ,,Aufhebung" des Erdgeistes in der letzten Strophe des Totenlieds verbindlich deuten.

> Helft uns nur den Erdgeist binden
> Lernt den Sinn des Todes fassen
> Und das Wort des Lebens finden;
> Einmal kehrt euch um.

(N I 354)

Die Zeit des Erdgeistes ist die Herrschaft der dürren Zahl, der abstrakten Kategorie und der fremden Notwendigkeit. In dieser Zeit macht sich die reine isolierte Individualität gelten: gleichgültig und selbständig stehen sich Begierde und Gegenstand gegenüber. Der Erdgeist treibt ein Selbstbewußtsein, dem das Sein als eine völlig andere Wirklichkeit entgegensteht, d. h. dem als wahre Wirklichkeit nur das Sein gilt, ,,welches die Wirklichkeit des einzelnen Bewußtseins ist."[15] Es kann sein eigenes Wesen nicht in der Notwendigkeit erkennen, die Schicksal heißt – dies scheint fürs frühromantische Bewußtsein der extremste Ausdruck der Selbstentfremdung reiner Individualität zu sein. Doch der Erdgeist soll nicht als Teufel ausgetrieben, sondern gebunden werden von den Lebenden und den Toten. Statt daß, wie bei Hegel, ,,die absolute Sprödigkeit der Einzelheit an der ebenso harten, aber kontinuierlichen Wirklichkeit zerstäubt"[16], soll sich das Individuum ins Geheimnis des Todes einweihen; statt sich das Leben zu nehmen, lernt es den Sinn des Todes fassen. Hier scheidet sich der romantische Initiationsweg von der phänomenologischen Aufstufung des Geistes.

Das ästhetische Subjekt am symbolischen Grab als dem Ort der Einweihung ins Geheimnis des Todes – so hat Max Kommerell Novalis gesehen. ,,Ist der Dichter der Einzuweihende, das Grab der Ort, der Tod das Thema der Einweihung, so ist die Liebe, ist die Geliebte die einweihende Macht!"[17] Es ist aber an den Bildern des rückwärts gewandten Propheten und verkehrten Astrologen schon deutlich geworden, daß sich die frühromantische Initiation darin zugleich auf ein Wissen vom Eschaton, dem tausendjährigen Reich das kommen muß, bezieht.[18] Die Initiation bleibt im Ofterdingen erst noch traumweltimmanent, d. h. das Zauberwort läßt sich im Wachen nicht mehr wiederholen; noch schließen sich Wissen und Durchklingen, Initiation und Bewußtsein, Tag und Traum aus. ,,Sie sagte ihm ein wunderbares geheimes Wort in den Mund, was sein ganzes Wesen durchklang. Er wollte es wiederholen, als sein Großvater rief, und er aufwachte. Er hätte sein Leben darum geben mögen, das Wort noch zu wissen." (N I 279) Noch erwacht er aus dem Traum und vergißt dessen Wissen, doch einmal wird der Traum, das schöne Bild selber erwachen und in die Wirklichkeit eingreifen. Dies verbürgt mythologisch die Geschichte des Pygmalion, dessen großer Liebe, das selbstgeformte nackte Kultbild der Schönheitsgöttin, lebendig wurde – Selbstinitiation des liebenden Künstlers in eine zukünftige Welt. „Einst kommt die Zeit, wo jeder Eingeweihte der bessern Welt, wie Pygmalion, seine um sich geschaffne und versammelte Welt, mit der Glorie einer höhern Morgenröthe, erwachen und seine lange Treue und Liebe erwidern sieht."[19]

Auf dem Initiationsweg der romantischen Seele in die chthonische Höhle, der sich in die Poesie des Novalis eingeschrieben hat, schlagen Einweihung und „Selbst*fremdmachung*"[20] ineinander um, denn das Wissen ihres Ursprungs ist der Seele das fremdeste: „das ist eine Gabe der Einweihung, daß dieselbe Nacht jedem die eigene Nacht wird, die ihm die eigene Mutter zeigt."[21] Abgesandte der Mutter ist die Geliebte, die Novalis eine Sonne am Nachthimmel nennt, und sie geht auf über dem Reich der Todesekstase, der Nachtbegeisterung und der chthonischen Liebe. Hier klingen Motive der Todesmystik an, die Apulejus im „Goldenen Esel" in den eleusinischen Mysterien entwickelt hat; in dieser prototypischen Initiation ist das Durchschreiten der Todespforte ein existenzieller Übergang, wilde Abenteuerfahrt durch die Elemente bis zum Aufgang der Nachtsonne.

Dem Weltabgewandten, abwärts zur heiligen Nacht Gerichteten zergeht der Schrecken der dunklen Macht als Schein, denn sie hat Gefallen an ihm. Behutsam geben die Hymnen jenes Reich als Ort der Sinnenlust und geschlechtlichen Erfüllung zu erkennen; die Liebesstätte ist der Altar der Nacht, an dem die Liebenden ihr Opfer bringen. Und das Begehren entfacht die Opferflamme, die ihren Leib verzehrt.

„Man hält in der Literaturgeschichte Novalis für den eigentlichen Künder der Nacht. Aber die Nacht, von der Novalis singt, ist nicht die kosmische Nacht, von der Görres stammt. Novalis meint die Nacht des Subjekts, die Auflösung des Gemüts, den süßen Untergang des Bewußtseins, der der Aufgang der Seele ist."[22] Dies ist Baeumler zuzugestehen. Zu fragen bleibt aber, ob die Perspektiven, die „uns die unendlichen Augen" (N I 132) in der Nacht des frühromantischen Subjekts aufgerissen haben, in der kosmischen Weltennacht der Heidelberger Romantik nicht wieder zu einem eindimensionalen Totenkult zusammenstürzen. Dagegen spricht Novalis ausdrücklich von „neuen herrlichern Gestalten" einer „veränderte(n) Welt" (N I 145), als welche die Götter aus dem Schoß der Nacht, in den sie vor dem entseelenden Licht der Analyse, die europäische Aufklärung heißt, geflohen waren, neugeboren wiederkehren.

Die Nacht ward
Der Offenbarungen
Fruchtbarer Schoos.

(N I 144)

Sie ist der Schutzmantel des Heiligen in der Natur, das sich nur einem initiatorischen Wissen vergegenständlicht.

Daß dieses „Unbekannt Heilige" ganz diesseitige Zukunftsbestimmungen des Daseins eingefaltet mit sich führt, verdeutlicht die frühromantische Bildungslehre, in der Ethik, Theologie und Genielehre dialektisch ineinander umschlagen. „Gott werden, Mensch sein, sich bilden, sind Ausdrücke, die einerlei bedeuten."[23] Wenn aber das Sein des Daseins ein Werden zu Gott ist, wird umgekehrt die Theologie als irdische Zukunftslehre entzifferbar: „Alles was von Gott praedicirt wird, enthält die *Menschliche Zukunftslehre*" (N III 297). Dies sprengt den Kantischen Fiktionalismus durch Antizipation. Hatte Kant noch die auf bloßer Vernunft beruhende Idee eines höchst vollkommenen Wesens konstruiert, „um, unter dem Schutze eines solchen Urgrundes, systematische Einheit des Mannigfaltigen im Weltganzen"[24] zu ermöglichen, so wird die transzendental vorausgesetzte höchste schöpferische Vernunft von den Frühromantikern in der Gestalt des zukünftigen Menschen, statt sie wie Kant von der Welt zu unterscheiden, dieser eingebildet. Und der Gottmensch der Religionen ist das Symbol jener Gestalt. Zwar ist der Dichter der frühen Romantik nicht religiös, doch eben deswegen erklärt er den Christen und Heiden ihre Sehnsucht, ohne zu enttäuschen.

Was die Frühromantik neue Religion nennt, ist unterbaut von Mythologie; geboren aus dem Geist des Idealismus, sollte diese stilbestimmend und fundierend wirken. Deshalb ist Baeumlers These – „Es ist für die Geschichte der Entdeckung des Mythus von entscheidender Wichtigkeit, zu erkennen, daß die Frühromantik noch nicht zum Besitz eines originalen Mythusbegriffes gelangt ist"[25] – richtig und unrichtig zugleich. Zutreffend aus der Perspektive der spätromantischen Mythosforschung; blind aber gegenüber der von Fr. Schlegel erkannten unaufhebbaren Differenz zwischen dem „mütterlichen Boden" des vorzeitlichen Mythos und dem „idealischen Grund"[26] jeder möglichen neuen Mythologie. An die Stelle des Wildwuchses alter Mythen tritt die schöne Verwirrung der Phantasie.

Geburt der neuen Mythologie aus dem Geist des Idealismus als der „tiefsten Tiefe des Geistes"[27] – damit ist schon gesagt, daß es der Frühromantik nicht um eine Verklärung der ersten Natur und schönen Weltoberfläche, sondern der zweiten Natur gebildeter Formen geht; nicht antike Gestaltung, sondern Essay und Märchen sind ihre Formmöglichkeiten: „wir sollen uns überall an das Gebildete anschließen"[28], denn, „sich unmittelbar anschließend und anbildend an das Nächste, Lebendigste der sinnlichen Welt"[29], vermochte nur die alte Mythologie zu erzählen. In dieser Differenz gründet der utopische Charakter der frühromantischen

Kunstform. „Die vollendet geleistete Form macht die von ihr geschaffene Welt legendarisch, zum Märchen. ‚Das Märchen ist gleichsam der Kanon der Poesie', sagt Novalis. Die Mythologie ist also nicht der apriorische Stoff der Kunst, sondern jede wirklich erreichte Form erschafft eine, an unmittelbarer Wirkung und ästhetischer Wesensart dem Mythologischen verwandte, Welt: eine vollkommene Welt, die in ihrer sinnlich unmittelbaren Wirklichkeit jeden Schmerz und jedes Leiden zum Schweigen bringt, sie in jenem wahren Sinne aufhebt, daß die ihr entströmende, unendliche und doch in ihr bleibende Freude gerade aus diesem Leid und diesem Schmerz quillt" [30].

Jedoch verkennt Lukács die Differenz von Mythos und Märchen als „Wesensverwandtschaft". Bekanntlich wiederholt das Märchen den Mythos und bricht ihn zugleich in der Geschichte von Verzauberung und Sieg über den Bann. Vielleicht kann man sagen, daß den neuen Mythen der Frühromantik die versöhnenden Kräfte des Märchens als immanenter Bezug auf das Reich Gottes zuwachsen. Kassner sagt einmal: „das mystische Paradies hat keinen Mythus. Mythus ist gefallene Mystik. Er schildert die Stadien des Falles und der Erlösung der Menschheit" [31]. Es ist die Kraft des Märchens, das den Mythos bricht, gegen jenen Fall gerichtet. Das Märchen ist die Subversion des Mythos, nicht dessen Denunziation durch die Vernunft der Aufklärung, und es bewahrt dessen Methode im Roman: „alles ist Beziehung und Verwandlung, angebildet und umgebildet" [32]. Kraft dieser mythologischen Technik der Transformation und Mutation, die ein anonymes textum bildet, wird das höchste Heilige, das im Zeitalter der ratio „namenlos und formlos" blieb, „wirklich und gebildet" [33].

In Hoffnung und Erinnerung berührt die Mythologie die Geschichte, und der von den Frühromantikern geforderte „historische Sinn" meint nichts anderes als das Vermögen einer zugleich traditionalen und utopischen Geschichtsbetrachtung. Nicht Aufhebung, sondern Öffnung der Geschichte durch ihre Beziehung auf das kommende Gottesreich ist deshalb die Zentralbestimmung frühromantischer Poesie: „Der Roman ist gleichsam die *freye Geschichte* – gleichsam die Mythologie der Geschichte." (N III 668)

Novalis hat die poetische Historie einmal als zugleich prophetisch und synchronistisch charakterisiert; zur Chronik der laufenden Ereignisse verhält sie sich antithetisch-synthetisch. Mythologie der Geschichte polemisiert gegen alles bloß Wirkliche und vermischt in großer Abstraktion das Romantische aller Zeiten. [34] Im Bild der heiligen Geschichte versammelt sich das aufs Gottesreich beziehbare Historische in idealer Gleichzeitigkeit; die Bibel ist ihre kanonische Form. So öffnet die Frühromantik die empirische Geschichte kraft einer Synthesis ihrer romantischen Extreme zur in sich antithetischen Gestalt der Idee. Dieser Konzeption ist Salomon Friedlaenders Begriff der schöpferischen Indifferenz [35] verpflichtet, den W. Benjamins Ideenlehre geschärft und interpretatorisch handhabbar gemacht hat.

Der Engel schöpferischer Indifferenz schwebt, statt eine Figur des Kompromisses und der Vermittlung zu sein, zwischen Extremen mitten inne. Die von Benjamin in Lehrform gebrachte Einsicht, daß die Idee nicht wie bei Hegel der sich dialektisch begreifende Begriff sondern die zur Lesbarkeit gebrachte Konstellation historischer Extreme ist, verdankt sich einem Athenaeumsfragment. Idee ist nicht der sich begreifende, sondern „bis zur Ironie" vollendete Begriff: „eine absolute Synthesis absoluter Antithesen"[36] – der Prototyp dialektischer Bilder als Konstellation von Extremen. Im Punkte schöpferischer Indifferenz wird der Engel der Romantik – es ist der Held der Philosophie: die Poesie – „auf den Flügeln der poetischen Reflexion in der Mitte schweben", und zwar „frei von allem realen und idealen Interesse"[37].

Dies führt weit über Kants harmonisches Spiel der Seelenvermögen im interesselosen ästhetischen Urteil hinaus und sprengt dessen Reflexionsimmanenz durch eine Dialektik extremer Intensitäten. Und entschiedener noch trennt die antithetische Synthesis – eine absolute Synthesis absoluter Antithesen als Gestalt der Idee – das Denken der Frühromantik von der Resignation der Vernunft und ihrem Repräsentanten: Goethe. „Beide suchen ein Gleichgewicht derselben widerstrebenden Kräfte, doch die Romantik fordert eines, bei dem durch die Harmonie keine Kraft in ihrer Intensität geschwächt wird. Ihr Individualismus ist härter und eigenwilliger, bewußter und kompromißloser als der Goethes, sie aber will, indem sie ihn gerade bis an die äußersten Grenzen dehnt, die letzte Harmonie erringen."[38]

Um die Extreme der Geschichte synchronistisch zum Hoffnungsbild des kommenden Gottesreichs zu konstellieren, bedarf es eines historischen Sinns der zugleich prophetisch ist. Man hat diesen zumeist mit Schlegels Satz vom Historiker als dem rückwärts gekehrten Propheten[39] beschworen, ohne den Zusammenhang mit der frühromantischen Ideenlehre zu erkennen. Diese Ideenlehre liefert die Methode und die unbeschädigte einzelmenschliche Erfahrung das Modell, wonach die Mythologie der Geschichte komponiert wird: „was erst die Geschichte zur Geschichte macht" – „das Wissenswürdigste" – ist Gegenstand einer Einweihung, in deren Verlauf der Initiant „lernt die Geschichte aus Hoffnung und Erinnerung zusammen(zu)setzen" (N I 258, 259).

Nach einem hartnäckigen Vorurteil der Romantik-Kritik verflüchtigt sich das Reale, Gegenwärtige in der Jenaer Symphilosophie zu einer falschen Fülle bloßer Möglichkeiten. Doch kann man ernstlich von einem Prinzipat der Möglichkeit sprechen, wo es allein um die Elimination der Unmöglichkeit geht?

In völliger Verkennung der Struktur des utopischen Bewußtseins und der poetischen Kraft, die Geschichte zu öffnen, schreibt Alfred Baeumler: „In der Welt der Romantik ist alles ‚möglich'. (. . .) Die Kategorie der Möglichkeit geht aus der Vorstellung der Zeit, genauer: der *Zukunft* hervor. (. . .) Auch die ‚Vorzeit' ist für den Frühromantiker nur eine – Möglichkeit."[40] Dagegen dürfte schon deutlich geworden sein, daß sich jenes utopische Denken nicht auf eine abstrakte Möglichkeit, sondern eine veränderte Wirklichkeit bezieht. Die Prophetie des historischen Sinns leistet eine geschichtsphilosophische Charakteristik der Gegenwart. ,,Wie wäre es möglich, die gegenwärtige Periode der Welt richtig zu verstehen und zu interpungieren, wenn man nicht wenigstens den allgemeinen Charakter der nächstfolgenden antizipieren dürfte?''[41]

Hier wird klar, daß jene Kritik der Jenaer Romantik, die ihr Occasionalismus (Carl Schmitt) und Zukunftshörigkeit vorwirft, die Dialektik der utopischen Geschichtsbetrachtung – synchronistische Versammlung der romantischen Extreme aller Zeiten; Antizipation des nächstfolgenden Zeitalters; augenblickliche Vergegenwärtigung – nicht verstanden hat. Das utopische Bewußtsein öffnet die Geschichte durch eine genau bestimmte Abstraktion: ,,Der revolutionäre Wunsch, das Reich Gottes zu realisieren, ist der elastische Punkt der progressiven Bildung, und der Anfang der modernen Geschichte. Was in gar keiner Beziehung aufs Reich Gottes steht, ist in ihr nur Nebensache.''[42]

Dieser Wunsch hat sich in der Sprache der Kantischen Transzendentalphilosophie nicht artikulieren können; ohne ihn systematisch überwunden zu haben, ist die Frühromantik über Kant hinweggeschritten, um ihrem Begehren treu zu bleiben. Deshalb nannte der Neukantianer Herman Cohen die Romantik die schwerste Gefahr der reinen Menschenvernunft, und Simmel sprach von einer ,,Lyrisierung des Kantischen Idealismus''[43].

Um aber die Welt aus der Seele aufzubauen, bedarf es neuer Sinne und heiliger Organe, denn Kants Lehre vom inneren Sinn behauptet ja gerade ein Nichtwissen von dem, was die Seele an sich ist. Das Verlangen, das Innere der Dinge einzusehen, nezessiert nach Kant, ,,daß wir ein von dem menschlichen nicht bloß dem Grade, sondern sogar der Anschauung und Art nach gänzlich unterschiedenes Erkenntnisvermögen haben, also nicht Menschen, sondern Wesen sein sollen, von denen wir selbst nicht angeben können, ob sie einmal möglich, viel weniger, wie sie beschaffen seien.''[44] Solch andere Wesen, die den bürgerlichen Menschen des 18. Jahrhunderts entgrenzen, prophezeit die Poesie der Frühromantiker. Explizit spricht Novalis von einem ,,Sinn fürs Ding an sich'' (N III 250), der divinatorisch zu denken ist – wie denn allen transzendentalen Bestimmungen im frühromantischen Diskurs die Gewalt magischer Praxis zuwächst. Daß der Naturgrund erkennbar, nein: divinierbar sei, ist nur die positive Formel der frühromantischen Kritik an Kants Teilung des Menschen in ein naturgebundenes Sinnenwesen und ein vernünftiges Mitglied der intelligiblen Welt. Dabei machen sich Novalis und Schlegel Kants Begriff der Ahnung, die ,,gleichsam einen verborgenen Sinn für das (andeutet), was noch nicht gegenwärtig ist''[45], zueigen, indem sie ihn positiv umdeuten. In der Gewißheit der Empfindung dessen, was noch nicht ist, fordert die Romantik jenen mystischen Takt, den Kant als den Tod aller Philosophie bezeichnet hat. Die sinnliche

Natur bedeutet für die Kantische Vernunft Heteronomie, d. h. sie erscheint nicht als möglicher Bündnispartner (K. Heinrich).

Man hat schon verschiedentlich darauf hingewiesen, daß Kants Naturbegriff tendenziell nur noch ein Name für die Existenz der Dinge unterm kapitalistischen Wertgesetz ist. Doch noch der Protest gegen Kant ist diesem verpflichtet; seine teleologische Naturbetrachtung wird den Frühromantikern zum Symbol einer unentfremdeten Welt. Hat das transzendentale Subjekt die Natur immer nur beherrscht, ohne sie zu entfalten, so erscheint sie im romantischen Märchen endlich als der wahre Orient. Bundesnatur ist die kräftigste Utopie des Novalis. Der wahre Herr der Erde, der „nieder Zu ihrer Werkstatt geht (. . .) ist mit ihr verbündet" (N I 247).

Es ist nun für das frühromantische Bild der Naturgeschichte entscheidend, zu sehen, daß sich Subjekt und Natur nicht in euphorisch entfesselter Produktivität, sondern in einem gegenläufigen Prozeß der Differenzierung und Verfeinerung begegnen. Je mehr die Natur „ihre erzeugende Kraft erschöpft hat, desto mehr haben ihre bildenden, veredelnden und geselligen Kräfte zugenommen (. . .). Sie nähern sich dem Menschen" (N I 262), wie dieser der Natur sich verbünden möchte; „abgesondert von der Welt nur seine Hände und Füße in die Erde stecken, um Wurzeln zu treiben": dies ist der Wunsch des romantischen Bundesgenossen. „Ewig wird er lesen" in der Blumenschrift des Orients, der die Natur ist (N I 329).

Aber es ist doch auch nur ein Wunsch – jener „Wunsch, die Zeit zwischen dem Begehren und Erwerben des Begehrten vernichten zu können", den Kant als „leer" verhöhnte und der Sehnsucht heißt[46]. Vielleicht könnte man in einem Bild des Ofterdingen verbleibend sagen: die frühromantische Phantasie erforscht „Kolonien des Paradieses" (N I 236), denen das Mutterland verloren ging, und die Sehnsucht ist ihre genaue Weisung.

Man kann die hier aufklaffende Differenz zur deutschen Klassik auch so beschreiben: während diese im ästhetischen Formenkult „dem keiner Veränderung unterworfenen reinen Lichtgott Phoibos Apollon" huldigt und im Tempel der Humanität das Opfer des Körpers darbringt, erscheint der romantische Dichter wie der den großen Taumel bringende Gott: „voller Gemütsbewegung und Veränderung, voller Irrgänge und Umschweife. Er ist der Rätselgott der werdenden Welt, dem zu Ehren mit Fabeln und Gryphen gespielt wird"[47]. Dionysos, dessen Kult den Todesschmerz wie den Daseinsrausch unendlich gesteigert hat – Gott der extremen Affekte könnte er heißen –, ist der dem Dichter vertraute „Geist der goldnen Zeiten" (N I 275). Er heißt aber auch „Geist der *bacchischen* Wehmuth" (N I 346), weil im Kult des Weingotts der Ekstase die Totenklage sich beimischt.

Baeumler hat darauf hingewiesen, daß diese Totenklage, wie es das große Bild der Thetis, die um ihren Sohn Achilleus trauert, verdeutlicht, an das Schicksal als ein dem Olymp fremdes und den chthonischen Mächten verwandtes Prinzip ge-

und der unendlichen Flucht in der Linie der Ersatzobjekte hat uns Freud die Inkompatibilität der Struktur des Sexualtriebs mit der Idee ungeschmälerter Erfüllung gezeigt. Nur die verkleinerte Erotik des Kindes steht, als innere Antike, für eine Zeit voller Befriedigung ein.

Fügsamkeit, die nicht mit passivem Erleben verwechselt werden darf, ist eine Aufmerksamkeit für die Einheit von Schicksal und Gemüt. Sie darf als das genuine Vermögen des frühromantischen Dichters gelten. ,,Er stellt im eigentlichsten Sinn Subjekt-Objekt vor – Gemüt und Welt.''[51] Die Innerlichkeit des Dichters erweist sich als der wahre Subjekt-Objekt-Raum, sofern im Gemüt alle Welt, die auswendig eine der Seele geworden ist, vorkommt. Die Macht der Seele, sich das Schicksal homogen zu machen, d. h. die empirische Welt in ihrer Zwangsgestalt ,,intelligibel zu durchsetzen''[52], heißt Fügsamkeit. Sie ist die Kraft im Leben des kanonischen Menschen, der noch vor dem Sprung in die eschatologische Zielwelt die Lehrjahre der Seele symbolisch vollendet. Deshalb wächst der Form des Todes als immanenter Abrundung eines symbolischen Lebens bei Novalis so überragende Bedeutung zu: ,,der tiefe Mensch hat diesen begrenzenden, besiegelnden Tod als seine Gerichtsstunde. Danach käme das Ich mit dem Schicksal in Deckung: das eine zöge das andere reinlich herbei; Gemüt und Schicksal, sagt Novalis, sind Namen eines Begriffs.''[53]

Welt und Gemüt – gewiß übergreifen sie sich im frühromantischen Diskurs wechselfältig. ,,Poesie ist wahrhafter Idealismus'', weil sie die Welt als Gemüt darstellt: ,,Betrachtung der Welt, wie Betrachtung eines *großen Gemüths*'' (N I 335), d. h. Gestaltung eines Standes, in dem Alles ineinander greift, sich mischt und im Anderen sich darstellt als Einheit der Weltkräfte: ,,das große Weltgemüth'' (N I 319). Und umgekehrt definiert Fr. Schlegel das Gemüt nicht mehr nur, wie Kant, als das die gegebenen Vorstellungen zusammensetzende Vermögen, sondern divinatorisch als den Ursprungsort einer ,,namenlose(n) Kunst, welche das verworrene flüchtige Leben ergreift und zur ewigen Einheit bildet.''[54] Ihr korrespondiert die von Kant schon angedeutete und von Schlegel zum historischen Postulat radikalisierte Einheit der Seelenkräfte in Ursprung, Wesen und Ziel. Bei Schlegel reicht der Geltungsanspruch jener Verknüpfung von Welt und Gemüt so weit, daß seine politische Theorie die Macht, deren Spiel bekanntlich in die Stelle des Schicksals eingerückt ist, analog zur Zusammensetzung der Erkenntnisvermögen konzipiert.[55]

Der extreme Gedanke verdeutlicht, daß dem Romantiker das Schicksal die enträtselte Chiffre seines Gemüts ist. Doch läßt sich diese Einheit von innerer und äußerer Bestimmung im Stand entfremdeter Gegenwart nur erst erraten, divinieren: ,,Oft fühl ich jetzt, wie mein Vaterland meine frühsten Gedanken mit unvergänglichen Farben angehaucht hat, und sein Bild eine seltsame Andeutung meines Gemüths geworden ist, die ich immer mehr errathe, je tiefer ich einsehe, daß Schicksal und Gemüth Namen Eines Begriffs sind.'' (N I 328) An solcher Einheit hätte das mahnt. ,,Durch die Macht des Schicksals wird die Unbedingtheit der *Person* aufgehoben. Dieser Aufhebung widerstrebt der männlich-klassische Geist"[48], der noch im jungen Georg Lukács spricht, wo er die nach ungeteiltem Weltumfassen sich sehnenden Frühromantiker als Sklaven jeden Geschicks kritisiert. Das klassizistische Verdikt, Novalis und Schlegel hätten im ,,Zur-Notwendigkeit-Erheben alles dessen, was ihnen das Schicksal entgegenbrachte", nur ein ,,Poetisieren des Schicksals, nicht seine Formung"[49] erreicht, schreibt ja jene Entfremdung zwischen Gemüt und Welt nochmals fest, welche aufzuheben das Begehren der Frühromantiker war.

Wo die Psychologie nur noch Krankheitsbilder und Symptome der Entfremdung sieht, verehrt Novalis die Götterbilder des Gemüts und die poetischen Symbole als mystische Wirklichkeit. Seinen Schicksalsbeziehungen liegen Entwürfe zugrunde, und eine gleichsam aktivisch gewendete Mystik läßt ihn behaupten, alle seine Schicksale selbst gewählt zu haben. Kassner sagt einmal von den Mystikern: ,,Sie leben ihr Leben, wie die Sterne ihre Bahn laufen. Was dem wirklichen Menschen auf seinen Wegen wie ein Fremdes begegnet, das ihm nur Dichter zu deuten wissen, dieses zusammenhanglose Thuen und Leiden ist die Tugend, virtù, des mystischen Menschen. (...) Sein Wille ist sein Schicksal. (...) so ist das Leben des mystischen Menschen ein Gedicht, und alle seine Thaten sind nur Symbole seines Wesens."[50]

Was das Blütenstaubfragment, welches das Leben eines kanonischen Menschen als symbolisch bezeichnet, eigentlich besagt, kann nun ausgesprochen werden: Wie das synthetische Kind der frühromantischen Spekulation ,lebt', als ob es unwillkürlich eine Form erfüllte, so fügt sich das romantisierte, poetisch umgedeutete Leben den symbolischen Schicksalsbeziehungen. Diese heilige Fügsamkeit darf nicht mit Gehorsam verwechselt werden. Ist dem Gehorsam im Namen des Vaters das Zeichen des Gesetzes eingeschrieben, so beweist Fügsamkeit als Aufmerksamkeit auf Winke ein unbekanntes Land, das Kindheit heißt. Kinder sind Scharaden, sagt Hebbel. Und die Erlösung der Erwachsenen hängt daran, ob sie sie enträtseln. Denn unsere abendländische Erziehung zur gereiften Männlichkeit ist eine Reduktion, welche die terra incognita der Kinheit der Herrschaft des Signifikanten unterwirft. Novalis war nahe daran, die Wissenschaft als ein Kinderspiel zu erlösen. Kindern, die noch nicht ins Bild ihres eigenen Erwachsenseins versetzt sind, eignet ein Wissen, das wir nicht wissen können. Die dem Erzogenen unwiederbringliche Optik der Kindheit hat sich Novalis bewahrt. Diese Verkleinerung des Maßstabs der Sehnsucht subvertiert das Gesetz, nach dem das Verbot den Verschiebungen der Trieblust unerbittlich folgt. Nur im frühromantischen Maßstab des synthetischen Kindes trennt sich der Wunsch vom Tabu; volle Befriedigung gibt es in der abendländischen Welt lebensgeschichtlich nur diesseits des Inzestwunsches: für das Kind. Denn am Liebesleben der Erwachsenen, ihrem unstillbaren Reizhunger goldene Zeitalter seine Signatur, die sich Hier und Jetzt allein den heilig Fügsamen einprägt.

Die Selbstverständlichkeit, daß das Charakteristische der lebensweltlichen Sphären den Geist tingiert, erhält bei Novalis die entscheidende Wendung, daß für den kanonischen Menschen das Bestimmtwerden durch die ,,Gegend" nicht als Determinationsverhältnis sondern als die Fähigkeit gilt, ,,von diesen Weltkreisen und ihrem mannichfaltigen Inhalt und Ordnung gerührt, und gebildet zu werden." Dazu bedarf es der ,,Aufmerksamkeit und Gelassenheit" (N I 328), die nur andere Namen jener Fügsamkeit sind.

Kanonische Menschen gehen immer nach Hause als zur Heimat der Seele, da ihre Weltwanderungen ja nie aus dem Raum des großen Gemüts herausführen. Ihr Gemüt ist gehaltvoller als die kontingente Welt, denn es ist eigentlich ein Licht, das sich im Kristall des Anderen bricht: ein die sinnliche Mannigfaltigkeit erscheinen lassendes Licht. ,,Der Dichter ist reiner Strahl" (N I 281) und darin die Präfiguration eines nicht mehr humanistisch reduzierten Menschen. Als dessen Theologie muß Schlegels Definition des Gemüts als ,,lebendige Regsamkeit und Stärke des innersten, tiefsten Geistes, des Gottes im Menschen"[56] verstanden werden.

Doch das Subjekt-Objekt der geöffneten Geschichte ist mehr als Seele: Gemüt und Welt, Schicksal und Gemüt. ,,Das ist der eigentliche Punkt, daß wir uns wegen des Höchsten nicht so ganz allein auf unser Gemüt verlassen." Weil sich das Höchste, das Eschaton nur durch Transformation des schon Geformten wirklich bilden läßt, wie es die neue Mythologie der Jenaer Romantik lehrt, müssen wir ,,uns überall an das Gebildete anschließen"[57]. Der Gebildete, dem sich die revolutionäre Frühromantik so unmittelbar und doch dialektisch-kritisch anschloß, hieß Goethe.

Anmerkungen

Die Schriften des Novalis werden im Text N Iff zitiert nach der Ausgabe von Paul Kluckhohn und Richard Samuel (revidiert von R. Samuel)
[1] G. Simmel, *Goethe*, Leipzig ² 1917, S. 184
[2] W. Benjamin, *Illuminationen*, S. 9
[3] Fr. Schlegel, *KA II*, (hrg. v. E. Behler und H. Eichner), S. 205 Fr. 239
[4] G. Lukács, *Goethe und seine Zeit*, Bern 1947, S. 39
[5] Lukács, *Geschichte und Klassenbewußtsein*, 1923, S. 104
[6] Novalis, *Werke und Briefe*, S. 424
[7] A. Baeumler, in: Bachofen, *Der Mythus von Orient und Occident*, München 1926, S. XXXI
[8] F. Chr. Rang, Goethes ,Selige Sehnsucht', in: *Interpretationen zum Divan* (WdF), Darmstadt, S. 19
[9] K. Burdach, in: *Goethes Sämtliche Werke*, Jubiläumsausgabe Bd. 5, S. 336

[10] E. Bloch, *Geist der Utopie*, (stw) Ffm 1973, S. 317
[11] Vgl. R. Kassner, *Werke I*, (hrg. v. E. Zinn), S. 199
[12] Hegel, *Phänomenologie des Geistes*, (Phil. Bibl. Meiner), S. 324
[13] a. a. O., S. 341
[14] Bachofen, a. a. O., S. 476
[15] Hegel, a. a. O., S. 262
[16] a. a. O., S. 265
[17] Kommerell, in: *Novalis* (WdF), Darmstadt 1970, S. 183
[18] Vgl. R. Faber, *Novalis – Die Phantasie an die Macht*, S. 18, 23ff
[19] Novalis, *Werkausgabe* von Kluckhohn *Bd. 3*, S. 240
[20] a. a. O., S. 157
[21] Kommerell, a. a. O., S. 180f
[22] Baeumler, a. a. O., S. CLXXVII
[23] Schlegel, a. a. O., S. 210 Fr. 262
[24] Kant, *Kritik der reinen Vernunft*, B 706
[25] Baeumler, a. a. O., S. XCVI
[26] Schlegel, a. a. O., S. 312, 315
[27] a. a. O., S. 312
[28] a. a. O., S. 318
[29] a. a. O., S. 312
[30] Lukács, *Heidelberger Philosophie der Kunst* (Werke Bd. 16), S. 209f
[31] Kassner, Werke I, S. 40
[32] Schlegel, a. a. O., S. 318
[33] a. a. O., S. 312, 318
[34] Vgl. Novalis' Brief an Schlegel 18. Juni 1800 und R. Faber, a. a. O., S. 26ff
[35] S. Friedländer, *Schöpferische Indifferenz*, München 1918, S. 276–284
[36] Schlegel, a. a. O., S. 184 Fr. 121
[37] a. a. O., S. 182
[38] Lukács, *Die Seele und die Formen* (1911), S. 102
[39] Schlegel, a. a. O., S. 176 Fr. 80
[40] Baeumler, a. a. O., S. CLXXIII
[41] Schlegel, a. a. O., S. 248 Fr. 426
[42] a. a. O., S. 201 Fr. 222
[43] Simmel, *Goethe*, S. 185
[44] Kant, *Kritik r. V.*, B 333f
[45] Kant, *Anthropologie*, I. Teil §35
[46] a. a. O., § §7>
[47] Bachofen, a. a. O., S. 391
[48] Baeumler, a. a. O., S. XLIII
[49] Lukács, *Die Seele und die Formen*, S. 106
[50] Kassner, a. a. O., S. 62
[51] Novalis, *Werkausgabe von Kluckhohn Bd. 3*, S. 349
[52] Bloch, a. a. O., S. 329
[53] a. a. O., S. 276
[54] Schlegel, a. a. O., S. 226 Fr. 339
[55] Vgl. Schlegel, Versuch über den Republikanismus
[56] Schlegel, KA II, S. 106
[57] a. a. O., S. 318

3b) Faulheit und Revolution I/II

Von Gerd-Klaus Kaltenbrunner

Zweifellos wird die Faulheit seit Jahrhunderten diskriminiert. Das war aber nicht immer der Fall. Für die hochmittelalterliche Sozialmetaphysik ebenso wie für die klasssische Antike war es selbstverständlich, daß eine privilegierte Minderheit vom „labor improbus" befreit war, denn – wie Xenophon sagte –: „die Arbeit nimmt die ganze Zeit in Anspruch und bei ihr hat man keine Zeit für die Politik und die Freunde". Und ebenso selbstverständlich war, daß diese elitäre Existenz luxurierender, kontemplativer und repräsentativer Schichten nur zu Lasten anderer möglich war. In dieser Hinsicht hat auch das Christentum – nach einiger Radikalität in Urkirche und Sekten – keinen Wandel herbeigeführt, und insofern konstituierte es sich als „eine neue Polis" und „ein neues, paradoxes Griechentum"[1].

Dieser Mentalität entsprach ein Sabbat-Gott, der in seliger Muße für alle Ewigkeit ruht, an der Spitze himmlischer Heerscharen, die ebenfalls eine „leisure class" (Th. Veblen) vorstellten. Dieser hierarchisch-feudale Kosmos, dieses „beinahe platonsiche Hineinleuchten des Himmels in die iridische Wirklichkeit"[2] spiegelte sich in dem Ausspruch der hl. Hildegard: „Gott teilte die Menschen auf Erden in Gruppen, genau wie die Engel im Himmel. Und Gott liebt sie alle", und in jenem englischen Vierzeiler aus dem Mittelalter:

> The rich man in his castle,
> The poor man at his gate.
> God made them high or lowly
> And ordered their estate.

Man vergleiche damit die rebellische Frage, die seit dem XIV. Jahrhundert in verschiedenen Paraphrasen ganz Europa durchlief und in der sich die im Laufe der nächsten Jahrhunderte steigernde Diffamierung der leisure class und ihrer feudalen Faulheit bereits vehement ankündigt:

> Als Adam grub und Eva spann.
> Wo war denn da der Edelmann?

„Edelmann" steht für Muße und für Herrschaft. Diese Diskriminierung der Faulheit spielte eine wichtige Rolle in der ideologischen Vorbereitung der bürgerlichen Revolution, vor allem in Frankreich. Denn gerade hier hatte der absolute Staat die feudal-kirchlichen Schichten weiegehend funktionslos gemacht. Äußerst scharfsinnig hat daher Louis Duc de Saint-Simon (ein entfernter Verwandter des gleichnamigen „Frühsozialisten"), das Bündnis des absoluten Monarchen mit dem aufsteigenden Bürgertum notierend, Ludwig XIV. als „König der niedrigen Bourgeoisie" bezeichnet! Insofern ist der etablierte Absolutismus bereits die *erste bürgerliche Revolution*.

Diesem realsoziologischen Aufstieg des Bürgertums enstpricht idelogisch sowohl der Glaube an den „Fortschritt" als auch die anthropologische Vision vom Menschen als „producteur"[3]. In diesem Zusammenhang erhält die alte revolutionäre Dichotomie Arbeit – Faulheit eine neue Bedeutung. Hinter diesem Wandel steht einerseits ein massiver sozialer Auftrag, zugleich aber fungiert er auch als Element einer sozialen Vision, die mehr ist als bloßes Epiphänomen des „Milieus". Wir können dies am besten im Denken Saint-Simons (1760–1825) studieren. Seine Gegenüberstellung der Arbeitenden und Nichtarbeitenden, von „producteur" und „l'oisif", von „Bienen" und „Drohnen" ist unmittelbar gesehen nur Apologie einer siegreichen Klasse, die von anderen sozialen Differenzierungen und Antagonismen durch diese aggressive Dichotomie ablenken will. Denn: Saint-Simons Trennungslinie verläuft so, daß zur „arbeitenden Klasse" nicht nur die Arbeiter im Sinne des Proletariats, sondern auch die Industriellen, Kaufleute, Bankiers, Bauern, Wissenschaftler, Künstler gehören. Sie alle sind „*Industrielle*"[4].

Der Gegenbegriff des „Industriellen" – im Sinne der Definition Saint-Simons – ist daher *nicht der Arbeiter, sondern der Müßiggänger*, l'oisif. Man muß diese Gegenüberstellung im geschichtlichen Kontext lesen, um sie nicht mit eklektischen liberalen, harmonisierenden Formeln – wie z. B. bei der Grenzproduktivitätstheorie J. B. Clarks – zu verwechseln. Dann offenbart sich ihre klassenkämpferische Aggressivität, die sich nur noch mit der des Marxismus (Kapitalist – Proletarier) vergleichen läßt, zugleich aber auch ein soziologischer Realismus, vor allem was die Zukunft der westlichen Industriegesellschaft betrifft, daß man mit Recht vorgeschlagen hat – im Gegensatz zur herkömmlichen Terminologie –, das marxistische System als „utopisch", das des französischen Aristokraten aber als „wissenschaftlich" zu bezeichnen[5].

Diese Behauptung mag auf den ersten Blick befremden. Ist sein Klassenschema nicht bloß apologetisch, weil es sich nicht deckt mit den beiden anderen Dichotomien „herrschende – beherrschte Klasse", sowie „besitzende – besitzlose Klasse"? Und vereinigt es nicht unter der Kategorie der „Industriellen" bzw. „producteurs" soziale Gruppen, die von den meisten sozialen Protestbewegungen – man denke nur an Babeuf und Shelleys „Song to the Men of England" – zu den „Drohnen" gerechnet wurden? Gerade dieses Manko aber macht dieses Schema so ungeheuer radikal, radikaler als die meisten Parolen sozialer Rebellen von Robin Hood bis zu Marx und den antikolonialistischen Messianismen der Gegenwart[6]. Denn erstens ist die Auffassung des vollkommenen Menschen als eines „producteur" als eines wesentlich aktiven, arbeitenden, sich in seiner Arbeit erst selbst erzeugenden Wesens – man denke hier auch an die Hegelsche Herr-Knecht-Mythe[7] – eindeutig anti-religiös, eine Entthronung des Schöpfer-Gottes. In den religiösen Weltbildern hat einzig und allein die Gottheit das Privileg, „produktiv", „kreativ" zu sein. Dieses subversive, antitheologische Pathos treffen wir schon zu Beginn der Neuzeit, bei Männern, die – subjektiv und ehrlich – sich noch zum überlieferten christlichen Glauben bekannten. Man denke nur an Descartes, der eine Wallfahrt zur Muttergottes von Loreto gelobte – als Dank für das Gelingen seiner die Zweifel beendenden Philosophie, in der bereits der Mensch als „maître et possesseur de la nature" gefeiert wird, der den Ausruf wagt: „Gebt mir Materie und Bewegung, und ich werde Euch eine Welt schaffen"[8].

Von hier ist es ein gerader Weg bis zu jenem szientifischen Hochmut: „Gott ist eine Hypothese, die ich nicht nötig habe" (Laplace). Der Mensch versteht sich nicht mehr als *creatura*, sondern als *crator*. Er usurpiert damit den Rang Gottes. Hatte aber die Sozialmetaphysik und Theologie des Feudalismus vor allem das Statisch-Hierarchische, die selige Sabbat-Ruhe im Gottesbild akzentuiert, so wird nun dieses quietistische Moment perhorresziert, das aktiv-produktive jedoch für den „industriellen" homo faber vindiziert.

Damit werden jahrtausendelange theologisch-religiöse Konzeptionen revolutioniert. Und es ist sicher, daß sie in dieser Form nie mehr wieder auferstehen werden. Denn der „produktive" Mensch Saint-Simons kann sich *nicht* auf den biblischen Imperativ „Macht Euch die Erde *untertan*!" berufen. Denn dieser setzt eine – von einer transzendenten Autorität garantierte – statische, hierarchisch organisierte Wirklichkeit voraus, einen dem Menschen metaphysisch vor-gegebenen, auf ihn bezogenen „ordo". Gerade diese Voraussetzung aber fällt für die Neuzeit zunehmend weg. Denn der von Saint-Simon antizipierten optimalen Rationalität und maximalen Produktivität, seiner „hunderttausendarmigen Industrie, ihre vergoldeten Flügel entfalten"[9], geht es nicht mehr um die Herrschaft über eine „an sich" schon fixe Natur, die „untertan" sein soll. Das „produktive", dynamische, laboristisch-technokratische „Veränderungsdenken" will etwas anderes: für es ist die Natur nicht „Dienerin", sondern „Material"[10]. Sie erstrebt primär nicht die Macht über die Schöpfung, sondern die Schöpfermacht selbst.

Zweitens erhält die Saint-Simonsche Dichotomie von „Bienen" und „Drohnen" ihre polemische Wucht durch ihre Stellung in seinem geschichtsphilosophischen und soziologischen System. Der Faulpelz wird in ihm von vornherein mit dem Feudaladeligen, mit dem Monarchen und seinem Hofstaat, mit dem Klerus, den Metaphysikern und Legisten assoziiert. Diese elitären Gruppen sind aber historisch bereits „überholt". Denn die zivilisierte Menschheit ist – im Sinne des von Saint-Simon formulierten „Dreistadiengesetzes", das dann durch Comte berühmt wurde – nach dem theologischen und metaphysischen in das dritte, das „positive" Zeitalter eingetreten. Dieses „Gesetz" soll nicht nur die Vergangenheit periodisieren, sondern auch die politische Praxis inspirieren. Saint-Simon geht es um das Ende des „Staats", der „Politik", zuletzt auch der politischen Revolutionen mit ihren Verfassungskämpfen und Bürgerkriegen überhaupt. Der „Staat" selbst, sei er nun royalistisch-restaurativ (wie Frankreich nach dem Wiener Kongreß 1815) oder bürgerlich-liberal (England), ist ebenfalls nur ein Parasit, ein Hemmnis auf dem Weg zur „industriellen Ordnung". Auch er wird sich in die Gesellschaft auflösen, ebenso wird das traditionelle Recht verkümmern[11]. Dieser geschichts- und sozialphilosophische Gegensatz zwischen (industrieller, produktiver) „Gesellschaft" und (anti-industriellem, parasitärem) „Staat", die sich wie Ormuzd und Ahriman gegenüberstehen, inspiriert Saint-Simon zu jener berühmten Fabel (geschrieben 1819), deretwegen er vor Gericht zitiert wurde. Sie ist das Gegenstück zu der harmonistischen Sozialorganismus-Parabel des Menenius Agrippa. Gesetzt den Fall – beginnt der desertierte Aristokrat –, Frankreich verliere plötzlich seine fünfzig besten Physiker, seine fünfzig besten Chemiker, seine fünfzig besten Ärzte, Mathematiker, Mechaniker, Ingenieure, Architekten, Bankiers, Fabrikanten, Reeder, Facharbeiter usw. „Die Nation würde in dem Augenblick, in dem sie diese Männer verlöre, zu einem Körper ohne Seele, sie geriete sofort in einen Zustand der Inferiorität gegenüber den Nationen, deren Rivalin sie heute ist, und sie würde ihnen so lange unterlegen bleiben, bis sie diesen Verlust ausgeglichen hätte, solange ihr also nicht ein neuer Kopf nachgewachsen wäre[12]. Frankreich würde mindestens eine ganze Generation benötigen, um diesen Schaden zu beheben; denn die Menschen, die sich in wirklich nützlichen Arbeiten auszeichnen, sind wahrhaftige Ausnahmeerscheinungen, und die Natur ist nicht verschwenderisch im Hervorbringen von Ausnahmeerscheinungen, vor allem nicht dieser Art."[13]

Was würde aber passieren, wenn Frankreich über Nacht die königliche Familie, den königlichen Hof, die Minister, den Adel, den Klerus, die Großgrundbesitzer – kurz alle, die gar nicht, die kaum ode die nur für sich, aber nicht für die gesamte Gesellschaft arbeiten – verlöre? „Dieses Unglück würde den Franzosen gewißlich nahegehen, weil sie gutmütig sind, weil sie nicht gleichgültig dem Verschwinden so vieler ihrer Landsleute zusehen könnten. Aber dieser Verlust von 30 000 Menschen, die als die wichtigsten des Staates gelten, würde ihnen nur rein gefühlsmäßig Kummer bereiten, denn es erwüchse daraus keinerlei politischer Nachteil für den französischen Staat."[14] Diese Parabel endet in einer vehementen Polemik. Die gegenwärtige Gesellschaft sei eine „verkehrte Welt". Die „Hauptschuldigen, die allgemeinen Diebe, die alle Bürger aussaugen", bestrafen die kleinen Vergehen! „Unwissenheit, Aberglaube, Faulheit und der Hang zu kostspieligen Vergnügungen stellen Mitgift der höchsten Führer der Gesellschaft dar." Die fähigsten und fleißigsten Menschen dagegen fungieren in subalternen Stellungen als bloße instrumenta regni. Daher ist „der politische Körper krank".

Drittens müssen wir das prophetische Moment bei Saint-Simon berücksichtigen. Man hat sich zwar über gewisse skurrile Züge seiner Soziologie lustig gemacht, wenn sie auch längst nicht so in die Augen springend sind wir bei Charles Fourier, seinem Zeitgenossen[15]. Dennoch ist seine Lehre keineswegs eine, die man als Ausdruck des Postkutschenzeitalters abtun kann. Sie zeichnet eine perfektionierte Managergesellschaft, wie sie sich erst hundert Jahre später zu etablieren begann, mit brain-trusts, weitgehender Solidarität zwischen Unternehmern und Arbeitnehmern sowie einer Politik als „die Wissenschaft von der Produktion". Er erkannte die umwälzende Wirkung jenes Syndikats Wissenschaft-Technik-Industrie, das – um mit Max Weber zu reden – das geistige Antlitz des Menschengeschlechts fast bis zur Unkenntlichkeit verändert hat und verändern wird.

Wir können uns hier keine eingehendere Behandlung dieses Aspekts gönnen und wollen nur noch viertens die *moralischen* Implikationen seines Klassendualismus kurz betrachten. Für Saint-Simon ist es „offensichtlich, daß das Verhalten derjenigen, die nicht zur industriellen Partei gehören, unmoralisch ist, weil diese konsumieren und nicht produzieren; weil sie in Wirklichkeit auf Kosten der anderen leben; weil sie alle Vorteile genießen, die die Arbeit der Industriellen ihnen verschafft, ohne ihnen etwas im Austausch zu geben, was ihnen nützlich wäre . . . Der Leser zieht also zwangsläufig mit mir den Schluß, daß die industrielle Partei ein moralisches Verhalten an den Tag legt, während das Verhalten der antiindustriellen Partei völlig unmoralisch ist. . ."[16]. Diese Umwertung aller Werte gipfelt in der lapidaren These: „*Die Feiglinge der Zukunft sind die Müßigen*"[17]. An die Stelle der feudalen Kriegermoral tritt die industrielle *Produzentenmoral*. Dieser Wandel hat revolutionierende Folgen. Sämtliche Attitüden erhalten eine neue Bedeutung, und dieser neue Moralismus dringt sogar in weltpolitische und weltwirtschaftliche Auseinandersetzungen ein.

Was bedeutet diese Industriemoral? Die „industrielle Partei" ist die Agentur des historischen Progresses, sie ist geschichtsphilosophisch legitimiert und hat die Zukunft für sich („Die Zukunft ist unser", waren die letzten Worte Saint-Simons.). Der „Anti-Industrielle" ist in der Minderheit, er genießt seine privilegierte Position zu Lasten der produktiven Mehrheit. Außerdem ist seine Existenz irrational und für die Gesellschaft unrentabel: er kann sich nicht durch vernünftige Argumente und ökonomische Nützlichkeit legitimieren. Er muß sich auf Metaphysik und Aberglauben – also auf überwundene, als ideologisch durchschaute Rechtfertigungen – stützen. Daher hat er auch kein Interesse an Aufklärung und Wissenschaft. Vor allem ist der „oisif" – weil er weder durch materielle noch durch intellektuelle Produktivität sich einen legitimen Anteil am Sozialprodukt sichern kann – notwendigerweise kriegerisch, ausbeuterisch, aggressiv. Seine kriegerischen Tugenden mögen früher einmal eine gewisse soziale Funktion gehabt haben. Sie werden aber zunehmend disfunktional. Denn in einer Welt entfesselter Produktivität sind Eroberung, Raub und Krieg überflüssig. Die Industrie errichtet eine „Überfluß-Gesellschaft", in der es nur noch friedliche Produktion und friedlichen Austausch gibt. Die „industrielle Partei" ist notwendig pazifistisch, die Gegner sind

139

ebenso notwendig militaristisch. Diese These hat heute – wenn auch in verschiedenen Formulierungen – in der weltpolitischen Diskussion, in den diplomatischen Kanzleien, in den UNO-Debatten, auf internationalen Konferenzen und in der völkerrechtlichen Argumentation eine nicht zu überschätzende Bedeutung. Als politische Formel hat sie heute eine derart mobilisierende Wirkung, daß keine Partei auf sie verzichtet[18]. Das irenisch-pazifistische Vokabular, das bei Saint-Simon wie bei den afro-asiatischen Nativismen vorkommt, schlägt in der „direkten Aktion" ins Gegenteil um[19].

Ebenso „dialektisch"-ambivalent ist das Verhältnis der „industriellen Partei" zum Problem der *Autorität*. Einerseits ist sie antiautoritär. Autorität ist irrational, feudal, reaktionär. Sie ist eine Anmaßung der Müßiggänger. In dieser Hinsicht werden sowohl das monarchische Charisma wie auch die monarchische Legitimität, aber auch der liberale Legalismus und jakobinische Terrorismus verworfen. Was aber bleibt, ist jene „operational authority", von der die englisch-amerikanischen Soziologen heute gerne sprechen: jene aus dem „Sachzwang", der funktionellen Logik der arbeitsteiligen Industriegesellschaft entspringenden, „ergokratischen" Anweisungsbefugnisse und Verwaltungsakte. Was darüber hinausgeht, ist „zusätzliche Unterdrückung"[20] und als solche irrational sowie asozial. Gerade dieser Anti-Autoritarismus schlägt leicht in einen Totalitarismus um – ebenso wie der moralisierende Pazifismus in Aggressivität. In der totalen Arbeitswelt gibt es keine Freiheiten. Die frühen französischen Soziologen – von Bonald über Saint-Simon bis Comte – wandten sich selbst gegen jene bescheidenen Garantien der Verfassungsmäßigkeit und der Bürgerrechte, die es zwischen 1815 und 1848 noch gab! Für sie war es willkürlich und unlogisch, in einer Welt, die durch die Mechanik ökonomischer und technischer Zwänge funktioniert, die persönliche Freiheit durch gesetzliche Rechte zu sichern. Mit Recht hat daher schon Sorel auf die tiefe Affinität der „frühsozialistischen" Doktrinen – vor dem Auftreten Louis Blancs – zur Ära Napoleons hingewiesen. Saint-Simon selbst wollte der „Napoleon der Wissenschaften" sein und seine soziale Vision konnte nur auf dem Boden der von dem großen Korsen zu neuem Glanz erhobenen Idee der Autorität gedeihen. Gerade wenn die Politik zur „Wissenschaft von der Produktion" wird und die Regierungstätigkeit „nur" darin bestehen soll, „die Arbeiter vor der unproduktiven Tätigkeit der Nichtstuer zu schützen und Sicherheit und Freiheit in der Produktion aufrechtzuerhalten" – kann der Kult der forcierten Produktivität im Handumdrehen zur totalitären Repression werden[21].

II

„O Müßiggang, Müßiggang! Du bist die Lebensluft der Unschuld und der Begeisterung; dich atmen die Seligen, und selig ist, wer dich hat und hegt, du heiliges

Kleinod! Einziges Fragment von Gottähnlichkeit, das uns noch aus dem Paradiese blieb." Man kann sich keinen größeren Gegensatz zu Saint-Simons Kult der Produktivität vorstellen als Friedrich Schlegels „Idylle über den Müßiggang"[22]. Beide wirkten ungefähr zur gleichen Zeit: der antifeudale Aristokrat und der antibürgerliche Bürger. Aber dem einen schwebte ein Paradies ohne Faulheit, dem andern eines ohne Arbeit vor Augen. „Der Fleiß und der Nutzen sind die Todesengel mit dem feurigen Schwert, welche dem Menschen die Rückkehr ins Paradies verwehren. ... Und unter allen Himmelsstrichen ist es das Recht des Müßiggangs, was Vornehme und Gemeine unterscheidet, und das eigentliche Prinzip des Adels ... In der Tat, man sollte das Studium des Müßiggangs nicht so sträflich vernachlässigen, sondern es zur Kunst und Wissenschaft, ja zur Religion bilden! ... Und also wäre ja das höchste vollendetste Leben nichts als ein reines Vegetieren"[23]. Es wäre aber oberflächlich, diese Thesen als – im Verhältnis zum „Industrialismus" Saint-Simons –„reaktionär" zu disqualifizieren. Die Liaison der „Romantik" – zu deren Begründern Friedrich Schlegel gehört – mit dem politischen Konservativismus, der feudalen Restauration war höchst problematisch[24]. Der romantische Genie-Kult und Individualismus, die romantische Verhöhnung gesellschaftlicher „Vorurteile"[25], die anfängliche Sympathie der Romantiker für die Französische Revolution – auch wenn sie weniger realpolitischer Räson, sondern rousseauistischem Überschwang entsprungen sein mochte –, das private Leben der Romantiker – Libertinage, Scheidung und Ehebruch gehören zur Biographie fast aller! –, die romantische Versubjektivierung von Religion, Kultur und Gesellschaft – all dies prädestiniert keineswegs zur ancilla staatsfrommer Reaktion. Vielmehr ist die Romantik ein Gipfel des modernen Subjektivismus; sie vollendet jenen individualistisch-subjektivistischen Lebensdrang, der in Gestalt der Sentimentalität, des „Sturm und Drang", des poetischen Universalismus der Geniezeit das europäische Geistesleben als breiter Nebenstrom der rationalistischen Objektivität durchflutet. Die Romantik ist genuin durchaus freiheitlich-emanzipatorisch: die Emanzipation der Frau sowie des Künstlers und Literaten, ferner die „moderne" Auffassung von der Ehe sind originär romantische Ideen. Man kann sagen, daß die Romantik – wir denken hier stets an die deutsche – eine Fortsetzung der bürgerlichen Revolution auf ideologischem Gebiet, zugleich aber auch deren Radikalisierung, eine Radikalisierung bis zur „Aufhebung" der usprünglichen freiheitlichen Impulse, darstellt.

Wir können diese Dialektik auch an der Einstellung zur Faulheit darstellen. Saint-Simons Gegner ist der Aristokrat, Schlegels Gegner der „*Philister*". Saint-Simon teilt die Gesellschaft ein in „Industrielle" und „Müßiggänger", Schlegel und die Romantik in „Genies" und „Philister". Aus diesen unterschiedlichen Antinomien ergeben sich jedoch auch radikal verschiedene soziale Präferenzen. Saint-Simon lebte in seinen schwersten Lebensjahren nicht nur als deklassierter feudaler Grandseigneur unter der Bourgeoisie, sondern sogar als deklassierter

Bourgeois in der intellektuellen Bohème. Aber sein „industrieller Chiliasmus", seine Vision von einer durchrationalisierten civitas terrena basierte auf einer massiven sozialen Tendenz. Er konnte jene „vernünftige Frage" stellen, die es ihm erlaubte, wichtige Konturen eines weltgeschichtlichen Prozesses zu erfassen. Er vermochte dadurch – hegelianisch gesprochen – sich zum „Selbstbewußtsein", – marxistisch gesprochen – zum „Organ" dieses Prozesses zu machen. Saint-Simon vermochte – so können wir zusammenfassend sagen – von seinem gesellschaftlichen Ort eine umfassende gesellschaftliche Orientierung zu geben. Auf der Grundlage von Arbeit und Arbeitsteilung läßt sich eine globale Gesellschaft errichten.

Anders bei Friedrich Schlegel! Es läßt sich keine Großgesellschaft auf Müßiggang aufbauen. Eine allgemeine Arbeitspflicht ist durchaus möglich, aber nicht ein allgemeines Privileg der Faulheit. Faulheit ist „privat" und „privativ": sie ist nur partiell zu realisieren, in der Absonderung, als Enklave im sozialen Produktionsprozeß. Bezeichnenderweise steht die „Idylle über den Müßiggang" in einem *erotischen* Roman. Es wird niemals ausgesprochen, wovon der Held eigentlich lebt. Alle Gestalten leben und lieben und reflektieren als freischwebende Existenzen. Wenn aber die Arbiet als principium individuationis kassiert wird, verschwinden auch die wesentlichsten sozialen Beziehungen unter den Menschen. Sie verschwinden bis auf ziemlich unstruktuierte Bohème-Zirkel, romantische Freundschaften und erotische Sympathien. Je stärker diese intimen, an-archischen Vergesellungen kultiviert werden, desto intensiver muß auch der Müßiggang positiv akzentuiert werden: als erotisch gesättigte Frei-Zeit. Gegenüber dem Pathos prometheischen „Machens" dominiert hier „reines Vegetieren", „heilige Stille echter Passivität", „heiliges Hinbrüten und ruhiges Anschauen", die „gottähnliche Kunst der Faulheit" (F. Schlegel). Dieses Verhältnis hat Raymond Radiguet aphoristisch prägnant dargestellt: „Nichts nimmt einen so sehr in Anspruch wie die Liebe. Man ist keineswegs ein Faulpelz, wenn man als Verliebter faulenzt. Die Liebe spürt dunkel, daß die Arbeit das einzige ist, was von ihr ablenkt. Sie sieht daher mit Recht einen Nebenbuhler in ihr. Und jeder Nebenbuhler ist ihr unerträglich. Doch die Liebe ist eine wohltätige Faulheit wie der sanfte Regen, der das Erdreich befruchtet.[26]"

Dieser Bewertung der Faulheit entspricht aber nicht nur eine eigene „Soziologie", sondern auch eine „Anthropologie" und „Erkenntnistheorie". Nennen wir diese „ästhetisch", jene „feministisch" – vor allem, um auf pontierte Weise den Gegensatz zur Anthropologie des homo faber, des producteur, zur Erkenntnistheorie rational-experimentellen Begreifens herauszupräparieren.

Von „*Feminismus*" können wir sprechen, weil typische Züge des oisif in ihrer reinsten Form bisher vor allem ein Privileg der Frauen – selbstverständlich nur der einer kleinen elitären Schicht – waren. Denn überwiegend ist die Frau in den meisten Gesellschaften nur der Packesel gewesen[27]. Wo sie aber – wenn auch nur, um dadurch das Prestige des Mannes zu erhöhen und seinen Status zu demonstrieren –

ein Leben in Schönhheit und Luxus, mit Freizeit und Bildungsmöglichkeiten führen konnte, vermochten sich in ihr – gerade weil sie als Objekt der Ostentation der wirtschaftlich-politischen Praixis entzogen war – gewisse „ur-zeitliche" Züge, Erinnerungen an nichtrepressive, nicht „entfremdete" Sozialität zu erhalten. Dieser romantische Gedanke findet sich vor J. J. Bachofen schon bei Fr. Schlegel: „...
daß die Frauen allein, die mitten im Schoß der menschlichen Gesellschaft Naturmenschen geblieben sind, den kindlichen Sinn haben, mit dem man die Gunst und Gabe der Götter annehmen muß ..." Dasein wird in diesen fraulichen Subkulturen innerhalb der maskulinen Konkurrenz- und Kriegsgesellschaft nicht als Produktion, Kampf, Widerstand erfahren, sondern als Konsum, libidinös-ästhetische Muße (mit stark narzistischer Komponente). Diese Intermundien[28] kreieren aber auch eine spezifische „Erkenntnistheorie", die sich von der des „Industrialismus" kraß unterscheidet. Die häufigen Gegenüberstellungen Rationalismus – Irrationalismus, Logik – Intuition u. ä. definieren diesen Unterschied sehr unzulänglich, wenn er von ihnen auch – meist unbewußt – mitgemeint wird.

Für unsere Betrachtungen genügt es, wenn wir der Welt der „Arbeit" und „Faulheit" folgende „Erkenntnistheorien" zuordnen. 1. Erst durch die menschliche *Arbeit* artikuliert sich eine Subjekt-Objekt-Beziehung, eine Beziehung, die im Laufe der Weltgeschichte durch Herrschaft, Autoriät, Repression organisiert, fixiert und sozialisiert ward. (Man denke an die Justiz, vor allem das Strafrecht, die institutionalisierte Vergeltung und deren Bedeutung für die „Kausalität": insofern die Weltgeschichte das Weltgericht, d. h. eine schauerliche Aufeinanderfolge von Racheakten, Sühneopfern, Urteilsvollstreckungen, Fahndungen und Ahndungen des „Täters", des „Urhebers", der „Ursache", des „Schuldigen" ist, *mußte* sich so etwas wie die Kategorien „Notwendigkeit", „Ursache-Wirkung" u. dgl. konstituieren[29].) Diese Erfahrungen in Arbeit und Herrschaft tätowieren sich dem Menschengeschlecht bis unter die Haut ein. Durch sie wurde ihm das Alphabet rationalen Verhaltens eingebläut. Im unmittelbaren vegetativen Stoffwechsel kann man noch keine Subjekt-Objekt-Beziehung erblicken, auch nicht im gegenseitigen mörderischen Konsum der Tiere: Ergreifen ist nicht dasselbe wie Begreifen. Erst im *vermittelten* Stoffwechsel, im Arbeitsprozeß reift jene Subjekt-Objekt-Relation, die dann herrschaftlich organisiert und von der – ebenfalls herrisch-herrscherlichen – philosophischen Vernunft auf den Begriff gebracht wird. Von all dem kann bei den Tieren keine Rede sein. Die vitale Bedeutung der *Hand* für den Menschen und sein zurückentwickelter Geruchssinn sind wahrscheinlich keine voneinander isolierten Daten. Noch viel stärker hängen die menschliche Fähigkeit zur „Theorie" – die, wie wir angedeutet haben, durchaus nicht „unpraktisch" ist – und die andere, „sich dem Leben gegenüber asketisch zu verhalten" (Scheler), miteinander zusammen: das animalische *Er-greifen* entspricht der unmittelbaren Gier; *Begreifen* ist aber weniger ein Begehren, sondern ein *Verzichten*.

2. Gegen diese Realitätserfahrung polemisiert der „romantische" Müßiggänger. Die „Logik" der Arbeit wie der Herrschaft frustrieren. Sie widersprechen jener mehr rezeptiv-komtemplativ-erotischen Haltung, für die als mythische Chriffren Narziß, Euphorion und Orpheus stehen mögen – gegenüber der modelnden Mühe des Prometheus, der vifen List des Odysseus. Keineswegs ist die „Erkenntnistheorie" der Faulheit „tierisch", bloßes Survival. Vielmehr setzt sie die bereits erarbeitete Welt voraus, die sie korrigiert: als „Logik" der Lust, die nicht verzichten will. Am besten könnte man die Haltung „*ästhetisch*" nennen: sie fordert die rationalistische Logik des „producteurs" heraus. Schon etymologisch weist sie auf *Sinnlichkeit* hin – sowohl im cognitiven wie appetitiven Sinn: als Organ der Erkenntnis und der Lust. Gustav Theodor Fechner (1801–1887) bezeichnete daher die Ästhetik, die er „von unten" empirisch-induktiv begründen wollte, als „*Hedonik*" Schiller assoziiert sie mit dem *Spieltrieb*; Baumgarten – der als erster den Ausdruck „ästhetisch" so wie heute üblich gebrauchte – mit der *Schönheit*. So sehen wir *eine* Strömung, die die anthropologische, soziologische, erkenntnistheoretische Vision „romantischer Faulheit" durchzieht. War der Mensch bei Saint-Simon wesentlich produktiv, so wird er hier primär erotisch aufgefaßt. Der Bohemien des Industrialismus konstruiert die „*Gesellschaft*" als eine einzige kollektive Anstrengung, als arbeitsteiligen Produktionsprozeß. Der Bohemien des Müßiggangs dagegen gelangt zu einer dialektischen Einheit von subjektivistischem *Anarchismus* und intimer „*Gemeinschaft*": diese wird nicht durch Arbeit, sondern durch Genuß, „Geselligkeit" und „Verstehen" konstituiert. Gegenüber einer Arbeitswelt und ihrem Leistungsprizip erhebt sich das Traumbild einer erotisch gesättigten Genossenschaft sich nicht repressiv bildender und reifender „symphilosophierender" Individuen. Will Saint-Simon die Kunst sozialisieren, so Schlegel das Soziale ästhetisieren. Betont dieser das konstruktive „Machen", so jener das spontane Wachsen. Während der eine die Produktivität vergötzt, gelangt der andere zum säkularisierten: *dies septem nos ipsi erimus.*

Diese Gegenüberstellungen zeigen bereits gewisse Punkte, die es ermöglichen, daß die konservative Restauration die Romantik adoptieren konnte. Der romantische Bohemien, der seinen Stolz darein setzt, kein Bürger zu sein, setzt eine Gesellschaft voraus, die bereits so individualistisch gelockert ist, daß sie den Bohemien toleriert. Dies geschieht um so leichter, wenn es in dieser Gesellschaft gewisse Schichten gibt, die, ohne selber bohèmehaft zu leben, den romantischen Bohemien als – wenn auch verwilderten – Ableger vom eigenen Stamme, als Seelenverwandten, zumindest aber als literarischen Reisläufer akzeptieren können. Diese Schichten repräsentieren die durch Revolution und Bonapartismus beeinträchtigten traditionellen geistlichen und weltlichen Aristokratien. Wir haben schon früher betont, daß diese Allianz problematisch und paradox war. Diese Paradoxie ist aber schon in der Paradoxie der romantischen Weltanschauung selbst enthalten. Denn trotz oder gerade wegen ihres Ich-Kultes, ihrer Apolitie, ihres Anarchismus und Individualismus erliegt sie der Versuchung, sich von prae-etablierten Sozialgebilden einspannen zu lassen. ,,Sie trägt in ihrem Innern die eigene Kathedrale" – was L. E. Nieto Caballero einmal vom religiösen Empfinden der Gabriela Mistral gesagt hat, gilt auch für den Romantiker. Aber eben diese Privatisierung liefert ihn immer schutzloser den jeweils herrschenden Mächten aus: es reproduziert sich das Schicksal des Protestantismus! So kommt es zu jenem salto mortale von blind rebellierendem Subjektivismus in völkischen Totalismus, von irreligiöser Frivolität in katholische Konversion[30], ,,vom Eternalismus zum Journalismus" und umgekehrt (P. R. Rohden). So kann die romantische Verachtung des banausischen Philisters, die Hochschätzung des Müßiggangs, die Vision von gewachsener ,,Gemeinschaft" nur allzu leicht von den Thronen und Herrschaften aufgegriffen werden. So wird jener ,,himmliche Quietism" (Novalis) symphilosophierender und sympathisierender Bohemiens, die selbst zum Faulenzen den mitfühlenden Genossen brauchten, fast restlos von einer gouvernementalen Anti-Revolution aufgefangen, ,,die ihre materiellen Ziele nicht ungern mit dem Mantel metaphysischen Tiefsinns verhüllte" (Rohden). Meldete sich in der Feier des Müßiggangs ursprünglich ein legitimes Interesse an dem an, was im sogenannten Fortschritt von Produktivität zu bewahren oder doch als Ziel zu erstreben ist[31], so wird sie nun zur Huldigung parasitärer Prestigeschichten, zur Standarte derer, die alles beim Alten lassen wollen.

---

[1] Georg Lukács: *Die Theorie des Romans*, Neuwied 1963², 31 f. – Über die antike Einstellung u. a.: J. Hasebroek: *Griechische Wirtschafts- und Gesellschaftsgeschichte bis zur Perserzeit*, Tübingen 1931. – Über die mittelalterliche Verachtung zahlreicher Gewerbe und Arbeiten – keineswegs nur des Henkers und Schinders – vgl. Werner Danckert: *Ehrlose Leute. Die verfemten Berufe*. Bern 1963. – Obwohl es unverkennbar ist, daß – unter dem Einfluß des benediktinischen Mönchswesens – im Mittelalter neben der seigneuralen Existenz, die mit unbeschränkter Muße verbunden ist, auch das arbeitsame Leben allmählich positiver gewertet wird, darf man nicht vergessen, daß auch in den Klöstern die Arbeit noch als Bußwerk und Strafe gilt (vgl. Ernst Troeltsch: *Die Soziallehren der christlichen Kirchen und Gruppen*, 1912, 118; Georg Grupp: *Kulturgeschichte des Mittelalters*, 1924, I. Bd., 109). Von einem Adel der Arbeit, ihrer ,,unauslöschlichen königlichen Majestät" (Thomas Carlyle), von Arbeit als Ausdruck menschlicher Entfaltung und Motor der Geschichte war keine Rede: Thomas von Aquino spricht noch von ,,viles artifices" (Comm. in polit. 3. 1. 4).

[2] Georg Lukács: a. a. O., 31.

[3] Vgl. Albert Salomon: *Fortschritt als Schicksal und Verhängnis*, Stuttgart 1957; Erich Burck (Hrsg.): *Die Idee des Fortschritts*, München 1963; Hanno Kesting: *Geschichtsphilosophie und Weltbürgerkrieg*, Heidelberg 1959; R. G. Collingwood: *Philosophie der Geschichte*, Stuttgart 1955, 335 ff; Herbert Marcuse: *Eros und Kultur*, Stuttgart 1957, 42 f., 50 ff.; Norbert Elias: ,,*Über den Prozeß der Zivilisation". Soziogenetische und psychogenetische Un-*

tersuchungen, Bd. 2 („Wandlungen der Gesellschaft". Entwurf zu einer Theorie der Zivilisation), Basel 1939, S. 71 f.

[4] Vgl. Hanno Kesting, a. a. O., 37 ff., Stanislw Ossowski: *Klassenstruktur im sozialen Bewußtsein*, Neiwied 1962, 42 f.

[5] Albert Salomon a. a. O., 16. Salomon betont, „daß an der Beschreibung der industriellen Gesellschaft von Sant-Simon im wesentlichen nichts Utopisches ist. Wir sollten uns vielmehr von den Übereinstimmungen zwischen der französischen Soziologie und dem Totalitarismus der Gegenwart mit ihrer Bürokratisierung und zentralen Planung betroffen fühlen" (Ebd.). Vgl. auch Gottfried Salomon-Delatour (Hrsg.:) *Die Lehre Saint-Simons*, Neuwied 1962, 11 f.

[6] Vgl. dazu E. J. Hobsbawm: *Sozialrebellen. Archaische Sozialbewegungen in XIX. und XX Jahrhundert*, Neuwied 1962 sowie meine ausführliche Rezension im „Archiv für Rechts- und Sozialphilosophie", 1963 (XLIX/1), 141 ff.

[7] Hegel: *Phänomenologie des Geistes*, 141 ff. (Werke Bd. V, Felix Meiner). Vgl. dazu auch Alexandre Kojève: *Hegel. Versuch einer Vergegenwärtigung seines Denkens*. Stuttgart 1958, 34 ff. und Albert Camus: *Der Mensch in der Revolte*, Hamburg 1953; Hanno Kesting: a. a. O., 53 ff.

[8] Diese cartesianische Formel gefiel Saint-Simon außerordentlich. Er zitiert sie wiederholt. Franz von Baader hat den Affront gegen die traditionelle Religion in Descartes' System scharf herausgearbeitet (*Sämtl. Werke,* Leipzig 1851–1860, Bd. I, 370; Bd. VIII, 339; Bd. V, 6). Es ist nur konsequent, wenn er – im Gegensatz zum „deutschen Idealismus" – Promentheus als Urtyp des zentrumflüchtigen „Peripheriemenschen", autarker „Ichtrunkenheit" sowie „innerlich und äußerlich Losseins" herabsetzt. – Ähnlich wie bei Descartes finden wir bei Francis Bacon ein vollkommen „desanthropomorphisiertes" philosophisches Weltbild (mit einer praxisbezogenen Methodologie) zusammen mit von ihm selbst verfaßten inbrünstigen Gebeten (vgl. Josef Dillersberger [Hrsg.], *Das Stundenbuch. Ein Laienbrevier.* Salzburg⁵ 1957, 150 f.).

[9] Hymne der Industriellen, im Auftrag Saint-Simons von Rouget de Lisle (1760 – 1836), dem Schöpfer der Marseillaise, gedichtet und vertont (1821).

[10] Vgl. Franz v. Baaders Polemik gegen jene „Chevaliers d'industrie", die der Natur nur als Ausbeuter begegnen (sämtl. Werke, Bd. V, 33); für den religiösen Romantiker dagegen ist sie, von einer „konsubstanziierenden Liebe" erfüllt, nicht Material, sondern „Symbol" und „Hieroglyphe" (ebd. Bd. III, 33; Bd. XII, 172). Diese anti-industrielle Attitüde gegenüber der Natur finden wir auch noch bei Charles Fourier, dessen Natursymbolismus und Analogiewahn wieder Baudelaire („La Nature est un temple ...") beeinflußte (vgl. Walter Benjamin, *Werke*, I, S. 500 f.) – Diesen Unterschied des modernen „Veränderungsdenkens" zum theologischen, auch eschatologischen Denken betont sehr energisch Martin Schwonke: *Vom Staatsroman zur Science Fiction. Untersuchung über Geschichte und Funktion der naturwissenschaftlich-technischen Utopie.* Stuttgart 1957, 98 ff., 107 ff. Deshalb auch seine kritischen Vorbehalte gegenüber der „Säkularisierungstheorie": 101 f. Vgl. auch Karl Löwith: *Das Verhängnis des Fortschritts*, in: Erich Burck, a. a. O., 36.

[11] Siehe Georges Gurvitch: *Grundzüge der Soziologie des Rechts*, Neuwied 1960, 65, 107.

[12] Erstaunlicherweise vergißt Saint-Simon hier jegliche diplomatische Vorsicht, so daß er nicht einmal ehrenhalber dem König die Rolle des Kopfes reserviert!

[13] La Parabole: *Oeuvres de Saint-Simon et d'Enfantin*, Paris 1865 – 1878, Bd. XX, 17 ff.

[14] Ebd. – Ein diesem ähnlicher Zustand hat sich tatsächlich 1951 in Syrien ereignet: die Regierung war demissioniert, die Regierungsbeamten streikten usw. Dennoch ging das Leben ohne Katastrophe weiter, wie die „New York Times" am 6. August 1951 berichtete:

,,Wenige bemerkten, daß der ganze Verwaltungsapparat der Republik und die Regierung stillagen. Die Situation lieferte den Beweis dafür, welche vielfach oberflächliche Rolle moderne Regierungsinstitutionen in diesem Teil der Welt noch spielen. Die uralte Gesellschaft, die schon viele Kriege und Katastrophen überlebt hatte, existierte einfach weiter, als sei nichts geschehen." – Nur ist zu bemerken, daß in diesem Falle das Verhältnis von ,,Staat" und ,,Gesellschaft" genau umgekehrt ist wie in Saint-Simons Soziologie sowie in seiner illustrierenden Parabel! Denn während bei ihm der Staat (die Regierung, die Müßiggängerkasten . . .) den ,,cultural lag" gegenüber der progressiv-produktiven Gesellschaft repräsentiert, ist hier der soziale status quo noch derart rückstädnig, daß er auch ohne staatliches Regiment funktionieren kann.

[15] Über Fourier und seine z. T. phantastischen Theorien vgl. meine Studie *Utopie als Wunschtraum und Experiment"*, in: Neue Wege. Wien, Febr. 1963, Nr. 183, 7 ff.

[16] *Le Politique* (1819), 10. Lieferung, S. 335 f.

[17] Gottfried Salomon-Delatour (Hrsg.): a. a. O., 198.

[18] Vgl. z. B. das von der Akademie der Wissenschaften der UdSSR herausgegebene ,,Völkerrecht" (verantwortlicher Redakteur: F. I. Koschewnikow), dt. Hamburg 1960. – Dabei hat man es gleichsam mit ,,gesunkenem Kulturgut" (Hans Naumann) zu tun; außer bei Saint-Simon und z. T. sehr stark von ihm inspiriert, kommt diese Dichothomie vom Produktivität – Pazifismus und (feudaler) Autorität – Militarismus bei H. Spencer und Franz Oppenheimer, bei J. Dewey und Comte vor. In diesem Sinne schreib Albert Einstein in seinem kurzen Aufsatz ,,Warum Sozialismus?": ,,Der wirkliche Zweck des Sozialismus ist gerade, die räuberische Phase der menschlichen Entwicklung zu überwinden und über sie hinaus fortzuschreiten" (zit. nach: Albert Lauterbach, *,,Kapitalismus und Sozialismus in neuer Sicht"* , Rowohlts deutsche Enzyklopädie, Bd. 173; 59). In der Imperialismus-Diskussion hat vor allem J. A. Schumpeter darauf hingewiesen, daß imperiale Machtpolitik – auch die der modernen Industriestaaten – auf feudal-dynastische Residuen, die sich in der politischen Führung gehalten haben, zurückzuführen sei (vgl. seine Schrift ,,Zur Soziologie der Imperialismen", Tübingen 1919). Darin stimmt ihm prinzipiell auch Walter Sulzbach zu: ,,*Imperialismus und Nationalbewußtsein"*, Frankfurt a. M. 1959.

[19] Vgl. W. E. Mühlmann: *Chiliasmus-Nativismus-Nationalismus.* In: Verhandlungen des XIV. Deutschen Soziologentages, Stuttgart 1959, S. 228–242; ferner vom gleichen Autor: Chiliasmus und Nativismus, Studien zur Psychologie, Soziologie und historischen Kasuistik der Umsturzbewegungen, Berlin 1961.

[20] Vgl. Herbert Marcuse, op. cit. Anm. 4: S. 42 ff.

[21] Vgl. die gelungene Prophetie von Jacob Burckhardt (an F. v. Preen, 1872), die eine zwei Menschenalter später – im faschistischen und bolschewistischen Staat – sich realisierende Möglichkeit vorwegnimmt: ,,Am merkwürdigsten wird es den Arbeitern gehen; ich habe die Ahnung, die vorderhand völlig wie eine Torheit lautet und die mich doch durchaus nicht loslassen will: *der Militärstaat muß Großfabrikant werden.* Jene Menschenanhäufungen in den Werkstätten dürfen nicht in Ewigkeit ihrer Not und Gier überlassen bleiben, ein bestimmtes und überwachtes Maß von Misère mit Avancement und in Uniform, täglich unter Trommelwirbel begonnen und beschlossen, *das ist's, was logisch kommen muß."*

[22] In seiner ,,Lucinde" (Berlin 1799). Wir zitieren nach der Ausgabe bei Reclam (Stuttgart 1963, Universal-Bibliothek Nr. 320/20a), S. 31 ff.

[23] Reclam, S. 34 f.

[24] Vgl. Peter Richard Rohden *,,Deutscher und französischer Konservativismus"*. In: ,,Dioskuren", 3. Bd. (1924), 90–138, bes. 98 ff.

[25] Das Wort kommt in der „Lucinde" siebenmal vor; durchwegs werden damit erotische Hindernisse und repressive Konventionen bezeichnet. Schlegel stimmt hier mit seinem Zeitgenossen Charles Fourier überein, der – 150 Jahre vor Kinsey – gesagt hatte: „Wie konnte sich ein Jahrhundert, das so zu Experimenten jeder Art geneigt ist und kühn genug war, Thron und Altar zu erschüttern, in der Liebe so knechtisch den Vorurteilen beugen, die anzugreifen nur Gutes gebracht hätte? Warum hat man nicht hier die Freiheit erprobt, die man so sehr mißbraucht hat? Alles lädt dazu ein, ihre Wirkung auf die Liebe zu prüfen, da das Glück der Männer der Freiheit entspricht, die die Frauen genießen" (zit. nach: „Der Frühsozialismus". Ausgewählte Quellentexte. Herausgegeben von Thilo Ramm. Kröners Taschenausgabe Bd. 223, Stuttgart 1956, S. 121) Fourier hat – gleichsam Saint-Simon und Fr. Schlegel auf einen Nenner bringend – die Vision einer Gesellschaftsordnung, „die die Industrie großen Stils mit der Liebesfreiheit vereinigen kann", sowie „transformer les travaux en plaisirs".

[26] Raymond Radiguet: Le Diable au Corps (dt. in der Fischer-Bücherei. Bd. 251, S. 92).

[27] Vgl. dazu das massive ethnologische Material bei Ottokar Némeček: „Die Wertschätzung der Jungfräulichkeit". Zur Philosophie der Geschlechtsmoral. Wien 1953.

[28] Über deren höchst wichtige Rolle vor allem im Frühkapitalismus vgl. Werner Sombart: Luxus und Kapitalismus (Studien zur Entwicklungsgeschichte des Kapitalismus, Bd. 1), 1913.

[29] Vgl. Hans Kelsen: Vergeltung und Kausalität, 1946; ferner Nietzsche: Morgenröte, Aph. 13, 78, 130, 140, 208, 252.

[30] Vgl. Fr. Schlegel 1817: „In meinem Leben und philosophischen Lehrjahren ist ein beständiges Suchen nach der ewigen Einheit in der Wissenschaft und in der Liebe und ein Anschließen an ein äußeres, historisch Reales oder ideal Gegebenes – dann Anschließen an den Orient, an das Deutsche, an die Freiheit der Poesie, endlich an die Kirche, da sonst überall das Suchen nach Freiheit und Einheit vergeblich war."

[31] Daher wird in der „Idylle über den Müßiggang" Herakles gelobt, Prometheus getadelt: denn des einen Ziel sei immer – trotz aller Arbeit – „ein edler Müßiggang gewesen"; Prometheus aber sei „der Erfinder der Erziehung und Aufklärung": „weil er die Menschen zur Arbeit verführt hat, so muß er nun auch arbeiten, mag er wollen oder nicht" (op. cit. Anm. 22, S. 37). Schlegel vergißt nur, daß es nicht bloß Leute gibt, die arbeiten, um endlich Muße zu finden, sondern – mit Rivarol zu reden – auch Genießer, die mit dem Ziel anfangen!

Aus: Zschr. für Religions- und Geistesgeschichte, 1964, S. 141 – 58.

4. Von der Frühromantik zum jungen Marx.
Rückwärtsgekehrte Prophetie eines qualitativen Naturbegriffs

Von Petra Röder

I. Zur Rezeptionsgeschichte und Aktualität des Themas

Der Blick auf den Traditionszusammenhang zwischen Marx und der romantischen (Natur) Philosophie mit ihren ästhetischen Konsequenzen ist bis heute verstellt, wobei nur ein Grund in der für Marxisten unannehmbaren Tendenz konservativer Zeitgenossen zu suchen ist, den Theoretiker der proletarischen Revolution mit dem Hinweis auf dessen frühe Romantik-Rezeption als eine Art „rationalisierenden Schwärmer" abzutun.(1)

Diese Strategie wäre undenkbar ohne entsprechend fragwürdige Rezeptionstendenzen „linker" Wissenschaft, die die Romantik mit dem Odium des „Reaktionären" umgibt und als „feudales Ästhetentum" mißversteht, was nach Inhalt und Form eine weit vorauseilende Utopie darstellt. Auf diese Weise wird das Hegelsche Erbe der marxistischen Dialektik von den „romantischen" Tendenzen des jüngeren Marx abgeschnitten. Rechts wie links wuchert also eine schematische Betrachtungsweise der „Frühromantik", doch die Abtrennung der marxistischen Theoriebildung von deren naturphilosophischer Spekulation ist eher ein Problem der Marxisten, hat mit der Degeneration des praktisch wirksam gewordenen Marxismus zur Legitimationswissenschaft zu tun, mit deren Fundierung in einer hegelianisch gefaßten Dialektik der Arbeit. Die Identifikation der bestehenden sozialistischen Ordnung mit menschlicher Zukunft überhaupt, wie sie der „orthodoxe" Marxismus vornimmt, lebt von der Negation jeglicher Transzendenz. Sie wird verzichtbar, sobald allein aus der Immanenz (entfremdeter) Arbeit Fortschritt gefolgert wird, ein automatisch eintretender. Erst die offenkundig gewordene ökologische Krise der Gegenwart sensibilisiert für die sozialutopische Perspektive des romantischen Verweises auf das „Durch-sich-selbst-Sein" der „Natur". In diesem emphatischen Naturbegriff figuriert das Versprechen einer mimetischen und naturfreundlichen Tätigkeitsweise der Menschen, ist das Programm der Befreiung von allen hierarchischen Zwängen formuliert: eine Utopie freier Gesellschaftlichkeit auf der Basis qualitativer Naturbeziehungen. Nur sie erlaubte Marx, seine Träume vom freien, schöpferisch-tätigen Menschen in der sozialen Wirklichkeit einlösen zu wollen. Gleichwohl hat sich Marx selbst entschieden von den Ideen seiner Jugend abgewandt, wie er auch die zeitgenössische Romantik aufs schärfste bekämpfte. Nur im restaurativen Klima der deutschen Kleinstaaten konnte sich derart polarisieren, was fruchtbare Berührungspunkte, mehr noch: gemeinsame

Kerngedanken besaß; um so mehr, als die übergroße Spannung zwischen romantischem Ideal und sozialer Wirklichkeit zum Zerbrechen der romantischen Bewegung und durchaus reaktionären Entwicklungen führen mußte. Angesichts dessen wurde die Identifikation von Romantik und Konterrevolution deutsche Tradition. Das Scheitern einer radikalen Utopie kann aber nicht deren letztgültiger Maßstab sein. Die unverstellte Rekonstruktion des Diskussionszusammenhanges zwischen Marx und der Romantik beginnt abseits der falschen (Selbst-)Einschätzungen.

Marxens früheste Arbeiten (Abituraufsatz, Gedichte, Dissertation) offenbaren eine anfänglich recht zusammenhanglose Fülle bloß stimmungsmäßig adaptierter romantischer Motive; sehr bald von der Absicht überlagert, ,,im Wirklichen die Idee zu suchen" (MEW, EB I S. 8), d. h. einen utopischen Anspruch an den Bedingungen seiner Realisierbarkeit zu messen. Treibt Marx erst jetzt auf eine ernstzunehmende Beschäftigung mit Perspektiven romantischen Denkens zu, insbesondere den -wie er später sagen wird – ,,aufrichtigen Jugendgedanken" Schellings, so kann man feststellen, daß er keinesfalls seinen ursprünglichen Ansatz preisgibt, vielmehr ersten Motiven wie seiner Kritik mechanistischer Naturwissenschaft, eines philiströsen Bürgertums und einer hermetisch abgeriegelten Philosophie (Hegel) gesellschaftspolitische Fundierung verleiht. Marx gelangt durch die Romantik zur sozialen Wirklichkeit. Gleichzeitig keimt hier ein rationaler Praxisbegriff, der die eigentliche Differenz zum romantischen Modell ausmachen wird, entwickeln sich doch – beschleunigt durch die Rezeption der klassischen Nationalökonomie – jene ökonomischen Kategorien, worin die gesellschaftlichen Bewegungskräfte kritisch faßbar werden und somit Orientierungspunkte für ein revolutionäres politisches Handeln vorliegen.

Dennoch bewahrt nur das Weiterwirken der romantischen Ideen in den marxistischen Kategorien selbst die utopische Tendenz, durch die überhaupt erst ein dialektisches Wechselspiel zwischen Realitätserfassung und beständiger Transzendierung möglich wird. Nur die Idee dessen, was eine wahrhaft menschliche, freie Praxis sei, läßt ,,Lohnarbeit" als deren entfremdetes, unzulängliches Phänomen entlarven, welches allein aus sich keine qualitative Entwicklung zu erzeugen vermag; bewahrt also vor der Einebnung zwischen Wirklichkeit und Möglichkeit, worin jede Dialektik stillgestellt ist.

Zwar reicht die romantische Transzendenz über alle begrifflich faßbaren Zukunftsvorstellungen, woran eine ,,Revolutionstheorie" orientiert ist, hinaus – hinein in Dimensionen einer un-faßlichen, ,,heiligen Revolution", deren Verwirklichung nur noch als ein unvorstellbarer Sprung in ein unbekanntes Reich der Freiheit gedacht sein kann (vgl. Faber: Novalis: Die Phantasie an die Macht, Stuttgart 70, S. 80 ff), doch ist marxistische Dialektik als offene, undogmatische Bewegung *strukturell wie genetisch* an diesen Verzicht auf Kausaldenken, diese Absage an den selbsttätig-evolutionären Fortschrittsbegriff des orthodoxen Marxismus gebunden: Marx(ismus) und Romantik klaffen erst dort wirklich auseinander, wo letztere die Phase der bürgerlichen Emanzipation d. i. die explosive Produktivkraftentwicklung der warenwirtschaftlichen Produktionsweise schon vor deren eigentlichen Konsolidierung so entscheidend in Frage stellt, daß sie eher Strukturen der feudalistischen Vergangenheit auf zukünftige Möglichkeiten hin untersucht, als diese ,,Gegenwart" als notwendige Entwicklungstufe zu akzeptieren und damit unterschwellig auch zu legitimieren. Marx pflichtet der Phase kapitalistischer Akkumulation insoweit bei, als diese erst notwendige Bedingungen für eine sozialistische Umwandlung der Gesellschaft liefern könne, und er wird dadurch angreifbar; ⌐ zwar nicht, in dem er die historische Zäsur der Warenwirtschaft als Konsequenz bisheriger Menschwerdungsprozesse herauskristallisiert, wohl aber, sobald er den qualitativen ,,Umschlag" mit einer nahezu mechanischen Notwendigkeit aus ökonomischen Bedingungen der Tauschgesellschaft ableitet und vom Kapitalismus automatisch die Erzeugung des ihn beseitigenden revolutionären Subjekts erwartet. Marx argumentiert aber auch anders; so, wenn er ausdrücklich positiv die halbkünstlerische Produktionsweise des Mittelalters von der entfremdeten der Privatwirtschaft abhebt und schon darin den Gedanken eines großen ,,Verlustes" der Subjekte an schöpferischen Vermögen, sinnlichen Empfindungen und Eigenschaften durch den Kapitalismus ausspricht. Damit wird der abgesicherte, selbsttätige ,,Übergang" zu einer neuen Gesellschaftsform in Frage gestellt, die Notwendigkeit einer umfassenden Kulturrevolution zumindest angedeutet, und alle dialektische Bewegung nur noch als ,,offene" Entwicklung gedacht, abseits verabsolutierter Zielvorstellungen und vorgeprägter Sinnzusammenhänge.

Vom Standort eines heutigen Betrachters aus, der das Gesamtwerk überblickt, erweist sich Marx in diesem Zusammenhang als nicht eindeutig, ja als ,,unentschieden"; auch wenn – oder gerade da- sich bald feststellen läßt, daß utopisch-undogmatische Elemente viel stärker sein Denken durchziehen, als gemeinhin angenommen wird. Doch eben diese Widersprüchlichkeit verbietet eine unitarische Marx-Interpretation, die den ,,richtigen" Ansatz aufzuspüren sucht; sie spricht als solche gegen jede Verabsolutierung der marxistischen Kategorien und für eine Re-Aktivierung jenes anderen Marx, welcher aus der Erstarrung orthodoxer Dogmen herausführt. Ein solches Verfahren versucht, Marx(ismus) mit Marx selbst zu revidieren.

Das beginnt dort, wo die verhängnisvolle Assoziation ,,Romantik = Konterrevolution" ihren Anfang nahm und dem revolutionären Engagement das ,,Selbst": die wenig ,,rationalen" Träume, Sehnsüchte und Ängste aufgeopfert wurden. Es beginnt dort, wo Marx selbst einen bis heute uneingelösten emphatischen Begriff von Subjektivität umkreist, die totale Aneignung der ins gesamtgesellschaftliche Subjekt verlagerten Fähigkeiten und Qualitäten durch und für die Individuen fordert. In den ,,Pariser Manuskripten" von 1844/45 gelingt ihm eine erste materialistische Verarbeitung eines solchen romantischen Antikapitalismus im Versuch, die Idee eines freien Zusammenlebens gleichrangiger, autoritätsunabhängiger Individuen auf die Rücknahme der Verdinglichung der Natur zu gründen. Beruht gerade das kapitalistische Akkumulationsprizip auf der Überzeugung, alles, was da sei, restlos mit den Mitteln von Begriff und Arbeit ins gesellschaftliche Subjekt einsaugen d. h. *identisch* machen zu können, so beginnen antikapitalistische Widerstandsformen genau dort, wo mit dem Begriff ,,Natur" das Prinzip eines der Verwertung Widerstrebenden, Oppositionellen erfaßt wird.

II. Marxistische Theoriebildung und der Traditionszusammenhang idealistischer Philosophie

Programmatisch betont Marx in den ,,Pariser Manuskripten", wie sehr das menschliche Individuum in erster Linie ein gegenständliches, ein ,,Naturwesen" sei, welches, im Banne notwendiger Selbsterhaltung zur Auseinandersetzung mit der Natur gezwungen, auf die fortwährende Vergegenständlichung seiner selbst angewiesen sei. Mit dieser Abhängigkeit erfaßt Marx- nicht widerspruchsfrei – ,,Natur" im doppelte Sinne: als ,,In-sich-Bestehendes", welches nie ganz Objekt wird, aber in jede der menschlichen Objektivationen eingeht und eine unlösliche Verbindung zwischen der jeweils bestehenden gesellschaftlichen Wirklichkeit und einem Ursprünglichen schafft, und als ein ,,Künftiges", welches als geschichtliches Resultat erst noch zu erstellen sei. Eigentlich muß jede grundlegende Reflexion marxistischer Dialektik an diesem Zwiespalt *ansetzen*; vorerst können wir uns auf die Stoßrichtung des marxistischen Naturbegriffes schon berufen.

Marx bekämpft die Grundstrukturen der idealistischen Freiheitsphilosophie. Deren Ruf nach Kontrolle aller naturhaft sich durchsetzenden Zwänge gesellschaftlicher Wirklichkeit setzt einen (,,gewalttätigen") Begriff menschlicher Praxis in seiner doppelten Bedeutung frei: als revolutionäres Handeln und als materielle Tätigkeit (Arbeit). Wird nämlich autonome Selbstbestimmung allein aus der reflexiven Leistung des Geistes abgeleitet, muß ,,Gewißheit" durch die restlose Objektivierung der ,,Natur" erzwungen werden. Nur um den Preis einer festgeschriebenen Abspaltung des menschlichen (Selbst)bewußtseins von der eigenen, es überhaupt erst ermöglichenden Basis und deren Degradierung zum unbeweglichen Objekt unserer Tätigkeit kann eine Theorie der Be-freiung formuliert werden.

Zwar rückte auch schon Kant die Möglichkeit in das Blickfeld, daß ,,Natur" mehr sein könne als pures Objekt, blasse Plattform menschlicher Objektivationen (2), doch schließlich leitete er alle ihre Bestimmungen allein aus dem menschlichen Bewußtsein ab und ließ abseits unserer Reflexionen nichts an-sich-Bestimmtes und -Bestimmendes zurück. Diese Tilgung jedes inneren Zusammenhanges zwischen

Natur und Bewußtsein ebnet die Differenz zwischen dem Ursprünglichen und menschlicher Wirklichkeit hinterrücks ein, läßt alles „Nicht-Unsrige" als pure Unfreiheit erscheinen, errichtet einen auf rationale Kontrolle ausgerichteten Emanzipationsbegriff. Formen „ichzentrierter" Praxis, wie sie nicht nur im arbeitsteiligen Produktionsprozeß des Konkurrenzkapitalismus, sondern auch im jakobinischen Revolutionsterror vorliegen, werden – bewußt oder unbewußt – legitimiert. So zweifelt Kant am Vermögen der Reflexivität nur „quantitativ", ob nämlich die geforderte Selbstdurchdringung auch möglich ist, aber nicht „qualitativ", ob sie nicht grundsätzlich nur in der Abspaltung vom Naturzusammenhang d. i. als Erscheinung unseres Unvermögens existiert.

Die zwiespältige Verflechtung von freiheitlicher Tat und gesellschaftlicher Wirklichkeit wird mit Fichte noch gesteigert, wenn dieser die Selbst-reflexion zur ursprünglichen Seinsbegründung stilisiert. Das hieraus resultierende Handlungsideal gerinnt zur hybriden Utopie causa sui; sein progressives Element: Widerstand gegen die passiv-rezeptive Hinnahme alles Gegebenen muß erst freigesprengt werden. Deshalb versucht die „romantische Opposition" den Tätigkeitsbegriff Fichtes unter Beibehaltung seiner produktiven Elemente in materielle Richtung umzufunktionieren. Skeptisch gegenüber der Möglichkeit der (Selbst)Reflexion, aus sich „Gewißheit" zu erzeugen, und aus dem Verdacht heraus, die als frei bezeichnete Tätigkeit des Geistes begründe überhaupt erst den Verdinglichungszusammenhang, den zu durchbrechen sie sich anheischig macht, entwickelt die Romantik einen qualitativen Naturbegriff: Natur als eine schöpferische Totalität, die nicht per se oppositiv gedacht ist, und die Idee einer – dieser natürlichen Produktivität angemessenen- ganzheitlichen menschlichen Tätigkeitsweise. Sich besonders auf den Kant der „Urteilskraft" berufend, spricht sie dem ästhetischen Bereich die Aufgabe einer „Wiedergeburt" der Natur durch und für den Menschen zu. Kunst wird zur geschichtswirksamen „poiesis", sobald sie nicht auf der Verdrängung und Vernichtung von Natur beruht, vielmehr Synthesen von bewußter Reflexivität und bewußtlos-naturhaften Antriebsmotivationen zuläßt und sich in dieser begriffslosen „Ver-einigung" von Produktion und Produkt natürlicher Schöpferkraft annähert. Als urbildlicher Vollzug einer freien Tätigkeit kann Kunst menschliche Vernunft – durch die Konfrontation mit dem von ihr Verdrängten – über sich selbst aufklären. Erstmals wird Emanzipation nicht abstrakt ins Bestehende eingeführt, sondern mit der aktuellen menschlichen Befindlichkeit vermittelt. So verstanden, kann von einer reaktionären Verweigerung politischen Handelns als Konsequenz der romantischen „Wende zur Ästhetik" nicht gesprochen werden. (3) Eher sollte die paradigmatische Außerkraftsetzung der umfassenden Quantifizierung und Technisierung unserer Lebenswelt als durchaus wirkungsvolles Modell einer „höheren" Form von Politik gewertet werden, welche gegen eine feindliche Umwelt und einen vernehmbar divergierenden Geschichtsverlauf aufrechtzuerhalten war.

Allein daß gerade Marx – vermittelt durch Schelling und Feuerbach – diese qualitativen Dimensionen des Ästhetischen in eine Rehabilitation sinnlicher Vermögen d. i. sensualistischer Rezeptivität und natürlicher Triebhaftigkeit übersetzt, weist den Verdacht purer Kompensation zurück und bestätigt den Anspruch der künstlerischen Produktion auf reales Tun. Der junge Marx bestätigt nicht nur den Zweifel gegenüber bloß rationaler Erkenntnis, er restituiert den ästhetisch-utopischen Tätigkeitsbegriff, indem er wahrhaft produktive Schöpferkraft von der Rehabilitation des „genießenden, leidenden und leidenschaftlichen" Subjekts abhängig macht. Dadurch, daß er die „reine" Transzendentalität der idealistischen Freiheitsphilosophie als eine negative des Wertprinzips wiederfindet, kann er dem romantischen Ansatz einen materialistischen Unterbau geben und dadurch dessen praxisrelevanten Kern herauskristallisieren.

III. Konsequenzen der romantischen Reflexion der „Wissenschaftslehre"

Kulminationspunkt des materiell werdenden Bruches mit bloßer Bewußtseinsphilosophie ist die teils isoliert, teils gemeinsam geführte Auseinandersetzung Hölderlins, Novalis und Schellings mit den frühen Fassungen der „Wissenschaftslehre", worin sich jenseits aller Unterschiede ein gemeinsamer Ansatzpunkt: Kritik an ihrer Theorie des Selbstbewußtseins herausschält. Unter dem Eindruck des französischen Revolutionsgeschehens und der gesellschaftlichen Wirklichkeit Deutschlands hat der spekulative Diskurs von vornherein politische Implikationen. Er fragt, inwieweit organisiertes Reflexionsvermögen den Anforderungen sittlichen Handelns genügen kann und diskutiert alternative Formen der Befreiung, wenn das Unvermögen bloßer Reflexivität offenkundig wird . . . . Für Fichte ist nicht erst der „Geist" und kommt hinterher sukzessive zum Bewußtsein seines Tuns; für ihn ist Selbstbewußtsein das logisch Erste. Mit ihm entspringt das Denken, auf das reflektiert wird. Philosophie *ist* schon verwirklichte „freie Tätigkeit", denn als „Sichkonstruktion" kann Selbstbewußtsein aus der Vergewisserung (seiner selbst) unmittelbar in sich zurückkehren. Gegen Kant behauptet Fichte eine ursprüngliche Spontaneität des Erzeugens, woraus unsere Befähigung zur wissenden Rekonstruktion des Gegebenen abzuleiten sei. Fichte sieht das Bewußtsein unseres Denkens als dessen unabtrennlichen Bestandteil an und konstruiert das „Ich" als ein „Zugleich" von Handlung und Produkt. Als „intellektuelle Anschauung" beansprucht Denken selbst „Unmittelbarkeit". – Fichte leugnet nicht die äußere Objektivität, weshalb er im Bereich geschichtlicher Praxis nur eine Annäherung an jenes selbstbestimmte Handeln postuliert, das im theoretischen Bereich immer schon da sei. Doch leitet er den Anspruch menschlichen Bewußtseins auf vollgültiges Wissen aus einer von vornherein ichhaften Einheit von Subjekt und Objekt ab, so daß prinzipielle Zweifel an den Möglichkeiten ich-hafter Praxis ausbleiben müssen. Berechtigte Zweifel formuliert die Frühromantik, auch wenn sie – schon aufgrund der bloß stückweisen Zugänglichkeit der „Wissenschaftslehre" – deren Möglichkeiten nicht ausschöpft. (4)

Zwischen „Zustimmung" und „Ablehnung" wird Fichtes Ansatz einfach umfunktioniert. Gegen ihn wird eine ursprüngliche Einheit von Subjekt und Objekt außerhalb des „Ich" behauptet, die Bewußtwerdung erst ermöglicht, und so Geschichte freisetzt, weil ein „transreflexives Sein" (Frank) nie ganz Objekt werden kann. Die Frühromantik fegt hinweg, was an Fichtes dialektischer Polarität von „Ich" und „Nicht-Ich" noch scheinhaft, noch idealistisch war: Nur auf naturhafter Basis entwerfen die Menschen ihre Seinsweisen. Nur der Widerstand eines An-sich-Bestimmten setzt Entwicklung frei. Fichtes Tätigkeitsbegriff bekommt materialistische Züge, weil „Natur" nicht länger als Objekt, sondern als selbsttätig verstanden wird. (4a) Angesichts dessen kann die Autonomie menschlichen Handelns, Einheit von Subjekt und Objekt durch und für das Subjekt, nur noch als unabweisliche Idee veranschlagt werden. Die Frühromantik akzeptiert Fichtes Kritik aller „Institutionalisierung" als Utopie: Im emphatischen Unmittelbarkeitsanspruch des Selbstbewußtseins ist jede Verabsolutierung des „Mittels" aufgrund seiner Rückführbarkeit in die zugrundeliegende Tätigkeit ausgeschlossen. Jede Verabsolutierung eines Produkts gegenüber seiner Produktion, jede Kluft zwischen Theorie und Praxis wird als Gefährdung menschlichen Handelns erfahrbar. Aufgrund ihres qualitativen Naturbegriffs muß aber die Frühromantik davon ausgehen, daß weder Theorie, noch Praxis ihre Beziehung untereinander ausgleichen können, weil sie von der jeweils vorgefundenen Wirklichkeit abhängig sind. Diese Aufgabe muß an ein Drittes, die Kunst, verwiesen werden.

Hölderlin: Schon früh spricht Hölderlin davon, daß es eine unendliche Tätigkeit (der Natur) geben müsse, die der reflexiven Selbstbeziehung zugrundeliege, denn anders sei nicht zu begründen, wie ein „Ich" sich überhaupt im Entgegengesetzten „haben" könne. Jede Möglichkeit der Vergewisserung sei auf den Widerstand eines In-sich-Bestimmten, Unabhängigen verwiesen: „Urteil. ist im höchsten und strengsten Sinne die ursprüngliche Trennung des in der intellektualen Anschauung innigst vereinigten Objekts und Subjekts, diejenige Trennung, wodurch erst Objekt und Subjekt möglich wird, die Ur-Teilung. Im Begriffe der Teilung liegt schon der Begriff der gegenseitigen Beziehung des Objekts und des Subjekts aufeinander, und die notwendige Voraussetzung eines Ganzen wovon Objekt und Subjekt die Teile sind." (Hölderlin, *Werke und Briefe*, FaM 69, Bd. 2. S. 591)

Wenn Be-ziehung ohne einen Bereich außer ihr nicht möglich ist, müssen reflexive Vermittlungsformen im leeren Kreislauf vergeblicher Annäherungen stecken bleiben: Im „Sein" kann das „Ich" gar nicht auf sich reflektieren, davon abstrahierend erfaßt es nurmehr inadäquat ein „Nicht-Sein". (vgl. Kurz, Mittelbarkeit und Vereinigung, Stuttgart 75, S. 84 f) Die Reflexion zirkuliert. Von Äußerlichem abhängend, findet das ,,Ich" als Seiendes sich vor und kann diese Grenzlinie nicht überschreiten. Nur an frei gewählten Produkten (der Kunst) kann der Mensch sich ganzheitlich entfalten. Hölderlin verdeutlicht an immanenten Strukturen des Selbstbewußt*seins*, daß Bewußt*werden* eines Dritten bedarf. Seine Analyse des ,,Ich": es muß danach streben, seine Grenzen zu überschreiten, Äußeres sich anzueignen, aber Widerstand ist notwendige Bedingung dafür, daß überhaupt etwas Gestalt gewinnt, kann heute als Modell einer ,,produktiven Aneignung" im materialistischen Sinne gelesen werden; eine, die zwischen ,,Aneignung" und ,,Anerkennung" changiert. (5)

Novalis: Auch Novalis macht deutlich, daß das reflexive ,,Ich" bloßer Schauplatz, aber nicht Dirigent der Vermittlung ist. Den Akt der Freisetzung aus dem Naturzusammenhang kann das ,,Ich" nicht gewahrwerden, weil er Gewahrwerden erst ermöglicht. *Mehr noch:* Durch die starre Entgegensetzung des Reflexionsaktes wird das Objektive zu einem oppositiven Gegenstand erst entfremdet. Eine vom Naturzusammenhang abgespaltene Vernunft, die als dessen Gegenteil nur sich begreifen kann, bezeugt jene Verdinglichung, der sie selbst wie ihr ,,Objekt" verfallen ist; denn als ,,geronnenes" (totes) Resultat findet das ,,Ich" vor, was doch eine lebendige ,,Genese" hat. Die bekannte reflexionskritische Konstruktion des ,,ordo inversus": daß das ,,Ich" von der ,,Einheit" zur ,,Beschränkung" fortschreitet, diesen Weg selbst aber nur ver-kehrt: von der ,,Beschränkung" zur ,,Einheit", erfahren kann, muß die Umkehr der im Sinne von Erkenntnis ,,vorwärts" gerichteten Reflexion in ein ,,Rückwärts" verlangen. *Philosophie wird ,,anamnetisch":* Bewußtsein als umgewendetes negatives ,,Bild" des Seins muß auf ein ,,Drittes" zurückgestrahlt werden. Kunst als dieses bildhafte Medium der Darstellung provoziert den Konflikt unseres Denkens mit dem von ihm Verdrängten. Sie ermöglicht einen Ausgleich der reflexiv begründeten Ungleichzeitigkeit von ,,Wissen" und ,,Handeln", welche als Quelle möglicher Verselbständigungen an-sich unselbständiger Relate aufgespürt worden war. In Übereinstimmung mit Grundgedanken Hölderlins skizziert auch Novalis ein triadisches Modell, das, weil es nicht allein Tat des Geistes, sondern von Denken, Arbeit und Kunst insgesamt ist, zwischen ,,Ich, ,,Welt" und der ,,Natur des Ich" angesiedelt ist. (6)

Schelling: Ebenfalls von Hölderlin beeinflußt entwickelt Schelling aus dem reflexionskritischen Argument – Selbstbeziehung entfalte sich nur auf der Basis einer dem ,,Ich" nicht zugänglichen ,,Einheit" – seine Kritik der Hegelschen Wesenslogik. Seine Destruktion des hybriden Anspruchs der ,,Logik" auf die Erzeugung von ,,Sein" wird – vermittelt durch die Philosophie Feuerbachs – konstitutiv für die Gesellschaftstheorie des jungen Marx. (Vgl. Frank: ,,*Der unendliche Mangel an Sein*", FaM 75, S. 207 ff) Schon in frühen Schriften spricht Schelling von einem ,,Seyn, welches allem Denken und Vorstellen vorhergehe", (Schelling, zit. n.

Frank. a. a. O., S. 26) und postuliert den Widerstreit zweier Tätigkeitsrichtungen – einem unendlichen Produzieren und einem endlichen Begrenzen – als Tatsache vor der Entstehung des Selbstbewußtseins, leitet also dieses aus jenen überhaupt erst ab.

„Dieses ewig Unbewußte, was, gleichsam die ewige Sonne im Reich der Geister, durch sein eigenes ungetrübtes Licht sich verbirgt, und obgleich es nie Objekt wird, doch allen freien Handlungen seine Identität aufdrückt, ist zugleich dasselbe für alle Intelligenzen, die unsichtbare Wurzel, wovon alle Intelligenzen nur die Potenzen sind und das ewig Vermittelnde des sich selbst bestimmenden Subjektiven in uns und des Objektiven oder Anschauenden zugleich der Gesetzmäßigkeit in der Freiheit und der Freiheit in der Gesetzmäßigkeit des Objektiven." (Schelling, zit. n. Lypp, S. 103) Schelling fordert die „Depotenzierung" der Transzendentalphilosophie. Reflexionsfähige Subjektivität verlangt die Bearbeitung aller verdrängten, naturhaften Bereiche des Menschen, des „Bewußt-losen" unterhalb des „Ich". Was als Selbstkritik des Denkens intendiert ist, setzt einen Vorbegriff des „Unbewußten" frei, der die exponierte Stellung künstlerischer Produktion weiter ausbaut.

Stark simplifizierend kann man feststellen, daß die romantische Revision des transzendentalphilosophischen Ansatzes einen qualitativen Naturbegriff befördert, worin das Objektive als in-sich-bestimmtes „Selbst", als eigenständige schöpferische Produktivität wohl utopisch aber nicht schwärmerisch gefaßt ist. Die ‚subjektive Konzeption dessen, was für das Erkenntnissubjekt nur ein Objektives sein kann' (Jähnig), verlegt den Horizont der Transzendentalphilosophie in eine Utopie des Natursubjekts: Natur könne sich mit dem Menschen verbünden, sofern dieser in der Lage sei, einer der natürlichen Produktivität angemessenen Tätigkeitsweise zu entwickeln. Dann wäre menschliche „Autonomie" mit der „Anerkennung" eines Gegenüber wahrhaft verbunden.

Als Paradigma solchen Bündnisses erscheint die „Liebe" – tatsächliche Vereinigung (nicht Einheit) von differierenden Strebensrichtungen –. Sie antizipiert reziproke, nicht-zerstörerische Be-ziehungen, die dem üblichen Subjekt-Objekt-Schema nicht mehr entsprechen.

Romantische Poesie entfaltet, was der Bedeutung des eigenständigen naturphilosophischen Ansatzes für revolutionäre Praxis entspringt: ein kulturrevolutionäres Programm. Der Zwiespalt zwischen dem Willen zur Veränderung und einer zur Positivität erstarrten gesellschaftlichen Wirklichkeit soll entlang künstlerischer Produktionsformen geschlossen werden, die freie Tätigkeitsweisen urbildlich vollziehen. Poesie versteht sich als praktizierte Philosophie der Veränderung, die menschliche „Sinnlichkeit" für die Revolution zu gewinnen hofft.

IV. Explikation des romantischen Modells von „Wissenschaftlicher Erkenntnis" – „schöpferischer Tätigkeit" – „geschichtlicher Praxis"

Das frühromantische Programm umfaßt auch eine Destruktion positivistischer Naturwissenschaft, deren instrumentelle Erkenntnisform den Objekt-*Subjekt*-Charakter der Natur verfehlt. Novalis skizziert ein alternatives Modell, worin hypothetisches Denken zum einen, Selbstreflexion der wissenschaftlichen Methodik zum zweiten und eine enzyklopädische Sammlung der arbeitsteilig dissoziierten Wissenschaftssparten zum dritten gegen quantifizierende Naturerkenntnis formuliert ist. Er kritisiert die „monarchische" Stellung des Begriffs innerhalb der idealistischen Begriffsverwendung, sofern dieser – eigener Bedingtheit enthoben – zu einer selbstbewegten Kraft stilisiert ist. In der Abstraktion von allem Inhalt ist das „Mittel" zum Selbstzweck erhoben, aller Inhalt, alle individuierende Besonderheit ausgeschlossen. Das „Wovon" der Abstraktion ist in dieser selbst nicht (mehr) enthalten: eine Methode ermächtigt sich gegenüber ihren Urhebern. Weil Novalis den Zusammmenhang zwischen „Ausbeutung" der Natur und „Verdinglichung" (Entmündigung) des Menschen ahnt, skizziert er einen Erkenntnisakt, der die aufkeimende Eigenreflexion der Dinge, ihr „Selbstgefühl" in einen wechselseitigen Akt einbezieht, in dem alle Beteiligten erst noch werden. Aus einem verstandesmäßigen Fixieren zu „toten" Begriffen wird ein produktives Changieren. Es greift dort, wo noch kein „Ich" alles in „Subjekt" hier, „Objekt" dort aufspaltet, wo das Andere noch ein „Du" ist. (Vgl. Benjamin, *Der Begriff der Kunstkritik in der deutschen Romantik*, FaM 73, S. 53 ff) Novalis entwickelt einen – utopischen – Empiriebegriff, worin Reflexivität und sinnliche Wahrnehmung vereinigt sind und über das faktisch Gegebene hinaus das „Wesentliche", das „Mögliche" einer Sache erfaßt wird. Dieser Erkenntnisakt ist ästhetisch:

„Zum Experimentieren gehört Natur – Genie – das ist wunderartige Fähigkeit, den Sinn der Natur zu treffen und in ihrem Geiste zu handeln. Der echte Beobachter ist Künstler – er ahndet das Bedeutende und weiß aus dem seltsamen, vorüberstreichenden Gemisch von Erscheinungen die wichtigen herauszufühlen." (Novalis, *Werke und Briefe*, München 68 S. 481) Aufgrund einer besonderen Identifikation des Menschen mit seinem Gegenstand scheint eine Koinzidenz von Subjektivem und Objektivem im Erkennen selbst möglich zu sein. Menschen werden fähig, „im Sinne der Natur" zu handeln, d. h. inhärente Möglichkeiten der Materie auszuschöpfen. Unsere Perspektive erweitert sich: von einer Theorie der Naturerkenntnis zur Frage ihrer Bearbeitung. „Warum wollen wir uns mit dem bloßen Verzeichnis unsrer Schätze begnügen. Laßt sie uns selbst besehn – und sie mannigfaltig bearbeiten und benutzen." (Novalis: 516)

Das Prius experimenteller Produktivität zur Rechten, die Koinzidenz von Subjekt und Objekt zur Linken, stellt sich das Bild eines ästhetisch-werktätigen Umgangs mit der Natur ein, einer liebevollen, „naiven" Verfahrensweise, die substantielle Beziehungen zuläßt und so den Dingen sich öffnen kann. Nur wo der einseitige Standort bloßen Nutzens überwunden ist, können „Lust" und „Freude" an bloßer sinnlicher Wahrnehmung bzw. produktiver Bearbeitung der Gegenstände sich entfalten.

Novalis spricht geradezu von einer „Kunst" des Bergmannes und stilisiert diese Figur des „Ofterdingen" zu einer antizipatorischen Chiffre „freier Tätigkeit", die als eine natur-*verehrende* den ästhetischen Sinn für materielle Möglichkeiten und deren Für-sich-Sein, für Schönheit bewahrt, weil sie selbst-los im umfassenden Sinn des Wortes ist: „Arm wird der Bergmann geboren, und arm gehet er wieder dahin. ... Unentzündet von gefährlichem Wahnsinn, freut er sich mehr über ihre (.. Edelmetalle... P. R.) wunderlichen Bildungen, und die Seltsamkeiten ihrer Herkunft und ihrer Wohnungen, als über ihren alles verheißenden Besitz. Sie haben für ihn keinen Reiz mehr, wenn sie Waren geworden sind.." (Novalis, a. a. O., S. 198)

Novalis übersetzt ästhetische Qualitäten in materielle Tätigkeitsformen, restituiert Teile der alten Gleichung ästhetisch = sinnlich und entwirft das Bild eines tastend-intuitiven Vermögens, welches abseits der starren Unbeweglichkeit ichdominanten „Herrschens" und „Bestimmens" durch „höchste Empfänglichkeit für die Eigenthümlichkeiten der Natur" und ein Höchstmaß an willkürlich-phantasievollem Verstandesgebrauch zu einer fließenden Übersetzung in materielle Formen befähigt ist. Novalis beabsichtigt keine abgespaltene Kultivierung des Ästhetischen, sucht vielmehr zum „Selbstgenuß der Person" und deren „Tun aus innerer Lust" (Novalis, a. a. O. S. 132) produktive Kräfte freizusetzen und ein durchaus Neues zu entfalten: „wollüstiges Wissen" und „reflektierte Triebhaftigkeit". Aus dem *Zusammenprall* von höchster Reflexivität und unbewußten Antriebspotentialen erwächst das Vermögen, aus dem „Ich" heraus Produkte zu erschaffen, die mehr sind als pure Objektivationen des Selbstbewußtseins. Deutlicher noch argumentiert Hölderlin. Er notiert, wie im ästhetischen Bereich „sinnlicher Trieb" und „Einbildungskraft" zum Vermögen der „Phantasie" zusammenfließen, wodurch erst ein eigenständiges, dem „Ich" entwachsenes Produkt entstehen kann. (7)

Eine These klingt an, ohne die auch ein marxistischer Materialismus nicht denkbar wäre: das evidente Theorem einer „Selbsttranszendenz" des Menschen als dessen – materiale – Grundverfassung, eine inhärente Potentialität zur Gestaltung und Modifizierung von „Selbst" und „Welt." (s. u.) Wie Hölderlin von der einen „ewigen Kraft" spricht, die „nicht der Menschenhände Werk" sei, (Hölderlin, II. S. 900) so spricht er auch von dem einen *unendlichen* menschlichen *Bildungstrieb*, so daß der Mensch nichts „hervorbringen", wohl aber „umbilden, bearbeiten und entwickeln" könne. In dieser einen unendlichen Tätigkeit vernimmt Hölderlin nurmehr zwei differierende Strebensrichtungen, ein „reelles Tun", wodurch der Mensch unmittelbar zum „mächtig Triebrad" einer Natur wird, die dafür „sich zum Stoffe seiner Tätigkeit" hingibt, (Hölderlin, *Werke und Briefe*, FaM 69, S. 899, II) und ein „ideelles Tun", welches jenem die „edle Richtung" verleiht. „Philosophie und schöne Kunst und Religion, diese Priesterinnen der Natur, wirken demnach zunächst auf den Menschen, sind zunächst für diesen da, und nur, indem sie seiner reellen Tätigkeit, die unmittelbar auf die Natur wirkt, die edle Richtung und Kraft und Freude geben, wirken auch jene auf die Natur und wirken mittelbar auf sie reell." (Hölderlin, a. a. O. II S. 899) Diese knappe Skizze einer Dialektik von materieller und ideeller Tätigkeit macht über sich selbst hinaus deutlich, wie sehr „Arbeit" als entfremdetes, abhängiges Phänomen Kunst zur „mimetischen Vollendung" der Natur bedarf. Die Romantik expliziert diese *geschichtswirksame* Rolle der „Kunst" in zweierlei Richtungen, zum einen inbezug auf die Besonderheit der künstlerischen *Produktionsweise* (a) selbst, zum anderen – damit eng verknüpft – inbezug auf die bildhafte Darstellungsfunktion des Kunst*produkts*. (b)

a) Als ganzheitliche Tätigkeit ist Poesie dem Tun der Natur nachgebildet. Sie wahrt diese Qualität gerade aufgrund einer latenten „Abstinenz" gegenüber dem gesellschaftlichen Gesamtzusammenhang, im Reservat einer kulturrevolutionären Umgestaltung des Subjekts. Nur so kann sie exemplarisch antizipieren, was gesamtgesellschaftlich: für alle, noch herzustellen ist. Novalis zeichnet in diesem Zusammenhang ein treffendes Bild des künstlerischen Genies, in dem brennpunktartig kulminiert, was sonst in vielfältige Erscheinungsformen dissoziiert bzw. anderswo nicht zugelassen ist. (s. o.)

b) Der Dichter ist „Seher", seine Erkenntnis bleibt nicht „theoretische Schau, sondern verwandelt (sich) in ein praktisches Bild" (Faber: *Novalis, Die Phantasie an die Macht*, Stuttgart 1970, S. 62), das rational allein nicht zu erfassen ist. Aus dem Zusammenprall von „Ich" und verdrängter „Natur" erwachsen Produkte, die veranschaulichen, was sonst – nicht mehr oder noch nicht – sprachfähig ist. Bestehendes wird transzendiert, mit dem „Gewesenen" und der Ankunft eines „Künftigen" vermittelt. Kunstprodukte haben eine hermeneutisch-utopische Funktion; sie geben ein „Bild" des Möglichen, woran unser aller Tun sich anlehnen und von dort aus fortschreiten kann. Dem „rationalen" Praxismodell der idealistischen Freiheitsphilosophie wird die Idee einer Praxis der Transzendenz gegenübergestellt. Die repressiven Züge jeder Handlungsanweisung verwerfend, verzichtet sie auf die Gewißheit unseres Handelns und gewinnt dadurch die Perspektive einer offenen Auseinandersetzung. Gerade auf naturhafter Basis entfaltet sich eine undogmatische Dialektik der Geschichte. Abhängigkeit von der Natur erfahre eine positive Wendung – so R. Faber –, wenn „Wissen" unmittelbar vor dem Handelnden erst aufblüht, radikal verzeitlicht wird. (vgl. Faber: 70)

Schlegels „negative Reflexionsdialektik" (Frank) entfaltet die ästhetischen Möglichkeiten, die als „absolut" bezeichnete Einheit von Freiheit und Notwendigkeit außerhalb des „Ich" für dessen Anschauung zu „materialisieren". Poesie wird zum Medium, das „Erhabenes" ver-sinnlicht. Aus diesem Bemühen um die Materialisierung eines Absoluten im Gegensatz zu dessen bloßer Repräsentation vermittels eines begrifflichen Zeichens erklärt sich die romantische Vorliebe für die allegorische Darstellungsform. Der junge Marx signalisiert die Gefahr einer solchen Verbindungslinie zwischen Absolutem und Wirklichkeit in der „Überhöhung" des Einzelnen:

„Wo das Absolute auf der einen Seite, die abgegrenzte positive Wirklichkeit auf der andern steht und das Positive dennoch erhalten werden soll, da wird es zum Medium, wodurch das absolute Licht scheint, da bricht sich das absolute Licht in ein fabelhaftes Farbenspiel, und das Endliche, Positive deutet ein andres als sich selbst, hat in sich eine Seele, der diese Verpuppung wunderbar ist; die ganze Welt ist eine Welt der Mythen geworden. Jede Gestalt ist ein Rätsel." (MEW, EB I, S. 227 f.)

In der allegorischen Form manifestiert sich die Negation der politischen Analyse, sofern sie als zweckrationale an einem Fortschrittsbegriff orientiert ist und deshalb aktuelles Tun von der Tendenz des Ganzen abschneidet. Trotz aller Unterschiede ist die verborgene Zielsetzung der Allegorie, die sinnliche Mitteilbarkeit der Vernunft, nicht unbedeutend für die Herausbildung des marxistischen Revolutionsgedankens. Die Kluft zwischen der Welt der „Ideen" und der Masse des Volkes soll geschlossen, Gedanken sollen zur materiellen Gewalt werden. Prinzipiell kann die Frage nach den gesellschaftlichen Bedingungen einer Revolutionierung nicht mehr ausgeschlossen werden. Deshalb auch will ein romantisches Kunstwerk niemals den Anschein höchster Vollendung erwecken, wird der Autonomieanspruch des klassischen Kunstwerkes in Richtung auf eine (Re)-Produktionsästhetik revidiert. Die einzelnen Produkte müssen sich als „Medien" in eine Kette sich überbietender Entwicklungsstufen einordnen lassen. Ihre bewußt fragmentarische Struktur öffnet sich vermittels kontrollierter Selbstbeschränkung dem jeweiligen Betrachter, statt sich als quasi monolithischer Block jeder schöpferischen Transzendierung seiner Dinggegebenheit zu widersetzen. Nur aufgrund dieser *dialogischen* Offenheit kann der Auftrag wechselseitiger Veränderung wahrgenommen werden. Als „Sprach"-form bietet sich die „ironische" an, weil sie – idealtypisch gedacht – in die Lage versetzt, sich reflexiv einer durchaus anerkannten (!) Objektivität (damit auch jeder normativen Zielsetzung) zu entheben und beständig in Bewegung zu erhalten, was sonst der Erstarrung anheimzufallen droht. Auch die „Kombinatorik" des Witzes (vgl. Athenaeum II, München 69, S. 178) setzt sich in Kontrast zur Effizienz erfolgskontrollierten Handelns, wenn sich die absichtslose Spontaneität eines naturhaften Instinktes durch das Bewußtsein hindurch realisiert, „verdinglichte" Strukturen (des Intellekts) explosionsartig verflüssigt werden. „Witz" und „Ironie" sind von der Absicht bestimmt, das *präreflexive*, sprachlich strukturierte Begehren des Subjekts spielerisch einzuholen. Die wechselseitige Kommunikation von Kunstwerken z. b. in Gestalt einer produktiven Kunstkritik soll das Ihre dazutun, diese naturhaften Dimensionen in einen *postreflexiven* Zustand zu überführen. Vormals reflexionsphilosophische Termini (der Ver-einigung) werden *erotisiert*.

Wie auch Novalis, so spricht Schlegel in diesem Zusammenhang von der „produktiven Einbildungskraft", die den entscheidenden Brückenschlag zwischen Verdrängtem und Ungewordenem leiste. Sie allein sei weder kategorial, noch passiv-rezeptiv, sondern ein tätig-bewegendes Tun, eine dynamisierende Produktivität, die sich beständig selbst überschreitet. Ihr „Bild" ist nicht der geschlossene Kreis, sondern die „Spirale" nach oben. Das „Ich" wird nicht entmündigt, wohl aber entmächtigt, damit die „zweite Klärung der Natur" zugleich deren „Resurrektion" sein kann....

V. Schellings frühe Schriften zwischen Romantik und Marxismus

Gerade Schellings „Frühschriften", insbesondere die „Philosophischen Briefe", die „Ideen...." und seine „System"-schrift – um 1800 als eine Art erster Abschluß früherer Arbeiten veröffentlicht – bilden neben den Werken Feuerbachs, für die Schelling auch nicht unbedeutend war, die eine entscheidende Schaltstelle zwischen romantischem Denken und marxistischer Theoriebildung. Schelling ordnet eine eigenständige „Naturphilosophie" dem transzendentalen Ansatz bei, Konsequenz seiner „romantischen" These von einer „unabhängigen", „schöpferischen" Natur. Er beschreibt Natur als sich selbst organisierendes „Wesen" eines zweckmäßigen Tuns ohne Zweckbewußtsein, einer begriffslosen Einheit von Produktion und Produkt. Die folgerichtige Fragestellung, wie der Anspruch auf autonomes menschliches Handeln mit dieser „Subjektivierung" der Natur zu vereinbaren sei, führt sehr bald zur spezifischen Lösung des jungen Schelling: den Imperativ einer aktivistischen Philosophie der Tat, die Welt so einzurichten, daß ein moralisches Wesen auch moralisch in ihr handeln kann. Schelling beabsichtigt keine objektive Deutung der vorhandenen Welt, sondern versucht, von der Position des Frei-Handelnden aus zu denken. Seine Philosophie ist deshalb keine Analyse, sondern ein Entwurf. (Wieland, in: Materialien zu Schellings philosophischen Anfängen", FaM 75, S. 244 f.) Das ist seine sozusagen „fichtesche" Seite: wenn er die praktische Vernunft ins Zentrum seines Philosophierens rückt und „Be-freiung" fordert. Dort konnte Marx finden, was Revolutionierung ausmacht: „die Welt nicht nur verschieden zu interpretieren, sondern zu verändern." (11. Feuerbach-These) Und daß er dort tatsächlich eigene Theoriebildung vorweggenommen fand, beweisen seine Exzerpte zur Doktordissertation, die ausdrücklich Schellings Idee einer „volksnahen", praktisch wirksam werdenden Vernunft als eine notwendige begrüßen. (MEW, EB I S. 370 f.)[8] Marx vollzieht, was die – im Namen der Naturphilosophie – geführte Selbstkritik des Denkens gefordert hat: die Abspaltung der Reflexion nicht nur vom Naturzusammenhang, sondern vom Volk zu überwinden. Schließlich befragte die romantische Kritik abgespaltener Reflexivität jede hierarchische Gliederung bloß „äußerlicher" staatlicher Organisationsformen Nach der Legitimation dieser Verselbständigung gegen die „Massen".[9]

Schelling kann die Aufhebung reflexiver Philosophie nur im Zusammenhang mit einer Veränderung der bestehenden Sozialordnung denken (vgl. Wieland, a. a. O. S. 268), zumal sein Ideal von Gesellschaftlichkeit als Ausdruck seines emphatischen Naturbegriffes jenseits aller Hierarchien in einem anarchischen Modell der Einheit von Freiheit und Notwendigkeit liegt und ein „wechselseitiges, freies Fließen von Bedürfnissen" meint. Marxens Kritik der Hegelschen Staatsphilosophie ist von einer ähnlichen Position aus formuliert. Sie entlarvt institutionelle „Vermittlungsinstanzen" zwischen „Staat" und „Gesellschaft" als scheinhaftes Verwirrspiel oberhalb fortbestehender sozialer Gegensätze, zeiht politischer Affirmation, was Ver-mittlung nur sein sollte, aber so nicht sein konnte, und entlarvt die hybride Selbstermächtigung von „Logik" als gesellschaftliches Prinzip.... Marx negiert *beiderseits*: sowohl am System des Tauschwerts als auch an der (Hegelschen) Wesenslogik das Eine: die Prädikation von „Sein" durch ein Allgemeines. Dieses Verständnis rehabilitiert „Empirie" als kritisches Pendant bloßer Spekulation. Als derart polemisches Korrektiv hat Feuerbach Empirie an Marx weitergegeben. (vgl. A. Schmid: „ *Emanzipatorische Sinnlichkeit*", München 73, S. 81 f.) Sucht Schelling eine Form menschlicher Vernunft, die „Natur" im Erkenntnisakt nicht zum blassen Objekt degradiert, sondern zusätzlich mobilisiert, verlangt er ein Fortbestehen natürlicher Schöpferkraft durch und für den Menschen in einer der Natur angemessenen Produktivität, so exponiert er diesen Begriff von „Empirie", der bloße Spekulation – eine „Geisteskrankheit" des Menschen – (Schellings Werke, 1965, I S. 663) kritisch übergreift. Schelling erwehrt sich jeder unter dem Anspruch autonomen Handelns geschehenden Einebnung der Differenz von „Ich" und „Natur" im Sinne einer Vereinigung von Allgemeinem und Besonderem durch ein Allgemeines als „Wesen" des Besonderen. Er ermöglicht eine – tendenziell – materialistische Dialektik: die Auseinandersetzung des Menschen mit der Natur, deren Teil er selbst ist, eine Auseinandersetzung, die vorerst „nur in der Form der Entfremdung möglich war." (Marx, MEW EB I, 574) „Der Mensch ist nicht geboren, um im Kampf gegen das Hirngespinst einer eingebildeten Welt seine Geisteskraft zu verschwenden, sondern einer Welt gegenüber, die auf ihn Einfluß hat, ihre Macht ihn empfinden läßt, und auf die er zurückwirken kann, alle seine Kräfte zu üben; zwischen ihm und der Welt also muß keine Kluft befestigt, zwischen beiden muß Berührung und Wechselwirkung möglich seyn, denn so nur wird der Mensch zum Menschen." (Schellings Werke I, S. 663) Nur weil der Mensch auch „Naturwesen" ist, ist „Vermittlung" und die Bewußtwerdung eines „Ich" möglich. Für dieses „Ich" stehen Natur und Freiheit nebeneinander; im Namen der Natur aber kann Schelling diese Unvereinbarkeit als eine bloß scheinbare auflösen. Indem er die abstrakt-zeitlose Bestimmung des Selbstbewußtseins in ein geschichtliches Werden überführt, überführt er das Nebeneinander in ein Nacheinander. (Vgl. Jaehnig: *Schelling, Die Kunst in der Philosophie* Bd. 1, S. 153) Schelling kann autonomes Handeln mit der Anerkennung der Natur vereinbaren, indem er die Objektivität als Resultat eines *bewußtlosen* Tuns versteht: „Solange ich im Philosophiren mich in dieser Potenz (. . . . dem „Ich" . . . P. R. . . .) erhalte, kann ich auch kein Objektives anders als im Moment seines Eintretens ins Bewußtseyn . . . . nimmermehr aber in seinem ursprünglichen Entstehen im Moment seines ersten Hervortretens (in der bewußtlosen Thätigkeit) erblicken – es hat, indem es in meine Hände kommt, bereits alle die Metamorphosen durchlaufen, welche nöthig sind, um es ins Bewußtseyn zu erheben . . ." (Schelling II. S. 718/19)

Schelling charakterisiert das bewußte „Ich" als bloßes Oberflächenphänomen, das seine – scheinhafte – Autonomie um den Preis des „Vergessens" errungen hat, um den Preis des „Verdrängens" der unbewußten Antriebspotentiale. Deshalb kann es auch „nur" Ersatzgebilde und Scheinprodukte erschaffen. *Wie ist diese unbewußte Vermittlung zwischen „Ich" und „Außenwelt" bewußt zu machen?* Nur eine „Depotenzierung des Ich" kann versuchen, die Genese des Selbstbewußtseins in dieses selbst zurückzurufen. Sie steht aber vor der Schwierigkeit, daß eine Vereinigung von bewußtem und bewußtlosem Tun des „Ich" ohne Einebnung ihrer Differenzen möglich sein muß. „Beide Thätigkeiten müssen also Eines sein, denn sonst ist keine Identität, beide müssen getrennt seyn, denn sonst ist Identität, aber nicht für das Ich." (Schelling II, 614) Auch Schelling sucht die Lösung im Bereich der künstlerischen Produktion, die eine *zündende*, instabile Ver-einigung von bewußtlosem und bewußtem Tun – eine „mit Bewußtsein freie Tätigkeit" – erlaube. Schelling betont ausdrücklich den prozessualen Charakter dieser Produktionsform. Im Schnittpunkt zweier differierender Strebensrichtungen voller „Unruhe" und „Bewegtheit" entspringt die überwältigende Erfahrung eines Mächtigeren. „Das Ich in der Thätigkeit, von welcher hier die Rede ist, muß mit Bewußtseyn (subjektiv) anfangen, und im Bewußtlosen oder *objektiv* enden, das Ich ist bewußt der Produktion nach, bewußtlos in Ansehung des Produkts". (Schelling II, S. 613, herv. v. Schelling) Im künstlerischen Prozeß findet sich das „Ich", indem es auf den Status des Urselbst zurückgeht – dort, wo Reflexivität und Trieb noch gleichursprünglich beieinander liegen. Diese Tätigkeit vibriert voller Spannung, mobilisiert „den ganzen Menschen in allen seinen Kräften", setzt in Bewegung, was sonst

brachliegt. *Die Allmacht einer – oppositiven – Natur wird im Akt ihrer Zulassung gebrochen:*
Voll-erfüllte Subjektivität ermöglicht eine qualitativ andere Vergesellschaftsform. Schelling skizziert diese – freie reziproke Anerkennungsverhältnisse nämlich – am repräsentativen Charakter der Kunstprodukte, die die repressionsfreie Erstellung eines gemeinsamen Willens befördern. Mit den Worten: ,,Die ästhetische Anschauung [ist .... P. R.] die objektiv gewordende intellektuelle" (Schelling II 627) verlagert Schelling den Akzent auf die Produkte selbst, noch nicht in der später klassizistischen Manier. Von vornherein hat Schelling unseren Begriff der Objektivität von der Einwirkung anderer ,,Vernunftwesen" abhängig gemacht und Erkennen überhaupt aus der Einschränkung unserer Triebhaftigkeit durch ein oppositionell erfahrenes ,,Du" abgeleitet. So, wie Schelling diese enge Verbindung zwischen der Beziehung Mensch-Natur und der Beziehung Mensch-Mensch schürzt, macht er das Schicksal unserer Gesellschaft von der notwendigen Integration primärer Triebstrukturen in produktive und kommunikative Akte abhängig. All unser Wissen wäre nicht länger purer Ausdruck unserer wechselseitigen Konkurrenz, das ,,Ich" mehr als ein Apparat zur Kontrolle triebhafter Regungen; sofern eine freie Vermittlung von ,,Ich" und ,,Du" in ,,Liebe" und ,,Genuß" wirklich gelänge.[10] Was Schelling künstlerischen Produkten zuschreibt – repräsentative Medien unseres Gattungslebens zu sein – muß für menschliche Produktion insgesamt gefordert werden: die Naturhaftigkeit eines ,,Ich" mit dem ,,sozialen" Anspruch eines ,,Du" wirklich zu *verbinden...*

V. Die sinnlich-ästhetische Utopie der Pariser Manuskripte

Im Namen dieser ,,Liebe" hat Schelling auch die Hegelsche Ermächtigung logischer Strukturen angegriffen, wonach das jeweils Besondere (Individuelle) zurecht im Allgemeinen verschwindet, schließlich der Geist nur sich selbst im Anderen identifiziert, Natur nurmehr als abgeleitetes ,,Phänomen" auftaucht und allein Beziehungen abstrakter Gleichwertigkeit übrigbleiben, die eigentlich keine Be-ziehung mehr sind. ,,Nimmermehr", so höhnt Feuerbach daran anschließend, ,,brächte die unbefleckte Jungfer ,Logik' eine (...Natur...P.R.) aus sich hervor" (*Feuerbach*, n. A. Schmidt: S. 100), und leitet aus der Erzeugungshybris der transzendentalen Spekulation die objektivistische Eintrübung aller qualitativen Besonderheit zur bedürfnislosen Armut des ,,Gleichen" ab. Er kritisiert die affirmative Passivität einer Dialektik des bloßen Selbstbewußtseins, die in der Behauptung einer prästabilierten Harmonie von Begriff und Anderssein ein aktives Verhältnis des Menschen zu seiner geschichtlichen Wirklichkeit verhindert. Bedürftigkeit ist zugleich Quelle tätig-fortschreitender Be-ziehungen. Marx wiederum begreift die

Hegelsche Selbstprädikation des Begriffes nicht nur aus der Sicht des revidierenden Philosophen, sondern vom Standort des praktischen Revolutionärs, der die entsprechende gesellschaftliche Realität: die Materialisierung eines Absoluten durch den „Tauschwert" vor Augen hat.[11] Durch sie ist alle lebendige Auseinandersetzung in die „für sich seiende Existenz Eines gesellschaftlichen Verhältnisses" eingesaugt, die Beziehung zwischen Subjekt und Prädikat, zwischen Produkt und Produktion ver-kehrt und „auf den Kopf" gestellt worden.[12]

„Wenn ich mir aus den wirklichen Äpfeln, Birnen, Erdbeeren, Mandeln die allgemeine Vorstellung ‚Frucht' bilde, wenn ich weitergehe und mir einbilde, daß meine (...) abstrakte Vorstellung ‚die Frucht' ein außer mir existierendes Wesen, (...) sei, so erkläre ich – spekulativ ausgedrückt – die ‚Frucht' für die ‚Substanz' der Birne, des Apfels.... etc... Das Wesentliche an diesen Dingen sei nicht ihr wirkliches, sinnlich anschaubares Dasein, sondern das von mir aus ihnen abstrahierte und ihnen untergeschobene Wesen... Die besondern, wirklichen Früchte gelten nur mehr als Scheinfrüchte, deren wahres Wesen die ‚Substanz', die ‚Frucht' ist." (Marx, *Die heilige Familie*, 1953 S. 164 f) Marx argumentiert auf der Basis einer Entsprechung von spekulativer Konstruktion und verfestigtem Tauschsystem, weil beiderseits – und nicht nur logisch analog, sondern historisch homolog – die „eigene Tätigkeit zur Selbsttätigkeit eines absoluten Subjekts" (Marx, a. a. O., S. 168) umgewendet, die materiellen Existenzweisen zu bloßen Akzidenzien einer in ihnen sich „diremierenden" Substanz erklärt sind und nur pseudosinnliche Beschaffenheiten zurückbleiben. Marx entlarvt die Identifikation von „Ich" und „Ding" als Hybris jener erkenntnistheoretischen Operation, die die Möglichkeit des Warenaustausches ausmacht, denn erst durch ihren Vergleich, ihre Gleich*setzung*, zeigen Produkte absolut verschiedener materieller Konsistenz etwas Gemeinsames, was sie miteinander kommensurabel macht. Auch die Frühromantik hat „Transzendentalität" als negatives gesellschaftliches Prinzip der Herrschaft eines Abstrakt-Materiellen über alle lebendige Individualität skizziert. Insbesondere Schelling denunziert den „Staat" als Notsystem: ein Balanceakt nur fiktiver „Gleichheit" – synonym zu einem sich in unterschiedliche Seinsweisen inkorporierenden Selbstbewußtsein. Durch die poetischen Schriften der Frühromantik geistert (nachweislich besonders bei Novalis und Tieck) die Beschreibung des „Gold"fetisch als Erklärung eines objektiven Wertsystems, dessen leere Allgemeinheit eine Totalität von Vermögen, Fertigkeiten und Fähigkeiten einsaugt, eben weil es diese mittels „Gold" (später Geld) ersetzen kann, und an „Organe" seiner Ausführung delegiert, was aktive, kämpferische Auseinandersetzung sein sollte... Vor Marx spricht Novalis von den „derberen Früchten" „Haben" und „Wissen" (Novalis, *Werke und Briefe*, 392) und markiert schon sprachlIch die Versubjektivierung eines gesellschaftlichen Verhältnisses. Ein „ordo inversus" – nicht nur im „Geiste", sondern als materiell existierendes Herrschaftssystem – ver-kehrt die

Beziehung von Allgemeinem und Besonderem aufkosten der Individuen. Marxens politische Position wird nicht unwesentlich davon bestimmt, daß er diese „Aufopferung des Nicht-Identischen" noch im „rohen Kommunismus", im sog. „Gleichheitskommunismus" entdeckt und die dort im Namen einer künftigen egalitären Gesellschaft geschehende Einschwörung auf eine sozusagen mittlere Ebene zwischen den Individuen als nur abstrakte Negation des Tauschwertprinzips denunziert, welche in Wahrheit noch auf dem Boden des Privateigentums stehe. (Marx, MEW EB I, S. 535)

Statt dieser Reduktion nicht-verallgemeinerbarer Talente und Neigungen auf den Status des bedürfnislosen Proletariers propagiert Marx die Vision des „reichen all- und tiefsinnigen", einer Vielfalt von Lebensäußerungen bedürftigen Menschen (Marx, MEW EB I, S. 542) und fordert die Aneignung bisher der „Gattung" nur zukommender Vermögen durch und für das Individuum. Kritik an Feuerbachs „bloß ideellem Ausgleich in der Gattung" befördert diese Utopie einer allseitig entwickelten Persönlichkeit zusätzlich. Marx filtert sogar einen antizipatorischen „Sinn" des Privateigentums heraus: die Unverwechselbarkeit persönlicher Beziehungen zwischen entwickelten Individualitäten, die die monadenhafte Eingeschlossenheit triebhafter Emotionalität aufgesprengt und auf Andere(s) sich ausgedehnt hat. Das „Mehr", den „Überschuß" über den Durchschnitt des Abstrakt-Allgemeinen macht Marx im nicht-rationalen Bereich fest. Er spricht den „Empfindungen" und „Leidenschaften" wahrhaft „ontologische" Bedeutung zu, insofern sie sich des Objektivismus purer Verwendung erwehren und das Ghetto des abstrakten „Selbst" zugunsten des „Bedürfnisses" nach dem Anderen verlassen helfen. „Sinnlich sein ist leidend sein" (Marx, MEW EB I, S. 579), notiert Marx und sichtet gerade im wechselseitigen Objektsein die Chance einer qualitativ neuen Vergesellschaftungsform. Er rehabilitiert menschliche „Sinnlichkeit" in ihrer doppelten Bedeutung von Wahrnehmungsrezeptivität und Triebhaftigkeit als Negation der scheinhaften Harmonie leerer Subjektivität und positiv als Quelle zu entfaltender Universalität, als Potential einer für Natur sensiviert–sensivierenden Schöpferkraft. Darin ist wieder Feuerbach Vorbild, demzufolge es „nur der neuen (...sinnlichen..P.R.) Philosophie gelingen wird, Freiheit, die bisher eine anti- und supranaturalistische These war, zu naturalisieren", (Feuerbach, *Kleine Schriften*, FaM 1966, S. 143) und die als repressive Triebunterdrückung sich niederschlagende Identifikation von Freiheit mit abstrakter (Selbst- bzw. Natur)mächtigkeit aufzubrechen. Versteht Marx „Aug und Ohr" als „Organe", die den Menschen seiner Identität entreißen und zum „Spiegel", zum „Echo" des Universums machen, (MEW, I 69) so gründet er seine Perspektive einer universellen Entwicklung aller, seine Utopie des „Überflusses", auf die – riskante – „Öffnung" des Ich für die Einflüsse der Natur, für die Kommunikation mit dem naturhaften Bereich im Ich selbst. Rationalität allein beinhaltet dieses Steigerungspotential einer für Natur sensitivierten Existenz nicht. Die als „Sollen" veranschlagte Entfaltung einer Totalität von „Sinnen" d. i. „Sehen, Riechen, Schmecken, Fühlen, Denken, Anschauen, Empfinden, Wollen, Tätigsein, Lieben"..., (MEW, EB I 539) als Organe menschlicher Individualität, war für Marx nur durch Über-setzung ästhetisch-utopischer Qualitäten in Bereiche sinnlich-materieller Tätigkeit formulierbar: Marx skizziert die Konturen einer freien Tätigkeit – synonym zur ästhetischen Produktivität – wovon „Arbeit" nur der entfremdete Ausdruck innerhalb der Entäußerung ist. (MEW EB I, 557)

Erst das ganzheitliche Zugleich einer aus dem unmittelbaren Vollzug entspringenden Reflexivität, das solcherart freie Changieren unserer Erkenntnisstämme, ermöglicht die Vielfalt einer die Natur aktiv befördernden Tätigkeitsweise, die nicht länger nurmehr zerstörerisch in Abläufe eingreift. „Die Sinne sind in der Praxis Theoretiker geworden", formuliert Marx aus der Sicht der vollendeten Wesenseinheit von Mensch und Natur, deren Möglichkeit er allererst entwickeln muß (s. u.): er antizipiert sensualistische Intuitivität, eine materialistische Phantasie, durch die Naturprozesse im Menschen selbst gezündet und inhärente Möglichkeiten des Materials *ertastet* werden. Marx sichtet eine „Potentialität" des Menschen, jede Dinggegebenheit in Richtung auf das ihr Mögliche zu überschreiten, jedes ‚Seiende auch seinem Wesen nach' (MEW EB I 517) zu haben. Die mit dem Kernargument romantischer Naturphilosophie – das selbstbewußte „Ich" entwickele sich nur auf einer ihm vorgängigen Basis – geleistete Zeitlichkeit einer „materialistisch revidierten Dialektik" (Frank) korrigiert nicht bloß die verkehrende Spiegelung des philosophisch-reflexiven Weltzugriffes, sie operiert von vornherein mit latent utopischer Tendenz: Marx postuliert als Seinsverfassung des Menschen die *Befähigung*, sich universell zu den Dingen verhalten, bewußte Beziehungen zur eigenen Natürlichkeit aus*breiten* zu können.

Noch die Faktizität der Entfremdung bürgt für die Möglichkeit ihrer Aufhebung. Nur in entfremdeter Form war die Entfaltung von Ver-hältnissen des Menschen zur Natur möglich, weil allein auseinanderreißen kann, was nicht länger unmittelbar identisch und doch beziehungsreich ist.[13] Auch bei Marx erfährt Abhängigkeit von der Natur eine positive Wendung, sofern er nicht als Anthropologie des menschlichen Wesens „verkündet", was allen erst noch werden soll. In indirekter Diskussion mit Feuerbach festigt Marx seine Position. Dieser hatte in aller sinnlich-gegenständlichen Tätigkeit die zerstörerische Anmaßung eines „selbstischen" Nutzens, die inhumane Vergewaltigung des Seienden gewittert und vor dem Freiraum poetologischer Einbildungskraft als unfrei verworfen. (Feuerbach, *Wesen des Christentums*, S. 185 ff) Feuerbach postulierte zugleich mit der Notwendigkeit einer materiell-schöpferischen Tätigkeitsweise deren Unmöglichkeit, verwarf konsequent jede aktive Modifizierung von Wirklichkeit als inhuman, förderte das Ethos der Kontemplation, liebevoller „ästhetischer Anschauung" und mußte deshalb Theorie und Praxis, Anschauung und Tätigkeit vermittlungslos auseinanderbiegen. Selbst wenn man Feuerbachs Lob des Müßiggangs als polemisches Korrektiv am Opferdenken des bürgerlichen Arbeitsethos versteht, affirmiert diese Vermittlungslosigkeit jene zerstörerische Praxis, die Feuerbach doch so hartnäckig im Namen der „Liebe der Kunst" angeprangert hat. Die Frage, ob nicht eine Umbildung der Natur durch den Menschen im Sinne ihrer aktiven Beförderung möglich wäre, bleibt unbehandelt. Marx greift deshalb die romantische Forderung Feuerbachs nach einem mimetischen Naturverhältnis auf, funktioniert diese aber gewissermaßen um, indem er, hinter Feuerbach zurückgreifend, den ursprünglichen aktiven Impuls des romantischen Tätigkeitsbegriffes restituiert. Er malt das Bild einer Produktivität, „die in der Wahrung theoretischer Distanz innerhalb des praktischen Vollzuges selbst" sich zu der „Sache um der Sache willen" (d. i. nicht instrumentell) verhalten kann. Die „Theorie" formuliert hier den kollektiven Anspruch der Gattung an die radikale Vereinzelung individuellen Genießens. Die allseitige Entwicklung der Subjekte dependiert von der Realisierung freier Interaktionsbeziehungen. Erst die Kollektivität eines „Nutzens, der kein Nutzen mehr ist", (Marx, MEW, EB I, S. 540) bricht den repressiven Zwang einer naturhaft-schlechten Allgemeinheit, sofern in eine fließende Befriedigung unserer wechselseitigen Bedürfnisse eingeht, was zuvor anarchisch-abgespaltene Subjektivität war. Die partikulare Vereinzelung aufgrund hierarchischer Produktions- und Distributionsbeziehungen wird umgebogen in die Reziprozität eines „Bedürfnisaustausches".

Produkte, die nicht länger vorwiegend Mittel des Warenaustausches sind, fungieren als „Repräsentations"objekte unserer Tätigkeit und unseres Genusses, werden für den jeweils Anderen *durchscheinend*. Gegen die emotionslose Dürre abstrakt-konstruierter Vermittlungsinstanzen propagiert Marx die tiefe Verbundenheit sich ineinander spiegelnder Subjektivitäten, deren Verbrüderung ein Drittes zwischen „Unmittelbarkeit" und „Vermittlung" auszumachen scheint. Einerseits ist sie „Vermittlung": geschieht reziproke Wechselseitigkeit „vermittels" Objekte. Andererseits wird sie „Unmittelbarkeit", weil die Verbundenheit durch ein „Höheres" hindurchscheint, uns „unser Wesen entgegenleuchtet". (Marx, MEW EB I, S. 462) Marxens Naturbegriff erlaubt also als konkrete Denkmöglichkeit eine „vermittelte Unmittelbarkeit", deren Konstruktion in manchem an die frühromantische Bestimmung des Kunstwerkes als „Reflexionsmedium" erinnert.

„Gesetzt wir hätten als Menschen produziert. Jeder von uns hätte in seiner Produktion sich selbst und den andern *doppelt bejaht*. Ich hätte 1) in meiner *Produktion* meine *Individualität*, ihre *Eigentümlichkeit* vergegenständlicht und daher sowohl während der Tätigkeit eine individuelle *Lebensäußerung* genossen, als im Anschauen des Gegenstandes die individuelle Freude, meine Persönlichkeit als *gegenständliche*, *sinnliche* anschaubare und *darum über allen Zweifel erhabene* Macht zu wissen. 2) In deinem Genuß oder deinem Gebrauch meines Produkts hätte ich *unmittelbar* den Genuß, sowohl des Bewußtseins, in meiner Arbeit ein *menschliches* Bedürfnis befriedigt, als das *menschliche* Wesen vergegenständlicht und daher dem Bedürfnis eines andren *menschlichen* Wesens seinen entsprechenden Gegenstand verschafft zu haben. 3) Für dich *Mittler* zwischen „Dir" und der Gattung gewesen zu sein, also von Dir selbst als eine Ergänzung deines eigenen Wesens und als ein notwendiger Teil deiner selbst gewußt und empfunden zu werden, als sowohl in Deinem Denken wie in Deiner Liebe mich bestätigt zu wissen 4) in meiner individuellen Lebensäußerung unmittelbar Deine Lebensäußerung geschaffen zu haben . . . ." (Marx, MEW EB I, S. 462, Herv. v. Marx) Weil Marx den Menschen als „unzureichende Explikation von Wesen" (Anacker) begreift, die Gattung nicht schicksalshaft den Einzelnen äußerlich vorordnet, diese vielmehr in ihnen sich ereignen läßt, kann überhaupt – so kommentiert Marcuse – an die Möglichkeit einer klassenlosen Gesellschaft gedacht werden. (Marcuse, *Die Permanenz der Kunst*, München 77, S. 25) In menschlicher Naturhaftigkeit stecken gewissermaßen gesellschaftsbildende Dimensionen, die nur einem entfremdeten System als radikal subjektive erscheinen müssen. Integration sexueller Triebkraft (als Wirkung der Gattung in den einzelnen) begründet ein Ineinander von freier Interaktion und freier Produktion jenseits aller staatlichen Reglementierung.[14]

Wie kann diese Integration befördert werden? Welche Gestalt muß revolutionäre Praxis annehmen angesichts der Tatsache, daß die Entfaltung des Gattungsreichtums mit der „Verarmung" der Individuen gleichbedeutend ist?

Gerade die Frühromantik, namentlich Novalis und Tieck, skizzieren am „Gold"-fetisch, wie der „Verlust" an Subjektivität entlang des schillernden Gebrauchswertversprechens vorangetrieben wird, wie die leere Allgemeinheit des „Goldes" jene Fähigkeiten ersetzt, die die Person selbst nicht (mehr) ausführen kann. Als Vereinzelte sind die Individuen an ein abstrakt-allgemeines System gebunden, das sich in intersubjektive Beziehungen verlängert. Novalis spricht – in verschlüsselter Weise – von einem „gefährlichen Wahnsinn", von „Verblendung". „Ein jeder spielt den treuen Knecht und ruft den Herrn mit süßen Worten". (Novalis, *Werke und Briefe*: S. 203)[15] Marx beschreibt, wie das Privateigentum durch das Individuum hindurch sinnliche Triebkräfte entfaltet und diese Korrumpierung menschlicher Triebstruktur zum Verlust reflexionsfähiger Subjektivität führt.[16] Die „falsche" Vergesellschaftungsform der Warenwirtschaft, worin Be-ziehungen vorwiegend Ausfluß der Abhängigkeit vom Allgemeinen sind, behindert einen „Umschlag" in qualitativ Neues. In der Notwendigkeit einer radikalen Umgestaltung der Subjekte, dem Freisetzen progressiver Bedürfnisse und eines aufgeklärten Bewußtseins, liegt heute die spezifische Wahrheit des romantischen Praxisbegriffes, der „Einheit von Theorie und Praxis". Marx steht zu sehr die „anthropologische" Überzeugung im Wege, daß ein Höchstmaß an Leiderfahrung auch ein Höchstmaß an revolutionärer Energie freisetze.[17] Angesichts dessen scheint ihm eine progressive „Kritik" zu genügen, die die gesellschaftliche Entwicklung reflektierend begleitet und Veränderungen befördert, indem sie das jeweils Bestehende an den Möglichkeiten mißt. Utopisches Denken fungiert bloß als inhärente Selbstkritik einer Methode, die unablässig danach trachten muß, sich eigener Verselbständigungen und der Hypostasierung zu einem wissenschaftlichen System zu entschlagen, ‚in dem positiven Verständnis des Bestehenden zugleich das Verständnis seiner Negation', ‚jede Form im Flusse der Bewegung' zu fassen: Schon sehr früh skizziert Marx in romantischer Manier die agile Bewegtheit zweier widerstrebender dialektischer Tendenzen: „Tod" und „Liebe", deren changierendes, wechselseitiges Übersteigen jeder Verabsolutierung zum „Mittel" ausweichen soll. (Marx, MEW EB I S. 228) Aber trotz dieser Möglichkeit, der „Heimlichkeit urmächt'gen Bann" (Novalis: 203) durch seine „Bezeichnung" zu lockern, kann „Kritik" letztenendes nur „negativ" benennen, was „positiv" ergriffen werden muß. Wenn die „unmittelbare Sprache" des „menschlichen Wesens" als eine „Verletzung der menschlichen Würde", die „entfremdete der sachlichen Werte" dagegen als die „gerechtfertigte, selbstvertrauende und sichselbstanerkennende Sprache menschlicher Würde" erscheint (Marx, MEW EB I, S. 461) – wenn Aufklärung angesichts angepaßter Massen ohne Wirksamkeit bleibt – kann nur die Einbeziehung dessen, was bisher der „Ächtung" anheimfiel, im Bestehenden nicht aufging, Entwicklung freisetzen. Die Eroberung des Gattungsvermögens durch und für die Individuen verlangt *experimentelle Aneignungsformen*, deren jedesmalige Vorläufigkeit „Kritik" ausweist. Mit den wenigen Worten, womit Marx Zweifel an der isolierten Rationalität progressiver Kritik, am technisch-wissenschaftlichen Fortschritt[18] und am unbezwinglichen Heranreifen revolutionärer Situationen äußert, ist die scheinbar esoterische „Sprache" romantischer Poesie noch nachträglich in ihr Recht gesetzt. Sie lebt im „Reservat", um der möglichen Assimilation an das Gegebene zu entgehen, nährt sich vom „Traum von der Sache" (Marx), welcher unsere Entwicklung solange begleitet, wie auch ‚die romantische Epoche die bürgerliche bis an ihr Ende' begleitet.

Anmerkungen

[1] vgl. Kux: „*Karl Marx – die revolutionäre Konfession*". Als einer der wenigen behandelt Kux die Beziehung Romantik – Marx nicht aperçuhaft, sondern als Zentralthema. Er folgert aber den Totalitätsanspruch des „orthodoxen" Marxismus gerade aus den romantischen Tendenzen des jungen Marx, macht diese für menschenverachtende Züge des praktisch wirksam gewordenen Marxismus verantwortlich und denunziert damit beide: Marx und Romantik. Der folgende Aufsatz versteht sich als Kux' Widerlegung.

² vgl. Merleau-Ponty in: „*Materialien zu Schellings philosophischen Anfängen*". Der Autor zeigt auf, daß schon Kant die Frage der „Selbsterzeugung" des „Ganzen" aufgeworfen hat, aber auf ichhafte Ordnungsprinzipien zurückweicht.

³ vgl. Odo Marquard, der von einer „Resignation der Geschichtsphilosophie" spricht, eine falsche Kontroverse zwischen „Ästhetik" und „Praxis" im Namen eines hypostasierten Vernunftbegriffes konstruiert. („*Schwierigkeiten mit der Geschichtsphilosophie*", FaM 73 S. 126 ff.)

⁴ U. Anacker in: „*Natur und Intersubjektivität*" und D. Henrich in: „*Fichtes ursprüngliche Einsicht*", verdeutlichen je auf ihre Weise, daß und wie die Fichtesche Problematik von Zeitgenossen nicht adäquat wahrgenommen werden konnte.

⁴a) An diese Argumente wird häufig noch die Verteidigung eines technologisch verengten Praxisbegriffes angeschlossen. (2b Habermas „Technik und Wissenschaft als Ideologie", „Fall 70") Natur als „selbsttätige Identität" begreifend, werden instumentelle Arbeitsformen ontologisiert. Uneingestanden operiert jede Verteidigung funktionaler Sachbeziehungen mit jener Fiktion restloser Objektivierbarkeit alles Seienden, deren Gegenteil sie selbst-legitimierend in Anspruch genommen hat. Angesichts „selbsttätiger Natur" „erscheinen objektivistische Praxisformen als gewaltsame Vereinheitlichung, „ein Materialismus" zweckrationalen Handelns als „Ideologie".

⁵ vgl. Hölderlin in: „*Über die Verfahrensweise des poetischen Geistes*" (Werke II, 610 ff.) Hölderlin spricht von der „freien, idealischen Behandlung". Der „Stoff" sei gerade dadurch Vehikel des Geistes, weil er eben nicht nur Vehikel sei.

⁶ vgl. Novalis, *Das philosophische Werk*, Schriften II, 1960 z. b. S. 53, S. 110. Darstellung des Gesamtzusammenhanges bei M. Frank. „*Das Problem Zeit in der deutschen Romantik*", München 1972

⁷ vgl. Hölderlins Schrift: „*Über das gesez der Freiheit*" Sämtliche Werke, Stuttgart 61, Bd. 4. Hölderlin notiert, wie „Einbildungskraft" und „Begehrungsvermögen" zur „Phantasie" zusammenfließen.

⁸ In Vorarbeiten zur Doktordissertation nimmt Marx zustimmend Bezug auf Schelling und zwar inbezug auf einen radikalen, wirksam werdenden Vernunftbegriff.

⁹ In seinem Buch: „*Der unendliche Mangel an Sein*" hat M. Frank den indirekten Diskussionszusammenhang zwischen Schelling, Feuerbach und Marx in Richtung auf die gemeinsame Hegelkritik aufgearbeitet. Frank bezieht sich zurecht auf spätere Schaffensperioden Schellings. Die vorliegende Ausarbeitung macht sich dessen Frühphase zunutze, nicht nur weil Marx diese Arbeiten genau studiert hat, sondern weil dem „System" eine zentrale Rolle zukommt. Es formuliert nämlich Idee und Möglichkeit einer „freien schöpferischen Praxis" als Konsequenz früherer naturphilosophischer Spekulationen (die der hier auch zitierte „Materialien"band Frank/Kurz aufbereitet hat). Daß und wie der alte Schelling eigene Programmatik nicht einlösen konnte, ist eine andere Thematik (vgl. dazu Lypp S. 134).

¹⁰ „Liebe" meine in etwa das Gegenteil von Verdrängung.. Kurz, Frank in: *Materialien zu* .... S. 42

¹¹ insbesondere A. Sohn-Rethel hat eine Art „Philosophie des Geldes" entwickelt. Seine Grundgedanken über den Zusammenhang zwischen „Warenform und Denkform", FaM 71 sind für die folgenden Argumentationen konstitutiv.

¹² Was für Marx nicht zutrifft – nämlich eine entscheidende Spannung zwischen frühen und älteren Arbeiten – läßt sich sehr wohl bei Hegel feststellen. Der junge Hegel antizipiert romantische Ideen, die in seine Spätwerke nicht mehr einfließen. Insbesondere das Vereinigungsparadigma „Liebe" wird von ihm mitentworfen. (*Jenenser Schriften*)

[13] vgl. die Darstellung dieses Gedankens bei M. Frank: *Der unendliche Mangel an Sein*, S. 212 ff, S. 230

[14] „In diesem natürlichen Gattungsverhältnis ist das Verhältnis des Menschen zur Natur unmittelbar sein Verhältnis zum Menschen" .. (das Verhältnis des Mannes zum Weibe... P. R.) MEW, EB I. S. 535.

[15] An dieser Stelle wird der Mangel einer solchen kurzen Abhandlung wie der vorliegenden deutlich: die Zitate stammen aus einem Gedicht des „Ofterdingen", dessen Verständnis eigentlich diskutiert werden müßte. Diese Arbeit rührt an die prinzipielle Frage der romantischen Begriffsbildung, inwieweit ihr heutige Sprachformen adäquat sind. In dem erwähnten Gedicht ist sichtbar bloß von einem „stillen König" die Rede, und nur wer um die Novalis'sche „Tropen- und Rätselsprache" weiß, kann entdecken, daß hier vom Gold die Rede ist.... Entlang der Übersetzung König = Gold gelang die Darstellung eines revolutionären Programms. Vgl. den Beitrag von W. Kloppmann. (Die Hrsg.)

[16] Marx macht in den Pariser Manuskripten am „Geld" diese Korrumpierung der Bedürfnisstruktur fest. Er differenziert zwischen „eigentlichen" und relativen Trieben.

[17] Auch die Romantik, namentlich Novalis und Hölderlin, hAtte eine solche Überzeugung. Novalis erwartet, daß die radikale Ausgestaltung des Warensystems mit dessen Untergang gleichbedeutend ist. *Werke und Briefe*, S. 203, S. 198.

[18] „So sehr sind alle Fortschritte und Inkonsequenzen innerhalb eines falschen Systems der höchste Rückschritt und die höchste Konsequenz der Niedertracht." An dieser Stelle wird deutlich, daß Marx durchaus in Richtung auf eine Revolution des Alltagslebens extrapoliert werden kann. (MEW, EB I S. 449)

Verzeichnis der benutzten Literatur:

1. U. Anacker: *Natur und Intersubjektivität*, FaM 74
2. Athenaeum: I und II, Hamburg 69
3. W. Benjamin: *Der Begriff der Kunstkritik in der deutschen Romantik*, FaM 73
4. R. Faber: *Novalis – die Phantasie an die Macht*, Stuttgart 70
5. L. Feuerbach: *Das Wesen des Christentums*, reclam o. J. Kleine Schriften, FaM 1966
6. M. Frank: *Der Begriff „Zeit" in der deutschen Romantik*, München 72, *Der unendliche Mangel an Sein*, FaM 75
7. Frank/Kurz:*Materialien zu Schellings philosophischen Anfängen*, FaM 75
8. J. J. Goux: *Ökonomie und Symbolik* FaM 75
9. G. W. F. Hegel: *Theorie – Werkausgabe*, FaM 71, Bd. I/II
10. D. Henrich: *Fichtes ursprüngliche Einsicht* in: Festschrift für W. Cramer, FaM 67
11. Fr. Hölderlin: *Werke und Briefe*, FaM 69
12. D. Jähnig: *Schelling. Die Kunst in der Philosophie*, Pfullingen 69 Bd. I/II
13. G. Kurz: *Mittelbarkeit und Vereinigung*, Stuttgart 75
14. E. Kux: *Marx – die revolutionäre Konfession*, Zrüch 67
15. B. Lypp: *Ästhetischer Absolutismus und politische Vernunft*, FaM 72
16. H. Marcuse: *Die Permanenz der Kunst*, München 77
17. O. Marquard: *Schwierigkeiten mit der Geschichtsphilosophie*, FaM 73
18. K. Marx: *MEW* Berlin 68, *Die heilige Familie*, Berlin 53
19. Novalis: *Werke und Briefe*, Hrsg. Kelletat, München 62 *Schriften* Bd. II, 1960
20. F. W. J. Schelling: *Werke Bd. 1 – 3* München 1965
21. A. Schmidt: *Emanzipatorische Sinnlichkeit*, München 73
22. A. Sohn-Rethel: *Warenform und Denkform*, FaM 71

5a) Faulheit und Revolution III/IV

*Von Gerd-Klaus Kaltenbrunner**

„In der letzteren Zeit hat Paul seine besten Seiten geschrieben, mit Humor und Keckheit und Solidität, mit Munterkeit, während vorher hier und da gewisse ultrarevolutionäre Phraseologie mich ennuyiert hat . . .", so schrieb Karl Marx am 14. Dezember 1882, genau 3 Monate vor seinem Tode, an den „liebsten Cacadou", wie er seine Tochter Laura nannte, die 1868 den aus Cuba stammenden Mediziner Paul Lafargue geheiratet hatte. Ohne Zweifel spielt der Schwiegervater Marx in diesem Briefe auf jenes kleine Werk Lafargues an, das 1883 auf französisch erschien und zu den amüsantesten Dokumenten der sozialistischen Literatur gehört, das neben den Satiren und Phantasien eines Charles Fourier[1] sowie neben der berühmten „Parabel" eines Saint-Simon spielend seinen Platz behauptet: „*Das Recht auf Faulheit*"[2].

Die Geschichte ist voll von Umkehrungen ins Gegenteil: Alexander Borgia war Papst und aus der dialektischen Philosophie – einst „Algebra der Revolution" (Alexander Herzen) – wurde die Scholastik einer allmächtigen Polizei. Aus der 1. Mai-Feier, aus demonstrierendem Trotz gegen Soldateska und Staatsgewalt, wurde ein Staatsfeiertag mit Militärparaden vor den neuen Zaren: aus ihren Gegnern wurden ihre Erben. Und jener Schwiegersohn von Marx, dessen Grabrede 1911 Lenin hielt, ist heute vergessener als jeder andere Autor des Sozialismus: wohl kaum ein Mann wird in marxistischen Schriften und auch in der Literatur über den Marxismus so wenig genannt, ja so totgeschwiegen wie Paul Lafargue[3]. Vielleicht daß man sich demnächst im Lande Fidel Castros, wo Lafargue 1842 in Santiago de Cuba geboren wurde, auf diesen „Ritter von der traurigen Gestalt" – wie ihn Marx gelegentlich scherzhaft nannte – wieder besinnen und einige seiner Schriften hervorholen wird, etwa seine Studie über „Die Entwicklung des Eigentums" (London 1890) und seine populärwissenschaftliche Skizze „Ursprung und Entwicklung des Begriffs der Seele" (Stuttgart 1909). Jedoch glaube ich nicht, daß man in seinem Heimatland und im östlichen Lager überhaupt, seine amüsante, kecke und bezaubernde Verteidigung des Nichts-Tuns, seine marxistische Huldigung an „la dolce vita" neu herauszubringen wagen wird!

Wird doch in diesem kleinen Buch – weit entfernt von Stachanow-Pathos und Proletkult – haargenau jene Vergötzung puritanischer, asketischer Arbeitswut kritisiert, die später von den Kommunisten als höchste moralische Errungenschaft gefeiert wurde. Lafargue plaudert darin auf gänzlich unorthodoxe Weise gewisse Gedanken aus, die zwar vom offiziellen sowjetischen Marxismus-Leninismus restlos unterschlagen wurden, aber nichtdestoweniger im ursprünglichen Denken von Marx deutlich vorhanden waren. Hatte nicht Marx die Frei-Zeit als den „Raum für die menschliche Entwicklung"[4] bezeichnet und eine Zukunftsgesellschaft erwogen, deren Aktivitäten derart verschieden sein würden von denen der bisherigen Weltgeschichte, daß er zögerte, sie noch als „Arbeit" anzusprechen[5]? Schrieb doch Marx jene erstaunlichen Sätze, daß erst die „Kommunistische Gesellschaft" es dem Individuum ermöglichen werde, „heute dies, morgen jenes zu tun, nachmittags zu fischen, abends Viehzucht zu treiben, nach dem Essen zu kritisieren, wie ich gerade Lust habe – ohne je Jäger, Fischer, Hirt oder Kritiker zu werden".[6] (Genau diese Vorstellungen wurden vom theoretischen Parteiorgan der KPdSU „Kommunist", im August 1960, als unannehmbar, als „unintelligent" und „spießbürgerlich".zurückgewiesen!) Dieses Element in der marxistischen Ideologie-Synthese, jener Kern ästhetischer Utopie, jenes romantische Bohème-Element, ist längst von den laboristischen, technologischen, pseudo-wissenschaftlichen Zügen des Marxismus gänzlich verdrängt worden[7]. Diese Mentalität kam schon in dem Aperçu des seinerzeit bekannten autodidaktischen Arbeiter-Philosophen Joseph Dietzgen zum Ausdruck: „*Arbeit heißt der Heiland der neuen Zeit. In der Verbesserung der Arbeit besteht der Reichtum, der jetzt vollbringen kann, was bisher kein Erlöser vollbracht hat*[8]" Dieses Evangelium verträgt sich durchaus mit dem Programm der herrschenden Klassen in den kommunistischen Staaten. Deshalb hat auch der Ostberliner Akademie-Verlag keine Bedenken, die Werke dieses Mannes neu herauszubringen. Aus demselben Grunde muß er jedoch davor zurückschrecken, folgende Botschaft zu verbreiten: „*O Faulheit, erbarme Du Dich des unendlichen Elends! O Faulheit, Mutter der Künste und der edlen Tugenden, sei Du der Balsam für die Schmerzen der Menschheit!*"

So endet Paul Lafargues Büchlein „Das Recht der Faulheit".

Marxens Schwiegersohn beschimpft die Arbeit als ein durch und durch bürgerliches Laster, als eine Zivilisationskrankheit!

Und er spottet über den „Fortschritt" und die Segnungen der Arbeit „O über diese jämmerliche Fehlgeburt der revolutionären Prinzipien der Bourgeoisie, über die kläglichen Geschenke ihres Götzen Fortschritt!"

Dem Proletariat wirft er vor, daß es sich, „seinen historischen Beruf verkennend, von dem Dogma der Arbeit hat verführen lassen. Hart und schrecklich war seine Züchtigung. Alles individuelle und soziale Elend entstammt seiner Leidenschaft für die Arbeit! ... Und die Nachkommen der Schreckenshelden haben sich durch die Religion der Arbeit so weit degradieren lassen, daß sie 1848 das Gesetz, das die Arbeit in den Fabriken auf 12 Stunden täglich beschränkte, als eine revolutionäre Errungenschaft entgegennahmen; sie proklamierten das Recht auf Arbeit als ein *revolutionäres* Prinzip. Schande über das französische Proletariat! Nur Sklaven sind einer solchen Erniedrigung fähig."

Statt dessen preist der Schwiegersohn von Karl Marx das christliche Mittelalter, mit seinen vielen Feiertagen, Volksfesten und Belustigungen. Den Haß des bürgerlichen Atheismus aufs angeblich „finstere Mittelalter" deutet Paul Lafargue ideologiekritisch als Ausdruck kapitalistischer Profitgier, der der biblische Gott, der auf ewig in seliger Sabbat-Ruhe sich von der Weltschöpfung erhole, höchst fremd vorkommen müsse. Das freigeistige, areligiöse Bürgertum – sagt Lafargue – „befreite die Arbeiter vom Kirchenjoch, um sie um so strenger unter das Joch der Arbeit zu spannen". Schon der Protestantismus, „diese den neuen Handels- und Industriebedürfnissen der Bourgeoisie angepaßte Form der Kirche, kümmerte sich wenig um die Erholung des Volkes: er entthronte die Heiligen im Himmel, um ihre Feste auf Erden abschaffen zu können". Und er fährt fort: „Meint Ihr aber, daß die Arbeiter, weil sie damals von 7 Tagen nur 5 arbeiteten, nur von Luft und Wasser gelebt hätten, wie die verlogenen Nationalökonomen uns vorerzählen? Geht doch! Sie hatten Muße, um die Liebe zu pflegen und Possen zu treiben, und vergnügt zu Ehren des großen Gottes der Nichtstuer Tafel zu halten. Das grämliche, in den Protestantismus verheuchelte England hieß damals „merry England"! Rabelais, Quevedo, Cervantes, die unbekannten Verfasser der pikarischen Schelmenromane, machen uns das Wasser im Munde zusammenlaufen mit ihren SchilderUngen jener monumentalen Schmausereien, denen man sich damals widmete und bei denen nichts gespart wurde. Jordaens und die niederländische Malerschule haben sie uns auf ihren lebenslustigen Gemälden dargestellt. Erhabene Riesenmägen, was ist aus euch geworden?"

Während ein entfesselter Industrialismus, indem er auf optimale Produktivität und maximale Rationalität hinsteuert, Gott das Privileg der Schöpfermacht in prometheischem Stolz entreißen will (eine Absicht, die mit vollem Pathos schon von Saint-Simon und Proudhon, später von manchen wissenschafts-abergläubischen Technokraten verkündet wird), offenbart sich bei Lafargues Erinnerung ans christliche Mittelalter und in seiner, wenn auch ironisierenden Deutung der Faulheit, der festlich feiernden Muße als *imitatio dei*, als Nachahmung und Nachfolge der seligen Gottheit, eine merkwürdige Dialektik: die utopische Vision und Antizipation des Zukünftigen vermischt sich mit märchenhaften, mythischen Ur-Erinnerungen an „die gute, alte Zeit", an vergangene Paradiese[9].

Und so entwirft Paul Lafargue im Todesjahr seines Schwiegervaters Karl Marx – 1883 – ein *Paradies der Faulheit*. Und hierin steht er inmitten genuin *romantischer* Traditionen: hier berührt er sich mit dem antibürgerlichen Bohemien Friedrich Schlegel und mit dem antibürgerlichen Dandy Oscar Wilde, der geschrieben hat: „*Muße, nicht Arbeit, ist das Ziel des Menschen*"[10]

Lafargue ahnte wohl, daß das „Philisterium" keineswegs mit der Enteignung der Kapitalisten und der Verstaatlichung der Industrie so mit einem Schlag zu beseitigen sei[11]. Gerade in jenen Ländern, deren Staatsreligion sich auf Lafargues Schwiegervater beruft, reproduziert sich die von den romantischen „Antikapitalisten" und „Sentimentalen Sozialisten" ironisch kritisierte industrielle Trostlosigkeit noch massiver und brutaler als seinerzeit im Westen.

Was in den heute schon zahllosen geistesgeschichtlichen, philosophischen und soziologischen Abhandlungen über die Bedeutung jener mystischen Formeln von der menschlichen „Entfremdung" und der „Aufhebung der Entfremdung" – wie sie bei Marx, vor allem in den Jugendschriften, vorkommen – diskutiert wird, läßt sich mit Lafargues Gedankengängen überraschend klar machen. Die „Aufhebung der Entfremdung" bedeutet „das Recht auf Faulheit". Nur als „eine Würze der Vergnügungen der Faulheit sei Arbeit" überhaupt zulässig, meint der cubanische Schriftsteller und Mediziner: „Nicht auferlegen, verbieten muß man die Arbeit." Während sonst in den marxistischen Polemiken Müßiggang nur als Schimpfwort für die kapitalistischen „leisure classes" oder als Umschreibung für unfreiwillige Arbeitslosigkeit vorkommt, schlägt Lafargue „drakonische Gesetze" vor. Durch diese sollen die Arbeitsfanatiker gezwungen werden zu tanzen, zu spielen, Sport zu treiben und die Früchte dieser Erde zu genießen. Überdies würde eine radikale Herabsetzung der Arbeitszeit auch den technischen Fortschritt fördern: „Um die Kapitalisten zu zwingen, ihre Maschinen von Holz und Eisen zu vervollkommnen, muß man die Löhne der Maschinen von Fleisch und Bein erhöhen und ihre Arbeitszeit verringern." Denn: „Die blinde, wahnsinnige und menschenmörderische Arbeitssucht hat die Maschine aus einem Befreiungsinstrument in ein Instrument zur Knechtung freier Menschen umgewandelt: die Produktivkraft der Maschine ist so die Ursache der Verarmung der Massen geworden."

Aber Lafargue bleibt nicht auf dem Niveau des oppositionellen Bohemiens stehen. Er skizziert mitten in diesen halb ironischen, halb utopischen Reflexionen ökonomische und historische Entwicklungen, die damals erst keimhaft vorhanden waren. So gelangt er, lange vor Rosa Luxemburg, zu einer geistreichen Deutung des beginnenden Imperialismus, den er als eine aggressive kapitalistische Expansion, als Eroberung neuer Absatzmärkte für überschüssige Kapitalien begreift und einmal spöttisch charakterisiert: „Wie an Waren, so herrscht auch Überfluß an Kapitalien – natürlich nicht für diejenigen, die sie brauchen. Die Finanzleute wissen nicht mehr, wo dieselben unterbringen, und so machen sie sich denn auf, bei jenen glücklichen Völkern, die noch Zigaretten rauchend in der Sonne liegen, Eisenbahnen zu legen, Fabriken zu bauen, den Fluch der Arbeit einzuführen. Und dieser Kapitalexport endet eines schönen Tages mit diplomatischen Verwicklungen ... Die Fabrikanten Europas träumen Tag und Nacht von Afrika, vom Saharameer, von der Sudanbahn; mit gespannter Aufmerksamkeit folgen sie den Reisen der Stanley, De Brazza, Nachtigal, Holub; offenen Mundes lauschen sie den wunderverheißenden Erzählungen dieser mutigen Forscher. Welch unbekannte Wunder birgt nicht dieser dunkle Erdteil! Ganze Felder sind von Elefantenzähnen besät, ganze Flüsse von Palmöl fließen in einem Bett von Goldsand dahin, Millionen von schwarzen Hintern – nackt wie Bismarcks Schädel – harren des europäischen Kattuns, um den Anstand des preußischen Schnapses und der englischen Bibel, um die

Tugenden der Zivilisation zu erlernen."

Lafargue ersehnte eine Zeit, in der der europäische Kommerz die „unterentwikkelten" Gebiete in ihrer ursprünglichen Einfalt wieder schonen wird: „Dann werden die glücklichen Südsee-Insulaner sich der freien Liebe hingeben können, ohne die Fußtritte der zivilisierten Venus und die Predigten der europäischen Moral fürchten zu müssen".

Die meiste Arbeit sei doch letzten Endes gar nicht notwendig oder werde zumindest einmal in einer künftigen friedlichen Menschheit überflüssig sein! Dann könnte man nämlich auf Regierung, Polizei, Militär, Juristen, Klerus verzichten. Außerdem würde man die oft ganz unsinnige Luxusindustrie, die Diamantenschleifer, Modeschneider, Spitzenarbeiterinnen, Haarkünstler, ferner die livrierten Diener und die meisten Beamten nicht mehr brauchen. Mit Sean O'Casey würde Lafargue sagen: „Oh, wir haben genug vom Mißbrauch dieser schönen Erde! Es ist keine traurige Wahrheit, daß sie unsere Heimat sein sollte. Böte sie uns auch nur ein einfaches Obdach, einfache Kleidung, einfache Nahrung, zusammen mit den Lilien und Rosen, den Äpfeln und Birnen wäre sie eine gute Heimstätte für Sterbliche und Unsterbliche."

Das ist die Welt Lafargues! Rousseausche Naturbegeisterung, die Fröhlichkeit, Lebenslust und Ausgelassenheit Brueghelscher Hochzeiten, Kirmesfeiern und Fastnachtsumzüge, die köstliche Frechheit und der verspielte Witz Heinrich Heines, der gedichtet hatte:

> „Es wächst hiernieden Brot genug
> Für alle Menschenkinder,
> Auch Rosen und Myrthen und Schönheit und Lust
> Und Zuckererbsen nicht minder",

dies alles verbindet sich mit Märchenbuch-Erinnerungen von fürstlichem Leben – jedoch nun auf demokratischer, allgemeiner Basis –, mit dem biblischen Gleichnis von den Vögeln des Himmels und den Lilien auf dem Felde, mit der romantischen Legende vom schönen und bunten Mittelalter, mit Anekdoten von Weltreisenden und bohèmehafter Revolte gegen eine rein utilitaristische und mechanisierte, entzauberte und fronende Arbeitswelt, gegen „die Todestraurigkeit der Großindustrie" (Georges Navel).

Ist also Lafargue ein Maschinenstürmer? Ist er von jener falschen Sehnsucht nach dem „einfachen Leben" ergriffen: nach Kerzenbeleuchtung – gerade, wenn das elektrische Licht installiert worden ist? Gehört er also zu jenen kleinbürgerlichen „Lebensreformern" und Weltverbesserern, für die vegetarische Nahrung oder Esperanto allein schon die Erlösung von allem Übel bedeuten? Denken wir z. B. an jenen skurrilen Schuster aus Schwaben, der in einer umfangreichen Broschüre darlegte, daß die Menschheit nur darum moralisch krank sei, weil sie ihre elementaren

Bedürfnisse in geschlossenen Räumen und mit künstlichem Papier verrichte. Wenn sie aber, dozierte er, diese entscheidenden Minuten in Wäldern verbrächte und mit Moos – statt mit Toilettenpapier – sich behülfe, würden auch ihre seelischen Giftstoffe im Kosmos verdunsten. Körperlich und seelisch gereinigt, als gute Wilde, kehrten sie zur Arbeit zurück, ihr soziales Gefühl wäre gekräftigt, der Egoismus verschwände, die wahre Humanität erwachte, und das „Reich Gottes auf Erden", das lang verheißene, bräche an!

Doch so einfach macht es sich Paul Lafargue keineswegs. Wir haben schon von ihm gehört, daß er sich gerade von einer verringerten Arbeitszeit einen Aufschwung der industriellen Technik erwartet! Er wäre zweifellos mit jenem witzigen Astronomen einer Meinung gewesen, der behauptete: „Wir studieren nicht den Sternenhimmel und seine Gesetze, um neue Gesetze zu finden, mit denen wir neue Maschinen bauen können, sondern wir machen immer mehr neue Maschinen, damit immer mehr Menschen, von körperlicher Arbeit entlastet, frei den Himmel erforschen können."

Gegen den Einwand, das antike und feudale Ideal der Muße, die antike und feudale Verachtung der Arbeit sei nur in einem auf Sklavenwirtschaft beruhenden Gemeinwesen möglich gewesen, antwortet der cubanische Sozialist, daß es erst heute jene Skalven gibt, von denen Aristoteles einmal geträumt habe:

„Wenn jedes Werkzeug auf Kommando oder auch voraussehend die ihm zukommende Arbeit verrichten könnte, wie des Dädalus Kunstwerke sich von selbst bewegten, oder die Dreifüße des Hephästus aus eigenem Antrieb an die heilige Arbeit gingen, wenn so die Weberschiffe von selbst webten, so bedürfte es weder für den Werkmeister der Gehilfen, noch für die Herren der Sklaven." Hierin begegnet sich der cubanische Sozialist Paul Lafargue mit dem irischen Dandy Oscar Wilde, der ungefähr gleichzeitig geschrieben hatte: „Jetzt verdrängt die Maschine den Menschen. Unter richtigen Zuständen wird sie ihm dienen. Es ist durchaus kein Zweifel, daß das die Zukunft der Maschine ist, und ebenso wie die Bäume wachsen, während der Landwirt schläft, so wird die Maschine, während die Menschheit sich der Freude oder edler Muße hingibt – Muße, nicht Arbeit, ist das Ziel des Menschen – oder schöne Dinge schafft oder schöne Dinge liest, oder einfach die Welt mit bewundernden und genießenden Blicken umfängt, alle notwendige und unangenehme Arbeit verrichten. Es steht so, daß die Kultur Sklaven braucht. Darin hatten die Griechen ganz recht ... Die Sklaverei von Menschen ist ungerecht, unsicher und entsittlichend. Von mechanischen Sklaven, von der Sklaverei der Maschine hängt die Zukunft der Welt ab ... Ist dies utopisch? Eine Weltkarte, in der das Land Utopia nicht verzeichnet ist, verdient keinen Blick, denn sie läßt die eine Küste aus, wo die Menschheit ewig landen wird ..."[12]

Sehr schön bemerkte bereits vor einem halben Jahrhundert der Theologe und

179

Soziologe Ernst Troeltsch „die Anziehungskraft des Marxismus auch für ästhetisierende, wesentlich anarchistisch-idealistische Geister"[13]. Wir selber sprachen oben von jenem Kern ästhetischer Utopie und romantischem Bohème-Element, das im ursprünglichen Marxismus enthalten ist. Die Verdrängung Lafargues, das völlige Vergessen seiner Schriften erweist sich – wenn wir unsere Betrachtungen zusammenfassen – nicht als ein rein persönliches Malheur, sondern zeigt, daß innerhalb des offiziellen, staatlich etablierten Marxismus die romantische, ästhetische, aus bohèmehaftem Protest geborene Komponente liquidiert worden ist. Diese Umfunktionierung und Umstrukturierung einer revolutionären Ideologie bedeutet: Saint-Simon siegte über Fr. Schlegel, der Industrialismus über die Romantik! In den neueren ideologischen Debatten, vor allem innerhalb der Sowjet-Union, entdecken wir, daß gerade jene von Marx als „Utopisten" (in einem pejorativen Sinn) bezeichneten Frühsozialisten den genuinen Gehalt des Marxismus, seine romantischen Impulse, verdrängt haben[14]. Die hedonistische „Metaphysik der Schokolade" (Fernando Pessoa) wird ad calendas greaecas aufgeschoben. Bis dahin herrscht der leninistische Bannfluch gegen faulenzende „Oblomowerei"[15]. Ein Paradies ohne Privateigentum ist noch keine „Idylle des Müßiggangs".

Schon Casanova – der hier als Urtyp des Abenteurers, der nie etwas „geleistet" hat, stehen mag – ist mit seinem Ausflug in die Welt der Ökonomie gescheitert. Er produzierte und verkaufte nicht nach Geschäftsprinzipien, sondern vor allem nach seinen Launen und Damenbekanntschaften. Er verschenkte die Einnahmen und ließ sich in Liebesabenteuer mit den Arbeiterinnen ein – so daß seine Fabrik in Paris bald ruiniert war. War aber diese Liaison von Flanerie und Produktivität noch heiter und harmlos, so war die Liquidation des romantisch-bohemianistischen Elements aus der marxistischen Ideologie bereits tragisch.

Wir haben mit unseren Betrachtungen nicht nur einen ziemlich vergessenen geistesgeschichtlichen Zusammenhang und dessen Dialektik hervorheben wollen, sondern zugleich versucht, ein heute in den hochindustrialisierten Ländern immer wichtigeres Vitalproblem gleichsam aus seiner „Vorgeschichte" her zu beleuchten: bewegen wir uns doch einer menschheitsgeschichtlichen Etappe entgegen, die zum erstenmal breitesten Schichten ein von Arbeit weitgehend entlastetes Leben bieten könnte. Im Grunde ging es bei Saint-Simon, Friedrich Schlegel und Paul Lafargue – wenn auch mit unterschiedlichem Akzent – um Erfahrungen, Hoffnungen und Projekte, die dem heute schon recht gedankenlos verwendeten Begriff „ *Freizeit* " entsprechen! Voreilig wäre es, zu behaupten, daß der Mensch fürs „Reich der Freiheit" nicht tauge, so daß er nicht aus Profitinteresse, sondern um der Humanität willen vor den „Leidenschaften des Müßiggangs" (Rousseau), vor der drohenden kollektiven Langeweile behütet werden müsse. Derlei Weisheiten sind insofern falsch, als sie „den Menschen" für eine unveränderliche, geschichtslose, „naturhafte" Gegebenheit halten. Voll fiktiver Sorge um die unheilvollen Folgen der verwirklichten Utopie, werden jene weit realeren und dringlicheren Übel, die jene Utopie sabotieren, nur mit den Fingerspitzen berührt.

Voreilig ist aber auch der unreflektierte Standpunkt, daß die bloße Arbeitszeitverkürzung an sich schon die Erlösung von allem Übel bedeute. Vielmehr werden wir mit Experiment, Phantasie und Reflexion jene *promesse de bonheur* erkunden müssen, die in der Befreiung vom „labor improbus", von den „sordidae artes" enthalten ist.

* In: Zschr. f. Religions- u. Geistesgeschichte, 1964, S. 158 – 167.

[1] Über Charles Fourier: vgl. Gerd-Klaus Kaltenbrunner, *Utopie als Wunschtraum und Experiment* (II). In: Neue Wege, Nr. 183, Wien, Februar 1963, 7 ff.
[2] Deutsche Ausgabe in: Sozialdemokratische Bibliothek, XIX, 1887. Nach dieser Ausgabe wird auch hier zitiert. – Neuausgabe: Frankfurt 1967 (Die Hrsg.).
[3] Einen ersten kurzen Hinweis auf Paul Lafargue enthält meine Studie „Oeconomica. Zum Selbstverständnis des wirtschaftlichen Denkens". In: Moderne Welt. Zeitschrift für vergleichende geistesgeschichtliche und sozialwissenschaftliche Forschung, Köln 1963, Heft 2, 163 ff.
[4] Karl Marx, *Lohn, Preis und Profit*, Berlin 1928, S. 58.
[5] Vgl. Herbert Marcuse, *Vernunft und Revolution*, NeUwied 1962, S. 254 ff., bes. 258 f. Außerdem: Robert C. Tucker, *Karl Marx. Die Entwicklung seines Denkens von der Philosophie zum Mythos*, München 1963, S. 170 f., 202 ff., 256 ff., 261 ff.
[6] Karl Marx / Friedrich Engels: *Die deutsche Ideologie*. In: Karl Marx, *Die Frühschriften*. Hrsg. von Siegfried Landshut. Kröners Taschenausgabe, Bd. 209, Stuttgart 1953, S. 361.
[7] Die romantische Komponente im marxistischen Sozialismus bemerkten u. a.: Ernst Topitsch, *Sozialphilosophie zwischen Ideologie und Wissenschaft*. Neuwied 1962, 237; Paul Honigsheim, *Stw. Romantik und neuromantische Bewegungen*. *Handwörterbuch der Sozialwissenschaften*, Bd. IX, 32; Reinhold Niebuhr, *The Nature and Destiny of Man. A Christian Interpretation*, vol. I: Human Nature, 1941 (reprint London 1949). 46 ff.; Hermann Ebeling, *. . . des Busens Flammensang. Ein unbekannter Lyriker des Biedermeier*. In: Der Monat Nr. 155 (August 1961), 63 ff.; Ernst-Karl Winter, *Die österreichische Romantik*, In: Allgemeine Rundschau. Wochenschrift für Politik und Kultur. (München, 4. Mai 1929), 331 („. . . die innere Verwandtschaft des romantischen Denkens mit dem modernen Sozialismus. . ."). Vgl. auch Alfred Doren, *Wunschträume und Wunschzeiten*. In: Vorträge der Bibliothek Warburg. Vorträge 1924–1925 (Leipzig/Berlin 1927). 195 ff., Hugo Ball, *Zur Kritik der deutschen Intelligenz* (Bern 1919), 180 und Robert C. Tucker, *Karl Marx. Die Entwicklung seines Denkens von der Philosophie zum Mythos* (München 1963), 204 ff., 314 f.
[8] J. Dietzgen, *Religion der Sozialdemokratie*, 5 ff.
[9] Vgl. Gerd-Klaus Kaltenbrunner, *Zur Vorgeschichte des Freizeit-Problems*. In: Neue Wege, Nr. 187, Wien, September 1963, S. 3 ff.
[10] Oscar Wilde, *Der Sozialismus und die Seele des Menschen*. In: Fortnightly Review, Februar 1891.

[11] Vgl. Hugo Ball, *Zur Kritik der deutschen Intelligenz*, Bern 1919, S. 181; Herbert Marcuse, *Vernunft und Revolution*, S. 249 f.; Robert C. Tucker, *Karl Marx*, S. 199 ff.

[12] Oscar Wilde, a. a. O.

[13] Ernst Troeltsch, *Gesammelte Schriften*, 3. Bd., 352.

[14] Vgl. dazu die Studien von Wolfgang Leonhard, Richard Löwenthal, Robert C. Tucker u. a.

[15] Ein von Lenin nach der Hauptfigur aus Gontscharows Roman geprägtes Wort, das im Russischen mindest so üblich ist wie unsere RedensaRt „Donquijottismus" oder „Donquijotterie".

5b) Sozialismus und Kultur

Von Antonio Gramsci

Vor einiger Zeit ist uns ein Artikel in die Hände geraten, in dem Enrico Leone – in der ihm allzu häufig eigenen nebelhaften und verwickelten Form – einige Gemeinplätze über Kultur und Intellektualismus und ihr Verhältnis zum Proletariat wiederholte. Leone stellt ihnen die Praxis, das historische Faktum, gegenüber, durch die die Klasse mit eigenen Händen die Zukunft vorbereite. Wir glauben, man tut gut daran, dieses Thema wieder aufzugreifen, das auch schon früher im *Grido* behandelt wurde und vor allem in der *Avanguardia* eine mehr theoretische Behandlung, durch die Polemik zwischen Bordiga aus Neapel und unserem Tasca, erfuhr.

Wir bringen zwei Zitate in Erinnerung: das eine von Novalis: ,,Die höchste Aufgabe der Bildung ist, sich seines transzendentalen Selbst zu bemächtigen, das Ich seines Ichs zugleich zu sein. Um so weniger befremdlich ist der Mangel an vollständigem Sinn und Verstand für andre. Ohne vollendetes Selbstverständnis wird man nie andere wahrhaft verstehen lernen.''[1] Das andere, das wir hier dem Inhalt nach kurz wiedergeben, ist von G. B. Vico. Er interpretiert den berühmten Auspruch von Solon ,,Erkenne dich selbst'', den später Sokrates übernahm, philosophisch. Vico behauptete, daß Solon mit diesem Ausspruch die Plebejer zum Nachdenken hätte anhalten wollen, die glaubten, tierischen Ursprungs zu sein, die Adeligen dagegen seien göttlicher Herkunft; sie sollten erkennen, daß sie menschlicher Natur seien wie die Adligen, und sollten fordern, mit jenen im bürgerlichen Recht gleichgestellt zu werden. Und ·Vico setzt dann dieses Bewußtsein der menschlichen Gleichheit von Plebejern und Adligen als Ursache und historische Begründung für die Entstehung der demokratischen Republiken der Antike. Wir haben keinesfalls diese beiden Zitate aufs Geratewohl herangeholt. Sie scheinen uns die Prinzipien anzudeuten oder auch vage auszudrücken und zu definieren, auf denen sich auch im Sozialismus ein rechtes Verständnis des Begriffs Kultur gründen sollte.

Man muß sich abgewöhnen, die Kultur als enzyklopädisches Wissen zu begreifen, wobei der Mensch nur wie ein Gefäß betrachtet wird, das mit empirischen Daten und rohen, unzusammenhängenden Fakten anzufüllEn ist; er muß sie in seinem Gehirn wie in den Spalten eines Wörterbuchs anordnen, um dann bei jeder Gelegenheit auf die verschiedenen Reize der Außenwelt reagieren zu können. Diese Form der Kultur ist wahrhaft schädlich, besonders für das Proletariat. Die Folge davon sind verschrobene Leute, die sich der übrigen Menschheit überlegen dünken, weil sie in ihrem Gedächtnis eine gewisse Anzahl von Daten aufgehäuft haben, die sie bei jeder Gelegenheit vor sich herplappern, um so nachgerade eine Mauer zwischen sich und den anderen aufzurichten. Die Folge ist jener gewisse dämpfige und farblose Intellektualismus, der – treffend von Romain Rolland gegeißelt – ein ganzes Rudel von Eingebildeten und Phantasten erzeugte, die das gesellschaftliche Leben mehr zerstören als der Tuberkelbazillus und die Syphilis die Schönheit und Gesundheit des Körpers zerstören können. Das Studentlein mit seinen wenigen Latein- und Geschichtskenntnissen und der Winkeladvokat, dem es gelungen ist, der Unlust und dem Schlendrian der Professoren einen lumpigen Doktortitel zu entreißen, sie glauben, auch dem besten Facharbeiter überlegen zu sein und sich von ihm zu unterscheiden, der im Leben eine genau umrissene, unentbehrliche Aufgabe erfüllt und in seiner Tätigkeit hundertmal mehr wert ist als die anderen. Ihre Tätigkeit ist keine Kultur, sie ist Pedanterie, sie ist keine Intelligenz, sondern Intellekt, und dagegen reagiert man zu Recht.

Kultur ist etwas ganzes anderes. Sie ist Organisation, Disziplin des eigenen Ichs, Besitz der eigenen Persönlichkeit, Eroberung eines höheren Bewußtseins, mit dessen Hilfe es gelingt, den eigenen geschichtlichen Wert zu begreifen, die eigene Funktion im Leben, die eigenen Rechte und Pflichten. Aber all das kann nicht auf dem Wege spontaner Entwicklung erfolgen, durch willensunabhängige Aktionen und Reaktionen, wie in der Natur bei Pflanzen und Tieren, wo jedes einzelne, vom Gesetz der Dinge bestimmt, die eignen Organe unbewußt selektiert und spezifiziert.

Der Mensch ist vor allem Geist, geschichtliche Schöpfung und nicht Natur. Sonst ließe sich nicht erklären, warum – da es immer Ausgebeutete und Ausbeuter gegeben hat, immer Produzenten von Reichtum und egoistische Konsumenten dieses Reichtums – sich der Sozialismus noch nicht verwirklicht hat. Das bedeutet, daß nur Schritt für Schritt, Schicht um Schicht die Menschheit das Bewußtsein des eigenen Werts erlangt und sich das Recht erworben hat, unabhängig von den Vorstellungen und Vorrechten von Minderheiten zu leben, die sich geschichtlich früher durchsetzten. Und dieses Bewußtsein hat sich nicht unter dem brutalen Stachel physiologischer Notwendigkeiten entwickelt. Vielmehr haben erst einige, dann eine ganze Klasse, über die Ursache gewisser Tatsachen und über die besten Mittel nachgedacht, aus ihnen statt Anlässen zur Unterdrückung Momente der Rebellion und des gesellschaftlichen Wiederaufbaus zu machen. Das bedeutet, daß jeder Revolution eine intensive kritische Arbeit vorausging, daß zunächst widerspenstige Menschen kulturell und „ideologisch" durchdrungen wurden, Menschen, die nur bedacht waren, täglich, stündlich ihre eigenen ökonomischen und politischen Probleme für sich allein zu lösen, ohne mit den anderen, die sich in der gleichen Lage befinden, solidarisch zu erkären. Das letzte, uns nächste Beispiel, ist die Französische Revolution. Die vorausgegangene kulturelle Periode der Aufklärung, so sehr von den unbeschwerten Kritikern der theoretischen Vernunft diffamiert, war keineswegs oder zumindest nicht nur ein Gefasel oberflächlicher enzyklopädischer Geister, die von allem und jedem mit gleicher Unerschütterlichkeit redeten und glaubten, nur dann Menschen ihres Zeitalters zu sein, wenn sie die Große Enzyklopädie D'Alemberts und Diderots gelesen hatten. Es war keineswegs nur ein Phänomen pedantischen und unfruchtbaren Intellektualismus, wie wir ihn geißelten und der seinen höchsten Ausdruck in den Volkshochschulen schlimmster Güte findet. Die Aufklärung war selbst eine großartige Revolution, die – wie De Sanctis scharfsinnig in seiner *Geschichte der italienischen Literatur* bemerkt – sich in ganz Europa als einheitliches Bewußtsein herausgebildet hatte, als eine bürgerliche geistige Internationale, die in jedem ihrer Teile die gemeinsamen Unglücksfälle und Schmerzen fühlte und die die beste Vorbereitung für den blutigen Aufstand war, der sich dann in Frankreich abspielte.

In Italien, Frankreich, in Deutschland diskutierte man die gleichen Probleme, die gleichen Institutionen, die gleichen Prinzipien. Jede neue Komödie Voltaires, jedes neue Pamphlet war wie ein Funke, der längs der von Staat zu Staat, von Land zu Land gespannten Drähte übersprang und Zustimmende und Ablehnende überall und zu gleicher Zeit fand. Die Bajonette der napoleonischen Armeen fanden bereits den Weg von einem unsichtbaren Heer von Büchern und Broschüren geebnet, die von Paris seit der ersten Hälfte des 18. Jahrhunderts ausgeschwärmt waren und Menschen und Institutionen für die notwendigen Erneuerungen vorbereitet hatten. Später, als die französischen Ereignisse das Bewußtsein geschärft hatten, genügte ein Volksaufstand in Paris, um ähnliche Aufstände in Mailand, Wien und in kleineren Zentren auszulösen. All das scheint natürlich, spontan und leicht; es wäre hingegen unvorstellbar wenn nicht die kulturellen Faktoren bekannt wären, die zu jenen Gefühlen beitrugen, die für eine gemeinsam geglaubte Sache sich zu entladen bereit waren.

Das gleiche Phänomen wiederholt sich heute beim Sozialismus. Durch die Kritik an der kapitalistischen Zivilisation hat sich das einheitliche Bewußtsein des Proletariats gebildet oder ist im Begriff sich zu bilden, und Kritik bedeutet Kultur, und nicht bloß spontane und naturalistische Entwicklung. Kritik heißt eben jenes Bewußtsein des Ich, das Novalis als Ziel der Kultur bezeichnete; ein Ich, das sich den anderen entgegenstellt, sich differenziert und – nachdem es sich ein Ziel gesteckt hat – die Tatsachen und Ereignisse nicht nur an sich und für sich beurteilt, sondern auch als vorwärtstreibende oder rückwärtsdrängende Werte. Sich selbst erkennen, heißt selbst sein, heißt Herr seiner selbst sein, sich unterscheiden, aus dem Chaos heraustreten, heißt ein Element der Ordnung sein, aber der eigenen Ordnung und der eigenen, einem Ideal zugewandten Disziplin. Und dies erreicht man nicht, wenn man nicht auch die anderen kennt: ihre Geschichte, die Serie ihrer Anstrengungen, zu sein, was sie sind, die Zivilisation zu gründen, die sie gegründet haben und die wir durch unsere Zivilisation ablösen wollen. Es bedeutet zu wissen, was die Natur und ihre Gesetze sind, um die Gesetze zu kennen, die den Geist regieren. Und all dies lernen, ohne das letzte Ziel aus den Augen zu verlieren: besser sich selbst durch die anderen und die anderen durch sich selbst kennenzulernen.

Wenn es stimmt, daß die Universalgeschichte eine Kette von Anstrengungen ist, die der Mensch unternommen hat, um sich von Privilegien, Vorurteilen und Götzenverehrung zu befreien, so ist nicht zu verstehen, weshalb das Proletariat, das dieser Kette einen weiteren Ring hinzufügen will, nicht wissen darf, wie und warum, wer sein Vorgänger gewesen ist und welchen Nutzen es aus diesem Wissen ziehen könnte.

Il Grido del Popolo, 29. 1. 1916
(A. Gramsci, Philosophie der Praxis, Frankfurt/M. 1967, S. 20 – 23)

[1] Novalis: *Fragmente über Ethisches, Philosophisches und Wissenschaftliches.* Werke Bd. 2, Leipzig 1898, S. 92. [D. Hrsg. Chr. Riechers]

5c) Walter Benjamins Verarbeitung der deutschen Frühromantik

Von Chryssoula Kambas

Wer der Beschäftigung Walter Benjamins mit der deutschen Frühromantik nachgeht, stößt darauf, daß er sich an recht weit auseinanderliegenden Zeitpunkten seines Lebens mit ihr intensiv befaßt hat, 1917 und 1937. Es ist zu erwarten, daß über zwanzig Jahre hinweg der Kontext seiner Rezeption nicht unberührt blieb. Die Auseinandersetzung mit der Frühromantik stand am Anfang der literarischen Arbeit Benjamins. Am erzwungenen Ende läßt sich ein Rekurs unter neuen Vorzeichen auf die frühe Lektüre erkennen.

Die Fragestellung der Dissertation

Benjamins Dissertation ,,Der Begriff der Kunstkritik in der deutschen Romantik"[1] hat sich inzwischen als fester Bestandteil der Frühromantikrezeption integriert, ohne Aufsehen erregt zu haben. Es ist über sie auch nicht die Frage nach einem revolutionären Gehalt der Frühromantik aufgeworfen worden. Dies liegt möglicherweise daran, wie Benjamin sich sein Dissertationsthema gestellt hat.

Die thematische Abgrenzung ist das eigentlich Neue in der zeitgenössischen Romantikrezeption gewesen, und sie hat Benjamin, nachdem die Arbeit abgefaßt war, zu behaupten erlaubt, er habe einen ,,Hinweis auf die durchaus in der Literatur unbekannte wahre Natur der Romantik" geben können, selbst wenn er ,,*nur* die Kunstanschauung"[2] behandelt habe. Und in dem Brief, der die endgültige Themenstellung zuerst meldete – kurz nachdem er ihn geschrieben hatte, erhielt er ,,die Nachricht von der Ausrufung der bayrischen Republik"[3] –, pointierte Benjamin: ,,Die Arbeit behandelt den romantischen Begriff der Kritik (der Kunstkritik). () bei den Romantikern war ,,Kritik" ein ganz esoterischer Begriff (). Deren sie mehrere gehabt haben, vielleicht aber keinen so *verborgenen*."[3] Die ,,wahre Natur" der Frühromantik sah er demnach in einem ,,verborgenen Begriff", ,,der, was die Kunst angeht, die besten Einsichten der gleichzeitigen und spätern Dichter, einen neuen, in vieler Beziehung *unsern* Kunstbegriff in sich schließt."[4] Und den verborgenen Begriff Kritik fand er für sich und seine Zeit bestimmt, für sein und ihr Kunstbegreifen notwendig.

Dagegen ist an entscheidenden Stellen, in einem Brief vom Juni 1917, der eine erste eingehende Beschäftigung Benjamins mit der Frühromantik erkennen läßt, und dann dem vom 7. April 1919, der den Abschluß der Arbeit nach München meldete, schließlich selbst im Vorwort der Dissertation, von einem andern ,,Zentrum" der Frühromantik die Rede: ,,Das Zentrum () ist: Religion und Geschichte."[5] Benjamin begründete im Brief vom 7. April 1919 die Tatsache, daß er *nur* einen *Hinweis* auf eine unbekannte Romantik gegeben habe: ,,weil ich an das Zentrum der Romantik, den Messianismus () ebenso wenig wie an irgend etwas anderes, das mir höchst gegenwärtig ist herangehen durfte ().''[6] Eine dieser Begründung entsprechende Stelle findet sich im Vorwort der Dissertation dort, wo ihm die Abgrenzung gegen ,,die geschichtsphilosophische Fragestellung''[7] unentbehrlich ist: Der Kritikbegriff, der in der frühromantischen ,,Idee der Kunst'' beschlossen liege, liefere lediglich für die ,,Wesensbestimmung'' des romantischen Zentrums ,,Materialien'', ,,nicht aber den Gesichtspunkt''. Wozu eine Anmerkung ergänzt: ,,Dieser Gesichtspunkt dürfte in dem romantischen Messianismus zu suchen sein.''[7]

Was Benjamin derart aktuell schien, daß er es aus einer akademischen Arbeit auszusondern sich gezwungen fühlte, verraten drei in dieser Anmerkung aneinander montierte Zitate. ,,Der revolutionäre Wunsch, das Reich Gottes zu realisieren, ist der elastische Punkt der progressiven Bildung und der Anfang der modernen Geschichte. Was in gar keiner Beziehung aufs Reich Gottes steht, ist in ihr nur Nebensache.'' ,,Mit der Religion, lieber Freund, ist es uns keineswegs Scherz, sondern der bitterste Ernst, daß es an der Zeit ist, eine zu stiften. Das ist der Zweck aller Zwecke und der Mittelpunkt. Ja, ich sehe die größte Geburt der neuen Zeit schon ans Licht treten; bescheiden wie das alte Christentum, dem man's nicht ansah, daß es bald das römische Reich verschlingen würde, wie auch jene große Katastrophe in ihren weiteren Kreisen die französische Revolution verschlucken wird, deren solidester Wert vielleicht nur darin besteht, sie inciitiert zu haben.'' ,,Abgelehnt wird der Gedanke eines sich in der Unendlichkeit realisierenden Ideals der vollkommenen Menschheit, es wird vielmehr das ,Reich Gottes' jetzt in der Zeit, auf Erden, gefordert... Vollkommenheit in jedem Punkte des Daseins, realisiertes Ideal auf jeder Stufe des Lebens, aus dieser kategorischen Forderung erwächst Schlegels neue Religion.''[8] Mit dem Zitat aus Friedrich Schlegels Brief an August Wilhelm zog Benjamin deutlich eine geschichtliche Linie. Schlegel hätte damit die französische Revolution prophetisch als die Initialzündung zu einem Katastrophenprozeß gesehen, der damals in seinen Auswirkungen noch nicht absehbar war. Während das erste Zitat nur umreißt, was Benjamin unter ,,romantischem Messianismus'' verstanden wissen wollte, wies er mit dem zweiten auf die eigene Gegenwart. Im letzten gab er zu erkennen, daß der Messianismus der romantischen ,,Religion'' in jeder geschichtlichen Situation hic et nunc realisierbar sei. Benjamin muß diese Aussage wichtig gewesen sein. Er hätte sonst das Zitat, das aus einer Sekundärschrift stammt, nicht unverbunden neben die Quellenzitate gestellt und es dadurch aufgewertet.

Der so umrissene romantische Messianismus steht in keiner Beziehung zum Katholizismus der späteren Romantik. Wenn Benjamin demnach zunächst die Kunstanschauung der Frühromantik herausgearbeitet hat, so hat er die Gefahren eines theologisch gestellten Themas gemieden. Sie ergaben sich allerdings neu bei der Herausarbeitung des Begriffs Kritik.

In der Dissertation sollte die Theorie der Kunstkritik ,,nach den romantischen Theoretikern der Kunst systematisch dargestellt werden.''[9] Nun hätte auch dies Vorhaben auf Friedrich Schlegels ,,Windischmannsche Vorlesungen'' verwiesen, die 1804 und 1806 gehalten waren, nachdem der Jenenser Kreis längst zerfallen war. In ihnen hatte Schlegel die Systematik der Erkenntnistheorie, an Fichtes ,,Wissenschaftslehre'' anknüpfend, zur Grundlage der Kunsttheorie erklärt. Aber die hier von Schlegel angestrebte erkenntnistheoretische Systematik fand Benjamin ,,völlig beherrscht von den Ideen der katholischen Restaurationsphilosophie (). Die Hauptmasse der Gedanken in diesen Vorlesungen ist bei Schlegel neu, wenn auch nichts weniger als originell. Überwunden scheinen ihm seine ehemaligen Aussprüche über Humanität, Ethik und Kunst.''[10] Wenn Benjamin mit dieser Begründung die ,,Windischmannschen Vorlesungen'' allein zur Kontrolle heranziehen wollte und das ,,Athenäum'' zur Hauptquelle für die systematische Ausarbeitung des frühromantischen Begriffs Kritik erklärte; wenn er auf der anderen Seite betonte, die systematische Herausarbeitung des Begriffs Kritik gelte der Idee der kunstkritischen Arbeit der Romantiker, keinem ,,philosophischen Kritizismus''[11], dann läßt sich daraus ein Hinweis entnehmen, inwiefern die Kunsttheorie als ,,Material'' zum romantischen Messianismus aufzufassen ist. Benjamin sieht es in Friedrich Schlegels ,,mystischer Terminologie''[12], worin er ein kunsttheoretisches Äquivalent zum republikanischen Humanismus der Frühromantiker erkennt. Entsprechend sieht er Schlegel ,,seine methodische Kraft'' verlieren, wenn die religiösen Termini die ästhetischen zu verdrängen beginnen.[13] Daraus erklärt sich seine bibliographische Beschränkung auf die im ganz strengen Sinne frühromantischen Schriften, aber auch der Verzicht auf die Herausarbeitung des geschichtsphilosophischen Zentrums. Schlegels Mystik hätte nicht an ihre gedanklich-systematische Grenze getrieben werden können; und auch der religiöse Sprachgebrauch seiner frühromantischen Phase hätte zu indifferentem Erlösungsdenken verleiten können.

Mystische Erkenntnis, romantische Esoterik

Die ,,Windischmannschen Vorlesungen'' beanspruchen Fichtes ,,Wissenschaftslehre'' zur erkenntnistheoretischen Grundlegung einer eigenständigen romantischen Ästhetik. Hierüber ist Fichtes Philosophie in die Rezeptionsgeschichte der Romantik eingegangen. Benjamin hebt aber in seiner Dissertation hervor: die ,,Wissenschaftslehre'' ist nicht unbedingt Grundlage von Friedrich Schlegels Mystik aus der frühromantischen Zeit, sie prägt jedoch deutlich die Differenz von Mystik und Erkenntnistheorie aus. Schlegels und Novalis' Denken, ihr Denken über das Denken, benennt Benjamin mit dem von ihnen dazu bevorzugt benutzten Terminus der Reflexion. Dieser zentrale Begriff läßt sich mit Fichtes Reflexionsbegriff vergleichen. ,,Es gilt hier dessen Beziehungen zum Fichteschen eingehend klarzulegen; daß er von diesem abhängig ist, steht fest, kann aber für den vorliegenden Zweck nicht genügen. Hier kommt es darauf an, genau zu vermerken, wieweit die Frühromantiker Fichte folgen, um deutlich zu erkennen, wo sie sich von ihm trennen."[14] Aus der Differenz in der Bestimmung beider Reflexionsbegriffe gewinnt Benjamin schließlich einen eigenen Begriff der Reflexion. In ihm liegt der Schlüssel zu Benjamins orginärer Rezeption der Frühromantik. In seinen späteren Arbeiten sind die Spuren dieser Rezeption zahlreich, ganz abgesehen von der fortgeführten direkten Auseinandersetzung mit ihr.

Im ersten Teil der Dissertation arbeitet Benjamin den frühromantischen und den fichteschen Reflexionsbegriff kontrastreich heraus. Dabei bezieht er sich durchgehend auf die erste Fassung der ,,Wissenschaftslehre": Mit Hilfe des Reflexionsbegriffs hatte Fichte bestimmt, was einerseits Wissenschaft, andererseits Wissenschaftslehre, die sichere Selbsterkenntnis der Wissenschaft, sei. Er machte den letzten Unterschied zwischen beiden am Vermögen der Selbstreflexion fest. Die Wissenschaft sucht sich, durchgehend unbewußt, Gegenstände, die sie bearbeiten kann, die Lehre von der Wissenschaft hebt dagegen das, was jene macht, zum Bewußtsein ihrer selbst. Solche Selbsterkenntnis der ursprünglich blinden wissenschaftlichen Tätigkeit bezeichnete Fichte als Reflexion, ein umformendes Reflektieren auf eine unmittelbare Erkenntnis.

Diese Reflexion schien Fichte aber nur dann jederzeit zuverlässig, wenn sich die Sicherheit ihres ersten Zugriffs garantieren läßt. Daraus ergibt sich das Problem, daß Fichte ein absolutes Subjekt denken muß, das im Zentrum der Reflexion steht und das sowohl die unmittelbare Wissenschaft wie auch die Wissenschaft der Wissenschaft als Selbsterkenntnis seiner Handlungen vollziehen kann. Soweit konzipiert ist die Reflexionslehre aber noch unvollkommen; denn der Prozeß der Selbsterkenntnis wäre nach der Seite des absoluten Subjekts hin unabschließbar. In der Metareflexion der Metareflexion usw. müßte es sich schließlich auflösen. Deshalb muß seine Tätigkeit auf die erste Reflexionsform eingeschränkt werden. Reflexion ist dann ,,nur" der Vollzug der Selbsterkenntnis des absoluten Subjekts (,,Ich") aus seiner ursprünglichen Handlung heraus. Gebannt und begrenzt wird es durch das, was es reflektiert, durch sein Erkenntnis-Objekt, das ,,Nicht-Ich".

Nach der Seite dieses Objekts bliebe nun die Reflexion weiterhin unabschließbar. Denn das Nicht-Ich hat, dank der Unendlichkeit der Gegenstände in der materiellen Welt, eine nicht bestimmbare unendliche Mannigfaltigkeit. Das ,,Ich" müßte auf unendlich viele Objekte reflektieren und damit büßte es seinerseits die Erkenntnissicherheit ein. Um zu vermeiden, daß jedes neue ,,Nicht-Ich" eine andersartige Reflexion provoziert und schließlich das absolute Ich verschleißt, konzipiert Fichte die „intellektuelle Anschauung". Durch sie sollen Unmittelbarkeit und Unendlichkeit des Ichs erhalten bleiben. Erst mit ihr ist die Subjekt-Objekt-Scheidung im Absoluten der Gedanken garantiert, und damit auch die Scheidung der verschiedenen Erkenntnisgrade: Materie ohne Bewußtsein, Wahrnehmung der Sinne, Erkenntnis, Erkenntnis der Erkenntnis – sie sind in der einmal vorgenommenen Verschränkung der Reflexion in die „intellektuelle Anschauung" logisch geschieden.

Nachdem er dies Fichtesche Erkenntnismodell entwickelt hat, konstruiert Benjamin den romantischen Reflexionsbegriff:

Die Romantiker sind auf der ersten Stufe des Fichteschen Reflexionsbegriffs stehengeblieben, da sie die unbewußt setzende Tätigkeit des Ichs abgelehnt haben. „Die Romantiker perhorreszieren Beschränkung durchs Unbewußte, es soll keine andere als relative Beschränkung und diese in der bewußten Reflexion selbst geben."[15] Wenn sie dennoch weiter an der Unendlichkeit und Unmittelbarkeit der Erkenntnis festgehalten haben, war ihnen das ohne Hilfe der „intellektuellen Anschauung" nur solange möglich, wie sie Unendlichkeit und Unmittelbarkeit vom absoluten Subjekt aus in einen absolut gedachten Raum verlagert haben.

Die Selbstreflexion der Reflexion ist bei den Romantikern unabschließbar geworden. Um der Unmittelbarkeit der Erkenntnis willen haben sie aber doch eine Beschränkung vornehmen müssen. Fichtes unbewußte Begrenzung des Ichs durch das Nicht-Ich ist bei ihnen zu einer bewußten Begrenzung durch ein „Gegen-Ich" geworden, das als Teil der unendlichen „Ichheit" gedacht war. Damit haben sie die empirische Wirklichkeit direkt im Absolutum untergebracht. Wenn so unter ihrem Begriff Reflexion das ganze Spektrum der Erkenntnis von der Materie bis zur Selbstgewißheit der Wissenschaft bei sich selbst gefaßt ist, dann ist Reflexion neuerlich unendlich und unmittelbar geworden, allerding um den Preis, oder die Errungenschaft, daß Ich und Nicht-Ich nur noch von Fall zu Fall geschieden werden können.

Während Benjamin den romantischen Reflexionsbegriff gegen den Fichteschen kontrastiert, bestimmt er auch die romantische Mutation von Nicht-Ich und Absolutem. Das Nicht-Ich emanzipiert sich zum „Gegen-Ich", das Absolutum, in dem das Ich ihm gegenübertritt, wird „Reflexionsmedium". Mit der willentlichen Begrenzung der Reflexion wird im „Reflexionsmedium" ein Gegenstand *erzeugt*. Selbstbegrenzung und Gegenstanserkenntnis sind gleichzeitig: Begrenzt sich die Reflexion selbst, dann *potenziert* sie sich im „Gegen-Ich", sie geht gleichsam in ihr eigenes Produkt über und entfaltet sich in diesem. So *schaut* sich das Ich beim Denken selbst *zu*. Es erkennt den Gegenstand und sich selbst in wechselseitiger Unendlichkeit und Unmittelbarkeit.

Über diesen Erkenntnisprozeß im Reflexionsmedium potenziert sich das „Gegen-Ich" schließlich zum „Du". Damit ist es Person geworden. In jedem möglichen Gegenstand kann das Ich nun einen kommunikativen Gegenpart finden, den es erkennt und der ihm bei der eigenen Selbsterkenntnis behilflich ist. „Damit ist der romantische Grundsatz der Theorie der Gegenstandserkenntnis gegeben. Alles, was im Absolutum ist, alles Wirkliche denkt; es kann, weil dies Denken das der Reflexion ist, nur sich selbst, genauer gesagt, nur sein eigenes Denken denken; und weil dieses eigene Denken ein erfülltes substantielles ist, so erkennt es sich sebst zugleich, indem es sich denkt."[16] Der von Benjamin eingeführte Begriff „Reflexionsmedium" ist dem romantischen Vokabular nachgebildet. Er erlaubt es dem Leser der Dissertation, sich die frühromantische Erkenntnismystik figürlich vorzustellen: ein Gegenstand offenbart sich . . . Wahrheit läßt sich schauen . . .; aber diese Umschreibungen sind zu weihevoll. Die Dissertation meidet sie um die Rationalität der Schlegelschen Erkenntnismystik nicht durch einen sprachlichen Trick zu gefährden.

Bewußtsein und Gegenstand stehen im Reflexionsmedium in einer Spannung, die daher rührt, daß beide Bewußtsein haben. Wenn vom Gegenstand angenommen wird, er erkenne sich selbst, dann läßt sich auf das Subjekt zurückschließen, daß es der im Gegenstand sich entfaltenden Selbstreflexion bloß zuschaue. Aber, so ergänzt Benjamin, zur Potenzierung muß der Gegenstand sich gesehen fühlen, und das Subjekt muß von ihm affiziert sein. Ohne das aktive Vermögen der *beobachtenden Wahrnehmung* bliebe der Gegenstand tot.

Nach dem Modell dieser Gegenstandserkenntnis findet Benjamin den romantischen Begriff der Kunstkritik gebildet. Das Bild vom sich potenzierenden und annihilierenden Gedanken angesichts des Gegenstands und Gegenstands angesichts des Gedankens, wird nur unter der Voraussetzung stimmig, daß das Absolutum der Bereich der ästhetischen Form ist. Nur dann gibt es die gegenseitige Betrachtung zweier Bewußtseine und in ihr den schnellen Perspektivwechsel zwischen Ich und Du, die bis zur Ununterscheidbarkeit gehende Überschneidung der wahrnehmenden und der denkenden Tätigkeit.

Als „Reflexionsmedium" sieht Benjamin die Gesamtheit der Kunstwerke an. Er erkennt hierin die „Idee der Kunst". Die Paradoxie, die dabei zwischen empirischer Unendlichkeit und intuitiver Ideenschau mystisch überbrückbar ist, ist im Begriff ‚Kritik' fixiert worden. Von ihr aus stellt Benjamin für die Kunstkritik seiner Zeit einen Maßstab auf, den der immanenten Interpretation. „Die Erkenntnis in dem Reflexionsmedium der Kunst ist die Aufgabe der Kunstkritik. Für sie gelten alle diejenigen Gesetze, welche allgemein für die Gegenstandserkenntnis im Reflexionsmedium bestehen. Die Kritik ist also gegenüber dem Kunstwerk dasselbe, was gegenüber dem Naturgegenstand die Beobachtung ist, es sind die gleichen Gesetze, die sich an verschiedenen Gegenständen modifiziert ausprägen. () Kritik ist also gleichsam ein Experiment am Kunstwerk, durch welches dessen Reflexion wachgerufen, durch das es zum Bewußtsein und zur Erkenntnis seiner selbst gebracht wird. () Das Subjekt der Reflexion ist im Grunde das Kunstgebilde selbst, und das Experiment besteht nicht in der Reflexion *über* ein Gebilde, welche dieses nicht () wesentlich alterieren könnte, sondern in der Entfaltung der Reflexion () *in* einem Gebilde."[17] Mit „Reflexionsmedium" ist aber auch gleichzeitig ein neuer Begriff Kunst von Benjamin gedacht. „Die Idee der Kunst als eines Mediums schafft also zum ersten Male die Möglichkeit eines undogmatischen oder freien Formalismus, eines liberalen Formalismus, wie die Romantiker sagen würden. Die frühromantische Theorie begründet die Geltung der Formen unabhängig vom Ideal ihrer Gebilde."[18] Seit der Romantik habe die verstandesmäßige Konstruktion eines Kunstwerks dominiert[19], die prosaische Besonnenheit in Kunst und Kritik. Die von Benjamin entdeckte „wahre Natur" der Romantik zeigt sich abgewandt von der provinziellen schöngeistigen deutschen Romantik. Er benutzt sie zu einer theoretischen Verständigung über den Charakter späterer Dichtung und Prosa der Moderne. Insofern fand Benjamin, der seit 1916 an Baudelaire-Übersetzungen arbeitete, bei Friedrich Schlegel und Novalis „unsern Kunstbegriff". „Die Lehre, nach welcher die Kunst und ihre Werke essentiell weder Erscheinungen der Schönheit noch Manifestationen unvermittelter begeisterter Erregung, sondern ein in sich ruhendes Medium der Formen sind, ist seit der Romantik wenigstens im Geiste der Kunstentwicklung selbst nicht mehr in Vergessenheit geraten. Wollte man die Kunsttheorie eines so eminent bewußten Meisters wir Flaubert, die der Parnassiens oder diejenige des Georgeschen Kreises auf ihre Grundsätze bringen, man würde die hier dargelegten unter ihnen finden. Diese Grundsätze waren hier zu formulieren, ihr Ursprung in der Philosophie der deutschen Frühromantik war nachzuweisen."[20]

Damit hat Benjamin ein radikales Autonomieverständnis der Kunst im Rekurs auf den romantischen „Ursprung" gefunden. Und trotz der Berufung auf Flaubert und George enthält die Theorie, so wie Benjamin sie herausgearbeitet hat, keine epigonalen Züge des l'art pour l'art. Darin liegt eine Dimension historischen Denkens, die freilich nicht weiter ausgeführt ist, sich aber unterirdisch durch die ganze Arbeit zieht. Die Kritik ist zum notwendigen Bestandteil des Kunstwerks geworden, und möglicherweise, so wägt Benjamin im Schlußkapitel ab, ist Kunstkritik die einzige mögliche Kunstform der Moderne. „In der romantischen Kunst () ist Kritik nicht allein möglich und notwendig, sondern unausweichlich liegt in ihrer Theorie die Paradoxie einer höheren Einschätzung der Kritik als des Werkes. Die Romantiker kennen denn auch in ihren Kritiken kein Bewußtsein von dem Range, welchen der Dichter über dem Rezensenten einnimmt. () Die Absolutierung des geschaffenen Werks, das kritische Verfahren, war () das Höchste."[21]

Durchgängig wird in der Literatur zu Benjamin die Studienzeit seit 1916 so vorgestellt, als habe es in ihr vorrangig Bemühungen um eine philosophisch-systematische Erkenntnistheorie gegeben. Ihre theologische Ausrichtung ist von Gershom Scholem bekräftigt. Allerdings fragt es sich, wie der Akzent in der Anzahl der frühen Arbeiten Benjamins zu setzen ist. Wer ,die Philosophie' Benjamins verfolgen will, stellt die Aufsätze ,,Über die Sprache überhaupt und über die Sprache des Menschen" und ,,Über das Programm der kommenden Philosophie" heraus. Tatsächlich reichen Überlegungen, ob systematische Philosophie möglich ist, bis in die Interpretation ,,Goethes Wahlverwandtschaften".[22]

Liegt aber hier der Ansatzpunkt, von dem aus Benjamins spätere Produktivität als Literaturkritiker und Kenner der deutschen und französischen Literaturgeschichte sich erschließt? Sie läßt sich m. E. eher in der gegenläufigen Tendenz, vom einzelnen Kunstwerk aus zu denken, erkennen, und zu dieser gehört die Auseinandersetzung mit der Romantik unabdingbar. ,,Systematisch" ist in ihr lediglich Benjamins Bemühen, der Schlegelschen Erkenntnismystik die Logik abzugewinnen. ,,Allmählich trat das Interesse am philosophischen Gehalt des dichterischen Schrifttums und der Kunstformen für mich in den Vordergrund und fand zuletzt im Gegenstand meiner Dissertation seinen Ausklang."[23]

So charakterisierte Benjamin Jahre später die Intention seiner Dissertation für einen Lebenslauf. Sein Interesse ist also aus der Auseinandersetzung mit einzelnen literarischen Werken selbst entstanden. Unter diesem Aspekt lassen sich folgende Arbeiten aus der späten Studienzeit hervorheben: Notizen zu Balzac und zu Shakespeare, zu Molières ,,Der eingebildete Kranke", zu Shaw's ,,Frau Warrens' Gewerbe", zu Paul Scheerbarts ,,Lésabendio"; auch die ,,Kritiken" zu Gides ,,La porte étroite" und Dostojewskis Roman ,,Der Idiot" gehören in diese Reihe. Es sind Aufzeichnungen eines Lesenden, der das Kunstwerk weiter denkt, also Kritiken im Sinne seines Begriffs Kritik aus der Frühromantik. Diese Arbeiten haben noch nach dem Studienabschluß gezählt. 1922 lagen sie zur Veröffentlichung in der Zeitschrift ,,Angelus Novus"[24] bereit.

Es ist hier bislang ganz bewußt herausgestellt worden, daß das Ergebnis von Benjamins Auseinandersetzung mit der Frühromantik eine Neubegründung der Autonomie des Kunstwerks war. Damit ist nicht denen das Wort geredet, die in ihm einen weltabgewandten Denker sehen und zumal für diese frühe Zeit seine historische Zeugenschaft in Abrede stellen. Welche biographischen Umstände, welche Zeitumstände lassen den Stellenwert von Benjamins Auseinandersetzung mit der Frühromantik richtig begreifen?

Zum einen brachte der Ausbruch des ersten Weltkriegs einen Einschnitt. Mit ihm wurde Benjamins Engagement in der Jugendbewegung beendet. Fragwürdig wurde der verbreitete naive Glaube an eine Geistigkeit des Lebens, die für sich existieren kann und gegen die Welt der Erwachsenen steht. Fragwürdig wurde gleichzeitig ein naiver Enthusiasmus für die Poesie. Daran erinnert sich Benjamin 1928: „Wenn es das Vorrecht und das unnennbare Glück der Jugend ist, in Versen sich legitimieren, streitend und liebend sich auf Verse berufen zu dürfen, so verdankten wir, daß wir dieses erfuhren, den drei Büchern Georges, deren Herzstück das ‚Jahr der Seele' ist. – Im Frühjahr 1914 ging unheilverkündend überm Horizont der ‚Stern des Bundes' auf, und wenige Monate später war Krieg. Ehe noch der Hundertste gefallen war, schlug er in unsere Mitte ein. Mein Freund starb. Nicht in der Schlacht. Er blühte auf einem Feld der Ehre, wo man nicht fällt. Monate folgten, von denen ich nichts mehr weiß. In diesen Monaten aber trat, was er an Gedichten hinterlassen hatte, an die wenigen Stellen, wo noch in mir Gedichte bestimmend zu wirken vermochten."[25] „Wir" – das ist die Gruppe um das Charlottenburger „Heim". Sie fiel nach dem Freitod des expressionistischen Lyrikers Fritz Heinle und seiner Freundin Rika Seligsohn auseinander, eine Krise für alle Beteiligten folgte, sie löste bei Benjamin eine bewußte Konfrontation mit dem Weltkrieg, dann Kriegsgegnerschaft aus. Das angestrebte geistige Leben der Jugendlichen erschien in einem anderen Licht. Es sah entstellt aus. Der Reformpädagoge Wyneken und Stefan George, beide waren für Benjamin einmal ‚Führer' gewesen, merkten dagegen nicht, wie ihre Propagierung eines Lebens „gegen die Zeit" unter der Hand sich in die Politur des nationalistischen Kriegselans verwandelte. Benjamin bemerkte es. Es konnte an *dieser* Autonomie des Denkens und der Poesie etwas nicht stimmen.

Nach den ersten Kriegsmonaten, Monaten, „von denen ich nichts mehr weiß", setzte eine Neuorientierung ein. Benjamin muß den Versuch gemacht haben, sich an den Auseinandersetzungen darüber, ob der Krieg von „den Geistigen" bekämpft oder gerechtfertigt werden soll, beteiligt haben. Das scheint in einem Brief durch, der mit ‚Ende 1916' datiert ist. (Davon völlig unabhängig finden sich hier auch erste Überlegungen zu einem Verständnis produktiver Literaturkritik.) „Ich habe es einmal versucht mit Worten zu kämpfen (Thomas Mann hatte seine niedrigen ‚Gedanken im Kriege' veröffentlicht) damals lernte ich daß wer gegen die Nacht kämpft, ihre tiefste Finsternis bewegen muß *ihr* Licht herzugeben und in diesem großen Bemühen des Lebens sind Worte nur eine Station ()."[26] Bei diesem Versuch muß Benjamin die ungeheure Diskrepanz zwischen dem Kriegsgeschehen und seiner Rechtfertigung einerseits, die Ohnmacht der gutwilligen, revolutionär gesinnten Schriftsteller andererseits erfahren haben. In dieser Erfahrung sind die Vorbehalte gegen den literarischen Aktivismus gewachsen.

An einen anderen Versuch, zu einem wirkungsvollen Engagement gegen die deutsche Kriegspolitik zu finden, erinnert sich Gershom Scholem. Er datiert folgende Episode an den Beginn seiner Freundschaft zu Benjamin: „Seit Anfang 1915

hatte ich mit meinem Bruder auch die Zusammenkünfte besucht, die die sozialdemokratischen Kriegsgegner ohne Polizeierlaubnis in einem Restaurant in Neukölln
abhielten und bei denen die wichtigsten Führer der Opposition, soweit ich mich er-
innere, alle vierzehn Tage über die innere Lage referierten. Benjamin war von diesen Mitteilungen außerordentlich angetan und sie interessierten ihn sehr. Er wollte
auch gleich irgendetwas bei der Opposition mitmachen."[27] Scholem will damals
Benjamin auch mit den Schriften der linken Sozialdemokratie versorgt haben;
und er hebt hervor, daß darunter auch „das erste und einzige Heft der von Rosa
Luxemburg und August Thalheimer herausgegebenen Zeitschrift ‚Die Internationale' "[27] gewesen sei. Diese Anregung hatte wohl, Scholem sieht es selbst letztlich
so, keine weitreichende Konsequenz. Aber immerhin findet sich ein Hinweis: diese
Antikriegspolitik akzeptierte Benjamin. An der ‚Internationale' soll ihm die
„strenge Sachlichkeit der Aufsätze"[28] imponiert haben.

Im Herbst 1915 ist dann die Entscheidung zugunsten eines konzentrierten Stu-
diums gefallen. Auf dem Weg nach München machte Benjamin in Hannover Station, er besuchte Werner Kraft. Dieser erinnert sich: „Er richtete sich auf ein stren-
ges Leben des Geistes ein."[29] Benjamin, der als Kriegsgegner in literarischen Kreisen bekannt war, erhielt im Folgenden von Kurt Hiller und von Martin Buber die
Möglichkeit, in ihrem jeweiligen Kreis von Mitarbeitern zu Wort zu kommen.
Beide Male sagte er ab. „Er erklärte den (humanitären) Aktivismus auf einmal für
flach und falsch; das Richtige sei analytische Kontemplation; nicht die Welt ändern, sondern sie begreifen wollen ()."[30] Die Mitarbeit am „Juden" schlug er mit
der Begründung aus, „nur die sachliche Schreibart" sei einer Zeitschrift angemessen. „Ich denke () an das Athenäum."[31]

Aus dem Entschluß zur „Kontemplation" läßt sich keinesfalls eine Gegnerschaft
Benjamins zu einer praktischen Antikriegsbewegung herauslesen. Die Suche nach
einer Autonomie des intellektuellen und literarischen Bereichs, die sich nicht kom-
promitieren lassen will, ist auch ein Versuch, zu einer eigenen Sprache und einer
eigenen literarischen Produktivität zu finden. Damit reagierte er auf das Selbstmiß-
verständnis des Aktivismus, mit pathetischen Stellungnahmen gegen den Krieg
ließe sich die Menschheitsrevolution initiieren; und auf die weitaus fatalere Verkennung, der Krieg sei selbst die Erlösung.

Wenn auch die Lektüre literarischer Werke, die man gewöhnlich als Weltlitera-
tur bezeichnet, einen breiten Raum in den wiederaufgenommenen Studien ein-
nahm, so stand doch keinesfalls von Anfang an fest, daß Benjamin über die Interpretation von Kunstwerken „die Welt begreifen" wollte. Als Student der Philosophie hatte er die damals weit verbreitete Ansicht gehegt, es müsse im Anschluß an
Kant eine systematische Erkenntnistheorie der Moderne geschrieben werden. Der
Einfluß des Neukantianismus und der Marburger Schule auf die deutschen Universitäten war ungebrochen, vor allem die Philosophiestudenten waren in ihm befan-

gen. Um nur Vergleichbare zu nennen: Korsch, Benjamin und Horkheimer ging es, wie unterschiedlich sie sich auch in späteren Jahren wissenschaftlich orientierten, in gleicher Weise um ein System der Erkenntnistheorie im Anschluß an Kant. Für Benjamin beendete erst die Erarbeitung der mystischen Grundlagen des frühromantischen Kritikbegriffs die „immer wiederholte Lektüre"[32] Kants. An Benjamins Briefen läßt sich verfolgen, daß er mit der Dissertation einen unproduktiven akademischen Philosophieansatz aufgegeben hat.

Im Oktober 1917 war er in die Schweiz, nach Bern, gezogen, um dort das Philosophiestudium zu beenden. Damals schrieb er von dort: „Ich werde in diesem Winter beginnen über Kant und die Geschichte zu arbeiten."[33] – ein sehr vage formuliertes Dissertationsthema. Im November 1917 schrieb er „Über das Programm der kommenden Philosophie". Fortführung und Revision der Kantschen Erkenntnistheorie, mit dem Ziel, einen neuen Begriff der Erfahrung zu finden, werden hierin proklamiert. Darauf folgt die Lektüre der geschichtsphilosophischen Schriften Kants. Das ursprüngliche Thema wurde einige Male umformuliert. Der Entschluß, die Romantik einzubeziehen und den modernen Kunstbegriff herauszuarbeiten, setzte sich erst im März 1918 durch.[34] An Kant hielt Benjamin noch fest, diesmal an Kants Ästhetik. Noch im Mai 1918 schrieb er an Ernst Schoen: „Eine sehr wichtige erkenntnistheoretische Arbeit bin ich bisher unvermögend zu vollenden, sie liegt schon monatelang."[35]

Aus demselben Brief läßt sich herauslesen, daß die Verbissenheit in die Auseinandersetzung mit Kant schon Züge einer negativen Bindung hatte. „Meine Gedanken sind teils noch zu unentwickelt, flüchten vor mir beständig und was ich greife bedarf des genauesten Fundaments um ausgesprochen werden zu dürfen. Gewisse – gleichsam revolutionäre – Gedanken tragen für mich die Notwendigkeit in sich, ihre großen Gegner sehr gründlich zu studieren um in ihrer Darlegung unentwegt sachlich bleiben zu können. Überall ist dieser größte Gegner Kant. Jetzt bin ich in seine Ethik verbissen – es ist unglaublich wie man diesem *Despoten* auf die Spur kommen muß ()."[36] Daß ein Schwergewicht auf dem romantischen Kritikbegriff in der Dissertation liegen sollte, stand spätestens ab März 1918 fest. Aber erst in einem Brief vom November 1918 findet sich das endgültige Thema gemeldet.[37] Die entscheidende Klärung eigener und romantischer „mystischer Erkenntnisgrundlagen", damit ein endgültiges Ausscheren aus der Schulphilosophie, war also frühestens im Sommer 1918 abgeschlossen.

Eine Beschäftigung mit der Romantik hatte aber mindestens zwei Jahre vorher begonnen, der erwähnte Brief an Buber läßt ein Motiv erkennen. Es ist möglich, daß Benjamin schon im ersten Münchner Studienjahr, 1915/16, im „Athenäum" gelesen hat. Bis zum Ende der Studienzeit dort im Frühjahr 1917 muß er eine kleine Zahl Menschen gefunden haben, die Ähnliches wie ihn bewegte. Hier war er durch Max Pulver, einen „Dichter *und* auch philosophisch interessierten Menschen, den ich in einem Münchner Seminar und auch sonst in München nicht selten sprach"[38], auf Franz von Baader hingewiesen worden. Gespräche über die moderne Literatur und über Friedrich Schlegel müssen einen wesentlichen Bestandteil der Freundschaft zu Ernst Schoen ausgemacht haben. Wahrscheinlich haben beide damals das, was ihnen jeweils an Schlegel-Fragmenten wichtig zu sein schien, zusammengestellt. „Fragmentenharmonie"[39] nannte Benjamin diese Zusammenstellung.

Sie blieb der Grundstock der Dissertation. Die nachweisbar entscheidende Vorarbeit war im Sommer 1917 geleistet, ihr Ergebnis ruhte mehr als ein Jahr. „Ich gerate erfreulicherweise zum ersten Male tief in das Studium der Romantik hinein. – Kant, der in gewisser Weise höchst dringlich wäre, muß ich immer noch liegen lassen ()."[40] „Von einer Zusammenstellung Friedrich Schlegelscher Fragmente nach ihren *systematischen* Grundgedanken gehe ich aus; es ist eine Arbeit, an die ich schon lange dachte. () Dazu fertige ich eine Harmonie aus entsprechenden Fragmenten des Novalis an, die viel spärlicher ausfällt als man nach deren sehr großer Anzahl (einschließlich der Nachlaß-Fragmente) vermuten sollte."[41] An dieser Stelle findet sich schon der Gebrauch eines romantischen Systembegriffs. Mit dem Systembegriff streng philosophischer Erkenntnistheorie hat er wenig gemein. Jener erfaßt lediglich die Interpretation eines vorgegebenen, ausgewählten Materials. „Sie [die ‚Harmonie'] ist natürlich rein interpretierend und welcher objektive Wert in ihr liegt bleibt abzuwarten. Auch sind die Grenzen für diese Arbeit durch die beschränkte Anzahl der wirklich auf das System hin zu interpretierenden Fragmente eng gesteckt. Ich verdanke aber diesem Versuch für mein Verständnis der Frühromantik bisher fast alles."[42] Durch diese interpretierende Systematisierung gelang es Benjamin, Novalis' Natur- und Schlegels Kritikbegriff zu identifizieren. Dabei ist das Modell „Reflexionsmedium" entworfen. In ihm läßt sich „der philosophische Gehalt des dichterischen Schrifttums und der Kunstformen" begreifen. Das hat ebenfalls wenig mit „Ästhetik" zu tun. Für die Ästhetik sind Kunstwerke nur Beispiele, sie geht von außen und zudem mit dem Sprachapparat der Philosophie an diese. Benjamins Interesse an Form und Gehalt des einzelnen Kunstwerks hat ihn dagegen „immer konkreteren Anschluß an das Detail"[43] suchen lassen; ohne die Auseinandersetzung mit der Romantik wäre die *literaturgeschichtliche* Untersuchung der Form des barocken Trauerspiels nicht gut denkbar, ebenso schlecht wie die später entwickelte *Rezensions*technik. Schon in der Dissertation dachte Benjamin vom Gedankenspektrum poetischer Arbeit aus.

Die Auseinandersetzung mit der Frühromantik selbst wäre wohl auch ihrerseits ohne korrespondierendes Interesse im Freundeskreis nicht gut denkbar gewesen. Am wenigsten hat dabei wohl Gerhard Scholem sich für diese Arbeit interessiert, obwohl er in der Zeit, in der Benjamin Entscheidendes ausarbeitete, sein Nachbar in Muri bei Bern war, oder ebenfalls in Bern wohnte.[44] Oder sollte es sich vielleicht so verhalten haben, daß der mystische Ansatz, Kunst zu begreifen, Scholem bei den kabbalistischen Studien die Richtung wies? Denn Ernst Schoen gegenüber erwähnte Benjamin Scholem als „den jungen Mann'', der „wohl an meiner, doch nicht ich in dem Maße an seiner Arbeit teilnehmen kann, weil er sich mit hebräischen Dingen befaßt ().''[45] – Ernst Schoen blieb der Adressat, dem Benjamin fortlaufend über den Gang der Dissertation berichtete. Die gegenseitige Freundschaft beider hielt weit über die Studienjahre hinaus. Später, in den zwanziger Jahren, wurde Schoen Rundfunkleiter am Südwestfunk in Frankfurt. Dort kannte man ihn als besonders couragierten Mann. Bekannt war auch, daß er sich für Benjamins Rundfunkarbeiten einsetzte und mit ihm zusammen für eine nicht am bürgerlichen Bildungskanon orientierte ‚Volksbildung' arbeitete.[46] Es handelt sich möglicherweise um einen Zufall, daß Schoen Benjamins Interesse an Friedrich Schlegel geteilt hat.

Verlorengegangen ist der Briefwechsel mit Werner Kraft aus Benjamins Münchner und Berner Zeit. Eines der wichtigsten Themen darin war Friederich Schlegel. Dazu schreibt Werner Kraft in seinen Erinnerungen: „Er [Benjamin] gab mir eine neue Idee von Poesie.''[47]

Schließlich muß noch Ernst Bloch in der Phase der endgültigen Niederschrift Anteil an Benjamins Dissertation genommen haben, für ihn hätte sonst Benjamin kaum ein „Formanalytiker''[48] sein können. Beide lernten sich im Frühjahr 1919 kennen. „Er [Benjamin] lebte zurückgezogen, steckte () bis über die Ohrwascherln in den Büchern.''[49] Über Blochs Bekanntschaft ist Benjamins Interesse an den zeitgenössischen politischen Vorgängen aktiviert worden: Am 9. November 1918 hatte Benjamin über die Monate seit dem Sommer geschrieben: „Seitdem lese ich wie gesagt nur für meine Dissertation, welche gerade in diesen Zeitläuften abfassen zu müssen eine heilsame und mögliche Fixierung meines Geistes ist.''[50] Hier gibt sich die Abwendung von „diesen Zeitläuften'' zu erkennen; dem Kriegsgeschehen an den Fronten, der militärischen Niederlage Deutschlands, der Übernahme der Staatsgeschäfte durch die Sozialdemokratie, den Rätebildungen in den Truppen. In Rußland war zu Novemberanfang 1917 aus dem Weltkrieg heraus eine Revolution entstanden. Seit dem Winter 1917 gab es in der Schweiz immer wieder Proteste, Streiks, Demonstrationen; die schweizer Arbeiter erhielten Hungerlöhne, bis auf die, die in der Rüstungsindustrie arbeiteten. Auf den 9. November 1918 war ein 24 stündiger genereller Proteststreik angesetzt, weil das Militär äußerst rabiat gegen eine Versammlung von Demonstranten in Zürich vorgegangen war.

Aber einige Monate nachdem er die Dissertation fertig hatte – bis weit in den Sommer 1919 hinein dauerte in der Schweiz ein innerer Kriegszustand an – berichtete Benjamin wieder nach München an Ernst Schoen: „Innen () sieht es heller aus und deshalb will ich davon beginnen. Ich habe viel für mich nachgedacht und dabei Gedanken gefaßt, die so klar sind, daß ich hoffe, sie bald niederlegen zu können. Sie betreffen Politik. In vieler Beziehung () kommt mir dabei das Buch eines Bekannten zu statten, welcher der einzige Mensch von Bedeutung ist, den ich in der Schweiz bisher kennen lernte. Mehr als sein Buch noch sein Umgang, da seine Gespräche so oft gegen meine Ablehnung *jeder* heutigen politischen Tendenz sich richteten, daß sie mich endlich zur Vertiefung in diese Sache nötigten, die sich wie ich hoffe gelohnt hat."[51] Die Rede ist von Bloch und seinem Buch „Geist der Utopie". Damit war der frühromantische Gegenstand aufgegeben, und Benjamin begann an einer Reihe von Aufsätzen über Politik zu arbeiten. Der hier angekündigte soll „Der wahre Politiker" sein, eine Interpretation von Paul Scheerbarts Roman „Lésabendio".[52] Dieser und der zweite Aufsatz „Die wahre Politik" sind verloren. Die dritte, als letzte der Reihe verfaßte Schrift über Politik, trägt den Titel „Zur Kritik der Gewalt". In ihr hat man es mit einem späten Reflex auf die Gespräche zwischen Benjamin, Bloch und Hugo Ball im Frühjahr 1919 zu tun, denn Bloch soll damals Benjamin zur Lektüre von George Sorels „Réflexions sur la violence" angeregt haben.[53] Mit diesem Buch, dem theoretischen Selbstverständnis der französischen anarchosyndikalistischen Bewegung, setzt sich „Zur Kritik der Gewalt" auseinander. Die Arbeit enthält zudem deutliche Spuren davon, daß Benjamin die Streiks und Aufstände in der Schweiz, wie auch die „verflossene deutsche Revolution"[54] sehr wohl wahrgenommen hat.

Wie aber gelang es Bloch, Benjamin mit den neuen politischen Fragen, die mit dem Ende des Weltkriegs sich stellten, zu konfrontieren? Es muß bereits eine gleichartige philosophische Ausrichtung, ein ähnlich gelagertes historisches Problembewußtsein, wie auch die prinzipielle Bereitschaft zur Verständigung in politischen Fragen existiert haben. Benjamin, der sich so heftig gegen die die intellektuelle Arbeit bedrohenden Einflüsse des Weltkriegs hat wehren müssen, wäre ansonsten kaum ansprechbar gewesen.[55] – Es gibt einen Aufsatz Blochs, der Gemeinsamkeiten mit Benjamins späterer Sorel-Auseinandersetzung aufweist. Weil der Aufsatz, den Benjamin nach den Gesprächen mit Bloch geschrieben hat, nicht überliefert ist, läßt sich zumindest an Blochs Artikel „Über einige Programme und Utopien in der Schweiz" – er ist nicht allzulange vor den Gesprächen erschienen – herausstellen, welche Einschätzung Bloch von den „heutigen politischen Tendenzen" hatte.

Aus Blochs Aufsatz geht hervor, daß er skeptisch gegen die naive Kriegsgegnerschaft war, die sich in den Zeitungen und den Büchern der deutschen Emigranten äußerte. Hieran läßt sich bemessen: er teilte grundsätzlich Benjamins Vorbehalte gegen die in die Schweiz emigrierten Schriftsteller. Bloch polemisierte gegen den „einfachen friedlichen Gedanken". Kriegsmüde Menschen meinten, sie könnten „den Krieg mit dem Herzen beendigen".[56] Bei der demokratischen Opposition fand Bloch zuviel von den Alliierten gefördertes „kapitalistisches Interesse an ‚Ruhe' ",[57] und beide, Pazifisten wie Demokraten, unterschieden nicht zwischen „Kampf und Krieg". Gegen sie machte Bloch die „zimmerwaldistische Generalstreikforderung"[58] geltend. Aber er wandte sich auch gegen die sozialistischen Zimmerwalder und gleichfalls gegen „das pathetisch autoritäre Fabriksystem"[59] im Rußland des Kriegskommunismus. Beide Male störte ihn die Neuauflage eines spezifisch marxistischen Selbstverständnisses. Schon vor dem Weltkrieg hatte der Verbalradikalismus der Sozialdemokratie in den Augen der kritischen Intelligenz den Revolutionsanspruch verwirkt. Statt „Freude am Bauwerk des Marxismus"[60] wollte Bloch eine „Korrektur in der syndikalistischen Revolution"[60] suchen. Doch solle auch eine „Metaphysik in dieser expressionistisch-anarchistisch gesinnten Welt"[61] nicht verworfen werden; zur Spontaneität der Revolutionspraxis gehöre „die Feuersäule des spekulativen Wesens"[61]. Bloch dachte dabei unter anderem an Lichtenbergs Aphorismen.

In Benjamins „Zur Kritik der Gewalt" ist keine theoretische Vermittlung zwischen dem Generalstreik und der praktischen Massenaktion gefordert, selbst ein zum Generalstreik gehöriges spekulatives, literarisches Vermögen bleibt außer Acht. Hierin zeigt sich die deutlichste Divergenz: bei Bloch spielen theoretische Erklärungsmuster zur Charakterisierung einer politischen Position eine entscheidende Rolle, auch zur Verständigung darüber, ob diese Position legitim ist. Benjamin will die Massenaktion allein an dem Maßstab messen, den sie setzt. Hilft ihre Gewalt, die Kette der rechtlich institutionalisierten Gewaltverhältnisse zu durchbrechen? Wenn jene sämtlicher „Rechtsetzung" entgegensteht, ist sie der Beginn einer gewaltlosen Ordnung menschlichen Zusammenlebens und damit auch legitim.

Im Anschluß an Sorel weist Benjamin als Merkmal der „tiefen, sittlichen und echt revolutionären Konzeption" jede Art Stellvertreterdenken zurück, das den Intellektuellen ihre politischen und gesellschaftlichen Privilegien rettet, „jede Art von Programmen, Utopien" und Revolutionsprosa. Er zitiert: „Mit dem Generalstreik verschwinden alle diese schönen Dinge; die Revolution erscheint als eine klare, einfache Revolte und es ist ein Platz weder den Soziologen vorbehalten noch den eleganten Amateuren von Sozialreformern, noch den Intellektuellen, die es sich zum Beruf gemacht haben, für das Proletariat zu denken."[62] In der Gewaltlosigkeit der Ordnung nach dem Generalstreik hat der Staat zu existieren aufgehört – die Entscheidung über die Recht- oder Unrechtmäßigkeit des Generalstreiks findet damit vor keiner geschichtlichen Instanz mehr statt. Prinzipiell denkt Benjamin nicht über den Generalstreik hinaus. Bloch dagegen hatte an einen gesellschaftlichen Zustand der utopischen Zukunft gedacht und für ihn den Namen „übersozialistische Anarchie"[63] gefunden.

Ob diese unwesentlichen Divergenzen überhaupt Gesprächsgegenstand waren, muß dahingestellt bleiben. Für Benjamin hätten die Gespräche mit Bloch nie die Perspektive auf die politischen Ereignisse öffnen können, wenn sich beide nicht in der Verständigung über den Weltkrieg und die bürgerliche Gesellschaft auf dem

Boden eines Einverständnisses bewegt hätten. Auch dies läßt sich in „Zur Kritik der Gewalt" lesen: Benjamin sah in der Konstitution der bürgerlichen Gesellschaft das Charakteristikum der kriegerischen Willkür aus dem Besatzerrecht eingegangen. Von der Gewalt, die dies brechen kann, vom Generalstreik aus gedacht, ließ sich für ihn der Ansatzpunkt finden, die bislang unbewältigte Erfahrung des ersten Weltkriegs zu verarbeiten.

So ist Benjamins Arbeit über die deutsche Frühromantik am Schnittpunkt zweier grundlegender historischer Erfahrungen zu sehen. Der zu Beginn der Arbeit ausgeklammerte „romantische Messianismus" konnte nachträglich in der Auseinandersetzung mit Sorel angegangen werden. Vielleicht wies die Zitatmontage im Vorwort der Dissertation die Richtung der Gespräche mit Bloch, vielleicht ist sie erst während derer eingefügt worden: „Ja, ich sehe die größte Geburt der neuen Zeit schon ans Licht treten; bescheiden wie das alte Christentum, dem man's nicht ansah, daß es bald das römische Reich verschlingen würde, wie auch jene große Katastrophe in ihren weiteren Kreisen die französische Revolution verschlucken wird, deren solidester Wert vielleicht nur darin besteht, sie incitiert zu haben."[8] Wie Schlegel hier so hat auch Sorel in geschichtstheoretischer Absicht das Machtverhältnis zwischen den ersten christlichen Gemeinden und dem heidnischen Staat zum Vergleich herangezogen. Schlegel hatte es neben die – in Deutschland einigermaßen „verborgenen" – Ereignisse der französischen Revolution gestellt und damit die Prophezeiung einer noch unausdenkbaren gesellschaftlichen Zukunft gewagt. Vom Charakter der zeitgenössischen Streikbewegungen her konnte sie Benjamin als erfüllt ansehen. In den „Réflexions" dient Sorel der Vergleich dazu, die „verborgene" noch unabsehbare Zukunft der klassenlosen Gesellschaft vom proletarischen Generalstreik aus deutlich zu machen. Doch sollte selbst auch ein Streik vereinzelt dazustehen scheinen, sage das nichts über seine tatsächliche historische Relevanz aus, „da eben die Idee des Generalstreiks es erlaubt, die Vorstellung des Klassenkampfes mit Hilfe von Ereignissen zu nähren, die den Geschichtsschreibern des Bürgertums als unbedeutend erscheinen werden."[64] Denn auch der Beginn der neuen christlichen Weltreligion sei den heidnischen Geschichtsschreibern verborgen geblieben. Das Martyrium der Christen sei ihnen unwichtig erschienen, während für diese jeder Märtyrer Zeuge des Gottesurteils über die alte Welt gewesen sei. – Um in der Geschichte eine revolutionäre Bewegung erkennen zu können, war Benjamin in beiden Fällen, von Schlegel und Sorel, auf die genaue Beobachtung der Gegenwart verwiesen worden.

„Angelus Novus": Jetztzeit im frühromantischen Begriff der Literaturkritik.

Mit dem Abschluß der Dissertation war für Benjamin zur Frühromantik vorläufig alles gesagt. Eine entscheidende Modifizierung des Kritikbegriffs findet sich erst in der „Ankündigung der Zeitschrift: Angelus Novus". Die Zeitschrift, die Benjamin in den Jahren 1921 und 1922 unter diesem Namen herausgeben wollte, sollte in einer Auflage von hundert Exemplaren erscheinen. Damit sollte sie unabhängig vom Markt, also Verleger- und Publikumsinteresse sein. Benjamin wollte bezeugen, daß Kritiken und literarische Kunstwerke, Poesie- und Prosaformen, ästhetisch nebeneinander bestehen. Auf ihre Art philosophisch-spekulativen Überlegungen gewachsen, würden sie einen autonomen Anspruch auf Erkenntnis geltend machen. Auch dachte er an die Veröffentlichung politischer Schriften nach dem Vorbild der „Kritik der Gewalt".[65]

In allen diesen Bestimmungen hat der „Angelus Novus" das „Athenäum" zum Vorbild gehabt. Und der Anspruch von Gegenwartserkenntnis, der über sie in den Begriff Kritik eingegangen ist – wenn Benjamin sich in den späteRen Jahren auf ihn beruft, ist dieser Anspruch durchgängig miterhoben[66] – läßt ermessen: der „Angelus Novus" sollte ein neues „Athenäum" sein, eine Zeitschrift, die trotz ihrer „Aktualität" als Kunstwerk und politische Schrift überdauert. „Die wahre Bestimmung einer Zeitschrift ist, den Geist ihrer Epoche zu bekunden. Dessen Aktualität gilt ihr mehr als selber seine Einheit oder Klarheit (). In der Tat: eine Zeitschrift, deren Aktualität ohne historischen Anspruch ist, besteht zu Unrecht. Daß es diesen mit so unvergleichlichem Nachdruck erheben durfte, macht die Vorbildlichkeit des romantischen „Athenäums". Und zugleich wäre dieses – wenn es not täte – ein Beispiel, wie für die wahre Aktualität der Maßstab ganz und gar nicht beim Publikum ruht. Jede Zeitschrift hätte wie diese, unerbittlich im Denken, unbeirrbar im Sagen und unter gänzlicher Nichtachtung des Publikums, wenn es sein muß, sich an dasjenige zu halten, was als wahrhaft Aktuelles untEr der unfruchtbaren Oberfläche jenes Neuen oder Neuesten sich gestaltet ()."[67] Wie radikal gegenwartsbezogen diese Vorstellung von „wahrer Aktualität" gedacht ist, so radikal hat sie auch festgehalten, daß das Medium Sprache, in dem Kritik, also Interpretationen, Poesie, literarische und philosophische Prosa, ausgeführt wird, in sich nie die Gewalt der Massenaktion erreichen kann. Dafür fordert sie, innerhalb dieses Mediums ihre Kraft auf die Zeitgenossenschaft zu richten. Am Begriff „wahrer Aktualität" ist wesentlich, daß seine Zielrichtung nicht in höhere Sphären geht, *über* die Dinge der Welt philosophiert; in ihm ist sozusagen *von unten* gedacht und dicht an die Gegenwart herangegangen. Er will das freilegen, was „unter der unfruchtbaren Oberfläche jenes Neuen oder Neuesten" *verborgen* liegt.

Am Ende des Programms ist folgender Satz zu lesen: „Daß der Zeitschrift solche Aktualität zufalle, die allein wahr ist, möge ihr Name bedeuten."[68] Er ließe sich so verstehen, daß die Zeitschrift der Bote ist, der von dem meldet, was unter dem Neuesten Wesentliches verborgen ist. Aber die Ausdrucksweise „Aktualität möge zufallen" steht solcher, allein vom freien Willen abhängigen Erarbeitung des Verborgenen quer. Von welcher Aktualität der Titel herrührt, sollte dies Bild veranschaulichen: „Werden doch sogar nach einer talmudischen Legende die Engel – neue jeden Augenblick in unzähligen Scharen – geschaffen, um, nachdem sie vor Gott ihren Hymnus gesungen, aufzuhören und in Nichts zu vergehen."[68] Die Aktualität des „Angelus Novus" könnte demnach nur die Existenzdauer eines Funkens haben, möglicherweise nur für einen einzigen kurzen Zeitpunkt wahr sein. Und auch das ist nicht garantiert. „Das Ephemere"[68] einer Zeitschrift mit diesem Anspruch zeitgenössischer Zeugenschaft wollte das Bild erläutern. Benjamin verzichtet in dem Programm ausdrücklich darauf, sich und seine Mitarbeiter als Gruppe vorzustellen, die eine neue Kunst- oder Erkenntnisrichtung vertritt. Das ist durchaus auf dem Hintergrund der zeitgenössischen Gruppenbildungen unter Künstlern zu sehen. Im Expressionismus, Dadaismus, Konstruktivismus war immer in der Gruppenbildung auch der Anspruch deklariert, die Welt von der Kunst aus revolutionär zu verändern. Aber darauf verzichtet der „Angelus Novus" – es sei denn, ihm „falle die Aktualität zu". Das Ephemere ist die Oberfläche einer Bruchstelle, an der sprachliche Erkenntnis und messianische Realität in einem glücklichen Augenblick sich ineinander fügen können.

Die deutsche Romantik in der Tradition der Unterdrückten.

Der um eine solche „Aktualität" erweiterte Begriff ‚Kritik' verliert seine Bestimmung als „Reflexionsmedium" nicht. Es ließe sich versuchsweise zeigen, wie Benjamin diese an Friedrich Schlegel und Novalis gewonnene Kategorie mannigfache Verbindungen eingehen läßt und sie auf methodisch nicht einander kommensurablen Stufen anwendet.[69] Ihr ist im Weiteren jedoch lediglich auf einer Sinnstufe gefolgt. Benjamin hat auf ihr u. a. seine Studien zu Baudelaire angesiedelt. Er verstand sie als „ein Bruchstück aus einer Folge von Untersuchungen, die sich die Aufgabe stellen, die Dichtung des neunzehnten Jahrhunderts zum Medium seiner kritischen Erkenntnis zu machen."[70] Zum „Medium" wird damit der Bereich der Literaturgeschichte. Literatur als ein Medium, in dem Geschichte kritisch erkannt wird, mehr noch: in dem sich Geschichte übermittelt, gehört auch einem anderen Kreis im späteren Exil erschienener Arbeiten Benjamins an. Es sind die zur Geschichte der deutschen Literatur. Glanzvoll ist die Rolle nicht, die in ihrem Kontext die deutsche Frühromantik spielt.

Es handelt sich um folgende Arbeiten: „Deutsche Menschen", eine Sammlung von 25 Briefen, erschien 1936 unter dem Pseudonym Detlef Holz. Benjamin hat es seit Beginn seiner Emigration für die Veröffentlichungen in Hitlerdeutschland gewählt. Für Leser, die unter der faschistischen Diktatur lebten, war das in Luzern erschienene Buch gedacht. Zeitlich umspannen die Briefe das bürgerliche Jahrhundert von 1783 bis 1883, sie sind bis auf eine Ausnahme chronologisch geordnet. Sie wollen eine bestimmte Haltung dieser bürgerlichen Menschen in ihrer Zeit erkennen lassen, stammen durchgängig aus entlegenen Ausgaben, und jedem Brief ist ein Kommentar beigegeben. Dieser oder das „Dokument" selbst ziehen personelle Verbindungen durch das Jahrhundert; ein verborgenes, bürgerliches Deutschland tritt als Zeuge gegen das zeitgenössische, faschistisch beherrschte Deutschland auf, in dem das deutsche Bürgertum „weltgeschichtlich versagt" hat.[71]

Nach dem Vorbild dieser durch Kommentare zersetzten Montage ist „Allemands de quatre-vingt-neuf" hergestellt. Das ist ein französisch verfaßter Beitrag Benjamins für die Zeitschrift „Europe", die 1939 eine Nummer zum 150. Jahrestag der französischen Revolution herausgab. In diesem Beitrag dokumentierte er die Haltung von neun deutschen Schriftstellern – lediglich Hegel fällt, u. a. als Philosoph, aus der Reihe – der französischen Revolution gegenüber. Der Seltenheitswert dieser Texte, nicht alle sind Briefe, liegt eher im Charakter der Stellungnahmen als in ihrer Verborgenheit als Dokument. „Die Stimmen der Zeugen, die man nun hören wird, sind im gegenwärtigen Deutschland erstickte Stimmen; trotz allem, man hat sie beinahe ein Jahrhundert lang genauestens vernommen."[72] Es sind großenteils Texte zeitweilig gefangener, verbannter oder exilierter Schriftsteller. Sie dokumentieren eine Geschichte des Exils aus Deutschland; und damit ein Deutschland, das der revolutionären Tradition in Frankreich verbunden ist, und das unter anderem auch deshalb – die Münchner Konferenz hatte eben den Kriegsbeginn für Frankreich noch einmal aufgeschoben – das Exil auf sich genommen hat. Auch hier zeichnete Benjamin wieder eine Linie personeller Verbindungen, Spuren einer unterdrückten, revolutionären Tradition.[73]

Die dritte Arbeit zur Geschichte der deutschen Literatur ist der Kommentar zu einem Text von Carl Gustav Jochmann, „Die Rückschritte der Poesie"; ihm sind zusätzlich in Form einer Collage aufschlußreiche Zeugnisse über Jochmanns Leben vorangesetzt, sie lassen keinen Zweifel über seine konsequente revolutionäre Haltung aufkommen. Diese Arbeit erschien 1939/40 in der „Zeitschrift für Sozialforschung" – war freilich schon früher geschrieben und ist von der Entstehungszeit zwischen „Deutsche Menschen" und „Allemands de quatre-vingt-neuf" anzusiedeln. Wie erscheint die deutsche Romantik in dieser „unterdrückten Tradition"?

Zuerst etwas zur Vorgeschichte: Literatur als „Medium" der Tradition im Sinne dieser Arbeiten datiert von vor 1933. Hiermit läßt sich auf Benjamins Illusionslosigkeit über das Zusammenspiel des bürgerlichen Staates mit der faschistischen Partei auf dem Hintergrund der ökonomischen Krise weisen. Die Reihe von Briefen, die den Titel „Deutsche Menschen" erhielt, ist 1931, „als die faschistische Sintflut zu steigen begann"[74], zuerst in unregelmäßiger Folge in der „Frankfurter Zeitung" abgedruckt worden – anonym. Eine Vorbemerkung zum ersten Brief führte damals aus: „Sie [die Briefe] vergegenwärtigen eine Haltung, die als humanistisch im deutschen Sinn zu bezeichnen ist, und die augenblicklich wieder hervorzurufen um so angezeigter erscheint, je einseitiger diejenigen, die heute, oft mit Ernst und im vollen Bewußtsein ihrer Verantwortlichkeit, den deutschen Humanismus in Frage stellen, sich an die Werke der Kunst und Literatur halten."[75] Die Jenenser Romantik war hier noch vertreten. Den Brief von Friedrich Schlegel an Schleiermacher hat Benjamin aber in die Buchveröffentlichung nicht aufgenommen. Dieser Brief sollte die Haltung großzügiger Freundschaft dokumentieren. Aber Benjamin hatte schon 1931 nicht versäumt zu sagen, er zitierte Dilthey, daß in ihr Friedrich Schlegel „ungleich edler erscheine ,als in dem Bilde, das, freilich großenteils durch seine eigene Schuld, von ihm unserer Generation überliefert ist.' "[76] Ansonsten erwähnt lediglich der Kommentar zum Brief Johann Wilhelm Ritters an Franz von Baader den Naturwissenschaftler Novalis.

Am 6. 5. 1932, nur wenige Wochen, bevor in Deutschland die Rechte der Publizistik radikal eingeschränkt wurden, gab die „Literarische Welt" eine Sondernummer heraus: „Vom Weltbürger zum Großbürger – aus deutschen Schriften der Vergangenheit". Sie war vom Herausgeber Willy Haas und seinem Mitarbeiter Walter Benjamin allein zusammengestellt. Eine „redaktionelle Einführung", in der nicht Weniges an die späteren „Thesen zum Begriff der Geschichte" erinnert, führte aus, was die Herausgeber von „literarischen Dokumenten" erwarteten und welche Bedeutung sie in der Ausbildung eines „historischen Gedächtnisses" über die Literatur sahen. Denn dies sollte weit mehr bewirken als die Vorbemerkung zur Brieffolge erkennen ließ. Der Zusammenhang zwischen „Gedächtnis" und „Haltung" ist berührt: „Vor jeder Reichstags- oder Landtagswahl, überhaupt vor jeder politischen Wahl, pflegen die kämpfenden politischen Parteien Versprechungen und Programme zu publizieren. Sie versprechen, was nur ein Wählerherz sich erträumen kann. Sie versprechen das ungetrübte Glück ihrer Wähler und der Nachkommen bis ins hundertste und tausendste Geschlecht. – Wenn dann die Partei siegt, wird fast nichts davon gehalten." „In der Weltgeschichte geht es nicht viel anders zu. Klassen, die zum Sieg vorstoßen, verkündigen jedesmal, daß sie die endgültig beste und vollkommenste Weltordnung einführen werden, die das Glück aller erdbewohnenden Menschen garantiert. Sie können das auch unbedingt schlüssig beweisen . . . in der Theorie. Nur tritt es leider nachher nicht ein. () Es ist genau so wie bei den Wahlen." „Nur sind wir uns der weltgeschichtlichen ,Wortbrüche' nicht so ohne weiteres bewußt. Warum nicht? Sehr einfach: die Erfahrung eines Menschenlebens reicht dafür nicht aus; das Menschenleben ist zu kurz." Geschichte unterliege, wenn sie geschrieben wird, der Interpretation der Historiker. „Deshalb ist es immer richtig, sich an die *Originaldokumente* zu halten. Die wichtigsten unter diesen sind die zur sogenannten ,Literatur' kristallisierten, also in der Form von Dichtung, Philosophie, Weltbetrachtung auf uns überkommenen Versprechungen ()." „Alle diese Dokumente bilden zusammen gewissermaßen den

Kodex der weltgeschichtliche Programme unserer bürgerlichen Klasse. Mit diesen deutschen Literaturdokumenten haben wir es hier vor allem zu tun." „Die bürgerliche Gesellschaft hat nichts davon erfüllen können."[77] „Diese Lesestücke () wollen etwas fördern, was zu fördern vielleicht das Wichtigste bei uns ist: das *historische Gedächtnis.*" – „Wer die Erfahrungen der Jahrhunderte vergißt, bekommt niemals ein wahres historisches Selbstbewußtsein, das auf dem präsenten Bewußtsein historischer Erfahrungen, seinen Reflexen, seiner nie aussetzenden Kontrolle beruht."[78] Hier ist ausgesprochen, daß die Menschen kollektiv politisch in der Gegenwart reagieren. Historische Erfahrungen bestimmen sie dabei, werden in der Auseinandersetzung der Klassen aktiviert. Deshalb hielten auch die „Dokumente" „wie in einem Vexierbild () lebenswahre Züge der () umgebenden Gegenwart verborgen ()."[79] Benjamin hat die Vorstellung, ein Traditionsaufweis revolutionärer Erfahrungen über die Literatur könne für das Kollektivhandeln zu einer Potenz werden „wie der lügenhafte Enthusiasmus des aufgepeitschten Nationalgefühls im Imperialismus"[80] als Potenz bei der Massenorganisierung vom Faschismus eingesetzt war. – Aus der Frühromantik findet sich kein Dokument.[81]

Aber immerhin konnte der Sprecher in einem Hörspiel von 1932 die „Stimme der Romantik" noch ankündigen: „Deutschland [schlief] einen ehrlichen gesunden erfrischenden Schlaf", und sie ergänzte: „Aber was für Träume hatte es nicht in diesem Schlaf!"[82]

Dasselbe sozialhistorische Faktum, die Unmündigkeit des deutschen Bürgertums, bewertete Benjamin 1938 in seinen Auswirkungen auf die Romantik weit strenger. Selbst die Frühzeit der ersten Generation beurteilte er nun aus der Perspektive ihres politischen Endes, von Friedrich Schlegels „ultramontanen Ausgang" und von der „forcierten voltairianischen Haltung"[83] August Wilhelm Schlegels. – Eine Rezension, die ein weiteres Jahr später gedruckt ist, enthält Überlegungen zur romantischen Esoterik: sie sei aus den Auswüchsen des Geisterglaubens am Ende der Aufklärung als dessen Überwindung entstanden, schließlich aber wieder mit Friedrich Schlegel in einer katholischen Geheimwissenschaft geendet. Es scheint, daß der Freiraum, welcher den Begriff Kritik hat entwickeln helfen, für Benjamin nun nicht mehr existierte. „Sie war eine Restaurationsbewegung mit allen Gewalttätigkeiten einer solchen."[84]

Warum erwähnte Benjamin die Frühromantik nur noch, um einen Anlaß zu haben, Schlegels am Mittelalter orientiertes Ständeideal und seine Affinität zu Metternich herauszustellen? Hat ihn dazu die Verlagspolitik im faschistisch beherrschten Deutschland bewogen? Oder entstand ein Rechtfertigungszwang durch die Debatte in der Zeitschrift „Das Wort"? In ihr war versucht worden, eine „bürgerlich-revolutionäre" von einer „vorfaschistisch-irrationalen" deutschen Literatur zu sondern.

Den Ausschlag dafür, wie Benjamin akzentuierte, gab wohl, daß in beiden Fällen mit der Literatur der Vergangenheit so verfahren wurde, wie die Romantiker in der Restaurationsperiode Vergangenheiten entdeckt hatten; die historische Schule des späten neunzehnten Jahrhunderts baute diese Methode aus. In seiner Einleitung zu Jochmanns ‚Essay' schrieb Benjamin: ,,Mit der Romantik setzte die Jagd nach dem falschen Reichtum ein. Nach der Einverleibung jeder Vergangenheit, nicht durch die fortschreitende Emanzipation des Menschengeschlechts, kraft deren es seiner eigenen Geschichte immer geistesgegenwärtiger in das Auge sieht und immer neue Winke ihr abgewinnt, sondern durch die Nachahmung, das Ergattern aller Werke aus abgelebten Völkerkreisen und Epochen."[85] ,,Seiner eigenen Geschichte immer geistesgegenwärtiger in das Auge sehen" – unter diesem Aspekt ließ sich keine Aktualität der Frühromantik konstruieren. Die Autoren, die Benjamin in der deutschen Literatur der Vergangenheit suchte, sollten diese Haltung vormachen. Zu ihr gehört der Blick ‚von unten', er erfaßt die gesellschaftlichen Herrschaftsverhältnisse, er registriert Aufstände und Befreiungsversuche. So gesehen ist die Frühromantik lediglich die extremste Position, sich, anderes träumend, mit der staatlichen Willkür zu arrangieren. Wer weiter ging, dem ist der Kreis der Frühromantiker zu eng geworden.

In den Kreis der vergessenen Zeugen hat Benjamin jedoch Caroline aufgenommen. In ,,Allemands de quatre-vingt-neuf" ist sie mit ihrem Brief vom 27. Oktober 1792 aus dem von französischen Revolutionstruppen besetzten Mainz vertreten. Er schildert eine Stadt ohne Adelsgesellschaft, es läßt sich zum ersten Mal frei atmen. Die Bürger werden hofiert, Caroline sieht das nicht ohne Vorbehalte, denn, so meint sie, dem Bürger sei nicht wohl, wenn er nicht das Joch im Nacken spüre. ,,Wie weit hat er noch bis zu dem Grad von Kentniß und Selbstgefühl des geringsten sansculotte draußen im Lager."[86] So etwas las der Empfänger des Briefs, der Professor Meyer in Berlin nicht gern, oder vielleicht schützte er sich auch vor dem Zensor, wenn er Caroline zurückschrieb: ,,Nach dem Frieden sprechen wir uns wieder."[87] – In seinem Kommentar hat Benjamin ihre Replik darauf ausgiebig zitiert. Darin ist sein Vorbehalt gegen die Romantiker berührt, der unter dem Eindruck von Jochmanns Entdeckung wuchs. ,,Daß Sie uns en horreur haben, kont ich vermuthen. Wer giebt aber Dir Pillgrim im Jammerthale das Recht zu spotten? Sie sind unter jedem Himmelsstrich frey, unter keinem glücklich. Allein können Sie im Ernst darüber lachen, wenn der arme Bauer, der drey Tage von vieren für seine Herrschaften den Schweiß seines Angesichts vergießt, und Es am Abend mit Unwillen trocknet, fühlt, ihm könte, ihm solte beßer seyn? Von diesem einfachen Gesichtspunkt gehen wir aus."[88] ,,Es muß deutlich gesagt werden", fährt der Kommentar fort, ,,solche Abschnitte, solche Einsichten sind rar in den Briefen der deutschen Frühromantiker."[89] Mit der Ausnahme Caroline ist die Frühromantik wieder nicht in die Tradition der Vergessenen einbezogen. Zu ihr gehörten für Benjamin Christian Friedrich Daniel Schubart, Johann Georg Forster, Hölderlin, Johann Gottfried Seume, und, eine Generation später, Carl Gustav Jochmann. Ihre Sprache „haben die Romantiker nicht verstanden."[89]

An Jochmann haben drei Dinge Benjamin fasziniert: er war ‚unbestechlich' in seiner politischen Haltung und hat dafür ein freiwilliges Exil auf sich genommen; er bewahrte die Erinnerung an die französische Revolution auf; „() man hat in dieser Umgebung [Oelsners in Paris, 1821] Jochmann die *Erinnerungen* an die Revolution und den Konvent anvertraut, ein desto gewichtigeres Zeugnis, als der Beginn der *Restauration* nichts weniger als günstig für solche *Botschaften* war."[90] Er führte in einer geschichtstheoretisch angelegten Exposition, in eben jenen „Rückschritten der Poesie", aus, ein historischer Verlust von Dichtung und Bildung brächte möglicherweise gesellschaftliche Besserung.

Hätte dieser letzte Gedanke für Benjamin nicht eine außerordentliche Aktualität besessen, dann wäre Jochmann nur einer in der Reihe vergessener deutscher Schriftsteller gewesen. Bezeichnend ist die Stelle, an der Jochmann in „Allemands de quatre-vingt-neuf" zu Wort kommt. Er ist der Letzte. Er ist mit einer Passage über die Entwicklung der französischen Sprache während der Revolutionszeit vertreten. Sein Text trägt das Erscheinungsjahr 1828. Das bliebe im Rahmen der chronologischen Anordnung der Textauswahl, wenn nicht die vor ihm plazierte kurze Passage aus Hegels „Vorlesungen zur Philosophie der Geschichte" auf eine Epoche nach Jochmanns Lebenszeit hin interpretiert wäre. Im Hegel-Kommentar konstruierte Benjamin einen Bogen von Hegels revolutionärer Frühzeit mit Schelling und Hölderlin im Tübinger Stift zu – Marx. An dieser Stelle verblüfft das in zweifacher Hinsicht: zum einen ist damit über das Ziel hinausgeschossen, die Zeugenschaft der deutschen Schriftsteller zur französischen Revolution und die Dialektik von bürgerlicher Beschränkung und Befreiung zu dokumentieren. „Man sagt, diese revolutionäre Tendenz [Hegels in seiner Jugend] habe sich nicht weiter im Inhalt der hegelschen Philosophie dingfest gemacht. Aber sie ist um nichts weniger gründlich verankert in seine Methode eingegangen. Das hat Marx begriffen. Man kann sogar sagen, daß er es verstanden hat, die revolutionäre Tendenz der hegelschen Methode zu erkennen, und daß er, nach einer glücklich gelungenen Formulierung von Karl Korsch, aus dem hegelschen Widerspruch den Kampf der gesellschaftlichen Klassen konzipiert hat, aus der hegelschen Negation das Proletariat, und aus der hegelschen Synthese die klassenlose Gesellschaft."[91] Zum andern scheint das im Kommentar enthaltene Zuviel durch seine Plazierung doch einer Ergänzung bedürftig zu sein. Der unsichtbare Zeuge der Zukunft, Marx, behält nicht das letzte Wort. Jochmann beschließt die Reihe; daß er in einer Restaurationsphase historische Erinnerungen an die Revolutionskämpfe als Botschaften weitergeben konnte, gibt hierfür den Ausschlag. Benjamin selbst aktualisierte damit den Begriff der klassenlosen Gesellschaft, womit er sich und seine Leser nicht über den drohenden Ausbruch des zweiten Weltkriegs hinwegtäuschen wollte. „Dem Begriff der klassenlosen Gesellschaft muß sein echt messianisches Gesicht wiedergegeben werden, und zwar im Interesse der revolutionären Politik des Proletariats selbst."[92] Wenn Benjamin Hegel dafür einstehen ließ, daß im Kreis der deutschen Zeugen der französischen Revolution bis zur klassenlosen Gesellschaft gedacht worden ist, wenn er das zusätzlich in der Formulierung eines nicht gerade orthodoxen Marxismus anmerkte, dann wies er mit Jochmann darauf hin, wie die Aktualität des historisch Vergessenen der marxistischen Theorie der Geschichte als eine der Klassenkämpfe die kämpferische Ausrichtung zurückgeben könnte.

Dieser Gedanke von der historischen Aktualität des Vergessenen hat ein kunsttheoretisches Äquivalent. Das fand Benjamin ebenfalls bei Jochmann wieder. – Am 29. März 1937 schrieb Benjamin an Grete Steffin, Brechts Mitarbeiterin und Freundin: ,,Ich habe einen der größten revolutionären Schriftsteller Deutschlands entdeckt – einen Mann, der zwischen der Aufklärung und dem jungen Marx an einer Stelle steht, die bisher nicht zu fixieren war. Er heißt Carl Gustav Jochmann, war ein Balte, starb mit vierzig Jahren und lebte kränklich. () Ich bringe ihn mit, wenn ich nach Svendborg komme;"[93] ,,In ihm [dem ,Essay' ,,Rückschritte der Poesie"] findet das bürgerliche Freiheitsbewußtsein der Deutschen den Weg, in seiner Schattenexistenz einem Traume nachzuhängen, der unterm Mittagshimmel der französischen Revolution nicht hätte geträumt werden können. () Die Überlegung über die geschichtlichen Grenzen, die die Humanität der Kunst setzen könnte, taucht hier wohl zum ersten Mal auf"[94], heißt es in einem Brief vom 6. Dezember 1937 an Max Horkheimer. – Der Begriff Kritik, den Benjamin als Kunstbegriff An der Frühromantik erarbeitet hatte, hatte schon versucht, das Unpoetische in der Kunst geltend zu machen. In den späten Jahren des französischen Exils machte er in einem hochpolitischen Sinn das Unpoetische gegen die Romantiker geltend. Den folgenden Auszug aus einem Brief August Ludwig Hülsens an Friedrich Schlegel hat Benjamin sowohl in die ,,Allemands de quatre-vingt-neuf" wie die ,,Einleitung" zum Jochmanntext eingearbeitet. Er gibt Aufschluß darüber, welches Unliterarische Benjamin bei Jochmann verborgen fand. ,,Behüte uns der Himmel, daß die alten Burgen nicht wieder aufgebaut werden. Sagt mir, lieben Freunde, wie soll ich Euch darin begreifen. Ich weiß es nicht . . . Ihr mögt die glänzen(d)ste Seite des Ritterwesens hervorsuchen, sie wird so vielfach wieder verdunkelt, wenn wir es im Ganzen nur betrachten wollen. Friedrich möge nach der Schweiz reisen und unter andern nach Wallis. Die Kinder ezählen ihm noch von den ehemaligen Zwingherrn, indem sie die stolzen Burgen benennen, und das Andenken ihrer Tyrannen erscheint in den Trümmern unverwüstlich. Aber dieser Betrachtung bedarf es gar nicht. Es ist genug daß dies Wesen mit keiner göttlichen Anordnung des Lebens bestehen kann. Viel lieber möchte man auch wünschen, daß der große Haufe, den wir Volk nennen, uns Gelehrte und Ritter sämmtlich auf den Kopf schlüge, weil wir unsre Größe und Vorzüge auf sein Elend allein gründen können. Armenhäuser, Zuchthäuser, Zeughäuser und Waisenhäuser stehen neben den Tempeln, in welchen wir die Gottheit verehren wollen ... Es ist freilich nicht zuvörderst Dein Studium gewesen, die gesellschaftlichen Formen auf die ursprüngliche und ewig bleibende zurückzuführen, und in ihnen daher das Nothwendige und Zufällige ... zu unterscheiden. *Aber einem Manne von Deiner Kritik liegt diese Betrachtung eben so nahe, als irgend eine literärische Erscheinung* ... Sprechen wir vom Menschen so liegt an uns allen *qua* Philosophen und Künstler durchaus gar nichts; denn das Leben eines einzigen in seinen Anforderungen an die Gesellschaft – möge er der elendeste auch seyn – ist bei weiten mehr werth, als der höchste Ruhm, den wir als Gelehrte und Ritter uns erklingen und erfechten mögen ... Für eine *beobachtende* Intelligenz würde in der ungebilde(t)sten Gesellschaft noch immer mehr Göttliches sichtbar werden, als wir durch Künste und Wißenschaften in ihrer höchsten Verfeinerung je darstellen können, wenn irgend ein Sohn der Freiheit ihr Opfer geworden ist.''[95]

Der Glücks- und Freiheitsanspruch der Menschen, die nie zu Wort gekommen sind, anonym geblieben sind, in den gesellschaftlichen Gewaltverhältnissen und von drückenden Kunstmonumenten zum Schweigen gebracht sind – dieser Glücksanspruch ist als ein unliterarisches Residuum in der revolutionären Literatur verborgen. Jochmann hatte ihn freigelegt. Er denkt ein Ende der Kunst und der Geschichte. Er setzt wie Fourier in einer unausdenkbaren Vorzeit der Geschichte an, um in einer klassenlosen, hochzivilisierten, und deswegen auch ,,kunstlosen'', Gesellschaft zu enden. So erinnert sich das historische Gedächtnis an etwas, das noch gar nicht Geschichte geworden ist, und das in den literarischen Dokumenten lediglich als blinder Fleck verzeichnet ist. An Jochmann anschließend notierte sich Benjamin – wohl für die eigene Studie über Baudelaire: ,,Dem Gedächtnis der Namenlosen ist die historische Konstruktion geweiht.''[96]

Damit ist Benjamins Vorstellung vom Subjekt der Geschichte berührt. Jedenfalls das Subjekt der vergangenen Geschichte gewinnt einen Negativ-Umriß. Dieses Subjekt hat aber einmal gelebt und seinen, ungehört gebliebenen, Glücksanspruch gestellt; und so kann es in der Gegenwart noch *erinnert* werden. Welches Subjekt entwickelt aber das ,,historische Gedächtnis'', und damit ein ,,historisches Selbstbewußtsein, das auf dem präsenten Bewußtsein historischer Erfahrungen, seinen Reflexen, seiner nie aussetzenden Kontrolle beruht''?

Dies Subjekt ist allein aufgrund seiner Stellung zur Gegenwart definierbar. Und die soll der Historiker zumindest erkennen. Dessen Entdeckung eines Textes wird so gedacht, daß sie zur revolutionären Aktion in einer ataraktischen Beziehung steht. Der Historiker kann aufgrund seiner Erkenntnisse weder Erklärungen noch Hinweise für die Aktion geben, er ist nicht das Subjekt der Gegenwart und er denkt auch nicht für es. – Ein Fragment, das Friedrich Schlegel für das ,,Athenäum'' geschrieben hat, lautet: ,,Der Historiker ist ein rückwärts gekehrter Prophet.''[97] Um zu verdeutlichen, wie sich Benjamin die Erkenntnis der Gegenwart an der Vergangenheit dachte, griff er auf dies Fragment zurück. Gegenwart wollte er „von Grund auf politisch" definieren. „Das ist der esoterische Sinn des Worts, der Historiker ist ein rückwärts gekehrter Prophet."[98] Die mit „Das Jetzt der Erkennbarkeit" überschriebene Aufzeichnung gibt zu erkennen, inwieweit Benjamin unter „esoterischen Sinn" eine historische Konkretion im machtpolitischen Sinne verstanden wissen wollte. Dazu gab er eine Interpretation des Schlegel-Aphorismus wieder, die er nicht meinte: von einer Vorvergangenheit, in die sich der Historiker versetzt, wird erklärt, wie es zwangsläufig zu dem Ereignis in der Vergangenheit kommen mußte. Benjamin korrigierte die Richtung in der Zeit: die Prophetie soll nicht dem vergangenen Ereignis gelten, sondern der Gegenwart, in der der Historiker lebt. Es ging in der Uminterpretation letztlich um eine politische Neudefinition des Aktualitätsbegriffs: das Vergangene beleuchte die Gegenwart so, als sei sie unter dem Gesichtspunkt politischen Handelns gesehen.

Solches vorstellbar zu machen zitierte Benjamin Turgot: „Bevor wir uns über einen gegebnen Stand der Dinge haben informieren können, () hat er sich schon mehrmals verändert. So erfahren wir immer zu spät von dem, was sich zugetragen hat. Und daher kann man von der Politik sagen, sie sei gleichsam darauf angewiesen, die Gegenwart vorherzusehen." Und Benjamin ergänzte: „Genau dieser Begriff von Gegenwart ist es, der der Aktualität der echten Geschichtsschreibung zugrundeliegt."[99] Anders ausgedrückt: Die Geschichtsvorstellung, in der sich die Klassen der gegebenen Gesellschaft zu einem letzten entscheidenden Klassenkampf in der revolutionären Situation rüsten, fand Benjamin von der historischen Entwicklung selbst eingeholt. Sein Begreifen der Geschichte ging von der drohenden Zerstörung der Städte, der Länder, der Erde aus; die Menschen haben sie, ist einmal begonnen, nicht mehr unter Kontrolle. Unter der Regie der herrschenden Klasse wird das Proletariat das Opfer der Destruktionskraft Technik. Es bleibt lediglich die Insurrektion der unterdrückten Masse, die den in Gang gebrachten Destruktionsprozeß unterbrechen kann. Denkbar ist, daß dann eine Produktion im Rhythmus der Naturkräfte, die auf die Plünderung der Ressourcen verzichtet, eine niedagewesene Arbeitsorganisation schaffen kann.

Historische Erkenntnis und geschichtliche Aktion laufen gleichzeitig, nebeneinander, vielleicht erübrigt sich bald ihre Differenzierung. „Dem revolutionären Denker bestätigt sich die eigentümliche revolutionäre Chance jedes geschichtlichen Augenblicks aus der politischen Situation heraus. Aber sie bestätigt sich ihm nicht minder durch die Schlüsselgewalt dieses Augenblicks über ein ganz bestimmtes, bis dahin verschlossenes Gemach der Vergangenheit. Der Eintritt in dieses Gemach fällt mit der politischen Aktion strikt zusammen; () Die klassenlose Gesellschaft ist nicht das Endziel des Fortschritts in der Geschichte, sondern dessen so oft mißglückte, endlich bewerkstelligte Unterbrechung."[100] Will man das anonyme Subjekt der geschichtlichen Aktion in der Gegenwart noch bestimmen, so muß es als das gedacht werden, das in seiner Aktion das geschichtlich Verborgene erst frei macht, „die Unterdrückten".

Warum bleibt dieses Subjekt in den späten Überlegungen Benjamins eigentlich deutlicher, soweit es als Subjekt der Vergangenheit reflektiert wird? Wenn in dem Subjekt der Vergangenheit die Züge entdeckt werden, die Benjamin, fünf Jahre bevor ein neuer Weltkrieg drohte, dem Subjekt der Gegenwart gegeben hat, beantwortet sich die Frage von selbst. Die utopisch-humanistischen Züge des befreiten Menschen im Zeitalter der Technik hatte Benjamin an den phantastischen Wesen in Paul Scheerbarts Roman „Lésabendio" entdeckt. Dieser Mensch, „der schreiend wie ein Neugeborenes in den schmutzigen Windeln dieser Epoche liegt"[101], hatte als Wesen, wie die Anonymen und Vergessen der Vergangenheit, keinen Namen. Ihn hatte der erste Weltkrieg und das technische Leben in seiner physischen und psychischen Konstitution verändert; war er noch ein Mensch? „Niemand hat ihn froher und lachender begrüßt als Paul Scheerbart. () Scheerbart [hat] sich für die Frage interessiert, was unsere Teleskope, unsere Flugzeuge und Luftraketen aus den ehemaligen Menschen für gänzlich neue sehens- und liebenswerte Geschöpfe machen."[101] Ließ sich auch der erste Weltkrieg nachträglich als Unglücksfall der Technik sehen – nach den poetischen Verklärungen der neuesten Raketen- und Flugzeugkonstruktionen in Ufa-Wochenschauen, nach den Bombardements im spanischen Bürgerkrieg konnte eine positive Subjektbestimmung in revolutionärer und utopischer Absicht kaum mehr ungebrochen vorgenommen werden. Die Frage: war er noch ein Mensch? stellte sich auf einmal anders. Eine Stelle in Benjamins Besprechung von Anna Seghers Roman „Die Rettung" berührt sie unter dem veränderten historischen Vorzeichen. Der Roman handelt von den seit der großen Arbeitslosigkeit entwurzelten Arbeitslosen, ihnen hat der Nationalsozialismus eine neue, kollektive Identität versprochen. Auch diese Menschen sind gemeint, wenn Benjamin von „Unterdrückten" spricht. „Werden sich diese Menschen *befreien*? Man ertappt sich auf dem Gefühl, daß für sie, wie für arme Seelen, nur noch eine *Erlösung* gibt."[102] Aber denkbar war dies Subjekt, das die Züge des zwanzigsten Jahrhunderts trägt, aus anderen Kontexten heraus. So hat denn Benjamin 1940 durchaus wieder etwas über Scheerbart zu veröffentlichen gedacht, dabei aber seine Verwandtschaft mit Fourier herausgestellt.[103] Die Umrisse dieses Subjekts ließen sich weiter in allen nicht-auratischen ‚Kunstformen' entdecken, im Film, der Photographie, auf dem Jahrmarkt, im Menschengewühl der Großstadtstraßen. Adolf Loos hatte sich für es Behausungen ausgedacht, Klee malte Wesen wie es.[104] „In deren Bauten, Bildern und Geschichten bereitet die Menschheit sich darauf vor, die Kultur, wenn es sein muß zu überleben. Und was die Hauptsache ist, sie tut es lachend. Vielleicht klingt dieses Lachen hie und da barbarisch. Gut. Mag doch der Einzelne bisweilen ein wenig Menschlichkeit an jene Masse abgeben, die sie eines

Tages ihm mit Zins und Zinseszinsen wiedergibt."[105] Mit der Absicht, diesem Menschen Profil zu geben, hat Benjamin die Technik des Films untersucht und sie für revolutionär erklärt.

Scholem bemängelte ihm gegenüber ein „missing philosophical link"[106] zwischen der Theorie vom Verlust der Aura und der positiven Bestimmung des Films als revolutionärer Kunstform. Worauf er von Benjamin die Antwort erhielt: „it will be supplied more effectively by the revolution than by me."[106] Adorno hatte schon 1936 an der ersten Fassung des Aufsatzes „Das Kunstwerk im Zeitalter seiner technischen Reproduzierbarkeit" die dialektische Entfaltung des Kritikpotentials im ‚großen Kunstwerk' vermißt. Er schlug damals vor, von hier ausgehend die Regressions- und Emanzipationsgehalte der Massenkunst zu bestimmen. „Beide tragen die Wundmale des Kapitalismus, beide enthalten Elemente der Veränderung (), beide sind die auseinandergerissenen Hälften der ganzen Freiheit (): eine der anderen zu opfern wäre romantisch, entweder als bürgerliche Romantik der Konservierung von Persönlichkeit und all dem Zauber, oder als anarchistische im blinden Vertrauen auf die Selbstmächtigkeit des Proletariats (). Der zweiten Romantik muß ich in gewissem Umfang die Arbeit bezichtigen."[107] Aber Benjamin hat nie diese tiefe Kluft zwischen den Möglichkeiten, in einer Kunstform von der gesellschaftlichen Utopie zu zeugen und den realen Chancen auf gesellschaftliche Befreiung bemäntelt; der Chiasmus hielt sich bis in die Neubestimmung seines Aktualitätsbegriffs.

Sein methodischer Umgang mit der Literatur der Vergangenheit und die theoretische Selbstvergewisserung über den „esoterischen Sinn" in seinem politischen Begriff Gegenwart erschienen Benjamin selbst durchaus waghalsig. Er sah einen unüberbrückbaren Abstand zu allen anderen kunsttheoretischen und geschichtstheoretischen Positionen seiner Zeit. „Das geschichtsschreibende Subjekt ist von rechts wegen derjenige Teil der Menschheit, dessen Solidarität alle Unterdrückten begreift. Derjenige Teil, der das größte theoretische Risiko darum eingehen kann, weil er praktisch am wenigsten zu verlieren hat."[108] Wohl weniger in den literaturgeschichtlichen Implikaten seines politischen Begriffs der Gegenwartserkenntnis; eventuell in den Vorstellungen von der Revolution als einer Massenaktion, die jederzeit eintreten kann, die aber auch jederzeit mit dem entwickelten Waffenpotential auf der Gegenseite rechnen muß; aber ganz überraschenderweise im Festhalten am Ende der Kunst in einer befreiten Gesellschaft hätte Benjamin sich von Trotzki bestätigt wissen können. Trotzki, Stratege der russischen Revolution, Politiker, Geschichtsschreiber und hervorragender Literaturkenner ist 1938 in seinem Exil in Mexiko von André Breton besucht worden. Trotzkis damaliger Sekretär erinnert sich: „Nach den Ausflügen tagsüber sollte es am Abend ein Gespräch über Kunst und Politik geben. Es war selbst die Rede davon, diese Gespräche unter dem Titel „Les Entretiens de Pâtzcuaro" zu veröffentlichen, unterzeichnet von Breton,

Rivera und Trotzki. Bei der ersten Abenddiskussion war es allein Trotzki, der sprach. Die These, die er entwickelte, lautete: In der zukünftigen kommunistischen Gesellschaft löst sich die Kunst im Leben auf. Es gibt keine Tänze und keine Tänzer mehr, auch keine Tänzerinnen, aber alle Wesen bewegen sich in einer harmonischen Weise fort. Es gibt keine Bilder mehr, doch über die Erde ziehen sich phantastische Behausungen."[109] Breton soll von solchen Vorstellungen erschrokken gewesen sein und nach der Diskussion schüchtern gefragt haben: ,,Aber glauben Sie nicht, daß es immer Leute geben wird, die auf einem kleinen Stück Papier malen wollen?"

Anmerkungen

Folgende Textausgaben sind nur unter Benutzung der hier angeführten Abkürzungen zitiert:

Walter Benjamin, *Gesammelte Schriften*. Unter Mitwirkung von Theodor W. Adorno und Gershom Scholem herausgegeben von Rolf Tiedemann und Hermann Schweppenhäuser, Frankfurt/M. 1972 ff. cit. G. S.
Walter Benjamin, *Briefe*, 2 Bde., hrsg. v. Gershom Scholem und Theodor W. Adorno, Frankfurt/M. 1966 cit. Br.
Zur Aktualität Walter Benjamins, hrsg. v. S. Unseld, Frankfurt/M. 1972 cit. Zur Aktualität

Bei Texten und Briefen ohne Angabe des Verfassers handelt es sich durchgängig um solche Benjamins. Dabei ist, der Übersichtlichkeit wegen, durchgängig der Titel des zitierten Textes angeführt, ebenso Ort und Datum seiner Erstveröffentlichung, soweit er zu Benjamins Lebzeiten veröffentlicht worden ist. Erläuternde Ergänzungen des Ursprungstextes stehen in runden Klammern, von mir hinzugefügte Erläuterungen innerhalb der Zitate in eckigen. Allein zu Hervorhebungen von mir findet sich der entsprechende Verweis.

[1] Zuerst publiziert als Dissertationsdruck in der Buchdruckerei Arthur Scholem, Berlin 1920. Der Titel hatte hier den Zusatz: ,,Inaugural-Dissertation der Philosophischen Fakultät der Universität Bern zur Erlangung der Doktorwürde. Vorgelegt von Walter Benjamin aus Berlin." – In Bern angenommen wurde die Arbeit am 27. Juni 1919. Sie erschien 1920 noch einmal in der Reihe ,,Neue Berner Abhandlungen zur Philosophie und ihrer Geschichte", die Benjamins Doktorvater Richard Herbertz herausgab. – vergl. GS I, 3; S. 803/04

[2] Br., S. 208; vom 7. April 1919 an Ernst Schoen. (Hervorhebung d. Verf.) – Schoen lebte damals in München. – Diesem Brief entnimmt der Kommentar in den G. S., daß Benjamin die ,,Rohschrift" der Dissertation abgeschlossen hatte. Vergl. G. S. I, 3; S. 801

[3] Br., S. 203; vom 8. November 1918 an Ernst Schoen. (Hervorhebung d. Verf.) – Der Kommentar der G. S. setzt die ,,erste Konzeption" (s. G. S. I, 3; S. 801) mehr als ein halbes Jahr früher aufgrund eines Briefs vom 30. März 1918 an. In ihm ist zwar schon der romantische Begriff der Kunstkritik in das Thema einbezogen, seine ,esoterischen' Erkenntnisgrundlagen aber noch nicht erkannt. Deren Ausführung macht jedoch das Entscheidende der Dissertation aus.

⁴ Br., S. 203

⁵ Br., S. 138; an Gerhard Scholem, nachträglich datiert auf ,Juni 1917', ohne Ortsangabe. Die Übersiedlung Benjamins in die Schweiz stand bevor, er hatte den Studienort München schon verlassen.

⁶ Br., S. 208

⁷ Begriff der Kunstkritik; G. S. I, 1; S. 12

⁸ Begriff der Kunstkritik; G. S. I, 1; S. 12/13. Die Zitate nahm Benjamin, der Reihenfolge nach, aus: J. Minor (Hrsg.), *Friedrich Schlegel 1794 – 1802. Seine prosaischen Jugendschriften*, 2 Bde., Wien 1906; Athenäumsfragment 222 *Friedrich Schlegels Briefe an seinen Bruder August Wilhelm*. Hrsg. v. O. F. Walzel, Berlin 1890, S. 421; Charlotte Pingoud, *Grundlinien der ästhetischen Doktrin Friedrich Schlegels*. Stuttgart 1914, Münchner Diss., S. 52

⁹ Begriff der Kunstkritik, G. S. I, 1; S. 14

¹⁰ Begriff der Kunstkritik, G. S. I, 1; S. 16

¹¹ Begriff der Kunstkritik, G. S. I, 1; S. 13

¹² Begriff der Kunstkritik, GS. I, 1; S. 47; vergl. R. Faber, Novalis: *Die Phantasie an die Macht*, Stuttgart 1970, S. 77

¹³ Begriff der Kunstkritik, G. S. I, 1; S. 73/74 und 107/08, Anm. 294. Benjamin, der sich selbst „schon fast [als] Spezialist für den alten Schlegel () diesen mühevollen Beruf", begriff (Br., 186), sah Schlegel schon in einer sehr frühen Zeit sich der Restauration zuwenden, nämlich dann, als er zu einem „konventionellen Begriff der Poesie" (G. S. I, 1; S. 108) gefunden hatte. – Vergl. dagegen die Unterscheidung zwischen revolutionärer Romantik und romantischer Restauration in „ Weimarer Beiträge 9, Berlin und Weimar 1965": *Zur Arbeitstagung in Leipzig vom 2. – 4. 7. 1962*. Werner Krauss und Hans Mayer versuchten hier in Referaten, der Romantik den pauschalen Restaurationsverdacht zu nehmen, und sahen eine revolutionäre Romantik sogar bis zum Wiener Kongreß.

¹⁴ Begriff der Kunstkritik, G. S. I, 1; S. 19 – in Anmerkung 14 hier ist noch einmal auf die „wenig beachteten erheblichen Differenzen zwischen beiden Gedankenkreisen" (S. 20) verwiesen. Einige Benjamin-Leser neigen zu der Annahme, er habe hier beide „Gedankenkreise" gleichgesetzt. Vergl. Bernd Witte, *Walter Benjamin – Der Intellektuelle als Kritiker. Unters. zu seinem Frühwerk*. Stuttgart 1976, S. 41; vergl. Peter Gebhardt, Über einige Voraussetzungen der Literaturkritik Benjamins, in: Gebhardt et al., *Walter Benjamin – Zeitgenosse der Moderne*, Kronberg/T. 1976 S. 74

¹⁵ Begriff der Kunstkritik, G. S. I, 1; S. 36

¹⁶ Begriff der Kunstkritik, G. S. I, 1; S. 54/55

¹⁷ Begriff der Kunstkritik, G. S. I, 1; S. 65/66

¹⁸ Begriff der Kunstkritik, G. S. I, 1; S. 77

¹⁹ vergl. Begriff der Kunstkritik, G. S. I, 1; S. 104 ff.

²⁰ Begriff der Kunstkritik, G. S. I, 1; S. 107

²¹ Begriff der Kunstkritik, G. S. I, 1; S. 119

²² Goethes Wahlverwandtschaften (Neue Deutsche Beiträge, April 1924/Januar 1925); G. S. I, 1; S. 172; vergl. auch G. S. I, 3; S. 833/34 „ *Theorie der Kunstkritik*". – Die Herausgeber der G. S. vermerken, Benjamin habe möglicherweise, gleich nachdem seine Dissertation angenommen war, mit den Vorarbeiten zur Interpretation des Romans begonnen. s. G. S. I, 3; S. 811

²³ Lebenslauf I, in: Zur Aktualität, S. 45, ohne Angabe über Zeitpunkt und Zweck seiner Entstehung. Nach den Arbeitsplänen, die Benjamin hier angibt, muß er auf jeden Fall vor 1930 geschrieben sein.

24 Der Reihenfolge nach finden sich die angeführten Stücke unter dem von den Herausgebern gewählten übergreifenden Titel „Ästhetische Fragmente" in G. S. II, 2; S. 602 f.; S. 610 f.; S. 612 f.; S. 613 f.; S. 618. f. S. 615 f. – Die Kritik von „Der Idiot" findet sich in G. S. II, 1; S. 237. unter dem zusammenfassenden Titel „Literarische und ästhetische Essays". – Zur Publikation dieser Kritiken in „Angelus Novus", „wenn der Raum ausreicht", s. Brief v. 21. Januar 1922 an Richard Weißbach, G. S. II, 3, S. 989

25 Benjamins Antwort auf eine Rundfrage der „Literarischen Welt" (v. 13. 7. 1928) zu Georges 60. Geburtstag. „Über Stefan George" (Titel der Hrsg.), G. S. II, 2; S. 623

26 Br., S. 131; an Herbert Belmore, nachträglich datiert mit ‚Ende 1916'.

27 Gershom Scholem, Walter Benjamin – Die Geschichte einer Freundschaft, S. 15, Frankfurt/M. 1975

28 G. Scholem, Geschichte, S. 22

29 Werner Kraft, Spiegelung der Jugend, S. 72, Frankfurt/M. 1973

30 Kurt Hiller, Brief vom 6. Februar 1965 an Th. W. Adorno, in: G. S. II, 3; S. 916

31 Br., S. 127; an Martin Buber, München, Juli 1916

32 Lebenslauf I, in: Zur Aktualität, S. 45

33 Br., S. 151, an G. Scholem, Bern, 22. Oktober 1917

34 Br., S. 180, an G. Scholem (30. März 1918)

35 Br., S. 188, an Ernst Schoen (Bern, Mai 1918)

36 Br., S. 187

37 Br., S. 203, an Ernst Schoen (8. November 1918), s. Anm. 3

38 Br., S. 137, an G. Scholem (Juni 1917), Hervorhebung d. Verf. – Selbst noch 1931 erwähnte Benjamin die Verdienste Max Pulvers um Franz von Baader. S. G. S. III, S. 305 „Ein Schwarmgeist auf dem Katheder" (Rezension, Frankfurter Zeitung, 18. Oktober 1931)

39 Br., S. 188, an Ernst Schoen (Mai 1918); Benjamin bat Ernst Schoen, als er sich entschlossen hatte für die Dissertation das Ergebnis der früheren Lektüre zu verwerten, „nacheinander die Angaben aus Ihrer Fragmentenharmonie () zu senden." (Hervorhebung d. Verf.) Der für den Brief verantwortliche Herausgeber hat dazu angemerkt, Schoen habe Benjamins „Harmonie" damals nur aufbewahrt. (s. Br., S. 192, Anm. 2) Warum heißt es aber „Ihre"?

40 Br., S. 137, an G. Scholem (Juni 1917)

41 Br., S. 137/38

42 Br., S. 137/38

43 Lebenslauf I, in: Zur Aktualität, S. 45

44 vergl. G. Scholem, Geschichte, S. 87: „Über ästhetische Theorie, an der ich nicht interessiert war, haben wir kaum gesprochen ()." (Hervorhebung d. Verf.) Die Rücksichtnahme, die Benjamin seinen Gesprächspartnern entgegenbrachte, ist nachträglich geradezu berühmt geworden. Scholem gibt viele biographische Hinweise für den Zeitraum zwischen 1915 und 1923, stellt aber nicht in Rechnung, daß Benjamins Umgangsform ihm auf seine Person nur eine Perspektive gewährt hat. So könnte auch die Behauptung, er und Benjamin hätten kaum Anteil an den Vorgängen während der Schweizer Aufstände genommen, ein vorschneller Schluß vom eigenen Interesse auf das des Gesprächspartners gewesen sein. „Sehr tief beteiligt war ich freilich nicht." (S. 100, Hervorhebung d. Verf.)

45 Br., S. 202

46 Paul Laven, Aus dem Erinnerungsbrevier eines Rundfunkpioniers, in: G. Hay (Hrsg.) Literatur und Rundfunk 1923–1933, S. 31, Hildesheim 1974. Ernst Schoens Name ist in der Geschichte des deutschen Rundfunks so gut wie getilgt. Deshalb ist es interessant, daß der

Sportreporter, der die life-Übertragung in Deutschland eingeführt hat, sich an die Zusammenarbeit Schoen-Benjamin erinnert. Schoen baute die erste „Literarische Abteilung" im deutschen Rundfunk auf; Absicht dabei war eine authentischere Indienstnahme der Literatur für den Rundfunk, als sie in der Aussendung klassischer Theaterstücke zu „Volksbildungszwecken" üblich war.

[47] W. Kraft, *Spiegelung*, S. 74

[48] G. Scholem, *Geschichte*, S. 103; Scholem bezieht sich auf eine eigene Tagebuchnotiz.

[49] Ernst Bloch, *Über Walter Benjamin*, in: Über Walter Benjamin, Frankfurt/M. 1968, S. 16

[50] Br., S. 204

[51] Br., S. 218/19, Klosters, 19. September 1919

[52] vergl. die Annotationen der Herausgeber zu Benjamins erster Interpretation „*Paul Scheerbart: Lésabendio*", G. S. II, 3; S. 1423

[53] Scholem, *Geschichte*, S. 109

[54] *Zur Kritik der Gewalt* (Archiv für Sozialwissenschaft und Sozialpolitik, Bd. 47, 1920/21), in: G. S. II, 1; S. 194. Die Herausgeber datieren die Entstehung dieses Aufsatzes auf die Jahreswende 1920/21.

[55] Benjamin verstand sich als Exilierter. – In der Schweiz begann er, den Grundstock für seine Bibliothek zu legen. „Unter anderem auch aus dem Grunde, weil ich mit dem Gedanken eines Exils vertraut bin in einer Gegend wo ich auf meine Bibliothek angewiesen wäre ()." (Br., S. 199 an Ernst Schoen, 31. Juli 1918) – Scholem erwähnt eine stillschweigende Abmachung, niemals über den Kriegsablauf zu sprechen (*Geschichte*, S. 35).

[56] Ernst Bloch, *Über einige politische Programme und Utopien in der Schweiz*, in: Archiv für Sozialwissenschaft und Sozialpolitik, hrsg. v. Edgar Jaffé, Bd. 46, 1918/19, S. 142

[57] Bloch, *Über einige*, S. 144

[58] Bloch, *Über einige*, S. 148

[59] Bloch, *Über einige*, S. 156

[60] Bloch, *Über einige*, S. 160

[61] Bloch, *Über einige*, S. 161/62

[62] *Kritik der Gewalt*, G. S. II, 1, S. 194. Dieselbe Auffassung von der Rolle der Intellektuellen in der Revolution hat Benjamin 1930 Brecht gegenüber vertreten (s. Bernd Witte, *Walter Benjamin* . . ., S. 172)

[63] Bloch, *Über einige*, S. 162

[64] George Sorel, *Über die Gewalt*. hrsg. von Gottfried Salomon, dt. Ausgabe 1928, S. 223

[65] s. Brief vom 3. Dezember 1921 an den Heidelberger Verleger Richard Weißbach, in dessen Verlag der „Angelus Novus" erscheinen sollte. Erwähnt sind hier „eine Arbeit über ,das Gebet', ,Wucher und Recht', ,Recht und Gewalt' von verschiedenen Autoren". (G. S. II, 3; S. 987)

[66] Benjamin stellte im Rahmen seiner professionellen Arbeit als Literaturkritiker sich selbst in die Tradition der frühromantischen Literaturkritik. Es muß bedacht werden, daß er das auf dem Höhepunkt seiner zeitgenössischen Wirksamkeit tat und das Experiment, eine marxistische Literaturkritik ohne die damals übliche vulgärmaterialistische Verkürzung zu entwickeln, zur selben Zeit in Angriff nahm. Den radikalen Gegenwartsbezug der Ideen, die „Aktualität der Kritik", machte er gegen den verbreiteten konservativen Gemeinplatz von den „zeitlosen Ideen", der „ewigen Schau", geltend; und dabei berief er sich auf die „Theorien der Brüder Schlegel" (G. S. III, S. 258/59; s. a. S. 253/54; „Wider ein Meisterwerk", Die literarische Welt, 15. 8. 1930. – Vergl. weiter „Jemand meint", Literaturblatt der Frankfurter Zeitung, 20. 11. 32; G. S. III, S. 363)

[67] Ankündigung der Zeitschrift: Angelus Novus; G. S. II, 1; S. 241/42

[68] Ankündigung, G. S. II, 1; S. 246

[69] vergl. Benjamins Überlegungen zum philologischen Verfahren in „*Ursprung des deutschen Trauerspiels*", G. S. I, 1, S. 357/58, und dazu in Ergänzung Br., S. 342; vergl. die Beschreibungen von „Aura", i. Bes. die späteste Fassung in „*Über einige Motive bei Baudelaire*", G. S. I, 2, S. 646 und S. 647.

[70] 3. Lebenslauf, wohl 1940 zum Zweck geschrieben, ein Einreisevisum in die USA zu erhalten; in: Zur Aktualität, S. 55, ohne Angabe des Abfassungsdatums und -zwecks.

[71] Eine eingehende Interpretation der „Deutschen Menschen" findet sich bei Johannes Ernst Seiffert, *Walter Benjamin und die historische Konstruktion dieser Gegenwart*, Manuskript, März 1972

[72] Allemands de quatre-vingt-neuf (Europe. Revue mensuelle 15. 7. 1939 Numéro special: La révolution française); G. S. IV, 2; S. 863. Der Herausgeber nimmt an, Benjamin habe eine deutsche Ur- und eine französische Rohfassung geschrieben; Marcel Stora hat den Beitrag französisch überarbeitet. – Die Rückübersetzung aus den Kommentaren Benjamins ins Deutsche stammt von mir, C. K.. Benjamins Zitationen und die von ihm ausgewählten Stücke sind, wo sie im Folgenden wieder zitiert werden, aus dem deutschen Original zitiert.

[73] Wie aus den weiteren Ausführungen hervorgehen wird, ist der Begriffsgebrauch „revolutionäre Tradition" nicht mit der zeitgenössischen Begriffsverwendung „bürgerliche Revolutionäre Literatur" gleichzusetzen, wie sie durch die Beiträge in der Zeitschrift „Das Wort" (Moskau 1936 f.) nach den Debatten der zwanziger Jahre mit neuer Bedeutung lanciert wurde. Die Spalte „Kulturerbe" wurde regelmäßig seit dem Erscheinen 1936 geführt. Einwände hatte Benjamin weniger gegen die Auswahl: Gutzkow, Heine, Anastasius Grün, Seume, Büchner, Uhland – die Kommentare der „Allemands" verweisen durchgängig im Einverständnis auf diese radikaldemokratische deutsche Literaturtradition. Die Art, wie diese Literatur aufbereitet wurde, stimmte bedenklich: „Die Art, in der es als „Erbe" gewürdigt wird, ist unheilvoller als seine bisherige Verschollenheit es sein könnte." (G. S. I, 3; S. 1242 – Varianten zu den „*Thesen zum Begriff der Geschichte*")

[74] Aus der Widmung in einem Buchexemplar der „Deutschen Menschen" an Scholem. – Scholem, Geschichte, S. 252

[75] Einleitende Vorbemerkung zu „Briefe" (Frankfurter Zeitung, 1. 4. 1931) G. S. IV, 2; S. 954/55

[76] G. S. IV, 1; S. 232; hier ist der Brief als „Anhang" gedruckt

[77] Vom Weltbürger zum Großbürger – Aus deutschen Schriften der Vergangenheit (*Die literarische Welt*, 6. 5. 1932; Sonderausgabe), Redaktionelle Einführung, unterzeichnet: Die Schriftleitung der LW. – G. S. IV, 2; S. 816/17

[78] *Vom Weltbürger, Redaktionelle Einführung*; G. S. IV, 2; S. 819

[79] *Vom Weltbürger, Einleitende Bemerkungen zu dieser Nummer*, unterzeichnet: Walter Benjamin, Willy Haas; G. S. IV, 2; S. 816

[80] *Vom Weltbürger, I. Der Bürger und sein Staat – Weltbürgertum und Kolonialreich*; G. S. IV, 2; S. 819/20

[81] Allerdings ist ein Auszug aus Bettinas Reportage vom Hamburger Tor aufgenommen, eine Rede aus Schellings späten Jahren, die er als Hochschullehrer in München anläßlich von Studentenunruhen hielt, und drei Passagen aus Texten Adam Müllers, von dem es heißt: er war „kein tiefer, aber ein ungemein klarer und geistreicher Theoretiker der politischen Restauration (). – Die feudale hochkonservative Defensiv-Polemik gegen die erst in den Anfängen befindliche, sich allmählich entfaltende bürgerliche Industriegesellschaft

bei Adam Müller und Franz von Baader zeugt von einem erstaunlichen, fast propheti-
schen Scharfblick und deckt sich oft fast wörtlich mit der späteren offensiven Kritik Karl
Marxens an der kapitalistischen Gesellschaft; dennoch hat Marx diese romantische Kritik
ausdrücklich scharf abgelehnt." (G. S. IV, 2; S. 853)

[82] Was die Deutschen lasen während ihre Klassiker schrieben; gesendet am 16. 2. 1932 in der
„Berliner Funkstunde"; G. S. IV, 2; S. 658 – Dies Stück wollte dem „Begriff einer neuen
Volkstümlichkeit" entsprEchen (G. S. IV, 2; S. 673; *Zweierlei Volkstümlichkeit*, Rufer
und Hörer, September 1932 – Vergl. Anm. 46)

[83] Rezension: *Krisenjahre der Frühromantik. Briefe aus dem Schlegelkreis.* Hrsg. von Josef
Körner. 2 Bde, 1936 f. (Maß und Wert, September/Oktober 1938); G. S. III, S. 541

[84] Rezension: Albert Béguin, *L'ame romantique et le rêve. Essai sur le romantisme allemand
et la poésie francaise.* Marseille 1937 (Maß und Wert, Januar/Februar 1939); GS III, S.
559. Mit dem beginnenden Existenzialismus und dem späten Surrealismus fanden die
„Traumtheorien" der deutschen Romantiker in Frankreich eine euphorische Aufnahme.
Darauf geht Benjamin in dieser Rezension ein. „Reflexion auf den Traum ist ein Bewußt-
seinsvorgang. Tritt sie mit Nachdruck auf, so ist das ein vieldeutiges Faktum. Man kann,
wenn man will daraus Schlüsse ziehen, die von der Einfühlung in die Nachtseiten des See-
lenlebens geschweige von einer Initiation in sie, weit ab liegen. Ist, so dürfte man fragen,
der Appell an das Traumleben nicht ein Notsignal? weist er nicht minder den Heimweg
ins Mutterland als daß Hindernisse ihn schon verlegt haben?" (Variante, G. S. III, S. 697)

[85] *Die Rückschritte der Poesie.* Von Carl Gustav Jochmann Einleitung (Zeitschrift für Sozialforschung 1939, d. i. 1940) G. S. II, 2; S. 581. – Vergl. eine entsprechende Formulierung Br., S. 138, an G. Scholem, Juni 1917

[86] *Allemands*, G. S. IV, 2; S. 874 – zit. nach: *Caroline, Briefe aus der Frühromantik*, Ed.
Erich Schmidt, Leipzig 1913, S. 275

[87] *Caroline*, S. 278

[88] *Caroline*, S. 278; Allemands, S. 278; Allemands, G. S. IV, 2; S. 873; Benjamin hat den letzten Satz nicht zitiert.

[89] *Allemands*, G. S. IV, 2; S. 873

[90] *Allemands*, G. S. IV, 2; S. 878 (Hervorhebungen d. Verf.) – vergl. „Einleitung" G. S. II,
2; S. 574. Mit dem „Essay" über Robespierre hat Benjamin Jochmann selbst als „Historiker" gesehen.

[91] *Allemands*, G. S. IV, 2; S. 877

[92] Aufzeichnung aus dem Bereich der „*Thesen zum Begriff der Geschichte*", G. S. I, 3;
S. 1232

[93] Briefauszug in G. S. II, 3; S. 1393 – Unwahrscheinlich ist, daß Benjamin selbst Carl Gustav Jochmann *entdeckt* hat. Er ist von Werner Kraft auf ihn hingewiesen worden. Vergl.
die Anmerkungen der Herausgeber in G. S. II, 3; S. 1397 bis 1403 – In seiner langen Beschäftigung mit Jochmann hat Kraft ein sehr viel detaillierteres Bild des Verschollenen
entwerfen können: Werner Kraft, Carl Gustav Jochmann und sein Kreis. Zur deutschen
Geistesgeschichte zwischen Aufklärung und Vormärz, München 1972

[94] Briefauszug, G. S. II, 3; S. 1395 – U. a. *ein* Grund für die beinahe dreijährige Verzögerung
der Drucklegung in der Zeitschrift für Sozialforschung lag in Horkheimers Unzufrieden-
heit mit der ersten Fassung der „Einleitung": „Könnten Sie eine nicht so sehr vom Standpunkt des Historikers als von der philosophischen Theorie aus verfaßte Einleitung dazu
schreiben?" (*Horkheimer an Benjamin, Brief v. 5. November 1937*; G. S. II, 3;
S. 1395)

[95] Rezension: *Krisenjahre*, G. S. III, S. 540/41 – Im Briefband „Krisenjahre der Frühro-

mantik" hatte Benjamin den Brief von Hülsen an A. W. Schlegel vom 18. Dezember 1803 gefunden. Die Rezension zitiert ihn am ausführlichsten, die „Einleitung" gekürzt, aber um Unwesentliches; stark gekürzt erscheint die Passage erst im Kommentar zum Brief der Caroline. Hier allerdings verdeutlicht Benjamin mit Victor Hugo: „*L'ignorant est le pain que mange le savant.*" (G. S. IV, 2; S. 873)

96 Variante zu den „*Thesen zum Begriff der Geschichte*", G. S. I, 3; S. 1241 – „Die historische Methode ist eine philologische, der das Buch des Lebens zugrunde liegt", bestimmt Benjamin, trotz aller Kritik an der Romantik auf eine romantische Wendung zurückgreifend, die Lesetechnik des „Historikers". Und weiter: „, ‚Was nie geschrieben wurde, lesen' heißt es bei Hofmannsthal." (G. S. I, 3; S. 1238)

97 „Fragmente" im 1. Band des „Athenäum" von 1798. zitiert nach: *Athenäum I.* Eine Zeitschrift von August Wilhelm und Friedrich Schlegel. Ausgewählt und bearbeitet von Curt Grützmacher, Reinbek bei Hamburg 1969, S. 113

98 Aufzeichnung aus dem Bereich der „*Thesen zum Begriff der Geschichte*", G. S. I, 3; S. 1235

99 *Aufzeichnung*, G. S. I, 3; S. 1237

100 *Aufzeichnung*, G. S. I, 3; S. 1231

101 *Erfahrung und Armut* (Die Welt im Wort, Prag, 7. 12. 1933) G. S. II, 1; S. 216

102 Die Rettung (Die neue Weltbühne, 1938); *Eine Chronik der deutschen Arbeitslosen* (Titel, den Benjamin der Rezension gab) G. S. III, S. 537/38; die zwei zitierten Sätze fehlen in der Druckfassung von 1938.

103 Sur Scheerbart, G. S. II, 2; S. 632 f. Die lange Passage, die hier den Inhalt des Romans angibt, ist beinahe wörtlich aus der Fassung „Paul Scheerbart: Lésabendio" (1917/1919) übernommen. An deren Schlußsatz „Von dem Größeren – der Erfüllung der Utopie – kann man nicht sprechen – nur zeugen." (G. S. II, 2; S. 620) hat sich Benjamin in der Verwendung politisch-literarischer Korrespondenzen gehalten. „Sur Scheerbart" sollte ursprünglich in der kleinen Zeitschrift erscheinen, die Adrienne Monnier in ihrem Buchladen in der rue de l'Odeon herausgab.

104 Vergl. zu Klee und Loos „Erfahrung und Armut" G. S. II, 1; S. 216 und 217. – Vergl. zu Loos „Einleitung" zu Jochmann, G. S. II, 2; S. 581; und zu Klee „Thesen zum Begriff der Geschichte", G. S. I, 2; S. 697, These IX
vergl. auch „Karl Kraus" (Frankfurter Zeitung, März 1931) G. S. II, 1; S. 366/67 und Benjamins Vorarbeiten zum Essay G. S. II, 3; 1106, 1108 und 1111.

105 *Erfahrung und Armut*, G. S. II, 1; S. 219

106 Gershom Scholem, Walter Benjamin, in: Leo Baeck Memorial Lecture 8, New York 1965, S. 17

107 Adornos entsprechender Einwand mangelnder dialektischer Vermittlung 1938 gegen Benjamins Studie „Das second empire bei Baudelaire" läßt erkennen, wie wenig seine schriftstellerische Technik, mit der er in literarhistorischen Studien Aktualität herstellte, seine politische Haltung verborgen hat: „In dieser Art des unmittelbaren, fast möchte ich sagen des anthropologischen Materialismus, steckt ein tief romantisches Element, und ich spüre es um so deutlicher, je krasser und rauher die Baudelairesche Formwelt mit der Notdurft des Lebens von Ihnen konfrontiert wird." Br., S. 786, Adorno an Benjamin, New York, 10. November 1938 – Adorno an Benjamin, 18. März 1936 aus London in: Th. W. Adorno, *Über Walter Benjamin*, hrsg. v. R. Tiedemann, Frankfurt/M. 1970, S. 129/30

108 G. S. I, 3; S. 1234

109 Jean van Heijenoort, *Sept ans auprès de Léon Trotsky. De Prinkipo à Coyoacàn*, S. 187, Paris, Les lettres Nouvelles 1978; die Übersetzung stammt von mir, C. K.

6a) Eine materialistische Lektüre des Bergmann-Kapitels im „Ofterdingen".

Von Wolfgang Kloppmann

Das Kapitel vom Bergmann beginnt mit einer Situationsschilderung: Heinrich begegnet dem Bergmann als einem unter den Gästen des Wirtshauses, in dem er und seine Reisegesellschaft Nachtquartier bezogen haben. Der Bergmann zieht die Aufmerksamkeit aller auf sich; angeregt durch ihre neugierigen Fragen, erzählt er von seinem beruflichen Werdegang und vom Wesen des Bergbaus.

Der Abschnitt ist durch eine zweimalige Unterbrechung gegliedert. Die Fortsetzung wird jeweils durch einen Gesprächsanstoß von Heinrich motiviert (Novalis, 196, 200). Die inhaltliche Gliederung deckt sich nicht ganz mit dieser Unterteilung. Der erste Abschnitt, der die erste Unterbrechung übergreift, erzählt nach dem Schema Erwartung – Erfüllung, das den beiden Teilen des Romanes überhaupt zugrunde liegt, den Werdegang des Bergmannes von dem ersten Interesse für seinen Gegenstand bis dahin, wo er Leiter des Bergwerkes wird, in dem er gelernt und als Hauer gearbeitet hat. Der Abschnitt enthält zwei Höhepunkte, die zwei Stufen der Erfüllung markieren: Erster Höhepunkt die Einfahrt in die Grube (Novalis, 195), der zweite die Eheschließung und zugleich die Designation zum Nachfolger seines Lehrherrn und Schwiegervaters durch den Landesherrn (Novalis, 197). Inhalt des zweiten Abschnittes ist der Preis des Bergbaus. Er enthält vier Teile: Die Stellung des Bergmanns zum Besitz; die Problematik privater Aneignung der Natur; die menschheitliche Verbundenheit des Bergmannes in seinem Beruf; der Bergbau als Gleichnis menschlichen Lebens. Inhalt des dritten Abschnittes ist die Verwandtschaft zwischen der Arbeit des Bergmannes und der Kunst. Er enthält zwei Gedichte. Ein Schlußabschnitt spiegelt die Reaktion der Hörer.

1. Nicht entfremdete Arbeit

Des Bergmanns Interesse erwachte in jungen Jahren, als er in einer Klosterkirche Gold, Silber und edle Steine zu Gesicht bekam. Er wünschte sich, etwas „von ihrer geheimnisvollen Herkunft zu erfahren" (Novalis, 192). Es zeigt sich, daß sein Interesse etwas anderes als Neugier oder Wißbegier in einem vordergründigen Sinne war, denn über sein erstes Einfahren in die Grube berichtet er: „Ich fühlte mich nun mit Freuden in vollem Besitz dessen, was von jeher mein sehnlichster Wunsch gewesen war. Es läßt sich auch diese wundersame Freude an Dingen, die ein näheres Verhältnis zu unserem geheimen Dasein haben mögen, zu Beschäftigungen, für die man von der Wiege an bestimmt und ausgerüstet ist, nicht erklären und beschreiben. ... Mir schienen sie so unentbehrlich zu sein wie die Luft der Brust und die Speise dem Magen" (Novalis, 195). Die Frage des jungen Mannes nach der

Herkunft der edlen Metalle und Steine hatte etwas zu tun mit seinem ,,geheimen Dasein", mit seinem Wesen als Mensch. Die Betrachtung der Kleinodien weckte eine Ahnung von diesem Wesen, eine Erwartung, dieses zu erkennen und zu seiner Erfüllung zu gelangen. Der Beginn seiner Tätigkeit als Bergmann ist diese Erfüllung. Damit beschreibt Novalis die Tätigkeit des Bergmannes als das genaue Gegenteil dessen, was Marx als die entfremdete Arbeit bestimmt.

Nach Marx besteht die ,,Entäußerung der Arbeit" darin, ,,daß sie dem Arbeiter äußerlich ist, d. h. nicht zu seinem Wesen gehört" (Manuskripte, 54). Der Bergmann des Novalis aber findet in seiner Tätigkeit die Möglichkeit, zur Identität mit seinem Wesen als Mensch zu gelangen. ,,Der Arbeiter fühlt sich . . . in der Arbeit außer sich" (Manuskripte, 55), sagt Marx in Bezug auf die entfremdete Arbeit. Der Bergmann aber hat ,,unzählige Male . . . vor Ort gesessen . . . und den edelsten Gang" seines ,,Herzens erschürft" (Novalis, 199), seine Tätigkeit hat ihn zur Einkehr bei sich selbst geführt. Entäußerte Arbeit ist ,,nicht die Befriedigung eines Bedürfnisses, sondern sie ist nur ein Mittel, Bedürfnisse außer ihr zu befriedigen" (Manuskripte, 55). Der Bergmann aber findet in seiner Arbeit die Befriedigung eines elementaren Bedürfnisses, wenn sie ihn in den Besitz dessen bringt, was von jeher sein ,,sehnlichster Wunsch" gewesen ist. Seine Tätigkeit ist selbst unmittelbar Lebensmittel wie Atem und Nahrung. Während der entäußerte Arbeiter sich ,,nicht wohl, sondern unglücklich fühlt" (Manuskripte, 55), bekennt der Bergmann auf die Frage Heinrichs, ob er seinen Entschluß, Bergmann zu werden, je bereut habe, ,,das Geschick" habe ihn ,,durch ein frohes und heiteres Leben geführt", und er sei ,,immer glücklich in [seinen] Verrichtungen gewesen" (Novalis, 196). Privates, familiäres Leben und produktive Tätigkeit sind für den Bergmann keine getrennten Bereiche. An dem Tag, an dem er ,,Häuer" wurde, segnete der Lehrherr und Schwiegervater ihn mit seiner Tochter als ,,Braut und Bräutigam ein". An demselben Tag, an dem er seine Frau auf seine Kammer führte, ,,hieb" er ,,eine reiche Ader an" (Novalis, 197). Menschliche Erfüllung in Liebe und Ehe gehen Hand in Hand mit materieller Produktivität.

Der Bergmann führt ,,des Goldes Ströme in seines Königs Haus" (Novalis, 201), und der alte Steiger ,,hat dem Herzog von Böhmen zu ungeheuren Schätzen verholfen" (Novalis, 197). Dennoch konstituiert er nach Novalis' Darstellung nicht ,,das Verhältnis eines der Arbeit fremden und außer ihr stehenden Menschen zu dieser Arbeit" (Manuskripte, 60); denn durch den Reichtum des Herzogs ist ,,die ganze Gegend . . . wohlhabend und ein blühendes Land geworden" (Novalis, 197). Diese Darstellung des Novalis ist im Zusammenhang zu sehen mit seiner antifeudalistischen Forderung: ,,Der König soll nicht frugal, wie ein Landmann oder begüterter Privatmann sein" (Novalis, 380). Novalis sieht ,,Gold und Silber" als das ,,Blut des Staates" an und will, daß sich das Blut nicht in Kopf und Herz, das Gold also nicht in der Hand eines feudalistischen Herrschers ansammle. Vielmehr müsse das Herz das Blut „freigebig … nach den äußeren Teilen" des Körpers treiben. Die Folge davon wird sein: „Warm und belebt ist jedes Glied, und rasch und mächtig strömt das Blut nach dem Herzen zurück" (Novalis, 372/73).

Dem Anschein nach übernimmt Novalis unreflektiert eine ökonomische Theorie vom Kreislauf des Geldes, womit er zugleich der privaten Aneignung von Produkten im Tauschhandel seine Affirmation erteilen würde. Diesem Anschein steht jedoch eine reflektiertere Auffassung gegenüber. Der Bergmann ist der Ansicht, daß „die Natur … nicht der ausschließliche Besitz eines einzelnen sein" wolle, sondern eine „Neigung, allen anzugehören", habe (Novalis, 198/99). Der Bergmann hat kein Interesse an dem Besitz von Gold und Silber, „er begnügt sich, … die metallischen Mächte … zu Tage zu fördern. … Sie haben für ihn keinen Reiz mehr, wenn sie Ware geworden sind" (Novalis, 198).

Die Marxsche Warenanalyse kann zu einem genaueren Verständnis dessen verhelfen, was Novalis mit Ware meint. Marx unterscheidet zwischen dem Gegenstand als „Gebrauchswert" und dem Gegenstand als „Tauschwert". Der Gegenstand als Gebrauchswert ist „Gegenstand menschlicher Bedürfnisse, Lebensmittel im weitesten Sinne des Wortes" (MEW 13, 15). Die Gebrauchswerte schaffende Arbeit ist „zweckmäßige Arbeit zur Aneignung des Natürlichen, … Bedingung des Stoffwechsels zwischen Mensch und Natur" (MEW 13, 23/24). In dem Gebrauchswert drückt sich kein gesellschaftliches Produktionsverhältnis aus, er ist jedoch „die stoffliche Basis, woran sich ein bestimmtes ökonomisches Verhältnis darstellt, der Tauschwert". Der Tauschwert ist ein „quantitatives Verhältnis, worin Gebrauchswerte gegeneinander austauschbar" werden (MEW 13, 16). „Die Arbeit, die sich als Tauschwert darstellt", ist „Durchschnittsarbeit, die jedes Durchschnittsindividuum verrichten kann ohne eine bestimmte produktive Verausgabung von menschlichem Muskel, Nerv, Gehirn" (MEW 13, 18); sie ist „Arbeit des vereinzelten Einzelnen" (MEW 13, 21).

Für den Bergmann haben die Produkte seiner Arbeit keine Bedeutung als Tauschwert im dargelegten Sinn. Er produziert den Gebrauchswert, der darin besteht, daß das Gold „an königlichen Kronen und Gefäßen und an heiligen Reliquien zu Ehren gelange" (Novalis, 195). Damit wird jedoch nicht das Eigentumsverhältnis eines Feudalherrn an der vergegenständlichten Arbeit des Bergmannes konstituiert. Der König hat in den Gedanken des Novalis eine besondere Funktion. Er repräsentiert den „höhergeborenen Menschen", den „Idealmenschen" (Novalis, 375). Diese Funktion läßt sich freilich nicht mit einer historischen Gestalt zur Deckung bringen. „Wer hier mit seinen historischen Erfahrungen angezogen kömmt, weiß gar nicht, wovon ich rede" (Novalis, 374). Der König, von dem Novalis spricht, ist Gegenstand des Glaubens, ist selbst „Dichtung", die „eine höhere Sehnsucht" des Menschen „befriedigt" (Novalis, 375). Der König repräsentiert das „wahre Ich, wovon das sogenannte Ich nur ein Abglanz ist" (Novalis, 476), er symbolisiert das „Ich höherer Art, dem der Mensch gleichzuwerden sich sehnt" (Novalis, 421). Wie der Mensch seinem wahren Ich gleichzuwerden trachtet, so „assimiliert sich" der König „allmählich die Masse seiner Untertanen", die „alle . . . thronfähig werden" sollen (Novalis, 375), was nichts anderes bedeutet, als zur Identität von sogenanntem und wahrem Ich zu gelangen.

Ist die Gestalt des Königs derart zu verstehen, so besteht der dem Golde angemessenste Gebrauchswert für den Bergmann darin, daß es auf der ästhetischen Ebene – auch ein ästhetischer Gegenstand fällt für Marx unter den Begriff des Gebrauchswerts, wie z. B. der „Diamant am Busen der Lorette" (MEW 13/16) – zum Symbol der Echtheit, d. h. hier zum Symbol für die Identität des Menschen mit seinem Wesen wird und damit zum Anreiz, diese zu realisieren.

Das Verhältnis des Bergmannes zu den edlen Metallen und Steinen wird von Novalis in einem eigentümlichen Dreischritt dargestellt. Zuerst, in ihrer Eigenschaft als Schmuck der Reliquien, sind sie Anreiz, die eigene Bestimmung zu finden. Dann sind sie als Bodenschätze Gegenstand der Bearbeitung durch den Bergmann. Endlich sind sie wieder Zierde von Krone und Reliquie und als solche Symbol menschlichen Wesens, menschlicher Bestimmung. Der Bergmann vergegenständlicht sich selbst, sein Wesen in seinem Produkt. Edelmetalle und edles Gestein werden ihm zum „Gegenstand", der die „Bestätigung" seiner „Wesenskräfte" ist (Manuskripte, 81).

Das Gold hat bei Novalis noch eine andere Bedeutung. „In geachteten und wohlverwahrten Münzen, mit Bildnissen geziert beherrscht und leitet es die Welt" (Novalis, 196). „Mit Bildnissen geziert" hat es wiederum ästhetische Qualität. Die geachtete und wohlverwahrte Münze dürfte diejenige sein, deren Nominalwert ihrem Goldwert entspricht (zur Identität von Geldwert und Goldwert vgl. MEW 13, 87/88). Dem Anschein nach spricht Novalis hier unreflektiert und affirmativ von der Herrschaft des Goldes bzw. des Geldes über die Welt und den Menschen. Die Reflexion erfolgt jedoch in den beiden Bergmannsliedern, vor allem dem zweiten. (Daß Novalis innerhalb des Romans eine Aussage an anderer Stelle reflektierend abwandelt, kommt mehrfach vor. Zum Beispiel wird in dem Gespräch Heinrichs mit Sylvester die Poetologie, die in dem Gespräch mit Klingsohr vertreten wurde, teilweise zurückgenommen bzw. weiteRgeführt.)

Herr der Welt ist eindeutig der Mensch. „Der ist der Herr der Erde, der ihre Tiefen mißt" (Novalis, 200). Ein „unermeßliches Geschlecht" freilich nennt „mit süßen Worten" den König Gold seinen Herrn und „spielt den treuen Knecht" desselben. „Sie fühlen sich durch ihn beglückt und ahnen nicht, daß sie gefangen". In dem Wahn des Goldrausches merken sie nicht, daß sie sich selbst zu Knechten machen. Einige „wenige" jedoch, für die der Bergmann Symbolfigur ist, „sind schlau und wach". Sie suchen „das alte Schloß" des Königs Gold und damit seine Herrschaft zu „untergraben".

Ihren „Bann" kann jedoch nur die „Einsicht" in den Wahn und seine Folgen, nämlich die Versklavung, die Einsicht vor allem in das Wesen des Menschen „lösen". „Gelingt's das Innre zu entblößen, so bricht der Tag der Freiheit an". Der Bergmann vertreibt „die Geister durch die Geister", den Teufel durch Beelzebub, wenn er das Gold zutage fördert:

„Je mehr er nun zum Vorschein kömmt
und wild umher sich treibt auf Erden,
je mehr wird seine Macht gedämmt,
je mehr die Zahl der Freien werden." (Novalis, 203)

Diese Zeilen muten an wie eine intuitive Vorausschau der Ergebnisse historisch-ökonomischer Analyse: Die Herrschaft des Geldes geht einem Kulminationspunkt und damit ihrem Ende, die Menschheit durch die Entfremdung hindurch der Freiheit entgegen.

Wo das Geld keine Macht über den Menschen ausübt, wo das Ziel seiner Tätigkeit nicht der Warenbesitz ist, da herrscht auch nicht die „Entfremdung aller . . . Sinne", der „Sinn des Habens" (Manuskripte, 80). Der Bergmann betrachtet die Kleinodien nicht wie „der Mineralienkrämer", der „nur den merkantilischen Wert" sieht. Er ist frei, „die Schönheit und Eigentümlichkeit des Minerals" zu sehen. Er hat einen „mineralogischen Sinn" (Manuskripte, 82). Die Sinne des Menschen sind menschlich geworden.

Novalis beschreibt die Tätigkeit des Bergmannes in einer Weise, die ihn nicht eigentlich als einen manuell arbeitenden Menschen erscheinen läßt. Zwar wird erwähnt, daß der Steiger ihm „den Gebrauch einiger Werkzeuge" erklärt, er ihn „mit den notwendigen Vorsichtsmaßregeln, sowie mit den Namen der mannigfaltigen Gegenstände und Teile bekannt" macht (Novalis, 194), doch bleiben diese Angaben so allgemein, daß sie in ihrer Unbestimmtheit mehr die Phantasie erregen als eine konkrete Vorstellung von der Tätigkeit des Bergmannes geben. Einmal wird konkreteres über die Arbeit berichtet, nämlich daß der Bergmann anfänglich bei der „Ausförderung der losgehauenen Stufen in Körben angestellt gewesen war" und hernach, als er zum „Häuer" aufgestiegen, „die Arbeit auf dem Gestein betrieben" hat (Novalis, 196). Ins Detail geht Novalis einzig da, wo er den ersten Abstieg des Berglehrlings in die „Tiefe" beschreibt (vgl. Novalis, 195).

Demgegenüber fällt eine andere Weise der Beschreibung der Tätigkeit des Bergmannes ins Auge. Der Bergmann erzählt den Zuhörern im Wirtshaus von seinen „Kenntnissen und seiner Macht" (Novalis, 192). Der künftige Berglehrling möchte von dem Meister dessen „seltene und geheimnisvolle Kunst . . . erlernen" (Novalis, 193). Es erscheint ihm, als wenn die Bergleute „ein beneidenswertes Glück an ihren wunderbaren Kenntnissen besäßen" (Novalis, 194). Der Bergmann preist den Bergbau als eine „Kunst" (Novalis, 197), die ihre Teilhaber glücklich und edel macht.

Kunst und Kenntnisse sind die vorherrschenden Begriffe. In der Sprache seiner Dichtung negiert Novalis die Trennung von Kopf- und Handarbeit. Die Arbeit des Bergmannes tritt in Erscheinung als handwerkliche „Einzelarbeit", wobei nach Sohn-Rethel „die handwerklichen Produktionskräfte ... im wesentlichen aus Werkzeugen und Vorrichtungen" bestehen, „die gehandhabt werden können auf der Basis der persönlichen Einheit von Hand und Kopf. Die Produktionsleistung besteht also aus Handarbeit nach Augenmaß und überhaupt Sinnenmaßen" (Sohn-Rethel, 147). Wissen und Kenntnisse des Bergmanns werden aus unmittelbarer sinnlicher Anschauung im Vollzuge der Handarbeit erworben. Ob der „Gang mächtig und gebrech, aber arm" oder ob er eine „armselige unbedeutende Kluft" ist, in die jedoch „die edelsten Geschicke hereinbrechen", ob das Gestein ein „betrügliches Trum" ist, oder ob der Bergmann den „wahren erzführenden Gang" findet, das alles sind Kenntnisse und Erkenntnisse, die nicht anders als in praktischer Handarbeit und in unmittelbarer sinnlicher Erfahrung gewonnen werden, die zugleich zu Lebenserfahrungen werden, einem „ernsten Sinnbild des menschlichen Lebens" (Novalis, 199). Dieses Wissen und diese Kenntnisse werden wiederum unmittelbar in praktische manuelle Tätigkeit umgesetzt.

2. Künstlerische Produktion

Gegen Ende der Erzählungen des Bergmannes kommt Heinrich zu der Überzeugung, daß der Beruf des Bergmannes diesen „unwillkürlich zu Gesängen begeistern" müsse. Das bestätigte der Alte: „Gesang und Zitherspiel gehöreN zum Leben des Bergmanns", und er sagt, daß sie „helfen, die mühsame Arbeit zu erleichtern" (Novalis, 200).

Novalis stellt Arbeit und Kunst als Bereiche dar, die nicht voneinander getrennt sind, wie es nach Tretjakov im bürgerlichen Kunstbetrieb der Fall ist: „Die Menschen suchten etwas, wohin sie aus ihrer monotonen und ihnen zum Halse heraushängenden Arbeitswelt entfliehen könnten. Und zu Hilfe kamen ihnen dabei die Dichter", die ihnen „neben ihrem eigenen Leben ... ein ... fiktives Leben" boten (Tretjakov, 10). Zwischen Dichtung und Arbeit besteht für den Bergmann des Novalis ein unmittelbares Wechselverhältnis: Der Beruf inspiriert zu dichterischer Produktivität; die Dichtung kommt der Arbeitsproduktivität zugute.

Novalis stellt die Arbeit des Bergmannes dar als Verwirklichung menschlichen Wesens in der Arbeit, als Vergegenständlichung des menschlichen Wesens in ihrem Produkt. Die Tätigkeit des Bergmannes konnte unmittelbar mit dem Begriff der Kunst umschrieben werden, denn „Menschwerden ist eine Kunst" (Novalis, 435). Es geht Novalis in seinem Begriff der Kunst um die Bedingung der Möglichkeit zur

Verwirklichung menschlichen Daseins. In dieser Fragestellung trifft er sich mit Marx. Marx sieht diese Bedingung darin, daß dEr Mensch ein „Gattungswesen" (Manuskripte, 56) ist, das sich durch „freie bewußte Tätigkeit" „zu der Gattung als seinem eigenen Wesen verhält" (Manuskript 57).

Die freie bewußte Tätigkeit ist für Marx konkret „die Bearbeitung der unorganischen Natur . . ., der gegenständlichen Welt". Das Gattungsleben ist „werktätiges" Leben (Manuskripte 57). Wenn Novalis im Prinzip auch keinen qualitativen Unterschied zwischen Werktätigkeit und künstlerischer Tätigkeitkennt – es geht in beiden um die Produktion des Menschen –, so konkretisiert er seinen Begriff von der freien bewußten Tätigkeit doch speziell an der Tätigkeit des Dichters.

> „Poesie" ist „gleich Gemütererregungskunst".
> „In unserem Gemüt ist alles auf die eigenste, gefälligste und lebendigste Art und Weise verknüpft. Die fremdesten Dinge kommen durch einen Ort, eine Zeit, eine seltsame Ähnlichkeit, einen Irrtum, irgendeinen Zufall zusammen." (Novalis, 499)
> „Die Poesie hebt jedes einzelne durch eine eigentümliche Verknüpfung mit dem übrigen Ganzen" (Novalis, 423), ihre Tätigkeit ist die „Verknüpfung des Mannigfaltigen". (Novalis, 477).

Verknüpfung ist die Tätigkeit der Assoziation, das Herstellen von Analogien. Durch die Verknüpfung des Einzelnen mit dem Ganzen wird die Beziehung zwischen Individuum und Universum hergestellt. Durch die Verknüpfung des Mannigfaltigen weitet sich die Welt zum Universum: „Die Welt wird dem Leben immer unendlicher" (Novalis, 417).

Die assoziative Tätigkeit des Dichters hat zur Voraussetzung, daß er die Welt bewußt erlebt, d. h., daß er einen aufmerksamen Sinn hat und eine vielseitige Empfänglichkeit (Novalis, 412). Der Dichter muß Mensch sein im Vollsinne, der „zugleich an mehreren Orten und in mehreren Menschen" lebt, dem „beständig ein weiter Kreis und mannigfache Begebenheiten gegenwärtig" sind (Novalis, 435).

Eben darin bildet sich das Bewußtsein aus, „die wahre großartige Gegenwart des Geistes" (Novalis, 436). Bewußtsein ist Vergegenwärtigung des Universums im individuum, wie umgekehrt „die Welt . . . ein Universaltropus des Geistes" ist, „ein symbolisches Bild desselben" (Novalis, 452). Entstand durch die Tätigkeit des Assoziierens und Verknüpfens die Welt im Bewußtsein, so versetzt dieses umgekehrt den Menschen „in die helle Stimmung einer besonnenen Tätigkeit" (Novalis, 436).

Frei ist diese Tätigkeit, insofern sie nicht durch die Reize der „äußeren Sinne" erregt ist, sondern durch die „Einbildungskraft". Während „die äußeren Sinne ganz unter mechanischen Gesetzen zu stehen scheinen – so ist die Einbildungskraft offenbar nicht an die Gegenwart und Berührung äußerer Reize gebunden". Die

Einbildungskraft steht „schon in unserer Willkür" (Novalis, 459). Über die Phantasie verfügt der Mensch frei.

Die Poesie ist freie und notwendige Tätigkeit zugleich. „Es gibt gewisse Dichtungen in uns", die „sind vom Gefühl der Notwendigkeit begleitet, und doch ist schlechterdings kein äußerer Grund zu ihnen vorhanden". Sie entstehen wie im Gespräch mit dem „Ich höherer Art". Dieses erregt das wirkliche Ich, es veranlaßt den Menschen zur „Selbsttätigkeit", d. h. zu freier, spontaner, sich selbst bestimmender Tätigkeit (Novalis, 420/21). Marx sagt: Der Mensch „produziert frei vom physischen Bedürfnis" und produziert erst wahrhaft in der Freiheit von demselben (Vgl. Manuskripte, 57).

Produkt der freien bewußten Tätigkeit ist die Dichtung als ästhetisches „Individuum". „Alles Gedichtete muß ein lebendiges Individuum sein" (Novalis, 411). Das erfordert vom Dichter den Entschluß, sich auf eine „einzelne Erscheinung" einer „unendlichen Welt" zu beschränken. Darin betätigt er noch einmal seine Freiheit, darin handelt er bewußt. Die Beschränkung ermöglicht es andererseits, das Einzelne „zum bestimmenden Punkt zu erheben, wenn man von ihm nach allen Seiten ausgeht und alles auf ihn reduziert. Es läßt sich aus einer Nußschale machen, was sich aus Gott machen läßt" (Novalis, 433). Dichten ist bewußtes Machen.

Die Darstellung eines einzelnen Gegenstandes in der Welt intendiert immer die Darstellung des Ganzen in einem seiner Teile. Die Darstellung eines menschlichen Individuums intendiert die Darstellung der Menschheit, des menschlichen Wesens, das in einem ihrer Glieder in Erscheinung tritt. Die Darstellung des Zufälligen, Bedingten intendiert die Darstellung des Unbedingten, Gültigen. „Wir suchen überall das Unbedingte, doch wir finden immer nur Dinge" (Novalis, 340).

Das Ganze ist deshalb im Individuellen darstellbar, weil das Individuum „zum Teil Glied eines größeren, gemeinschaftlichen Lebens" ist; „zum Teil", insofern es „absolut und abhängig zugleich" ist (Novalis, 428). „Das Individuum lebt im ganzen und das Ganze im Individuum" (Novalis, 424). Dieses Ganze erscheint einmal als der Kosmos, das Universum: „Unser Körper ist ein Teil der Welt – Glied besser gesagt" (Novalis, 455), und zum anderen als die Gesellschaft: „Die Gesellschaft ist nichts als gemeinschaftliches Leben: eine unteilbare denkende und fühlende Person. Jeder Mensch ist eine kleine Gesellschaft" (Novalis, 348). Marx führt aus: „Der Mensch so sehr er ... ein besonderes Individuum ist, und gerade seine Besonderheit macht ihn zu einem Individuum und zum wirklichen individuellen Gemeinwesen – ebensosehr ist er die Totalität – die ideale Totalität, das subjektive Dasein der gedachten und empfindenden Gesellschaft für sich – wie er auch als eine Totalität menschlicher Lebensäußerung da ist." (Manuskripte, 78/79).

Ziel der Dichtung ist nach Novalis nicht bloß ein Verhältnis von Individiuum und Gesellschaft zu beschreiben, sondern beide aktiv ins Verhältnis miteinander zu setzen. „Durch Poesie [entsteht] Sympathie und Koaktivität, die innigste Gemeinschaft des Endlichen und Unendlichen", des Individuums und der Gattung. Poesie konstituiert Gesellschaft, sie „bildet die schöne Gesellschaft – die Weltfamilie", wobei die „schöne Gesellschaft" diejenige ist, die eben durch die poetische Tätigkeit konstituiert wird (Novalis, 424).

Subjekt aller Lebenstätigkeit ist der gesellschaftliche Mensch. „Tanz – Essen – Sprechen – gemeinschaftlich Empfinden und Arbeiten – Zusammensein – sich hören, sehen, fühlen usw. alles sind . . . Funktionen – der Wirksamkeit des höheren – zusammengesetzten Menschen" (Novalis, 493). In diesen Tätigkeiten ist er eine „Person, die aus Personen besteht" (Novalis, 436). Durch gemeinschaftliches Arbeiten und Empfinden wird er vergesellschaftet, wird er zum gesellschaftlichen Wesen. Das gesellschaftliche Empfinden hervorzurufen aber ist das opus proprium der Poesie. Der gesellschaftliche Mensch, das „Ich höherer Art" – nach Marx das Gattungswesen – ist das Subjekt der freien bewußten Tätigkeit und umgekehrt: die freie bewußte Tätigkeit macht ihn zum Gattungswesen.

Es ist für Novalis keine Frage, daß alle Bewußtseinstätigkeit des gesellschaftlichen Menschen ausgerichtet ist auf die Gestaltung und Veränderung, auf die „Bildung und Modifikation der Welt" (Novalis, 513). Durch die Verknüpfung des Mannigfaltigen wird die Welt dem Leben immer unendlicher. Der Begriff der Unendlichkeit steht bei Novalis in Verbindung mit dem der Unbestimmtheit. Unendlichkeit meint eine unendliche Menge gedanklicher Kombinationsmöglichkeiten. Unbestimmtheit ist ein Nichtdeterminiertsein. Der Charakter der Unendlichkeit hält die Welt offen für Veränderung, für neue Entwürfe von Wirklichkeit aus der Einbildungskraft heraus.

Es stellt sich für Novalis jedoch das Problem, wie gedachte und wirkliche Welt, die theoretisch eine Einheit sind, praktisch miteinander vermittelt werden. Theoretisch hebt er den Unterschied zwischen Theorie und Praxis auf: „Es ist kein wahrer Unterschied zwischen Theorie und Praxis" (Novalis, 471). „Die Denkorgane sind Weltzeugungsorgane" (Novalis, 510); Denken setzt unmittelbar Realität. Novalis konkretisiert das an dem Problem der Überwindung des Übels. „Auf einer gewissen Stufe des Bewußtseins existiert schon jetzt kein Übel". Aber dieses Bewußtsein soll das permanente erst noch werden. Novalis glaubt, „das Böse und Übel . . . durch Philosophieren" vernichten zu können. „Durch Anihilation des Bösen usw. wird das Gute realisiert – introduziert, verbreitet" (Novalis, 505). Das Übel der Armut z. B. wird dadurch überwunden, daß der Bergmann „mit Freuden arm" bleibt (Novalis, 201). Das Übel, daß menschliche Arbeitskraft zur Ware entgegenständlicht wird, wird dadurch überwunden, daß die Produkte seiner Abeit als Ware keinen Reiz auf den Bergmann ausüben. Die Warenabstraktion wird in seinem Bewußtsein anihiliert.

Das Bewußtsein setzt Realitäten, bzw. der Glaube. Im Glauben wirkt der Mensch schon in einer veränderten Welt. Der „Glaube ist eine Willkür, Empfindungen hervorzubringen, verbunden mit dem Bewußtsein der absoluten Realität des Empfundenen" (Novalis, 511). Bewußtseinsänderung ist gleich Weltveränderung. „Sich nach den Dingen oder die Dinge nach sich richten ist eins" (Novalis, 439). Angesichts der Aporie, die innere und die äußere Wirklichkeit zur Deckung zu bringen, rät Novalis: „Wenn ihr die Gedanken nicht zu äußern Dingen machen könnt, so macht die äußern Dinge zu Gedanken ... Sollte nicht die Vollkommenheit jeder von beiden Operationen von der anderen abhängig sein" (Novalis, 517). Man wird Novalis diese Operation wohl nicht als Rückzug in die reine Innerlichkeit auslegen dürfen, denn er ist sich durchaus der notwendigen Beziehung zwischen Bewußtsein und Handeln bewußt; „Wir wissen nur insoweit wir machen" (Novalis, 438), doch kommt er über das Postulat schwerlich hinaus.

Hier zeigt sich ein entscheidender Unterschied zwischen Novalis und Marx. Marx sagt: „Die Produktionsweise des materiellen Lebens bedingt den sozialen, politischen und geistigen Lebensprozeß überhaupt. Es ist nicht das Bewußtsein der Menschen, das ihr Sein, sondern umgekehrt ihr gesellschaftliches Sein, das ihr Bewußtsein bestimmt" (MEW 13, 9). Novalis dagegen sieht eindeutig das Sein durch das Bewußtsein bestimmt.

Während Novalis die freie bewußte Tätigkeit im wesentlichen als geistige Tätigkeit, als Tätigkeit der Phantasie, verbunden mit besonnener Reflexion versteht, versteht Marx sie primär in der Produktion des materiellen Lebens, in der Werktätigkeit: „Eben in der Bearbeitung der gegenständlichen Welt bewährt sich der Mensch ... erst wirklich als ein Gattungswesen. Diese Produktion ist sein werktätiges Gattungsleben" (Manuskripte, 57).

Novalis sieht als Mittel zur Realisierung der Idee den Staat an, wobei festgehalten werden muß, daß er damit nicht einen historisch – konkreten, sondern den poetischen Staat meint (vgl. Novalis, 369). Marx dagegen sieht die „materiellen ... Waffen" der Philosophie im „Proletariat". Das Proletariat wird zur schöpferischen Potenz jedoch erst durch den „Blitz des Gedankens", ohne den es „naiver Volksboden" (MEW 1, 391) ist, mit Novalis gesprochen „Natur", die erst der geistigen Gestaltung bedarf. Erst wenn die Massen zum proletarischen Bewußtsein gelangen, gewinnen sie die eigentliche Qualität des Proletariats.

In einer Zeit, in der die bürgerliche Emanzipation in Deutschland noch keine realen Chancen hat und eine proletarische noch nicht in Sicht ist, in einer Zeit, in der die Produktionsverhältnisse weitgehend noch vom Feudalismus geprägt sind und die Produktionsmittel in der Übergangsphase von handwerklicher zu industrieller Produktion stehen, hat Novalis intuitiv etwas davon erfaßt, wie durch die Aktivierung von Menschenmassen einerseits und von geeigneten Produktionsmitteln andererseits eine Idee zur äußeren Realität werden kann: „So liegt das Prinzip eines Kriegsschiffes in der Idee des Schiffbaumeisters, der durch Menschenhaufen und gehörige Werkzeuge und Materialien diesen Gedanken zu verkörpern vermag, indem er durch alles dieses sich gleichsam zu einer ungeheuren Maschine macht." (Novalis, 360). Geist vermag sich zur Maschine zu materialisieren, indem er Menschenmassen, Werkzeuge bzw. Maschinen und Materialien „belebt".

Wie eine Masse von Menschen ihrer selbst und ihrer schöpferischen Potenz bewußt werden kann – nicht wie sie manipuliert werden kann –, ist ein Problem, das bis in die Gegenwart keine wirklich überzeugende praktische Lösung gefunden hat, es sei denn für die, denen der Marxismus verholfen hat zum „Fund eines Systems, das sie nur suchten, um der Mühe des weiteren Nachdenkens überhoben zu sein" (Novalis, 349).

Das dem Poeten ureigne Medium, Theorie und Praxis, innere und äußere Realität zu vermitteln, ist für Novalis die Sprache: „Denken ist Sprechen. Sprechen und tun oder machen sind nur eine modifizierte Operation" (Novalis, 471). Auf die Mittel der sprachlichen Realisierung der Bewußtseinstätigkeit ist nunmehr einzugehen – unter Rekurs auf das „Bergmann" – Kapitel des „Ofterdingen".

Die Aufmerksamkeit der Reisenden im Wirtshaus ist auf einen alten Mann gerichtet. „In fremder Tracht" sitzt er am Tisch, er kommt aus „fremden Landen", seine Erzählungen tragen das Gepräge der „Seltsamkeit und Neuheit", sie wecken die Neugierde der Zuhörer. Neugierde war auch die Motivation des Alten, sich als junger Mann dem Beruf des Bergmanns hinzugeben. – Er fragt nach der „geheimnisvollen Herkunft" der Edelsteine, doch er erfährt nur soviel, daß sie „aus weit entlegenen Ländern kämen" (Novalis, 192). Bei seiner ersten Ankunft im Bergbaugebiet von Eula steht er „vor den dunklen Tiefen", die in den Berg hineinführen. Sein Wunsch ist, „die seltsame, geheimnisvolle Kunst" seines künftigen Lehrherrn zu erlernen. Die Gespräche der Bergleute am ersten Abend im Hause des Steigers sind ihm „unverständlich und fremd" nach Sprache und Inhalt. Das Wenige, das er versteht, beschäftigt ihn des Nachts in „seltsamen Träumen" (Novalis, 194). Beim ersten Einfahren in die Grube gelangt er in einen „Irrgarten von Gängen". Hier in der „Dunkelheit und Verschlungenheit der Gänge" wird erfüllt, „was von jeher" sein „sehnlichster Wunsch gewesen ist". Er erlebt eine „wundersame Freude an Dingen, die ein näheres Verhältnis zu" seinem „geheimen Dasein haben" (Novalis, 195). Das Fremde, Weitentlegene, Seltsame, labyrinthisch Verschlungene, in geradezu übertreibender Manier hervorgehoben, erweckt die Neugierde, hat einen eigentümlichen Reiz, weil es ein „näheres Verhältnis", eine unmittelbare Beziehung zu dem „geheimen Dasein" des Hörers hat.

Novalis realisiert in der Dichtung, was in seinen Fragmenten Gegenstand der poetologischen Theorie ist: Er romantisiert den Bergmann samt dem Bergbau. Romantisieren heißt: „Dem Gemeinen einen hohen Sinn, dem Gewöhnlichen ein geheimnisvolles Ansehen, dem Bekannten die Würde des Unbekannten, dem Endlichen einen unendlichen Schein geben" (Novalis, 424). Es heißt: ,,Einen Gegenstand fremd machen und doch bekannt und anziehend" (Novalis, 502). Was in dieser Formulierung als Gegensatz erscheint – ,,und doch" – ist in Wirklichkeit keiner, denn das Fremde selbst ist das Anziehende. Das Fremde reizt den Geist. ,,Der Geist strebt den Reiz zu absorbieren", ihn als solchen aufzuheben in der ,,Verwandlung des Fremden in Eigenes" (Novalis, 423). Diesem Prozeß dient die Poesie. Sie ,,löst fremdes Dasein in eigenes auf" (Novalis, 410).

In dem Fremdartigen, Rätselhaften, Wunderbaren eines romantischen Gegenstandes begegnet der Mensch sich selbst, seinem höheren Ich. ,,Das wunderbarste . . . ist das eigene Dasein. Das größte Geheimnis ist der Mensch sich selbst" (Novalis, 452). Es findet ein Prozeß statt, den Novalis eine ,,qualitative Potenzierung" nennt: ,,Das niedre Selbst wird mit einem besseren Selbst in dieser Operation identifiziert" (Novalis, 424). Novalis kennt eine andere Art der ,,Zueignung des Gegenstandes", nämlich die der Erklärung. Auch ,,durch Erklärung hört der Gegenstand auf, fremd zu sein". Die Erklärung antwortet auf die abstrakte ,,Frage nach dem Grunde, dem Gesetze" (Novalis, 423), doch dieser prosaischen, auf das Nützliche gerichteten Weise des Erkennens und Begreifens – ,,Der Begriff oder die Erkenntnis ist die Prosa". ,,Das Nützliche ist per se prosaisch" – kommt nur eine Mittelstellung zu. Das Unbekannte, Geheimnisvolle ist Anfang und Ende von allem. ,,Am Anfang steht das Geheimnisvolle, Unbegreifliche. Es soll allmählich begreiflich gemacht werden", doch ,,die Erkenntnis ist nur ein Mittel um wieder zur Nichterkenntnis zu gelangen" (Novalis, 472/73).

Diesen Schritt vollzieht auch die Dichtung des Novalis. Am Anfang steht das Geheimnis der Herkunft der edlen Metalle und Steine. Doch dann erklärt der Meister den Gebrauch von Werkzeugen. Er macht mit der Art des Hinabsteigens und den notwendigen Vorsichtsmaßregeln bekannt, sowie mit den Namen von Gegenständen des Bergbaues. Aber erst in der Dunkelheit und Verschlungenheit der Gänge kommt der junge Bergmann an sein Ziel. Hier erst erfährt er das ,,nähere Verhältnis" der Dinge ,,zu seinem geheimen Dasein".

Das Geheimnis am Anfang und das Geheimnis am Ende des Dreischritts sind nicht identisch. Das Geheimnis am Anfang ist noch gewissermaßen undifferenziert wie das Chaos. Der Schritt durch die differenzierende Rationalität ist ein notwendiger, jedoch auch notwendig zu überwindender Schritt. Das fremde Dasein kann in eigenes nur auf der höheren Ebene des Geheimnisses aufgelöst werden.

Das Stilprinzip des Romantisierens soll beim Leser die Assimilation des poetischen Gegenstandes ermöglichen. Die Assimilation ist jedoch keine totale. Der Reiz des Fremden wird darin nicht vernichtet, sondern im Hegelschen Sinne ,,aufgehoben".

Der Bergmann wurde dargestellt als ein Mensch, der sich in seiner Arbeit selbst verwirklicht, der nicht Tauschwerte produziert, sondern sein eigenes Wesen in dem Produkt vergegenständlicht, der produziert unter der Bedingung der Einheit von Kopf und Hand, für den Kunst und Arbeit eine Einheit bilden. Damit werden, historisch gesehen, die Produktionsbedingungen des mittelalterlichen Menschen beschrieben (vgl. Sohn-Rethel, 146). Es wäre ein Mißverständnis zu meinen, Novalis wolle diese nostalgisch glorifizieren oder gar für die Gegenwart kanonisieren. Vielmehr wird die Gestalt des Bergmannes, seine Produktionsweise und -bedingungen durch die historische Verschiebung aus den dem Leser bekannten Zusammenhängen herausgelöst und ihm dadurch fremd gemacht.

Grund für diese Verfremdung ist: ,,Alles was uns umgibt, die täglichen Vorfälle, die gewöhnlichen Vehältnisse, die Gewohnheiten unserer Lebensart haben einen ununterbrochenen, eben darum unbemerkten, aber höchst wichtigen Einfluß auf uns.'' Ihr Einfluß besteht darin, daß sie den Menschen in einen ,,Kreislauf'', einen sich ständig wiederholenden Prozeß hineinstellen. Dieser ist einerseits zwar ,,heilsam'': Durch ihn finden die Menschen ihren Ort als ,,Genossen einer bestimmten Zeit'', sie haben eine Zugehörigkeit als ,,Glieder'' einer konkreten Gesellschaft.

Dieser Kreislauf aber ,,hindert uns doch . . . an einer höheren Entwicklung unserer Natur'', es verhindert die Veränderung des Menschen und damit der Gesellschaft (Novalis, 444). Indem Novalis durch die verfremdende Darstellung einerseits ein inneres Geschehen hervorrufen will und andererseits den Gegenstand in die Vergangenheit versetzt, weist er in die Zukunft. ,,Die Phantasie setzt die künftige Welt entweder in die Höhe oder in die Tiefe . . . In uns, oder nirgends ist die Vergangenheit oder Zukunft'' (Novalis, 342). – ,,Nichts ist poetischer als Erinnerung und Ahnung oder Vorstellung der Zukunft. . . . Es gibt aber eine geistige Gegenwart, die beide [Vergangenheit und Zukunft] durch Auflösung identifiziert, und diese Mischung ist das Element, die Atmosphäre des Dichters'' (Novalis, 346). R. Faber deutet Novalis richtig, wenn er schreibt: ,,Das Licht, welches die Vergangenheit verklärt, kommt von dort [der Zukunft], damit sie wiederum das Versprechen einer noch größeren Zukunft sein kann . . . Geschichte wird bei Novalis triadisch gedacht, wobei die letzte Stufe nicht einfach die Reproduktion der ersten ist'' (Faber, 26). Faber zitiert in diesem Zusammenhang Novalis: ,,Vor der Abstraktion ist alles eins, aber eins wie das Chaos, nach der Abstraktion ist wieder alles vereinigt, aber diese Vereinigung ist eine freie Verbindung selbständiger, selbstbestimmter Wesen. Aus einem Haufen ist eine Gesellschaft geworden, das Chaos in eine mannigfaltige Welt verwandelt'' (Novalis, 362).

Der mittelalterliche Mensch und seine gesellschaftlichen Verhältnisse sind Verheißung einer Zukunft, die nicht Reproduktion der Vergangenheit ist. Diese ist gewissermaßen Rohmaterial für die freie bewußte Tätigkeit des gesellschaftlichen Menschen. Romantisierende Verfremdung zielt auf diese die gegenwärtigen gewohnten Verhältnisse verändernde Tätigkeit. B. Brecht beschreibt sein Stilprinzip der Verfremdung mit nahezu den gleichen Worten wie Novalis das des Romantisierens: „Eine verfremdende Abbildung ist eine solche, die den Gegenstand zwar erkennen, ihn aber zugleich fremd erscheinen läßt" (Brecht, 680). Bei Novalis wie bei Brecht unterliegt das Stilprinzip nicht einer ästhetischen Eigengesetzlichkeit. Das Prinzip des Romantisierens wie das der Verfremdung zielt auf die Wirkung beim Rezipienten. Brecht will sein Publikum „unterhalten". Novalis dem Leser seinen Gegenstand „anziehend" machen. Beide wollen ihren Gegenstand aus gewohnten Zusammenhängen herauslösen und eine neue Wahrnehmungsweise eröffnen. Beide bieten nicht fertige Lösungen an, sondern wollen den Rezipienten in Tätigkeit versetzen. Beide wollen einen gesellschaftlichen Prozeß initiieren. Novalis will durch seine Poesie eine „Koaktivität" zwischen Individuum und Gesellschaft herbeiführen. Brecht will bewirken, daß die Gesellschaft, vertreten durch das Theaterpublikum, die auf der Bühne dargestellten gesellschaftlichen Vorgänge beeinflußt (Brecht, 676/77). Letztere Gegenüberstellung weist freilich hin auf Unterschiede in den Ansätzen von Novalis und Brecht. Novalis setzt die Veränderung gesellschaftlicher Verhältnisse an im Wechselverhältnis Individuum-Gesellschaft, Brecht in dem von gesellschaftlicher Gruppe und Gesellschaft.

Dreimal setzt Novalis den Bergmann dem Mißverständnis seiner Zuhörer aus. Schon nach seinen ersten Worten wird er als Schatzgräber eingeorDnet, während er doch eigentlich von seinen Kenntnissen und seiner Macht spricht. Die Mißverständnisse, die in der ersten Erzählpause sich äußern, werden nur als solche genannt. Das größte Mißverständnis aber ereignet sich am Schluß der Erzählungen und der Lieder des Bergmannes. Vier Äußerungen kennzeichnen die Wirkung, die diese auf das Publikum ausüben. Es hat von der poetischen Bedeutung des Bergmannes nichts verstanden. Es bleibt in seinen prosaischen Gedanken verhaftet. Die erste Äußerung gibt der Vermutung Ausdruck, daß der Bergmann „gute Anzeichen" für eine mögliche lohnende Ausbeute von Bodenschätzen in der Gegend gefunden hat. Die zweite erwägt, den Bergmann mit der Suche nach einer Quelle zu beauftragen, da man im Dorfe Schwierigkeiten mit der Wasserversorgung hat. Die dritte befaßt sich mit der Möglichkeit, den Sohn bei dem Bergmann in Ausbildung zu geben. Die vierte endlich zeigt das Interesse der Kaufleute an dem Bergmann, das in der Anknüpfung profitabler Beziehungen im Metallhandel besteht, die man mit Hilfe seiner Person herstellen möchte. Den Kaufleuten ist „nicht der andere Mensch als Mensch ... Bedürfnis" (Manuskripte, 75). Das Wesen des Menschen wird zu einem „bloßen Mittel für seine Existenz." Unter den Verhältnissen des Warentausches wird der andere Mensch zum bloßen Mittel desselben. „Die gesellschaftliche Beziehung der Personen" stellt sich dar als „gesellschaftliches Verhältnis der Sachen" (MEW 13, 21). – Als der Bergmann die Stube nach kurzer Abwesenheit wieder betritt, empfindet er die Atmosphäre als „dumpf, ängstlich" und eng (Novalis, 204). Mit diesem Schluß stört Novalis die von ihm beabsichtigte Wirkung seines Werkes. Er will Interesse erwecken. Interesse ist „die Teilnahme an den Leiden und der Tätigkeit eines Menschen". Am meisten zur Teilnahme reizt „ein Mensch . . ., der mit sich selbst beschäftigt ist, der durch seine Mitteilung gleichsam einladet, an seinem Geschäfte teilzunehmen" (Novalis, 347). Die Teilnahme an diesem Geschäft ist Teilnahme an der Selbsttätigkeit. Dieser beabsichtigten Wirkung des Erzählten wird der Schluß bewußt entgegengesetzt. Novalis verwendet das Stilmittel der Ironie.

Expliziter als Novalis selbst hat sich Schlegel über die Ironie geäußert. Novalis verweist auf ihn: „Was Fr. Schlegel so scharf als Ironie charakterisiert, ist meinem Bedünken nach nichts anderes als . . . der Charakter der Besonnenheit, der wahrhaften Gegenwart des Geistes" (Novalis, 346). Novalis gebraucht statt des Terminus der Ironie den Begriff des Humors – „Mehrere Namen sind einer Sache vorteilhaft" (a. a. O.). – Er führt aus: „Humor ist Resultat einer freien Vermischung des Bedingten und Unbedingten. Durch Humor wird das eigentümlich Bedingte allgemein interessant, und erhält objektiven Wert" (a. a. O.). Durch letztere Formulierung wird das Prinzip der Ironie nahe an das des Romantisierens herangerückt. Der Dichter hat die Absicht, das Unbedingte darzustellen, auf das Zukünftig-Mögliche zu verweisen. Aber er kann dies immer nur tun, indem er das Bedingte, das gegenwärtig-Wirkliche darstellt. So enthält die Dichtung in sich selbst die Spannung zwischen Bedingtem und Unbedingtem, zwischen „Idealem und Realem" (F. Schlegel, Minor II, 207, zit. nach Strohschneider-Cohrs, 80). Darum wird von dem Dichter gefordert, daß er sich dieser Spannung bewußt bleibt und sich nicht einer Begeisterung an seinem eigenen Werk hingibt. „Begeisterung ohne Verstand ist unnütz und gefährlich", sagt Klingsohr im „Ofterdingen" (Novalis, 237). „Die Ironie verlangt vom Künstler, daß nicht Enthusiasmus allein, nicht nur Hingabe und Interesse ihn leiten, sondern daß er sich in freiem Verhalten zu sich selbst distanziere und damit selbst bestimme", interpretiert I. Strohschneider-Cohrs (81). Brecht sagt vom Schauspieler, was vom Dichter ebenso gilt: Wenn er nicht beabsichtigt, „das Publikum in Trance zu versetzen, darf er sich selbst nicht in Trance versetzen" (Brecht, 683, 47). W. Benjamin setzt die Form der Ironie in Beziehung zu der dem Werke immanenten Reflexion: „Die Form ist also der gegenständliche Ausdruck der dem Werke eigenen Reflexion, welche sein Wesen bildet . . . Das Werk bleibt mit einem Moment der Zufälligkeit behaftet. Diese besondere Zufälligkeit als eine prinzipiell notwendige, d. h. unvermeidliche einzugestehen, sie durch die strenge Selbstbeschränkung der Reflexion zu bekennen, ist die genaue Funktion der Form" (Kunstkritik 67/68).

Schon im Zusammenhang des Ironiebegriffes wurde gesagt, daß der frühromantische Dichter die Tendenz hat, zu dem Unbedingten vorzustoßen, dieses aber nur dann kann, wenn er sich der Bedingtheit seines Werkes bewußt ist. Von dieser Voraussetzung aus kritisiert Novalis das Vollkommenheitsstreben eines Goethe hinsichtlich der Vollendung eines Werkes in seiner Form: ,,In seinen praktischen Studien wird es recht klar, daß es seine Neigung ist, eher etwas Unbedeutendes fertig zu machen – ihm die höchste Politur und Bequemlichkeit zu geben". Novalis selbst neigt hingegen dazu, ,,eine Welt anzufangen und etwas zu tun, wovon man voraus wissen kann, daß man es nicht vollkommen ausführen wird . . ., und daß man es nie darin zu einer meisterhaften Fertigkeit bringt" (Novalis, 461). Novalis sagt von Goethe: ,,Er macht wirklich etwas, während andere" – und zu diesen zählt er vermutlich sich selbst – ,,nur etwas möglich und notwendig machen. Notwendige und mögliche Schöpfer sind wir alle – aber wie wenig wirkliche" (Novalis, 462).

Dieser Einsicht entspricht die Form der philosophischen und poetologischen Reflexion des Novalis und anderer Frühromantiker, die Form des Fragments. Novalis beginnt die Sammlung der ,,Neuen Fragmente" mit einer Begründung dieser Form: ,,Als Fragment erscheint das Unvollkommene noch am erträglichsten – und also ist diese Form der Mitteilung dem zu empfehlen, der noch nicht im Ganzen fertig ist – und doch einzelne merkwürdige Ansichten zu geben hat" (Novalis, 409).

Novalis sieht das Fragmentenschaffen als die zukünftige Form der Schriftstellerei überhaupt an: ,,Die Kunst, Bücher zu schreiben ist noch nicht erfunden worden. Fragmente dieser Art sind literarische Sämereien" (Novalis, 365). Als ,,Sämerei" oder ,,Blütenstaub" soll das Fragment aufgefaßt werden. In dem Bilde liegt, daß es für sich selbst keine endgültige Schöpfung sein will, sondern daß die eigentliche Schöpfung oder Zeugung erst geschieht, wenn der Same auf einen fruchtbaren Boden, der Blütenstaub auf eine empfängnisbereite Narbe fällt. Die eigentliche Schöpfung erfolgt erst auf der nächsten Stufe, der der Rezeption, beim Leser. Der Leser soll die Fragmente freilich nicht ,,beim Wort nehmen". Wer das tut, ,,mag ein ehrenfester Mann sein – nur soll er sich nicht für einen Dichter ausgeben." Mit dem Fragmentenschaffen wendet sich Novalis also an den Dichter, jedoch nicht an den elitären Literaten. Der Schöpfer von Fragmenten rechnet damit, Daß ,,die meisten Leute", ,,wenn sie Fragmente . . . vor sich haben, das Übrige aus ihrem eigenen Vorrat von Einfällen hinzusetzen, um es zu komplettieren" (Novalis, 409).

Ein Kunstwerk ist nach der Auffassung des Novalis ,,desto gediegener, . . . reizender, je mannigfaltigere Gedanken, Welten und Stimmungen" sich in ihm kreuzen, berühren." Ein solches Werk hat ,,mehrere Veranlassungen, mehrere Bedeutungen, mehrfaches Interesse, mehrere Seiten überhaupt." Dementsprechend hat es auch ,,mehrere Arten verstanden . . . zu werden" (Novalis, 453). Verstanden wird ein Werk nicht durch Anlegen formalästhetischer Kriterien. ,,Es gehört nicht für ein artistisches, sondern für ein anthropologisches Forum" (Novalis, 440, 41), insofern es ,,ein echter Ausfluß der Persönlichkeit" ist (Novalis 453). Es kann sein, daß ein Schriftsteller „das Talent des schriftlichen Ausdruckes nicht besaß oder vernachlässigte", daß sich jedoch in „seiner mittelmäßig oder gar schlecht scheinenden Schrift eine seltene Kombination und Ausbildung menschlicher Anlagen, die herrliche Naturkunst eines Geistes, ... in einer barbarischen Form offenbart" (Novalis 440/441). Sinnvolle Kritik muß die Frage nach dem Menschen stellen, „der mit sich selbst beschäftigt ist" (Novalis, 347). Die Folge eines echten Verständnisses eines Werkes ist die Veränderung desselben sowie die eigene Produktivität des Rezipienten: „Nur dann zeige ich, daß ich einen Schriftsteller verstanden habe, wenn ich in seinem Geist handeln kann, wenn ich ihn, ohne seine Individualität zu schmälern, übersetzen und mannigfach verändern kann" (Novalis, 367). „Zu den verändernden Übersetzungen gehört, wenn sie echt sein sollen, der höchste poetische Geist. Der Übersetzer dieser Art muß ... der Dichter des Dichters sein und ihn also nach seiner eigenen und des Dichters eigenen Idee zugleich reden lassen können" (Novalis, 313). Damit wird der Leser selbst zum Autor: „Der wahre Leser muß der erweiterte Autor sein. Er ist die höhere Instanz, der die Sache von der niederen Instanz schon vorgearbeitet erhält" (Novalis, 369). Die Tätigkeit des Lesers ist die der Läuterung, der Scheidung von noch rohem und schon gestaltetem Material. Das bearbeitete Material kommt so in immer neue Gefäße und wird in immer weiterer Tätigkeit gestaltet.

Letzte Wirkung einer Dichtung, die die Anregung der Selbsttätigkeit des Lesers zum Ziele hat, ist – in der Erwartung, daß „die Menschheit in Masse sich selbst zu besinnen" anfange – „das Schreiben in Gesellschaft". „Man wird vielleicht einmal in Masse schreiben, denken und handeln. Ganze Gemeinden, selbst Nationen werden ein Werk unternehmen" (Novalis, 414). Als mögliches Medium gesellschaftlicher schriftstellerischer Produktion sieht Novalis die „Journale" an. In der Ahnung einer solchen Möglichkeit wird Novalis von W. Benjamin und S. Tretjakov bestätigt. Tretjakov stellt für die sowjetrussischen Verhältnisse seiner Zeit fest: „Der aktive Zeitungsleser wird zum Korrespondenten der Zeitung" (Tretjakov, 102). Benjamin verweist auf diesen Vorgang, indem er feststellt: „Indem das Schrifttum an Breite gewinnt, was es an Tiefe verliert, beginnt die Unterscheidung zwischen Autor und Publikum, die in der bürgerlichen Presse auf konventionelle Art aufrechterhalten wird, in der Sowjetpresse zu verschwinden." Indem „die Arbeit selbst ... zu Wort kommt", findet eine „Literarisierung der Lebensverhältnisse statt" (Benjamin, Autor 101). Damit wird „das Leben in seiner Totalität ... das einzig wichtige und wesentliche Sujet, im Umkreis dessen das ... und die menschliche Tätigkeit organisiert werden müssen" (Tretjakov, 14). Auch Novalis postulierte das Schreiben als Lebensvollzug und die Wirkung des Geschriebenen auf denselben.

Während Tretjakov als „Mitglied einer Kollektivwirtschaft" durch den „opera-

tiven Charakter" (Tretjakov 141) seiner Werke den sozialistischen Produktionsprozeß unmittelbar zu beeinflussen suchte – durch „die Fixierung persönlicher
Erlebnisse und Gefühle im Material ... und die Wirkung der geschaffenen Formen
auf die Psyche des Menschen" (Tretjakov, 10) – wendet sich nach Benjamin der
Schriftsteller primär an den Schriftsteller. Seine Aufgabe ist es „andere Produzen-
ten erstens zur Produktion anzuleiten, zweitens einen verbesserten Apparat ihnen
zur Verfügung zu stellen ... Und zwar ist dieser Apparat umso besser, je mehr er
Konsumenten der Produktion zuführt, kurz aus Lesern ... Mitwirkende macht"
(Benjamin, Autor 110), Ziel ist dabei – Benjamin übernimmt den Begriff Brechts –
die Umfunktionierung der Produktionsformen und Produktionsinstanzen für die
Zwecke des Klassenkampfes. Demgemäß hat der progressive Schriftsteller den
Produktionsapparat nicht zu beliefern, sondern ihn zu verändern.

Literatur

Benjamin, Walter: *Der Autor als Produzent* in: Versuche über Brecht, S. 95–116, Frank-
      furt/M: Suhrkamp 2. Aufl. 1967 (edition suhrkamp 172)
Benjamin, Walter: *Der Begriff der Kunstkritik in der deutschen Romantik* hrsg. v. H.
      Schweppenhäuser, Frankfurt/M.: Suhrkamp 1973 (suhrkamp taschen-
      buch wissenschaft 4)
Brecht, Bertold: *Kleines Organon für das Theater* in: Gesammelte Werke, Bd. 16, S. 663–707,
      Frankfurt/M.: Suhrkamp 1967 (werkausgabe edition suhrkamp)
Faber, Richard: *Novalis: Die Phantasie an die Macht*, Stuttgart: Metzler 1970 (Texte Metzler
      12)
Marx, Karl: *Ökonomisch-philosophische Manuskripte* (aus dem Jahre 1844), in: Texte zu Me-
      thode und Praxis II, Pariser Manuskripte 1844, Rowohlt 1966 (Ro-
      wohlts Klassiker der Literatur und der Wissenschaft, Philosophie der
      Neuzeit, Band 9)
Marx, Karl: *Zur Kritik der Hegelschen Rechtsphilosophie*, in: Karl Marx, Friedrich Engels,
      Werke, Bd 1, S. 203–391, hrsg. v. Institut für Marxismus-Leninismus
      beim ZK der SED, Berlin: Dietz 1972
Marx, Karl: *Zur Kritik der Politischen Ökonomie*, in: Karl Marx, Friedrich Engels, Werke,
      Bd. 13, S. 7–160
Novalis: *Werke und Briefe* hersg. v. A. Kelletat München: Winkler 1962
Sohn-Rethel, Alfred: *Geistige und körperliche Arbeit – Zur Theorie der gesellschaftlichen
      Synthesis* Frankfurt/M.: Suhrkamp 1972 (edition suhrkamp 555)
Strohschneider-Kohrs, Ingrid: *Zur Poetik der deutschen Romantik II: Die romantische Iro-
      nie* in: Die deutsche Romantik, hrsg. v. Hans Steffen, Göttingen: Van-
      denhoek u. Ruprecht 2. Aufl. 1970 (Kleine Vandenhoek-Reihe 250 S)
Tretjakov, Sergej: *Die Arbeit des Schriftstellers*, hrsg. v. Heiner Boehnke Reinbek bei Ham-
      burg: Rowohlt 1972

Exkurs über handwerkliche Produktionsweise. – Fragmente Romantischer Technologie

Von Gustav von Campe

> *Marxismus der Technik, wenn er einmal durchdacht sein wird, ist keine Philanthropie für mißhandelte Metalle, wohl aber das Ende der naiven Übertragung des Ausbeuter- und Tierbändigerstandpunkts auf die Natur.*
>
> E. Bloch

i

Vorbemerkung

Novalis Fragmenten-Enzyklopädie ist stark beeinflußt von seinem – gleichzeitigen – Studium an der Bergakademie in Freiberg in Sachsen. Deutschland, insbesondere das Erzgebirge und der Harz, war im 16. Jh. führend in der Berg- und Hüttentechnik. Die sächsischen Fürsten verdankten dem Bergbau in ihren Gebieten ihre führende Stellung in der Reformation, und die Bergleute, die ersten deutschen revolutionären Industriearbeiter, verschärften in dieser Region die Bauernkriege um ein gegen die ‚Bergherren' gerichtetes Element.

In der Hüttenkunde konzentrierte sich die chemische (Schmelz- und Legierungsverfahren) und mechanische Technologie (wassergetriebene Blasebälge und Hammerwerke) in ihren fortgeschrittensten und ökonomisch relevantesten Sektoren. Die Aufklärung hatte – in der Diderotschen Enzyklopädie in Frankreich, in zahlreichen ähnlichen Sammelwerken in Deutschland – eine starke technologische Ausprägung. Die Bildungsbürger glaubten an den polytechnisch qualifizierten, ‚industriösen' Menschen. Den hatte man sich nicht als Träger von Betriebsgeheimnissen gedacht, sondern man sah ihn in der Öffentlichkeit angeregt über das ‚Gewußt wie' plaudern, und jeder sollte etwas beizutragen haben.

Novalis' Studium der Technologie war also mehr als ein Brotstudium. Das technologische Ideal verschmilzt in der frei assoziierten Anordnung seiner Fragmente mit dem ästethischen Ideal der Romantik. In der Liebe zu den Dingen – zumal den Steinen – bilden Wahrnehmen und Machen Momente *einer* Bewegung. Die technologische Reflexion diente dem Ziel, die Kunst des Machens, d. h. im antiken Sinn Poesie, zu intensivieren. Das technologische Ideal des 18. Jhs. hatte noch keinen Anlaß – abgesehen von den hellsichtigen Horrorvisionen eines Wackenroder –, den an die große Maschine angeschlossenen Menschen zu konzipieren. Die Mechanik war vielmehr eine Disziplin, an der sich auf motorische Formen und Figuren reflektieren ließ. In Verbindung mit den Einflüssen des Galvanismus, der organische Reflexe und Elektrizität zusammendachte, und der Brownschen Theorie über den Reiz entsteht in Novalis' Enzyklopädie ein gesteigertes Bewußtsein organischer Motorik, darin vielleicht Fechner, V. v. Weizsäcker und Wilhelm Reich vorwegnehmend.

Die Relevanz, die ein intensiviertes Körperwissen für eine Produktivkraftentwicklung auf handwerklicher Basis gerade zu Beginn des Dampfmaschinenzeitalters – d. h. als Alternative dazu – hätte haben können, liegt auf der Hand. Aber wie jede historische Niederlage sich in einen Sieg wenden kann, so kann jede verpaßte Alternative diejenigen Alternativen bereichern, die sich in der Gegenwart stellen. So wären also Novalis' technologische Fragmente zu lesen als historischer Hilfestütz beim heutigen Kunststück, eine kleintechnologische Alternative zu machen.

II
Auszüge aus Novalis' Enzyklopädie-Projekt (Allgemeines Broullion)

Bewegungen unterhalten sich mit den Sachen. Jede freigelegte Eigenschaft wird aufgegriffen und in neuen Leistungen beantwortet. Der Umgang schlägt sich im Bild- und Bewegungsgedächtnis nieder, in einem Gedächtnis, das an sich gar nicht faßbar wird, sondern nur in der Verbesserung des wiederholten Erfolges.

Arnold Gehlen

Piaget und Bachelard haben jeder auf verschiedenen Wegen gezeigt, daß sehr allgemeine affektiv-motorische Schemata das Wesen dessen ausmachen, was die psychoanalytische Literatur den unbewußten Symbolismus nennt.

Mucchielli

Wir betrachten hier die Bewegung lebendiger Wesen, nicht die Bewegung beliebiger oder nur gedachter Körper im raumzeitlichen System. Dies macht einen Unterschied.

V. v. Weizsäcker

¹ Es gibt sehr viele sogenannter Wissenschaften, deren heterogene Lehrteile nur durch ein künstliches Zentrum vereinigt sind – so z. B. der Bergbau. Fast jedes Handwerk – jede Kunst setzt verschiedene wissenschaftliche Organe zugleich in Bewegung. (1036)

² Geschichte der Wissenschaft – beim einzelnen Material – in (14) der Materialgeschichte. (1053)

³ Jeder Handwerker bedarf wenigstens die oryktognostische* Kenntnis der Güte seiner Materialien. (1036)

⁴ Alle Stoffe unterscheiden sich voneinander durch die Modifikation des Triebes. Grobe und feine Stoffe. Es gibt keinen bloßen Stoff – wie kein bloßes Objekt. Stoff ist Träger und Zeiger der Handlung – der Tätigkeit. (1089)

⁵ Stoffe sind am Ende wie verschiedene Glieder unterschieden. Wo ein Stoff ist sind alle Stoffe potentia. – Über die dynamischen Stoffe. (1099)

⁶ Nichts ist poetischer als alle Übergänge (1126)

⁷ Individuen vereinigen das Heterogene. Sie bringen das verschiedenartigste in eine Gemeinschaft des Zwecks und der Arbeit – der Zusammenwirkung. Die Menschheit ist freilich das generellste und eigentümlichste Individualprinzip der Wissenschaften. Für sie setzen sie sich alle bis ins unendlichste Glied – in Tätigkeit. (1046)

⁸ Der Gegenstand gibt in den griechischen Zusammensetzungen die ersten Silben – die Bewegung (Behandlung) die zweiten Silben. (1055)

⁹ Ein Merkmal mehrerer Dinge ist eine mittelbare oder unmittelbare Beziehung aller dieser Dinge auf *eine* Tätigkeit. (1191)

¹⁰ Über die innere chiffrierende Kraft. Spuren derselben in der Natur (1438)

¹¹ Ein Merkmal ist ein Erneuerungsreiz einer Operation (1191)

¹² Über Kristallübergänge. Anwendung dieser Theorie auf Figurenverwandlungen überhaupt. Die Übergangsperiode ist durchaus die mannigfachste.

¹³ Stoff – Figur – Bewegung
Übersetzung der Gestalt in Bewegung und umgekehrt (1454)

¹⁴ Der Zusammenhang der äußeren Zeichen untereinander. Sie hängen alternando mit den inneren Veränderungen zusammen und diese wiederum untereinander. (1454)

¹⁵ Einführung tätiger Materien – wie tätiger Sinne (1455)

¹⁶ Materielle Bewegung – oder tätige Materie ist gleichsam das Mittelglied zwischen Chemie und Mechanik. (1520)

¹⁷ Aufsuchung rein chemischer Erfahrungen – und genaue Beobachtungen. Philosophie des Flüssigen. Über den Staub. Überall bisher die Transfusionsidee. Das Zusammenbacken.

¹⁸ Begriff von Spannung. Verwandtschaft mit Trieb. Spannung gleich gehemmte, gebildete Kraft. (1524)

[19] Mechanik (Berührungskunde. Akustik). Mannigfache Arten der Berührungen und Tangenten. Aktive und passive Tangenten. Winkel der Berührungen. Schnelligkeit der Berührungen oder Takte. Taktreihen und Folgen. Linientakte. Punkttakte. Flächentakte. Massentakte. Beharrliche Takte. (1293)

[20] Vermannigfachung eines Phänomens durch Vermannigfaltigung der tangierenden und kooperierenden Werkzeuge (1547)

[21] Die Gestalt des Werkzeugs ist gleichsam das eine Element des Produkts. So ist der Punkt ein Element der Linie, die Linie ein Element der Fläche, die Fläche ein Element des Körpers. Aus diesem Beispiel erhellt sich, wie mir scheint, der Begriff des Elements sehr merklich. (1810)

[22] Eine Spitze ist ein mechanischer Brennpunkt – eine Fläche das Gegenteil – (der Bohrer)

[23] Wer mit dem Meißel malen, musizieren usw., kurz zaubern könnte, bedürfte des Meißels nicht –; der Meißel wär ein Überfluß. (1811)

[24] Chemie – Stoffveränderungs-(Bereitungs-)kunst.
Mechanik – Bewegungsveränderungskunst – Modifikationskunst der Bewegung. Praktische Physik – Kunst, die Natur zu modifizieren.
Bewegungsmischungen – Bewegungsverbindungen
Die moderne Ansicht der Naturerscheinungen war entweder chemIsch oder mechanisch. Der Szientifiker der praktischen Physik betrachtet die Natur zugleich als selbstständig und selbstverändernd.
Faktur und Natur vermischt – getrennt – vereinigt. (1279)

[25] Alles Fixieren geschieht durch Verknüpfung – durch eine mehr oder minder individuelle Beziehung. Ich mache etwas fest, indem ich in Beziehung darauf etwas anderes veränderlich mache – durch Beziehung desselben auf ein Loses usw. (1104)

[26] Modifizieren ist relatives Machen und Zerstören. Absolut machen können wir nichts, weil das Problem des absolut Machens ein imaginäres Problem ist. (1260)

[27] Architektonik. Sollte nicht die Kristallisation, die Naturarchitektonik und Technik überhaupt – Einfluß auf die frühere Baukunst und Technik überhaupt gehabt haben? (1800)

[28] Jeder Körper, der eine Eigenschaft besitzt, hat auch eine Grenze dieser Eigenschaft, einen Eigenschaftspunkt – wo sie sensibel wird – wo sie entsteht – erscheint.
So hat ein jeder brennliche Körper einen Brennpunkt – der schmelzbare Körper einen Schmelzpunkt – der reizbare einen Reizpunkt – der bewegliche eine Bewegpunkt. (1472)

[29] Die Plastiker haben einen Stoff – die Musiker einen modifizierenden Körper – einen Anstoß nötig. Beide haben einen Anstoß – eine Berührung nötig. Die einen zum Gestalten, die anderen zum Bewegen. Theorie der Berührung – des

Übergangs. (1499)

30 Bewegung bei Schluß und Öffnung – Berührung und Trennung. Gebung und Beraubung. (1602)

31 Zu- und Abnehmen in *einer* Bewegung (1261)

32 Man hat starre Bewegungen (Spannungen) wie flüssige – und beide übergehend – und von mannigfaltigen Graden.

33 Über Pump- und Saugwerke – den neuen Hubsatz usw.

34 Schnelligkeit der Bewegungen der Reizung – Verhältnisse zu einander – Figuren dieser Bewegungen – welche fängt an – unter diesen oder jenen Umständen. – Schwererwerdung – Leichterwerdung. Absonderung des Oxygens. Elektrizität bei diesen Bewegungen – Dauer – Erschöpfung. (1696)

35 Das simple Phänomen der Reizung läßt sich unendlich analysieren und synthetisieren. Es ist eine Gradbewegung. (1597)

36 Die Wirkungen der Schwere sind keine Wirkungen einer freien bewegenden Ursache – keine mechanischen Bewegungen im strengen Sinn. Druck und Stoß. Plötzlicher Druck ist nicht Stoß. (1563)

37 Druck verhält sich zu Stoß wie Wärme zu Elektrizität?

38 Wasser stoßweise aufs Rad. (1553)

39 Ein Prozeß in drei Dimensionen ist ein durchdringender, die Masse betreffender Prozeß. So muß die Schwere eine Flächenkraft sein. (1584)

40 Wenn wir von Kraft sprechen, so haben wir eigentlich nur die Zentrifugalkraft im Sinn. Und umgekehrt, wenn wir an Last denken, so denken wir an Zentripetalkraft und mithin an rein Starres. (1549)

41 Ein Rad ist ein ausgefüllter Hebel. (1671)

42 Jeder Körper ist ein ausgefüllter Trieb. (1404)

43 Begriff eines Werkzeugs – eines selbsttätigen Werkzeugs. (1807)

44 Keime künftiger Organe – Perfektibilität der Organe. Wie läßt sich etwas zu einem Organ machen? (1808)

45 Organisationstrieb ist Trieb, alles in Werkzeug und Mittel zu verwandeln (1809)

46 Alles Werkzeug modifiziert und wird modifiziert. Die Ausführung ist ein Produkt der individuellen Beschaffenheit des Werkzeugs und der Gestion. (1810)

47 Was ich wirklich für mich bewege, das bewege ich eigentlich an sich nicht. Was ich für mich wirklich nicht bewege, das beweg' ich indirekte für sich. (1549)

48 Über anthroposkopische Werkzeuge (1813)

49 Reihe von Werkzeugen – Kette von Sinnen, die einander supplieren und verstärken. Wirkungen der Schließung und Trennung der Ketten. (1810)

50 Das Werkzeug als solches läßt sich nicht müßig denken. Ein Organ ist seinem Begriff nach in Bewegung und mithin in Verbindung mit seinem Reiz. Der tote Körper wird uns keine Aufschlüsse geben. (1814)

51 Sollte ein Organ schon eine höhere Einheit von ,,Stoffen und Bewegungen sein?

ein komponiert wirksamer und veränderlicher Stoff? (1812)

[52] a) So kann ich mit einem Meißel nur stoßen, schneiden, schaben oder sprengen. Ich fühle mich also durch jedes bestimmte Werkzeug auf eine besondere Art von Wirksamkeit eingeschränkt. Diese besondere Sphäre kann ich freilich unendlich variieren, so oft die Wirkung modifizieren – durch Änderung des Stoffs – durch Variation der Elemente der Wirkung.

b) Jedes Werkzeug modifiziert also einerseits die Kräfte und Gedanken des Künstlers, die er zum Stoffe leitet, und umgekehrt – Widerstandswirkungen des Stoffs, die es zum Künstler leitet.(1810)

c) Jedes Instrument hat drei Teile – den arbeitenden Teil – den Teil des Steuers – und den Übergangs- oder Verknüpfungsteil (Das Gestell + Gerüst)

Psychologie und Physik. Gewohnheit ist ein entstandener Mechanismus – eine zur Natur gewordene Kunst. (1447)

Einteilung des Hausgeräts – des Wirtschaftsapparates. Über die allgemeinen Werkzeuge eines gewöhnlichen europäischen Hauses vom mittleren Range. (1799)

Teleologische Betrachtung eines Dinges – wozu es alles gebraucht werden kann. Der Zweck ist die Substanz. (1262)

Die stetige, häufige Aufmerksamkeit auf diese Art der Funktionen des Seelenorgans (das man die rationelle Imagination oder Sinnlichkeit nennen könnte) und damit das verbundene Streben, diese Funktion zu reproduzieren und sie auf die mannigfaltigste Art zu modifizieren oder anzuwenden, gibt den Werkzeugen derselben eine solche Geläufigkeit, daß nachher jeder auch der leiseste, mittelbarste, entfernteste Reiz, sei er auch auf welches spezielle Organ er wolle, auch diese Werkzeuge in eine kongruente Tätigkeit setzt. (1815)

*Oryktognostische Kenntnis: Kenntnis von der Struktur der Fossilien nach ihren äußeren Kennzeichen.

Zitiert wurde nach der Lambertschen Ausgabe von 1943. (Nachgestellte Klammern)

Auslassungen sind nicht gekennzeichnet.

Kommentar zu den Auszügen

> *Da der Vollzug der Besitzübertragung*
> *das Ziel ist, dem die zeitliche und örtli-*
> *che Trennung von Tausch- und Ge-*
> *brauchshandlung dient, faßt sich in*
> *diesem abstrakten Schema der reinen*
> *Bewegung die ganze Tauschabstrak-*
> *tion zusammen. ... Sie wird zum Mi-*
> *nimum dessen, was überhaupt noch*
> *einen materiellen Vorgang darstellt.*
>
> *Die Arbeitszerlegung ging bei Gil-*
> *breths ,synthetischem Timing' bis*
> *hinunter zum einzelnen, punktuellen*
> *,Therbling', dem völlig sinnlos ge-*
> *wordenen Minimum manueller Tä-*
> *tigkeit.*
>
> *... und darum auch für immer von*
> *der Handarbeit geschieden sein und*
> *bleiben muß, wenn anders nicht die*
> *Grundlage der Erkenntnis zerstört*
> *werden soll.*
>
> *Alfred Sohn-Rethel,*
> *Geistige und körperliche Arbeit*
> *FfM 1970 S. 83, 224, 244*

Eine zentrale Rolle spielt in den Fragmenten der Begriff des Übergangs. Analog zur Leibnizschen Infinitesimalrechnung, die den Übergang von einem Punkt zum anderen bis in den kleinsten Zwischenschritt rechnerisch nachzuzeichnen versuchte, glaubt Novalis an die Möglichkeit einer fein differenzierten Reihe von Übergängen zwischen

a) mechanischer und chemischer Bewegung.
b) Stoff und Bewegung.

So sehr diese Möglichkeit sich exakt-naturwissenschaftlich als illusorisch erwiesen haben mag, so bleibt sie technologisch insofern von Interesse, als sich eine handwerklich orientierte Technologie nicht allein für die Gesetzmäßigkeiten und Bewegungen *in der Natur*, sondern für die Relation zwischen menschlicher und natürlicher Bewegung interessiert.

a) Nimmt man zunächst die Polarität von Mechanismus als die exakt berechenbare, mathematischen Formeln folgende Bewegung einerseits – und den Chemismus als

Bild für eine extrem unberechenbare Vielfalt sich gegenseitig durchdringender, reagierender Teilchen andererseits, so läßt sich unter dem Blickwinkel einer technologischen Phänomenologie zwischen diesen beiden Polen ein Spektrum, eine Reihe verwandter, ineinander übergehender Bewegungsphänomene aufmachen.

In der exakten Mechanik gibt es den *Stoß* als die auf einen Punkt konzentrierte Kraftausübung (mechanischer Fokus (22)) und den *Druck* als die auf eine bestimmte Fläche diffundierte Kraftausübung (das Gegenteil (22)). Exakt bleibt die Mechanik nur so lange, als diese *Takt*arten (19) exakt getrennt und dementsprechend strikt verschiedenen Maschinenteilen zugewiesen bleiben. Der Stoß wird durch eine *Spitze*, der Druck durch eine *Platte* ausgeübt. Zwischen beiden Phänomenen scheint es keine Übergang zu geben, und in der Maschine kann es ihn auch nicht geben.

Novalis denkt nun an die Vermannigfaltigung der Phänomene durch Vermannigfaltigung der tangierenden und kooperierenden Werkzeuge (20), also etwa an Übergangstypen zwischen spitzen und platten Werkzeugelementen und an ihr *Kooperieren* im Prozeß. Es ist deutlich, daß etwa der häufige Wechsel des Werkzeugteils und das gleichzeitige oder rasch wechselnde Einwirken mannigfaltiger Taktarten nur durch ein Antriebs- und Steuerungsorgan bewältigt werden kann, das die Plastizität des menschlichen Hand-Arm-Systems aufweist. Nur weil die Hand rudimentär die Werkzeugfunktion ausüben kann, sich also durch Streckung zur Spitze und nahezu gleichzeitig zur Platte formen kann, und weil sie zwischen beiden Funktionen unendlich variieren kann, ist sie in der Lage, auch die Reihe variierender Werkzeuge angemessen zu führen. In der Fassung und Führung einer Spitze formt sie sich selbst spitz usw.

So kann es tendenziell plausibel werden, daß Novalis keinen Unterschied im Gebrauch der Begriffe ‚Organ' und ‚Werkzeug' macht. Beide erscheinen so dicht aneinandergefügt wie die einzelnen *Glieder* des Werkzeugs (52c) und des Hand-Arm-Systems selbst. (→ Griff als Gestus und Gestalt)

Hier kann nun die ganze Reihe der menschlichen Organe anschließen, in der die Hand wiederum nur das mechanische Extrem darstellt. Im Übergang von der starren zur flüssigen Bewegung werden Phänomene des *Pumpens* und *Saugens* (32, 33), des Schließens und Öffnens (30) interessant. Die Figur der sich öffnenden und schließenden Hand findet in der Tätigkeit des Herzens ein Bild der Perfektionierung. (An anderer Stelle bezeichnet Novalis den Menschen als gebildeten Fluß.)

Die Reihe geht damit von den *Punkt-*, *Linien-*, *Flächen*takten zu Phänomenen dreidimensionaler *Massen*takte über. Stoßen und Sprengen z. B. wären Punkttakte, Schneiden und Schaben Linientakte (52), Drücken ein Flächentakt, während Massentakte die Phänomene der *Durchdringung* (39) bezeichnen würden.

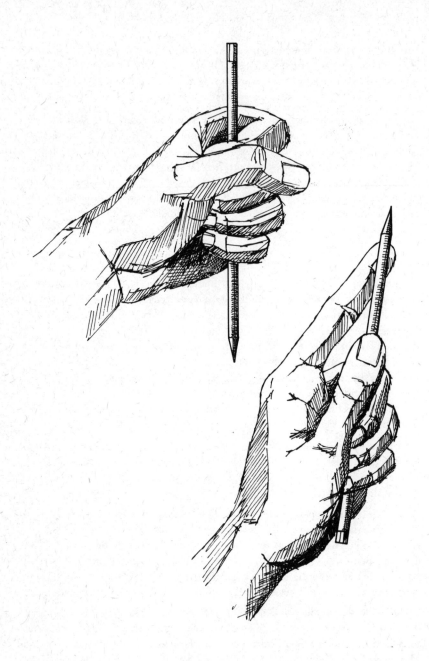

Um diese Phänomenvielfalt erfassen zu können, übersetzt Novalis den Begriff ‚Mechanik' in ‚*Berührungs*kunde' (19). Mit einer Theorie der Berührung sucht er die Theorie des Übergangs zu beschreiben (29). Stoß wäre so eine modifizierte, im Grad gesteigerte Berührung, jeder Takt ein bestimmter *Grad* von Berührung (35). So wäre dann auch die Mechanik als *Modifikation*skunst und Bewegungsveränderungskunst (24) zu verstehen. Aus der *Mischung*, der *Verbindung*, dem *alternierenden* Gebrauch der verschiedenen Berührungsmodi entstehen Bewegungs*figuren*, die sich im Produkt als dessen *Gestalt* niederschlagen (13). Die verschiedenen Takte und Taktarten gehen als *Elemente* ins Produkt ein. (21)

Zur *Modal*struktur der Bewegung kommt ihre *Temporal*struktur: der plötzliche Druck, der stoßweise Strom, der Beginn, die Schnelligkeit, das Leichter- und Schwererwerden, die Dauer, die Erschöpfung der Bewegung. Der Erfolg, die Geläufigkeit der Modifikation ist von der häufigen Wiederholung abhängig. Die kongruente Tätigkeit der ganzen Reihe kooperierender Organe ist ein Produkt der *Übung*. Damit sind die Bestimmungselemente beisammen, mit denen die *Rhythmik* der handwerklichen Bewegung beschrieben werden kann.

b) Neben der Reihe der Bewegungs- bzw. Berührungsmodi scheint Novalis auch an eine Reihe von Übergängen zwischen den Polen *Stoff und Bewegung* gedacht zu haben. Der Übergang von der Figur der Bewegung zur Gestalt des Produkts hat eine Entsprechung im Übergang von den *Trieben* des Stoffs zur behandelnden Bewegung. (energeia)

Entsprechend den griechischen Wortkomposita (8) gebraucht Novalis Begriffe, die Stoff und Bewegung komponieren. Der Begriff der *Materialgeschichte* verweist auf die Mineralogie und die durch seinen Lehrer Werner beförderte Einsicht für die Erde als Prozeß. Die dem Bergmann vorfindlichen Stoffe sind keine bloßen Stabilitäten, sondern sie werden im Prozeß ihrer Entstehung angetroffen und durch die Förderung und Verarbeitung in ihrer Dynamik lediglich verstärkt und modifiziert. Die menschliche Technik ist eine Fortführung des natürlichen *Kristallisation*sprozesses (27).

Der in den Stoffen wirkende Prozeß wird von Novalis als Trieb bezeichnet. Verwandt mit dem Trieb ist die Spannung. (4, 18) Der Richtung des Triebs gemäß zu handeln, die Spannung in angemessener Weise zu transformieren, heißt den natürlichen Produktionsprozeß fortsetzen, erneuern (11).

Die Stoffe geben durch ihre äußeren Kennzeichen die Möglichkeiten zur produktiven Fortsetzung an. Die *Spuren* der immanenten Veränderung sind Zeiger der Handlung. (16, 4) Es gibt keinen bloßen (4), bestimmungslosen, homogenen Stoff, mit dem sich alles machen ließe. Stoffe sind tendenziell immer heterogen, unterscheiden sich um Nuancen von verwandten Stoffen durch eine unterschiedliche genetische Gelagertheit. Die menschliche Produktivität liegt darin, die *Heterogeni-täten* von ihren Eigenschaftspunkten (28) her aufeinander sinnvoll zu beziehen (7) und zu gemeinsamen Zwecken zu verknüpfen (25), sie darin zusammenwirken zu lassen. So nähern sich die verschiedenen Stoffe der Rolle von Agentien, Gliedern, Organen an. (5)

Hier berühren sie sich mit der zuerst skizzierten Reihe der Bewegungsmodi. Das Organ bildet den ,,Kreuzgang" beider Reihen. Das Mittelglied zwischen Materie und Tätigkeit ist zugleich das Mittelglied zwischen Mechanik und Chemie. Die vom Organ gebildete Figur vermittelt den Übergang zwischen starrer und flüssiger Bewegung und zugleich den zwischen Stoff und Bewegung. (13, 51) Seine Funktion ist in beiden Dimensionen die der Modifikation.

In diesem Bereich herrscht die größte Freiheit des Machens, insofern ist nichts *poie*tischer.

Nachbemerkung:
Die Form des Kommentars schließt die kritisch-reflexive Dimension aus, um die größtmögliche Dichte der Darstellung zu erreichen. Die Diskussion des hoch spannenden Problemgehalts dieser Novalis-Lesart muß einer späteren Fortsetzung dieser Studie vorbehalten bleiben.

6b) Progression und Regression. Die Geschichtsauffassung Friedrich von Hardenbergs

Von Frank Wilkening

Man muß gegen den Strom schwimmen, um zur Quelle zu kommen.

(Polnische Spruchweisheit)

Die Frage, ob das philosophisch-ästhetische Programm der Frühromantik aufklärerischen oder ,reaktionären' Charakter hat, läßt sich nicht schematisch beantworten. Sie ist in dieser Form vielleicht auch falsch gestellt. Wenn aufklärerische Vernunft als Herrschaft über ,innere' und ,äußere' Natur selbst ambivalent ist und jenen Prozeß impliziert, den Horkheimer und Adorno mit Recht als ,,Dialektik der Aufklärung'' beschreiben, wird es zumindest fragwürdig, die Frühromantik im Namen eben dieser Vernunft abzuqualifizieren. Ein Vorgehen, das diese Ambivalenz nicht ständig mitreflektiert und gar ein abstraktes Fortschrittsprinzip zum absoluten Maßstab verdinglicht, führt nur allzuleicht zu einem Entlarvungsstandpunkt, der zwanghaft all das ausgrenzen muß, was ihm nicht gleicht. (1)

Realismus ist nicht immer vernünftig. Vernunft muß nicht schon von vornherein das Medium von Emanzipation und Kritik sein. Wo sie mit den Erfordernissen der industriellen Produktion verschmilzt und so ihre transzendierende Kraft verliert, dient die eifrige Berufung auf sie eher der Befestigung von Herrschaft. Die Entfesselung technischer Rationalität ist nicht nur notwendige Vorbedingung eines künftigen freiheitlichen Zustandes, sie stellt gleichzeitig Instrumente für eine totalitäre Organisation des Menschen bereit. Gegenüber Marx ist geltend zu machen, daß die ,Rationalisierung' aller Lebensbereiche nicht automatisch in eine Befreiung des Menschen münden muß. Ebenso kann sie auch zu ,,einer Unterwerfung unter die von ihm selbst errungene Herrschaft über die Natur führen.'' (Wellmer: 141) Das von allen archaischen Resten gereinigte Selbst fällt in sich zusammen und wird zum bewußtlosen ,,Verkehrsknotenpunkt des Allgemeinen'', zum ,,Abziehbild der allmächtigen Zweckformen der Massengesellschaft.'' (Horkheimer: 39) Fortschritt, und das erkannte schon die Frühromantik, verkehrt sich in sein Gegenteil, solange er durch gewaltsame Indienstnahme der ,Natur' erkauft wird. An die Stelle der ehemaligen religiösen und absolutistischen Herrschaft tritt eine allumfassende, mythische ,,Gespensterherrschaft'' (Novalis) des Dinglichen.

Ohnehin ist spätestens seit Sigmund Freud das optimistische Pochen auf Rationalität als solche endgültig zweifelhaft geworden. Die ideologiekritische Psychoanalyse entschleierte die Aporien des Vernunftsbegriffs und die tiefe Widersprüchlichkeit des Individuums. Sie registrierte, daß die ,,Zivilisation ihrerseits das Antizivilisatorische hervorbringt und es zunehmend verstärkt.'' (Adorno: 85) Im Konstitutionsprinzip des rationalen, bürgerlichen Bewußtseins selbst sind jene barbarischen Impulse angelegt, wie sie zum Beispiel im Antisemitismus in Erscheinung traten. Licht- und Nachtseite der Geschichte bilden nicht nur keinen Gegensatz, sie hängen auf fatale Weise zusammen. Genau das meint das vielzitierte „Unbehagen in der Kultur". Die mit der ursprünglichen Akkumulation einsetzende Einübung in „industrielle Disziplin und „Askese" (Krovoza: 18) – von der Frühromantik als ‚Entpoetisierung des Lebens' beklagt – provoziert langfristig eine „Wiederkehr des Verdrängten" in pervertierter Form. Sie gipfelt in der „Wut des Zivilisierten" (Horkh./Ad.): Über Projektion seiner eigenen angestauten Destruktivität bestraft er die Opfer für die Wunden, die ihm die Anpassung an eine verselbständigte Realität geschlagen hat. Mit dem Selbstbildnis unvereinbare aggressive Regungen werden einem vermeintlichen Gegner zugeschrieben, wobei der nach außen gewendete Haß mit dem Maß der Selbstverleugnung und dem Grad erreichter Rationalität wächst. Der Irrationalismus ist nur die andere Seite triebverdrängender Vernunft; der potentielle Faschist ist der nüchterne, ‚harte' Realist, dessen Dämme, die er gegen seine eigenen vitalen Bedürfnisse errichtet hat, stets zusammenfallen können. Der Wahnsinn, den die bürgerliche Angst vor dem Chaos hinter Kerkermauern bannen wollte und so erst hervorbrachte, kommt im Faschismus zu sich selbst. Im faschistischen Antisemitismus, in den Greueltaten mehr oder weniger ehrbarer Bürger offenbarte sich die Widersprüchlichkeit bürgerlicher Vernunft und Aufklärung. Der scheinbare Gegensatz ihrer selbst, den sie im Dienste ‚objektiver' gesellschaftlicher Anforderungen aus dem Bewußtsein sperren wollte, nämlich das ‚Nicht-Aufgeklärte', von der Identitätslogik Ausgegrenzte, trat als entfesselte Gewalt plötzlich an die Oberfläche – ähnlich verdrängter, nun verstümmelter ‚Natur', die sich in Neurose und Psychose unerwartet nach außen drängt, das in sich gefestigte Gebäude des angepaßten Ichs überflutet und seine fassadenhafte Rationalität als blutige Irrationalität entlarvt.

Angesichts dieser hier nur kurz skizzierten Zusammenhänge muß die Diskussion der Frühromantik unter einem erweiterten Blickwinkel erfolgen. Ihre Bedeutung kann sich dann nicht mehr allein darin bemessen, inwieweit sie mit bürgerlich-aufklärerischen Tendenzen übereinstimmt oder nicht. Die Frage, wie sich Novalis zu den ‚fortschrittlichen Kräften seiner Zeit' verhielt, ist zu eng und zu oberflächlich. Mindestens ebenso wichtig – und das gilt insbesondere bezüglich einer notwendigen Aktualisierung seiner Ideen – ist Novalis' mögliche Stellung in dem weitgespannten Prozeß einer Dialektik der Naturbeherrschung, wie er von der Kritischen Theorie analysiert wurde. Zu untersuchen ist: Sind in den ästhetischen Konzeptionen der Frühromantik Elemente enthalten, die den angedeuteten Kreislauf von Rationalisierung und „Naturverfallenheit" (Adorno), ent-erotisierter Vernunft und anwachsendem Aggressionspotential wenigstens *theoretisch* unterlaufen und aufweichen könnten?

Der immer wieder beschworene Gegensatz von Aufklärung und ‚Romantischer

Regression' trifft für die Frühromantik nicht zu. In der Poesie von Novalis drückt sich weniger die Empfehlung aus, das Rad der Geschichte zurückzudrehen und in „die einfache Warenwirtschaft zu flüchten" (G. Lukács; zit. nach Malsch: 11), als der Versuch, die progressiven Impulse aufklärerischen Denkens zu *bewahren und weiterzuentwickeln*. So lassen sich unzählige Äußerungen finden, in denen Novalis den hohen Wert der Vernunft hervorhebt. In einem Brief vom 5. Oktober 1791 heißt es, „daß die Vernunft der einzige Name und das einzige Heil sei, das den Menschen auf Erden gegeben, der einzig wahre echte Logos." (531) Den Naturkult des ‚Sturm und Drangs' verneinend, schreibt er an anderer Stelle, Ziel der menschlichen Entwicklung sei „Sieg über die rohe Natur in jedem Worte (...). Humanismus – Rhythmus – Aufklärung – Kunst." (Nov., zit. nach Mähl: 308) Im zweiten Teil von „Heinrich von Ofterdingen" kommt dem menschlichen Geist die Aufgabe zu, die Natur zu „erlösen" und schließlich ihre „Entwilderung" (Werke: 113) herbeizuführen. „Höheres Bewußtsein" dürfe nicht mit dem „Dunst des Weines" (Werke: 22) verwechselt werden. Nicht der „Rausch", sonden das „Licht" sei das „Symbol der echten Besonnenheit." (447) Der programmatische Satz Freuds: „Wo ‚Es' ist, da soll ein Ich sein." gilt auch für die Frühromantik. Das ‚Es' wird dabei aber nicht in ein starres, triebverneinendes Ich hineingezwungen. Ebensowenig löst sich das Ich einseitig in das Unbewußte auf. Es handelt sich um eine ständige, wechselseitige Befruchtung, in der sich das Ich entwickelt und erweitert und das Unbewußte humanisiert wird. Das Ich soll sich in diesem Sinne des Unbewußten bemächtigen, es ins Bewußtsein heben, soweit dies nur möglich ist: „Der Heimlichkeit urmächtigen Bann kann nur die Hand der Einsicht lösen" und „Gelingt's, das Innere zu entblößen, so bricht der Tag der Freiheit an." (Werke: 203) Nur auf diesem Wege wird das Ich überhaupt erst zum Ich, denn noch sind wir „gar nicht Ich. Wir können und sollen aber Ich werden." (Nov., zit. nach Lukács: 28)

Schon diese wenigen Beispiele zeigen, daß die Frühromantik Aufklärung keineswegs als Ganzes ablehnen kann. Forderungen wie „Kenne dich selbst" (Werke: 32) und „Einst soll kein Reiz und nichts Fremdes mehr sein" (Werke: 423) verlangen für Novalis die bewußte Aneignung der inneren und äußeren Welt ohne künstlich gesetzte Schranken. Es geht der Frühromantik um ein Denken, das nicht auf Ausgrenzung des Andersartigen beruht, sondern auf der „Einverwandlung auch des Entgegengesetzten" (F. Schlegel), auf dem Mut, den Widerspruch auszuhalten und im Subjekt selbst zur Synthese zu bringen. Paradoxerweise ist es gerade dieser dynamische, „grenzenlose Realismus" (Novalis), der die Frühromantik in Widerspruch zur Aufklärung treten läßt. Ihre Kritik setzt dort ein, wo das der Vernunft selbst innewohnende Prinzip der *Grenzüberschreitung* stillgelegt wird und ein Denkverbot an dessen Stelle tritt. Kritisiert wird eine totalitäre Rationalität, die dazu neigt, alles *vorschnell* auf „Verständlichkeit zurückzuführen'' (A. W. Schlegel) und das, was sich nicht fügen will, für nicht-existent zu erklären. Indem ein instrumentell verkürzter Verstand allein darauf abzielt, „dem Menschen durch bequemere Werkzeuge eine größere Herrschaft über die äußerlichen Dinge zu verschaffen" (A. W. Schlegel (1): 40), geht das Streben nach Wahrheit verloren. Am Ende dieser Entwicklung schließlich steht eine eindimensionale Welt, in der die Menschen „nur wie die Uhren für die täglichen Verrichtungen aufgewunden werden." (A. W. Schlegel (1): 30)

Es spricht für die historische Hellsichtigkeit der Frühromantik, daß sie die Horkheimer/Adorno'sche Konzeption einer „Revolte der Natur" in einer Epoche vorwegnimmt, in der die Allgemeinheit noch einem blinden Fortschrittsoptimismus frönte. Natürlich konnten Novalis und die Gebrüder Schlegel die oben skizzierte gesellschaftliche Entwicklung nicht bis ins einzelne voraussehen. Dazu ist der zeitliche Abstand zu groß. Andererseits aber gab es sicherlich schon zu ihrer Zeit Hinweise auf den zukünftigen Verlauf des Prozesses der ‚Aufklärung', da das heute Entfaltete schon von Beginn an zwar nicht vorprogrammiert, aber dennoch sozusagen angelegt war. In seiner Schrift „Christenheit oder Europa" beschreibt Novalis den dialektischen Charakter der „Entpoetisierung" und Desillusionierung: Die wissenschaftliche Ernüchterung habe den Menschen zum „ersten Selbstbewußtsein" geführt, ihn also aus den Verstrickungen der Natur und der Macht der mittelalterlichen Vergangenheit erlöst. Indessen aber sei er darüber einer „höheren, allgemeineren und furchtbareren Gespensterherrschaft" (Werke: 404) verfallen, nämlich „dem mechanistischen Aberglauben und seiner Verstandesdespotie über Natur und Gesellschaft." (Malsch: 100) Die von Göttern und Dämonen gründlich gesäuberte Welt entläßt neuartige und schrecklichere Mächte: „Wo keine Götter sind, da walten Gespenster." (Werke: 404) Der Mensch verfällt neuer Abhängigkeit, etwa der von der „dürren Zahl" und dem „strengen Maß", das die Natur „mit eiserner Kette" bindet. (Werke: 69) Eine Vernunft, „der auch das menschliche Dasein nur wie ein Rechenexempel aufgehen soll", (A. W. Schlegel (1): 29) erweist sich als „geblendete Klugheit" (Werke: 158), die das Vergangene nicht wirklich bewältigt. Der „mathematische Gehorsam" (Werke: 158), bestrebt, jede Erkenntnis dem „Nützlichen unterzuordnen" (A. W. Schlegel) korrespondiert mit einer Verleugnung, die nicht ohne Folgen bleibt. Da Aufklärung ihr Erkenntnisinteresse vorwiegend auf die Außenwelt und die Beherrschung äußerer Natur richtet, verfällt sie unbemerkt den Auswirkungen der Verdrängung ‚innerer' Natur: „Alles Einseitige endigt sich mit Tod" (Werke: 460), und „Das Alte rächte sich an ihnen." (403) In poetischer, bildhafter Sprache erfaßt Novalis den Umschlag von Aufklärung in ‚Verdinglichung', die Unterwerfung des Menschen unter die von ihnen selbst produzierten, nun aber verselbständigten Mechanismen ‚zweiter Natur': Richtet sich der „Personalhaß" der Aufklärung anfangs nur gegen den katholischen Glauben, so ging er allmählich in „Haß gegen die Bibel, den christlichen Glauben, und endlich gar gegen die Religion über. Mehr noch – der Religionshaß dehnte sich sehr natürlich und folgerichtig auf alle Gegenstände des Enthusiasmus aus, verketzerte Vorzeit und Gefühl, Phantasie und Sittlichkeit, setzte den Menschen in der Reihe der Naturwesen mit Not obenan, und machte die unendliche schöpferische Musik des Weltalls zum einförmigen Klappern einer ungeheuren Mühle, die vom Strom des Zufalls getrieben und auf ihm schwimmend, eine Mühle an sich, ohne Baumeister und Müller und eigentlich ein perpetuum mobile, eine sich selbst mahlende Mühle sei." (Werke: 398)

Einerseits also beklagt die Frühromantik die negativen Auswirkungen des allgemeinen Abstraktionsprozesses: ,,Einsam und leblos stand die Natur." (Werke: 69) Andererseits aber hält sie die Entwicklung auch des ,,kalten, technischen Verstandes" (Schriften III: 332) für notwendig. Er trägt entscheidend dazu bei, daß die ,,abergläubische, religiöse Denkungsart der mittlern Jahrhunderte" (Nov., zit. nach Mähl: 264) überwunden werden kann. Die Herrschaft ,,trugvoller Pfaffen und Priester" (Nov., ebenda) mußte gebrochen, die ,,wissenschaftliche Ansicht der Dinge geltend gemacht"(Werke: 403) werden, damit der Mensch einst in bewußter Tätigkeit eine künftige ,,Poetisierung der Welt" verwirklichen könne. Ebenso wie ,,das Vollkommen gesunde Individuum" erst das wäre, ,,dessen Gesundheitssphäre die Sphäre der Krankheit inbegriffe" (Nov., zit. nach Malsch: 83), vollkommene ,,Gesundheit" der ,,Krankheit" geradezu bedarf, liegen in dem kritisierten ,,tiefen menschlichen Verfall" (Werke: 75) die Bedingungen, die ihn wieder aufheben. So ist Novalis durchaus nicht unfähig, ,,die progressive Bedeutung des Neuen" (G. Heinrich: 116), nämlich der kapitalistischen Industrialisierung, zu erkennen. Die aufkeimenden ,,Widersprüche" werden – und das soll im folgenden noch deutlicher werden – von der Frühromantik sehr wohl als ,,historisch produktive" (Heinrich: 23) begriffen. (2) Allerdings bleibt sie dabei nicht stehen. Und in dieser unzeitgemäßen, gegen ,objektive' Gesetzmäßigkeiten frevelnden Haltung besteht ihr Verdienst. Im Gegensatz zur bürgerlichen Aufklärung, die beim ,ersten Selbstbewußtsein' verharrt und meint, in der Differenzierung der Naturbeherrschung den Gipfel der Erkenntnis erreicht zu haben, drängt die Frühromantik auf eine Aufklärung der Aufklärung über sich selbst. Um dem Kreislauf von Fortschritt und ,,geschichtlich ansteigendem Unheil" (Adorno) zu entkommen, muß Vernunft nicht nur Vernunft auf sich selbst anwenden, sie muß sich qualitativ verändern: ,,Einmal kehrt euch um." (Nov., zit. nach Malsch: 91)

Das Wichtigste, was die frühromantische Vernunftskonzeption von der traditionellen unterscheidet, ist die Einbeziehung regressiv-mimetischer Weltzuwendung. Menschliche Vernunft, die nicht immer wieder zerstörerische Kräfte freisetzen will, muß Natur und Nicht-Natur gleichzeitig sein. Sie darf nicht mehr zu den vegetativen, triebhaften Schichten der Existenz im Widerspruch stehen. Der ,,petrifizierende Verstand", unter dessen Händen nur ,,zuckende Reste" (Werke: 111) übrig bleiben, muß nach Novalis durch ein ‚naturfreundliches Denken' (vgl. Werke: 114 f.) ersetzt werden. Das Denken ist dann nicht mehr Unterdrücker und Beherrscher der Natur, es bringt sie zur Sprache. Die ‚‚Denkorgane" werden dann die ‚‚Welterzeugungs-, die Naturgeschlechtsteile" (510) sein. (3) Die neue, poetische Vernunft zeichnet sich daher durch die ‚‚Vermählung des Tages mit der Nacht aus" (Werke: 493), durch die Wiedergewinnung der ‚‚eigentlich wollüstigen Funktion" (477), oder, um mit Freud zu sprechen, durch eine Synthese von Realitäts- und Lustprinzip. In der ‚‚Poesie" und der ‚‚Kunst" als einer *höheren Form der Vernunft*, die all das integriert, was ein falscher Fortschritt bewußtlos hinter sich läßt, soll beides, die ‚erste' wie die ‚zweite' und furchtbarere Gespensterherrschaft aufgehoben werden. Es geht um zweifache Distanz: Wissenschaft zerstört die alten religiösen Illusionen und führt zu einer notwendigen Entfremdung von allen ‚‚primären Bindungen". (E. Fromm) Die ‚‚Kunstpoesie" als das transzendentale Erinnerungsorgan löst die ‚erste' Entfremdung durch eine ‚zweite' wiederum auf und läßt sie als Durchgangsstadium erkennen, über das hinausgegangen werden muß. Diese *doppelte Frontstellung* der Frühromantik, die sich im gewissen Sinne gegen die feudale und die bürgerliche Gesellschaft gleichermaßen richtet, ist der Ausgangspunkt ihrer Geschichtsphilosophie und ihres Poetisierungskonzeptes.

Das aufklärerische Denken begreift die Menschheitsgeschichte als zunehmende Realisierung von Freiheit, es ist teleologisch angelegt auf ein zu erreichendes Ziel hin. Das Höhere geht nach dieser Auffassung aus dem jeweils Niedrigerem hervor, das Komplexe aus dem Einfachen, ein Stadium wird zur Voraussetzung des jeweils nächsten. ‚‚Für den Aufklärer stellt sich die Kontinuität der Geschichte als ständige Aufwärtsbewegung dar, die von der Gegenwart her die Vergangenheit als überwundene, ‚unvernünftige' Kindheitsstufe abwertet." (Mähl: 305) Aufklärung als das ‚‚Schema der Überwindung des Mythos durch den Logos" (Gadamer: 257) entzaubert die Welt und stürzt die Mythen durch Wissen. Fortschritt ist für sie mit der Herausbildung einer Vernunft identisch, die den Animismus und die Beseelung der Natur ‚‚als Anthropomorphismus, (...) Projektion von Subjektivem auf die Natur" (Horkh./Ad.: 13) ansieht. Ihr Ziel, die rationale Gestaltung des Daseins und die Beherrschung des identitätszersetzenden Triebes machen ein Gegenwartsbewußtsein notwenig, das die Vergangenheit als mythologische Stufe dem Vergessen überantwortet. Der ‚‚Haß" der Aufklärung gilt dem ‚‚mimetischen Zauber" wie dem ‚‚Bild der Vorwelt und ihrem imaginären Blick" (Horkh./Ad.: 25). ‚Natürliche', animalische und vegetative Existenzweisen gelten als ‚‚überwundene Zeitalter, auf die hinabzusinken mit dem Schrecken behaftet war, daß das Selbst in jene bloße Natur zurückverwandelt werde, der es sich mit unsäglicher Anstrengung entfremdet hatte, und die ihm eben darum unsägliches Grauen einflößte. Die lebendige Erinnerung an die Vorzeit, schon an die nomadischen, um wie viel mehr an die eigentlich präpatriarchalischen Stufen, war mit den furchtbarsten Strafen in allen aus dem Bewußtsein der Menschen ausgebrannt worden." (Horkh./Ad.: 44) So blickt auch der ,Erwachsene' verächtlich auf die ihm nun unverständlichen Dummheiten seiner Kindheit und Jugend herab, er ist jetzt – gottseidank – weiter. Der Gegenwart und Zukunft gilt die Aufmerksamkeit, die Vergangenheit wird als Schutt betrachtet, als überflüssiger und zuweilen bedrohlicher Ballast. Das geschichtlich gewordene verliert an Wert angesichts des Mutes zur Veränderung. Es geht um ständige Erneuerung des Alten und um den Bruch mit Traditionen, die dem Fortschreiten in Richtung ,Autonomie' im Wege stehen könnten. Freiheit ist gleichbedeutend mit der Emanzipation aus frühen Stadien der Geschichte bzw. der Unterordnung frühkindlicher Verhaltensweisen unter den Primat der Vernunft. Noch Erich Fromm als Vertreter einer ,,humanistischen Psychoanalyse" formuliert das Ideal des ,ich-starken', der Selbstbestimmung fähigen Menschen, der gelernt hat, seine prägenitalen Orientierungen zugunsten einer reiferen, objektbezogenen Haltung aufzugeben. Im menschlichen Leben gebe es nur die ,,unentrinnbare Alternative" zwischen ,,Fortschritt und Rückschritt, zwischen Heimkehr zur tierischen Existenz und Aufstieg zu einem wahrhaft menschlichen Dasein." (E. Fromm: 29) Die Notwendigkeit der Individuation und des vollständigen Auftauchens aus den ursprünglichen Bindungen sei antagonistisch zu dem regressiven Verlangen des Selbst, sich zu verlieren und den Lockungen des ,,Primärprozesses" (Freud) nachzugeben. ,,Geistige Gesundheit" und ,,persönliche Integrität" seien nur möglich durch konsequentes Vorwärtsschreiten und eine Abschwächung etwa der ,narzißtischen' Bedürfnisse.

Obwohl die Frühromantik das Mündigkeitsideal der Aufklärung übernimmt, hält sie die undialektische Gegenüberstellung von Progression und Regression für gefährlich und einseitig. Ein linearer Fortschritt, der eher auf einem Auslöschen der Geschichte als deren progressiver Aneignung beruht, ist für sie ein oberflächlicher und trügerischer Fortschritt. Wenn er auch in quantitativer Hinsicht einiges zu leisten vermag, macht er eine wirkliche, qualitative Weiterentwicklung langfristig zunichte. Eine Vernunft, die sich nur über die Verleugnung all der von ihr als regressiv bestimmten Eigenschaften konstituiert, verwandelt sich schließlich in eine ,,Gespensterherrschaft" und setzt jene oben beschriebene ,,negative Dialektik" mit ihren unvorhersehbaren Folgen in Gang. Echte ,Ich-Integrität' und ,,vollendetes Bewußtsein" (Novalis) schließen die Fähigkeit zur *Erinnerung* und ,freiwilligen Regression' mit ein. Solange der Mensch dem Druck der Vergangenheit durch rigide Abwehr entkommen will und das Neue nicht als progressive Wiederholung des Alten organisiert, wird er immer wieder dem sinnlosen Sysiphos-Kreislauf verfallen. (Vgl. Werke: 400 f.) Wo Zukunft und Vergangenheit sich gegeneinander isolieren und nicht berücksichtigt wird, daß wir ,,in Verhältnissen stehen mit allen Theilen des Universums, mit Zukunft *und* Vorzeit" (Nov., zit. nach Malsch: 109), droht Geschichte in bewegungslose Tautologie umzuschlagen. Das Vergangene setzt sich hinter dem Rücken der Menschen durch: Über die langsame Wiederkehr des Verdrängten gleicht sich die ent-erotisierte Ratio dem Abgewehrten wieder an, bis „die Unterwerfung alles Natürlichen unter das selbstherrliche Subjekt zuletzt gerade in der Herrschaft des blind Objektiven, Natürlichen gipfelt." (Horkh./Ad.: 10) Der ewige Werdungsprozeß wird so langsam zu einem Erstarrungsprozeß, der keinen wirklichen Fortschritt mehr zuläßt. Im Grunde wird auf diese Weise Geschichte bereits beendet; was weiterhin Fortschritt genannt wird, ist das Ablaufen des Immer-Gleichen, das keine neue Stufe qualitativ veränderten Lebens erreicht.

Diese Dynamik vor Augen, entwirft Novalis in Anlehnung an den holländischen Philosophen Hemsterhuis das emanzipative Modell einer „progressiv-regressiven Geschichtsauffassung". (H. J. Mähl) Gegenüber der fortschrittsbesessenen Aufklärung, der in ihrem rücksichtslosen Erneuerungsstreben „gar nicht genug zugrunde gehen konnte" (E. Bloch: 61), liegt hier das Hauptgewicht auf Synthese, Bewußtmachen und Aneignen des Verdrängten. Das Ziel der Frühromantik ist eine „befreite Aufklärung" (Malsch) und eine Realität, die dem Menschen nicht immer wieder als etwas Bedrohliches und Fremdartiges gegenübertritt. Ähnlich wie Freud sieht Novalis die Vervollkommnung des Menschen nicht allein in der Anhäufung von abstrakten Fertigkeiten, sondern zugleich im Wiederentdecken des Körpers der Kindheit und der bewußten Wiedereinsetzung all der Qualitäten, die im Laufe einer einseitigen Rationalisierung verlorengingen: „Kein Sinn" darf „schlummern", alle müssen „angeregt und nicht unterdrückt und erschlafft sein." Geschichte als „unendlicher Erfüllungsprozeß" (W. Benjamin: 86) kann dann aber nicht mehr nur eine *kontinuierliche Linie* sein, die *fortwährend in eine Richtung verläuft*. Über den auf-absteigenden Weg einer „Hin- und Her Direktion" (Novalis), im triadischen Dreischritt werden die Menschen zuletzt bewußt das realisieren, was an sinnlichem und erotischem Reichtum im ‚Kinde' immer schon vorhanden war. „Vorwärts und rückwärts. Methode des divinatorischen Genies." (Nov., zit. nach Timm; 83)

„Mit der Zeit muß die Geschichte Märchen werden – sie wird wieder, wie sie anfing." (Werke: 506) Entgegen den noch immer grassierenden Vorurteilen soll hier gezeigt werden, daß Novalis damit kein einfaches ‚Zurück zur Natur' oder die Reproduktion eines bewußtlosen Urzustandes meint. Dies wird schon aus der Verwendung der Begriffe „Monotonie" und „Harmonie" ersichtlich. Während im angenommenen „Paradies" Monotonie herrschte, und die Einheit auf Unterschiedslosigkeit beruhte, soll sich das „Neue Goldene Zeitalter" durch Harmonie auszeichnen. Die synthetisierten Teile sollen dann einen „Einklang, keinen Einton" (Mähl: 307) bilden, also keine „Monotonie". D. h., im Gegensatz zum einstigen Ur-Chaos ist die „künftige Welt das vernünftige Chaos, das sich selbst durchdrang." (Schriften III: 281) Um dieser Vernunft und einer ‚reflektierten Unschuld' willen muß der Mensch die Last der Entfremdung auf sich nehmen, die höhere

Verbindung kann nur über den ‚Schmerz des Negativen' erlangt werden. Mit den Worten von Novalis: ,,Der Übergang von der Monotonie zur Harmonie wird freilich durch Disharmonie gehen und nur am Ende wird eine Harmonie entstehen.''

Wie bei Hegel der ‚Geist' sich erst ‚entäußern' muß, um wieder ‚zu sich selbst' gelangen zu können, ist auch für Novalis das Reißen des ersten Bandes unumgängliche Voraussetzung für eine erneute Vereinigung. Selbst eine absolute Zersplitterung und Zerrissenheit gewinnt noch eine positive Funktion: ,,Der Mensch soll sich selbzweien und nicht allein das, sondern sich selbdreien.'' (Nov., zit. nach Huch: 163) Die ,,Entzweiung als Form der Einheit'' (Ritter, zit. nach Malsch: 190) ist die zu bejahende Grundlage für eine künftige Harmonie. Der Weg geht durch die ,,Disharmonie'' und Entfremdung hindurch, durch ,,Entgegensetzung'' wird die abgelehnte undifferenzierte Einheit überwunden, um in jene ,,höhere Synthesis der Einheit und Mannigfaltigkeit'' überzugehen, ,,durch die eins in allem und alles in einem ist.'' (Nov., zit. nach Mähl: 307) Zwar ,,soll keine Polarität einst sein'' (nach Mähl: 309), doch ist, weil auch das Entgegengesetzte synthetisch zusammenhängt, die Überwindung der Polarität erst in der vollausgebildeten und ertragenen Spannung möglich: ,,Ich realisiere die Goldene Zeit – indem ich die polare Sphäre ausbilde'' (Nov., ebenda) oder: ,,Der Weg zur Ruhe geht durch den Tempel der allumfassenden Tätigkeit.'' (Werke: 507)

Nur wer durch die Erfahrung der Polarität hindurchgegangen ist und zum Individuum geworden, wird zu wirklicher ,,Co-Aktivität'' fähig sein und freiheitszerstörenden Scheinversöhnungen widerstehen. Die mit der Entfremdung verbundene ,,Disharmonie'' hat dann auch den Sinn, daß sich der Einzelne in seiner Andersheit gewahr wird und auf diese Weise zu einer Verbindung fähig wird, die er in *Freiheit* und mit *vollem Bewußtsein* entwickelt. In diesem Sinne heißt es: ,,Vor der Abstraktion ist alles eins, aber eins wie das Chaos, nach der Abstraktion ist wieder alles eins, aber diese Verbindung ist eine freie Vereinigung selbständiger, selbstbestimmter Wesen.'' (Werke: 362) Sie ist keine totalitäre Pseudo-Gemeinschaft. Einerseits bedeutet für die Frühromantik allein Gemeinschaft Selbstverwirklichung. ,,Flucht des Gemeingeistes ist Tod.'' (359) Der Mensch muß aus seiner engen Enklave heraus, um ,,Weltbürger'' zu werden. Höheres Denken verlange gar die ,,Verdrängung des Individualprinzips'' (Nov., zit. nach Malsch: 92) und die Preisgabe aller zweckbestimmten Interessen. Andererseits aber, und hier zeigt sich wieder die dialektische Struktur des frühromantischen Denkens, bedarf die Identität, will sie nicht platte, statische Ganzheit sein, der Nicht-Identität und Individualität. ,,Die Bildung und Entwicklung dieser Individualität zu betreiben'' wäre nach F. Schlegel ein ,,göttlicher Egoismus.'' (Zit. nach Mähl: 307) Das ,,vereinigende und individualisierende Prinzip'' (Nov., zit. nach Malsch: 101), der ,,organisierte Wechsel zwischen Universalität und Individualität'' (Nov., zit. nach Huch: 169), fördern die wechselseitige Befruchtung von Allgemeinem und Besonderem. Sie gewährleisten die Weiterführung des poetisierten „Krieges" in der Sphäre freier Diskussion und in der ‚Kunst'. „Krieg muß auf Erden sein." (Werke: 304) Er verhindert, daß das Dasein zum bloßen „Genuß" und zu einer Einheit ohne Mannigfaltigkeit herabsinkt, in der es keine Entwicklung mehr gibt. Trotz seiner Einheitssehnsucht strebt Novalis keine tote Ruhe an. Das „Goldene Zeitalter", in dem der verlorengegangene Einklang von Mensch und Natur auf höherer Stufe wieder hergestellt werden soll, bedeutet nicht das „Ende aller Dinge" (Nov., zit. nach Schanze: 160) und die Ausschaltung des Widerspruchs. Da auch die „gänzliche Vereinigung immer künftig bleibt" (Nov., zit. nach Malsch: 75), wird „die Welt dem Lebenden immer unendlicher", und „drum kann nie ein Ende der Verknüpfung des Mannigfaltigen, ein Zustand der Untätigkeit für das denkende Ich kommen." (Nov., zit. nach Schanze: 160) (4)

In der Periode der „Disharmonie" ist das Band zur Natur durchgeschnitten, die Sicherheit des Instinktes existiert nicht mehr. Die Fähigkeit des Naiven, unbeirrt Gutes vom Bösen zu unterscheiden, ist bis auf wenige Ausnahmen verloren. In seiner Schrift „Über das Marionettentheater" beschreibt H. v. Kleist, wie ein Jüngling durch das Innewerden seiner selbst vor dem Spiegel in seiner Harmonie gestört wird. Die Selbsterkenntnis zersetzt die Geschmeidigkeit seiner Bewegungen, er wird steif und unbeholfen, beinahe automatenhaft. Der Blick in den Spiegel, die Identifizierung seines eigenen Ichs mit den Kategorien verobjektivierender Vernunft bringt ihn um seine ‚Unschuld'. Als er mit Absicht und Bewußtsein seine künstlerischen Bewegungen wiederholen will, vermag er es nicht mehr. Der Fluß ist unterbrochen. Kleist aber weiß, daß die Überwindung dieser Erstarrung nicht über eine Rückkehr zur Natur und zu primitiver Naivität möglich ist. Ein Rückfall hinter den Stand erreichter Erkenntnis wäre barbarisch und würde nur eine scheinbare Lösung bringen. Die Aufgabe von Rationalität und der ‚Sprung in die Irrationalität' sind nicht erstrebenswert, es gibt kein einfaches Zurück. Die Vernunft muß bis zu dem Punkt weiterentwickelt und vervollkommnet werden, an dem sie nicht mehr in Widerspruch zur ‚Natur' steht. Kleist: „Wir müssen wieder vom Baume der Erkenntnis essen," um eine neue Unschuld erlangen zu können. Auch für die Frühromantik führt die „vollendete Spekulation (...) zur Natur zurück." (Werke: 475) Die Erkenntnis, die die Einheit mit der Natur zerreißt, kann sie langfristig wiederherstellen: „Adam und Eva. Was durch eine Revolution bewirkt wurde, muß durch eine Revolution aufgehoben werden. (Apfelbiß)." (Nov., zit. nach Huch: 88) Fichte, auf den die Romantische Ironie und die „Progressive Universalpoesie" mit zurückgeht, schreibt: „Vor uns also liegt, was Rousseau unter dem Namen des Naturzustandes hinter uns setzt." (Zit. nach Malsch: 135)

Die in vielen Fragmenten formulierte Ansicht, daß es „ohne Trennung keine Verbindung" (Nov., zit. nach Malsch: 108) gibt, und die ‚neue Unschuld' einer ausdifferenzierten Vernunft bedarf, hat Novalis auch in dichterischer Form gestaltet. Nach dem Abschied von seiner Vaterstadt erleidet Heinrich von Ofterdingen die Qualen der Trennung, es überkommt ihn ein Gefühl großer Verlassenheit: ,,Es ward ihm jetzt erst deutlich, was *Trennung* sei; die Vorstellungen von der Reise waren nicht von dem sonderbaren Gefühle gewesen, was er jetzt empfand, als zuerst seine bisherige Welt von ihm gerissen und er wie auf ein fremdes Ufer gespült ward (...). Eine erste Ankündigung des Todes, bleibt die erste Trennung unvergeßlich.'' (Werke: 154) Tod und Leben aber gehören zusammen. Im Tod als verstärkendes Prinzip des Lebens (vgl. Werke: 446), in der Auflösung des Selbst schöpft der Mensch Kraft für eine Wiedergeburt. Schon bald erwächst Heinrich aus diesem Schmerz, aus dem Gefühls des ,Sterbens' langsam und tastend die Ahnung einer neuen Heimat. ,, . . . er sah nach Thüringen, welches er jetzt hinter sich ließ, mit der seltsamen Ahnung hinüber, als werde er nach langen Wanderungen von der Weltgegend her, nach welcher sie jetzt reisen, in sein Vaterland zurückkommen, und als *reise er eigentlich diesem zu.*'' (Werke: 155) Die Trennung erweist sich als Erweiterung, aus der heraus sich der Horizont einer neu-alten Verbundenheit eröffnet. Auch Hyacinth im ,,Sais''-Märchen muß seinen Weg durch ,,neue Länder'' gehen und seine eigene ,,Figur beschreiben'' (Werke: 108), bevor er Rosenblütchen als Wissender wieder in seine Arme schließen kann. Nachdem seine Ruhe geschwunden war und ,,Herz und Liebe mit'' (122), mußte er sie verlassen, um sie in der Fremde zu suchen. Nur so konnte er ,,gesund werden.'' (Ebenda) Da in der unentzweiten Natur noch der Zwang des Triebes herrscht, muß um der Freiheit willen Entzweiung sein. Ohne ,,vorausgegangene Entzweiung ist nicht nur keine Versöhnung, sondern auch keine Liebe möglich, die ja nur zwischen zwei Gesonderten entstehen kann.'' (R. Huch: 173)

So notwendig Trennung für Novalis ist, es darf bei ihr nicht stehengeblieben werden. Gerade hier liegt der entscheidende Unterschied zum Denken der ,Aufklärung', das bestehende Distanz durch immer größere Distanz überwindet, bis endlich das Bewußtsein als rein ,objektives' unwahr wird und dessen vegetative Quellen versiegen. Die Hinwendung zum ,Objekt' und zum Anderssein muß für Hegel wie für Novalis die ,,Rückkehr aus dem Anderssein'' (Hegel: 138) einschließen. Wie die ,Aufklärung' blickt auch Novalis zuversichtlich in die Zukunft. Ohne eine Perspektive, ohne die Hoffnung oder die Gewißheit eines kommenden besseren Zeitalters bliebe das Leben ohne Sinn: ,,Die Menschheit wäre nicht Menschheit, wenn nicht ein tausendjähriges Reich kommen müßte.'' (Werke: 460) Schon jetzt ist das ,,Prinzip in jeder Kleinigkeit des Alltagslebens, in allem sichtbar'' und wartet darauf, entfaltet und entwickelt zu werden. Menschsein ist von einem ,,Prinzip der Vervollkommnung'' (ebenda) nicht zu scheiden. Freiheit ist das ,Endziel' der Geschichte, es gilt voranzuschreiten, den augenblicklichen Zustand zu überwinden und das Neue herauszuarbeiten. Dieses *Neue* aber unterscheidet sich grundlegend von dem, was sich die ,Aufklärung' unter diesem Begriff vorstellt. Es ist nicht nur das vollständig Unbekannte, nie Gesehene und Erfahrene, sondern gleichzeitig auch das entfaltete, zu sich selbst gelangte ‚Alte’, die bisher unbewußte Poesie, die sich selbst durchdrang. Fortschritt realisiert sich durch Abschiednehmen der Vergangenheit und ‚Wiedererkennen’ zugleich. Nachdem der „Lehrer” in den „Lehrlingen zu Sais” seiner Sehnsucht folgend sich „andre Länder, andre Meere, neue Lüfte, fremde Sterne, unbekannte Pflanzen, Tiere, Menschen” besehen hatte, begann er sich zu erinnern und eines Tages ordneten sich ihm die Dinge wieder: „Nun fand er überall Bekanntes wieder, nur wunderlich gemischt, gepaart.” (Werke: 106) Vollendung der „Erziehung zur Vernunft” (Nov., zit. nach Mähl: 295) wird nicht durch zurücklassende Progression erreicht und durch Ersetzen des Alten durch ein ‚Neues’. Entwickelte Geschichte und vollendetes Sein ist mehr als eine huschende Gerade ohne Spur und Echo; sie entsteht in der dialektischen Entfaltung und einer verschlungenen, spiralförmigen Bewegung, die die Vergangenheit unter immer andersartigen und erweiterten Aspekten in sich aufnimmt. Die Zukunft ist die erlöste Vergangenheit. Progression verwirklicht sich in der gleichzeitigen ‚Regression’ und der „Verkettung des Ehemaligen und Künftigen.” (Werke: 211) Die Zukunft vollendet sich gleichsam in der ‚Vergangenheit’: „Scheinbar gehen wir vorärts (. . .), für Gott gehen wir eigentlich umgekehrt. Vom Alter zur Jugend.” (446) Sie zerstört jene nicht, weil sie nicht mehr paßt – „Das Inkommensurable wird weggeschnitten” (Hork/Ad.) – sondern hebt sie auf im Hegel’schen Sinne. Denn: „Nur der rückwärts gerichtete Blick bringt vorwärts, da der vorwärts gekehrte Blick rückwärts führt.” (Werke: 519) Jeder Fort-schritt wird so zu einer unendlichen Bereicherung, unzählige Fäden in immer neuartigen Verwicklungen spinnen sich zwischen Vergangenheit und Zukunft, und je weiter sich diese beiden Pole voneinander entfernen, desto inniger befruchten sie sich: „Verwandlung des Jungen in das Alte” (Nov., Fragmente: 527) und: „Neu und jung ist eins.” (Fragmente: 528) Entwicklung bedeutet Lernen und Lernen auch ein Sich Erinnern, wie schon Plato wußte: „Discere esse reminisci.” (zit. nach R. Huch: 95)

Die *Erinnerung* – „Die Menschen gehen viel zu nachlässig mit ihren Erinnerungen um” (Fragmente: 528) – muß wieder zu ihrem Recht kommen, soll dem Menschen der Prozeß der Geschichte nicht entgleiten und zu einer „Mühle an sich, ohne Baumeister und Müller” (Werke: 298) werden. Die „Sagen der Zukunft” (man beachte die Wortverbindung) müssen erneut hörbar werden, damit sich die Menschen aus ihrer Erstarrung befreien können. Ausklammerung der Vergangenheit und die damit gesetzte Ausklammerung der Zukunft reduziert den Menschen auf einen Punkt, der nicht selbstbewußt lebt, sondern getrieben wird. Er verhärtet, und der Verlust der Geschichte, die immer auch die eigene ist, wird gleichbedeutend mit dem Verlust des Selbst. Erst in der innigen Berührung von Vergangenheit und Zukunft entsteht offene, für grenzenlose Erweiterung bereite Gegenwart, und ein „Überschreiten zur Zukunft.” Freiheit kann nicht erwachsen auf der Grundlage von Verdrängung, denn das Ausgesperrte führt dann ein „unterirdisches Dasein" (Horkh./Ad.) mit der Tendenz, dennoch durchzubrechen. Sie entfaltet sich nicht ohne Erinnerung der Geschichte, deren Endpunkt und Resultat die Gegenwart ist: „Die Welt ist die Summe des Vergangenen und von uns Abgelösten." (Nov., zit. nach Huch: 163) Wird Erinnerung überlagert, hat die „gegenwärtige Welt (...) zu tiefe Wurzeln" (Werke: 283) im Bewußtsein geschlagen, so droht Schrumpfung und Ausgeliefertsein an das Jetzt, das nichts mehr außerhalb kennt. Neben einer Flucht in die ‚Innerlichkeit' gibt es auch eine Flucht in die gerade herrschende Realität, die selbst weitgehend Produkt menschlicher Entäußerung und Innerlichkeit ist. Der Mensch kapituliert vor der blinden Macht des Faktischen und unterwirft sich der Tyrannei einer seelenlosen Wirklichkeit. Erinnerung durchbricht potentiell die Konventionalisierung des Bewußtseins und liefert Maßstäbe, mit denen das Bestehende gemessen werden kann. (5) Realität tritt wieder auseinander in vorhandenes und mögliches Sein. Die Spannung von Wirklichkeit und Möglichkeit, die durch das Vergessen im Jetzigen nivelliert war, setzt kritisches Denken frei. Der Einzelne gewinnt produktive Distanz und wird für all die Verstümmelungen sensibilisiert, die ein falscher Fortschritt täglich erzwingt. Er erkennt, daß der „immerwährende Erstarrungsprozeß der irdischen Zeit" und die „Periode der Minuspoesie" (Novalis) nur transitorischen Charakter hat und nicht der letzte Zustand sein darf, bei dem sich das Bewußtsein beruhigt. Über die „Annihilation des Jetzigen" und die „Vernichtung alles Positiven" (Werke: 400) kommt es zu jener Verfremdung der aktuellen Gegenwart, die zum Ausgangspunkt für deren Überwindung werden kann. Während die ‚Aufklärung' rastlos damit beschäftigt war, „die Natur, den Erdboden, die menschlichen Seelen von der Poesie zu säubern – jede Spur des Heiligen zu vertilgen, das Andenken an alle erhebenden Vorfälle und Menschen durch Sarkasmen zu verleiden und die Welt allen bunten Schmucks zu entkleiden" (Werke: 399), hänge nun alles davon ab, „die abgestorbene geliebte Ahnung" wieder einzusetzten. Die kristallisierte Gegenwart, die die „Natur zur einförmigen Maschine ohne Vorzeit und Zukunft erniedrigt" (Werke: 127) und „Zukunft und Vergangenheit durch Beschränkung" (364) verknüpft, soll durch sie „zum Traum einer unendlichen, unabsehlichen Gegenwart" werden. (Nov., zit nach Faber: 45) Erinnerung offenbart dann dem verdunkelten Blick des Menschen, „der des Frühlings im Spätherbst wie eines kindischen Traumes gedenkt" (Werke: 392), Hinweise auf andere, verlorene Dimensionen des Daseins und läßt die Ahnung der ‚ursprünglichen' Harmonie erneut anklingen. Die Erinnerung soll ein Defizit ausgleichen, das ein pragmatisch und instrumentalistisch verkürztes Denken hervorgebracht hat. Während die ‚Aufklärung' in der Entfaltung des naturbeherrschenden Geistes die Bestimmung des Menschen sieht, liegt für Novalis das „wahre Wesen des menschlichen Lebens in der Ganzheit, Vollständigkeit und freien Tätigkeit aller Kräfte." (Nov., zit. nach Kluckhohn: 52) Innenwelt und Außenwelt müssen zu einer Einheit gelangen. Wo aber die Welt des Lichts ein Übergewicht bekommt, dergestalt, daß es die ‚Nacht' nicht in sich aufnimmt, sondern verdrängt, ähnelt sich das Wachbewußtsein selbst der Nacht und dem „Schlafe" an, von dem es sich abzuheben meint: „Der größte Teil unsers Körpers, unsrer Menschheit (. . .) schläft noch tiefen Schlummer." (Nov., zit. nach Mähl (2): 373) In der Zeit „unseliger Geschäftigkeit" (Werke: 75) ist die Dialektik von Tag und Nacht, der lebenswichtige Austausch von Bewußtem und Unbewußtem, verschwunden. Die Wahrheit liegt jetzt weniger in dem „Land, wo das Licht in ewiger Unruh hauset," (Werke: 53) als in der Höhle, im Bergwerk und in der Nacht, im Unbewußten, das wieder bewußt gemacht werden muß. In dem Augenblick, wo die Verbindung mit dem ‚Urquell' und dem „Urgewässer" (133) gänzlich abzureißen droht und sich ein entleertes Formprinzip zur absoluten Herrschaft aufschwingt, muß die Erinnerung als *Korrektiv* eintreten. Sie weist auf die „Urpoesie" als das „Ursprünglichste" hin und den „Ozean, in den alles wieder zurückfließt, wie weit es sich auch in mancherlei Gestalten von ihm entfernt haben mag." (A. W. Schlegel (2): 30) Sie macht die „menschliche Hauptanlage" neben der platten „Ökonomie" (F. Schlegel) wieder sichtbar, nämlich die „Liebe" und die „Wollust" als den „Brennpunkt der unermeßlichen Zeugungskraft." (Werke: 132) Nachdem die Wirklichkeit nur nach dem „nützlichen, prosaischen Gesichtspunkt" betrachtet wurde, verflog die „erstarrte Wunderheimat in den Äther. (. . .) Ins tiefere Heiligthum zog mit ihren Mächten die Seele der Welt. (. . .) Nicht mehr war das Licht der Götter Aufenthalt und himmlisches Zeichen – den Schleyer der Nacht warfen sie über sich." (Werke: 71) Zwar offenbart allein das „Licht die Wunderherrlichkeiten dieser Welt" (Werke: 45), doch muß der Mensch um dieses Lichtes willen den Göttern in die Nacht folgen und das Unbewußte auf höherer Stufe wieder integrieren. Der „Schlaf" muß abgebrochen werden, „das Band der Geburt – des Lichtes Fessel" (Werke: 55) muß reißen, damit das Licht als „liebliche Sonne der Nacht" (Werke: 51) wieder erfahrbar wird. Weil das Licht der Liebe tief unter der „Asche der selbstgemachten Unvernunft" (F. Schlegel) verborgen liegt, bedeutet Er-Innerung auch Weg nach innen, zurück von den äußeren Schichten „prosaischer Erstorbenheit" in den „unendlich tiefen Mittelpunkt", in die „musikalischen Verhältnisse", die „recht eigentlich die Grundverhältnisse der Natur zu sein scheinen." (Werke: 477) Erinnerung als Medium der Triebbefreiung spult die Onto- und Phylogenese in umgekehrter Richtung auf und dringt ‚regressiv' Stück für Stück in die abgelagerten Sedimente innerer Verhärtungen ein. Sie verflüssigt und ‚musikalisiert' die Erstarrungen, die ein „zerstückelnder Verstand" (A. W. Schlegel) im Namen des Lichts hervorgebracht hat. „Alles ist so steif, so ängstlich noch." (Werke: 477)

So ist das folgende Fragment als Anleitung für eine positive Weltflucht zu verstehen, die das Wachbewußtsein erst einmal negiert, um es später als Synthese von Tag

und Nacht wieder herzustellen:
,,Die Tiefen unseres Geistes kennen wir nicht. – Nach innen geht der geheimnisvolle Weg. In uns oder nirgends ist die Ewigkeit mit ihren Welten, Vergangenheit und Zukunft. Die Außenwelt ist die Schattenwelt, ,sie wirft ihren Schatten in das Lichtreich.' '' (Werke: 342) (6) Und sie wird das solange tun, bis in einem qualitativ anderem Bewußtsein die Vereinigung von Bewußtem und Unbewußtem realisiert ist. ,,Einst wird der Mensch beständig zugleich schlafen und wachen.'' (Nov., zit. nach Mähl (2): 373)

,,Die vollkommene Gegenwart,'' die ihrerseits ,,vollkommen freie Zukunft und vollkommen freie Vergangenheit erzeugt'' (Nov., zit. nach Faber: 45), hat für Novalis die Versöhnung mit der ,Vergangenheit' zur Voraussetzung. ,,Freie Zukunft'' und ,,Freie Vergangenheit'' werden gewonnen im Schließen der Erinnerungslücken. Sie sind Ausdruck eines Bewußtseins, das seine Verdrängungen überwunden hat und auch die ,Kindheit' wieder zuläßt. Nach der Periode der ,,Disharmonie'' soll – und davon hängt die Zukunft der Menschheit ab – eine zweite Unschuld'' (Werke: 426) gewonnen werden. Der Weg führt aus der alten in eine neu-alte Heimat, es geht ,,immer nach Hause''. Und dieses neue Zu Hause entsteht über die ,,Wiederkehr des Kindes''. ,,Wo Kinder sind, da ist ein goldenes Zeitalter.'' (362) Gegenüber den ,,unkindlichen Erwachsenen'', die die Natur nur als verstümmelte ertragen können, repräsentiert die ,Kindheit' die ,,Ehe von Natur und Geist'' (69), die Synthese von männlichem und weiblichem Prinzip oder die Verbindung von Kunst und Leben. An die Ankunft des Kindes ist in den Lehrlingen zu Sais erwartungsvolle Zukunftshoffnung geknüpft: ,,Einst wird es wiederkommen und unter uns wohnen, dann hören die Lehrstunden auf.'' (107)
Die künftige, allumfassende Synthese liegt für Novalis in der wiederzuerlangenden ,Vergangenheit'. So unabdingbar Trennung für die Gewinnung von Freiheit und Einheit ist, es muß eine gleichzeitige Rückkoppelung und Rückbesinnung stattfinden, wenn diese Distanz nicht fixiert werden und in einen Aufstand der Mittel umschlagen soll. Die progressive Regression in eine zweite, höhere Kindheit (7) hebt die vom Realitätsprinzip erzwungenen Verdrängungen wieder auf und entschärft ihre determinierende Gewalt. Sie eröffnet Erfahrungsbereiche, die vom gemeinen, ängstlichen Bewußtsein nur als ,Wahnsinn' abgewehrt werden können. Während die ständige Absperrung bestimmter Erfahrungswelten den Wahnsinn in Mensch und Geschichte tatsächlich provoziert, ,,hört gemeinschaftlicher Wahnsinn (...) auf, Wahnsinn zu sein und wird Magie, Wahnsinn nach Regeln und mit vollem Bewußtsein.'' (Werke: 511) Die Wiedergewinnung von ,Regressionsfähigkeit' bis in die anorganische Materie und in kosmische Dimensionen – ,,Heinrich von Ofterdingen wird Blume – Tier – Stein – Stern'' (Werke: 312) – die Überwindung der starren, abgrenzenden Individualisierung und die bewußte Verflüssigung der Ich-Grenzen heben den über der Geschichte liegenden Bann wieder auf. Die Wie-

derherstellung der Kindheit und die Romantisierung des Lebens bedeuten Integration des Unbewußten und des Lustprinzips. Es geht um ein Dasein, in dem die Herrschaft des einseitig ,prosaischen' und instrumentellen Geistes gestürzt ist und ,,Prosa und Poesie auf das innigste in Wechsel gesetzt sind." (Nov., zit. nach Mähl: 399) Im Zeitalter der Zukunft wird die ,,Liebe neu geboren." (Werke: 470) Die Frühromantik strebt die ,,Verwandlung von Unlust in Lust" an, denn ,,unsere ursprüngliche Existenz ist Lust." (Werke: 331) Sie will den ,,höhern, zusammengesetzten Menschen", der auf Vereinigung und ,,Sympathie" drängt, dem ,,Tanz – Sprechen – Essen – gemeinschaftlich empfinden – Zusammensein" zur ,,Wollust" wird. (Werke: 493) Jetzt, nachdem die Vernunft die Abstraktion durchlaufen hat, muß das Verfließende und ,Regressive' wiedergewonnen werden, die ,,Weichheit gegen die Dinge". (Adorno) Von einem bestimmten Punkt an wird die einseitige Abstraktion zur Beschränkung. Sie dient dann weniger der Emanzipation als einer nun überflüssig gewordenen Zerstörung von Mensch und Natur. Eine andere, tendenziell nicht-naturbeherrschende Vernunft vor Augen, fragt Novalis: ,,Unser Denken war bisher bloß mechanisch – diskursiv – atomistisch – oder bloß intuitiv – dynamisch – Ist jetzt etwa die Zeit der Vereinigung gekommen?" (Werke: 418)

Anmerkungen

[1] Diese sozialdarwinistische Neigung, sich an den ,,Triumphwagen der objektiven Tendenz" (Adorno) zu hängen, und aus dem Scheitern der Romantik schon ihre prinzipielle Unwahrheit abzuleiten, findet sich in der DDR-Literaturwissenschaft immer wieder. So mußte laut G. Heinrich der romantische Versuch, ,,abseits vom großen Wege der Geschichte malerische Grotten" zu bauen, zwangsläufig in einer ,,Nebenstraße des philosophiegeschichtlichen und weltanschaulich-politischen Fortschritts" enden. (G. Heinrich: 84)

[2] F. Schlegel, für den die griechische Poesie Zeugnis ablegt von einer vollkommenen Harmonie und Proportionalität aller menschlichen Kräfte, sieht auch in der Zerrissenheit und den Mängeln der ,Moderne' Ansätze einer besseren Zukunft. Da in der griechischen Poesie der ,,Trieb und nicht die Kunst geherrscht habe" (A. W. Schlegel (2): 24), ist die ,,Herrlichkeit der Alten von ihrem tiefen Falle unzertrennlich." (F. Schlegel, zit. nach Heinrich: 96) Sie bleibt als ,,rohe Schönheit", in der trotz Harmonie alles ,,bewußtlos und einzeln" (F. Schlegel: 89) war, bloße ,,Naturpoesie", die gegenüber der romantischen ,,Kunstpoesie" den niedrigeren Rang habe. Die Herrschaft des ,prosaischen Verstandes', der die ,,Kunst und das Leben trennt" und vom Leben nur ein ,,Geripppe" übrig läßt (F. Schlegel, zit. nach Heinrich: 94), hat auch eine positive Seite. Er ist zugleich die Grundlage einer neuen, selbstbewußteren Vernunft, die den ,,Trieb in Künstlichkeit verwandelt" (Tieck: 53) und jenen ,,mythischen Zustand" in einem ,,wachen und freiwilligen Träumen" (A. W. Schlegel (2): 30) wieder herstellt. Deshalb ist für F. Schlegel gewiß, ,,daß der Mensch mit der wachsenden Höhe wahrer Geistesbildung auch an Stärke und Reizbarkeit des Gefühls, also an *echter ästhetischer Lebenskraft* (. . .) eher gewinne als verliere." (zit. nach Heinrich: 97)

³ Die Frühromantik wendet sich nicht gegen den ‚Intellekt' als solchen und setzt nicht einfach die Herrlichkeit der Emotionen oder der ‚Sinnlichkeit' dagegen. Das klassische Vollkommenheitsideal vor Augen, sieht Novalis im Gleichgewicht von „Gemüt" und „Verstand" den „eigentlichen Zustand der Freiheit." (Werke: 439) So müsse man sich wohl hüten, „nicht eins über das andere zu vergessen" (Werke: 236), will man nicht von den Reizen des Vergessenen überflutet und „krank" werden. „Krankheit" bezeichnet dann einen Zustand, wo „entweder Überluß an Sinn und Mangel an Verstand, oder Überfluß an Verstand und Mangel an Sinn" herrscht. (Werke: 344)

⁴ Es ist interessant, zu welch gegensätzlichen Positionen die verschiedenen Interpreten in diesem Zusammenhang kommen. So wirft Gerda Heinrich (DDR) der Frühromantik eine „nahezu religiöse Sehnsucht nach Ruhe und Geborgenheit" vor (Heinr.: 114), die notwendigerweise zu einer restaurativ-reaktionären Haltung führen mußte: „Auf die Bewegtheit der sozialen Prozesse" (123), die mit dem Entstehen der bürgerlichen Gesellschaft in Gang kamen und die Durchsichtigkeit des feudalen gesellschaftlichen Gefüges auflösten, antworteten die Frühromantiker, so Heinrich, „mit dem Entwurf eines Lebensbildes von ruhiger Abgeschlossenheit und beschränkter Wirkung an einem festen vorgegebenen Platze, von Beschaulichkeit und Beharren." (ebenda) Die Tendenz der Frühromantik, vor den entwickkelten Widersprüchen des Kapitalismus in „unentwickeltere Widersprüche" zu „fliehen", hätte sich in ihren „Angriffen auf Beweglichkeit und Labilität, auf die Veränderbarkeit der sozialen Zustände" klar offenbart. (124).
L. Pesch vertritt eine diametral entgegengesetzte Ansicht. Während die Frühromantik für G. Heinrich jeden Fortschritt generell verneint (vgl. 123), ist es nach Pesch gerade jenes Prinzip des Fortschritts und der Bewegung, das sie verabsolutiert habe: „Die Maschine war Bewegung, und Bewegung war Fortschritt, auch ein Zauberwort des romantischen Zeitalters. An ihm (!) entzündete sich die Phantasie der Ingenieure und der Produzenten der zweiten Schöpfung. Natur und Mensch, so träumten sie, sollten im wunderbaren automatischen Prozeß verwandelt werden, und das Goldene Zeitalter würde anbrechen." (Pesch: 63) Kritisierte die Frühromantik den nivellierenden ‚Überhang des Objektiven', und entwarf sie dagegen das Bild einer befreiten Individualität, die freilich die Verstümmelungen des bürgerlichen Konkurrenzprinzips hinter sich gelassen hätte, behauptet Pesch, „das Tausendjährige Reich Hardenbergs" sei „eben die Menschheit ohne das ‚Individuale'." „Kunst und Wissenschaft" der Frühromantik seien „Instrumente des großen Abstraktionsprozesses, der das Individuelle auslöscht, der ein Prozeß der Uniformierung und Kollektivierung ist." (21) Und in der Kritik an der Aufklärung, die für die Frühromantik eine Kritik der instrumentell verengten, ‚bürgerlichen' Vernunft darstellt, wittert Pesch eine Ablehnung von Vernunft überhaupt: Die Vernunft zähle „bei Hardenberg zu den Akzidenzien, die uns hindern, frei zu sein," (20), deshalb werde sie von ihm gänzlich fallengelassen.
Auch die Kritische Theorie, die wichtige Gemeinsamkeiten mit dem frühromantischen Denken aufweist, distanziert sich pauschal von ‚der' Romantik, ohne zwischen Früh- und Spätromantik zu differenzieren. Horkheimer identifiziert die romantische „Revolte der Natur gegen die Vernunft" mit einem „sentimentalen Mißvergnügen an der Zivilisation und dem Wunsch, primitive Stufe der Gesellschaft oder der menschlichen Natur wiederzubeleben." (Horkheimer (2): 121) Nach Adorno beschwöre ‚die' Romantik einen ursprünglichen Zustand der Ungeschiedenheit und eine regressive Aufhebung aller Differenzierungen. „Versöhnung" und wirkliche Einheit aber sei „eher die Kommunikation eines Unterschiedenen, ohne Herrschaft, in dem das Unterschiedene teilhat aneinander." (Adorno: 153)

⁵ Wie schon erwähnt, darf der Rückgriff auf ein poetisiertes Mittelalter oder eine idealisierte Antike nicht mißverstanden werden. Wenn die Frühromantik der aktuellen Entfremdung, etwa der Arbeitsteilung oder der Trennung von Kunst und Leben, eine in der Vergangenheit schon einmal realisierte ‚Ganzheitskultur' gegenüberstellt, bedeutet das nicht, daß sie diese Vergangenheit, wie sie war, einfach wieder herstellen will. Das Mittelalter ist für Novalis keine ,,Alternative zur bürgerlichen Gesellschaft" (Heinrich: 113), sonst würde er kaum die ,,Herrschaft trugvoller Pfaffen" kritisieren. Die ,,Vorzeit" und die Harmonie des christlich-feudalen Mittelalters hat eher die Funktion wie ,,Tacitus' Idee von den frommen, braven Germanen, Rousseaus ursprünglicher Mensch, der unschuldige Hirt oder Marx' klassenlose Gesellschaft." (L. Marcuse) Das Bild vergangener Harmonie bildet den Hintergrund für eine scharfe Kritik an der Gegenwart. Das ‚Goldene Zeitalter der Vergangenheit' antizipiert das ,,Noch-Nicht-Gewordene" (E. Bloch) der Zukunft, wobei dies Vergangene bewußt idealisiert und verklärt wird. Die Beschreibung einer harmonischen Vorzeit, wo Menschen, Tiere, Steine wie ,,eine Familie oder Gesellschaft handeln und sprechen" (Werke: 317), ist nicht wörtlich zu nehmen, sondern muß als Metapher verstanden werden, die in ihrem Gehalt durchaus von der empirischen Wirklichkeit abweichen kann.
Zudem ist Novalis der Ansicht, daß die ‚ursprüngliche' und unbewußte ‚Natur' so friedlich und harmonisch gar nicht war. An einer Stelle spricht er zum Beispiel von der tierischen ,,alten, unmenschlichen Natur" (Werke: 288), die der ,,Künstler" beruhigen müsse. Und für A. W. Schlegel ist das ,,Trugbild einer gewesenen goldnen Zeit (. . .) eins der größten Hindernisse gegen die Annäherung der goldnen Zeit, die noch kommen soll." (A. W. Schlegel, zit. nach Malsch: 135)

⁶ Der ,,Weg nach innen" ist für Novalis natürlich nur die eine Seite des Erkenntnisprozesses: ,,Wer hier stehen bleibt, gerät nur halb. Der zweite Schritt muß wirksamer Blick nach außen sein, selbsttätige Beobachtung der Außenwelt." (Werke: 345)

⁷ Aus dem folgenden Zitat geht hervor, daß die von Novalis angestrebte ‚Kindheit' nicht die frühe, ‚bewußtlose' Kindheit sein kann: ,,Ein Kind ist weitaus klüger und weiser als ein Erwachsener – das Kind muß durchaus *ironisches Kind* sein." (Werke: 107) Ironie aber als Fähigkeit zur Verfremdung setzt große Abstraktionsfähigkeit voraus und ist erst auf einer späten Entwicklungsstufe zu finden.

Literaturverzeichnis

Adorno, Th. W.: *Stichworte – Kritische Modelle 2*, Frankf./M. 1969
Bloch, Ernst: *Subjekt - Objekt, Erläuterungen zu Hegel*, Frankf./M. 1972
Benjamin, Walter: *Der Begriff der Kunstkritik in der deutschen Romantik*, Frankf./M. 1973
Faber, Richard: *Novalis: Die Phantasie an die Macht*, Stuttgart 1970
Fromm, Erich: *Der moderne Mensch und seine Zukunft*, Frankf./M. 1974
Gadamer, Hans-Georg: *Wahrheit und Methode*, Tübingen 1972
Hegel, G. F. W.: *Phänomenologie des Geistes*, Frankf./M. 1973
Heinrich, Gerda: *Geschichtsphilosophische Positionen der Frühromantik*, Berlin (Ost) 1976
Horkheimer, Max: *Vernunft und Selbsterhaltung*, Frankf./M. 1974
Horkheimer, Max (2): *Zur Kritik der Instrumentellen Vernunft*, Frankf./M. 1974
Huch, Ricarda: *Die Romantik – Blütezeit, Ausbreitung, Verfall*, 1951
Horkheimer/Adorno: *Dialektik der Aufklärung*, Amsterdam 1968
Krovoza, Alfred: *Die Verinnerlichung der Normen abstrakter Arbeit* in: Brückner u. a.: *Das Unvermögen der Realität*, Berlin 1974

Lukács, Georg: *Novalis* in: Novalis, Beiträge zu Werk und Persönlichkeit Friedrich von Hardenbergs, Darmstadt 1970 (Hg.: G. Schulz)

Mähl, Hans-Joachim: *Die Idee des Goldenen Zeitalters im Werk von Novalis*, Heidelberg 1965

Mähl, Hans-Joachim (2): *Novalis und Plotin* in: Novalis, Beiträge zu Werk und Persönlichkeit, a. a. O.

Mähl, Hans-Joachim (3): *Friedrich von Hardenberg (Novalis)* in: Deutsche Dichter der Romantik, Berlin 1971 (Hg.: Benno von Wiese)

Malsch, Wilfried: *Europa – Poetische Rede des Novalis, Deutung der franz. Revolution und Reflexion auf die Poesie in der Geschichte*, Stuttgart 1965

Novalis: *Werke und Briefe*, München 1968

Novalis: *Fragmente*, Hg.: E. Kamnitzer, Dresden 1929

Novalis: *Schriften*, Herausgegeben von P. Kluckhohn und E. Samuel, 4 Bände, Stuttgart 1960

Pesch, Ludwig: *Die romantische Rebellion in der modernen Literatur und Kunst*, München 1962

Schanze, Helmut: *Romantik und Aufklärung*, Nürnberg 1966

Schlegel, A. W. (1): In: *Romantik I – Die deutsche Literatur in Text und Darstellung*, Reclam, Stuttgart 1974

Schlegel, A. W. (2): In: Pohlheim, K. K. (Hg.): *Der Poesiebegriff der dtsch. Romantik*, Paderborn 1972

Schlegel, Friedrich: In: Pohlheim, a. a. O.

Timm, Hermann: *Die heilige Revolution: Schleiermacher – Novalis – Friedrich Schlegel*, Frankf./M. 1978

Welmer, Albrecht: *Kritische Gesellschaftstheorie und Positivismus* Frankf./M. 1969

III. Romantische Utopie – Utopische Romantik

„Wenn der Mensch die Kraft guten Träumens eingebüßt hätte, wenn er nicht immer wieder vorauseilen und mit seiner Einbildungskraft das Ganze seines Tuns überschauen würde, das sich mühselig unter seinen Händen herauszubilden beginnt, wie könnte er überhaupt das Umfassende seiner Anstrengung durchhalten? – Träumen wir also! Aber unter der Bedingung, ernsthaft an unseren Traum zu glauben, das wirkliche Leben aufs genaueste zu beobachten, unsere Beobachtungen mit unserem Traum zu verbinden, unsere Phantasie gewissenhaft zu verwirklichen.“

W. I. Lenin

1. Gedanken-Spiele zum orphischen Narzißmus

Von Gisela Dischner

Die Geschichte der Menschheit ließe sich als eine Geschichte der zunehmenden Zerstörung der Sinnlichkeit beschreiben. Der Mensch ist immer mehr ‚von Sinnen‘ und in dieser Sinnen- und Sinnlosigkeit wird ihm die Welt und er sich selbst immer fremder. Da er sich selbst nicht mehr ‚hat‘ muß er andere ‚haben‘, macht sie zu Objekten seiner Abhängigkeit in der irrigen Meinung, dadurch seine Unabhängigkeit zurückzubekommen. Er wird aber dadurch nur abhängig von der Abhängigkeit der anderen.

So fremd wir uns selbst sind, so fremd erscheint uns die Macht außer uns, in die wir zudem die uns entfremdeten Mächte unseres eigenen Unbewußten projizieren. Das steigert jene vielzitierte ‚Undurchschaubarkeit der kapitalistischen Produktionsweise! Es scheint keinen Weg zu geben, dieser Macht zu entrinnen, man kann sich ihr nur unterwerfen, um durch Anpassung an ihr zu partizipieren. Die Romantik hat in vielfachen Symbolisierungen des ‚Unheimlichen‘ diese Entwicklung begriffen als eine der zunehmenden Versteinerung der Welt. Der romantische Künstler ist einer, der diese Versteinerung durchbrechen will und ihr im realen Leben demnach oft erliegt. Er ist also Arzt und Patient in einer Person. Als Patient *re-agiert* er mit ‚narzißtischem Rückzug‘ aus dieser – seine Lebendigkeit erstickenden – Gesellschaft und isoliert sich; als ‚Arzt‘ *agiert* er, ist aktiv imstande, diese Versteinerung zu analysieren *und* zu durchbrechen, und zwar als Liebender. Als

Liebender verbinden sich in ihm Tendenzen mythischer Gestalten – er wird Synthese aus Orpheus und Narziß.

Es käme im Hinblick auf eine ästhetisch orientierte Sozialisation[1] darauf an, sozusagen Orpheus und Narziß zu verbinden: das androgyne Menschen- und Künstlerbild Orpheus – Urgestalt des Künstlers und des Philosophen – ist seit der Romantik stark narzißtisch geprägt. Die beiden Seiten dieser Tendenz – narzißtische Störung bei dem sich als unverstanden fühlenden Künstler Nathanael in E.T.A. Hoffmanns ,,Sandmann", ebenso wie seine Doppelgänger- und Automatenproblematik einerseits – andererseits die positiv gedachte unendliche Selbstreflexion des zu sich selbst gekommenen ,,erwachten" Bewußtseins und die *Lust* dieser schöpferischen Selbsterkenntnis; diese beiden Seiten geben auch dem Orpheusmotiv eine neue Wendung seit der Romantik. Denn sowohl der orpheusgleiche Abstieg von Novalis' ,,Heinrich von Ofterdingen" (er steigt ins Bergwerk, symbolisch in die Schichten seines eigenen Unbewußten und gleichzeitig, wie Friedrich Schlegels ,,rückwärts gekehrter Prophet", in die Schichten der Menschheitsgeschichte, die tot, versteinert, auf magische Verlebendigung, Erlösung in der Zukunft wartet), wie auch die orpheusähnliche Erscheinung von E.T.A. Hoffmanns ,,Ritter Gluck" oder der wunderbare und gleichzeitig unheimliche Fremde in ,,Johann Kreislers Lehrbrief" ist sichtbar narzißtisch gefärbt und bewegt sich im Problemkreis der Isolation des Künstlers (die überdeutlich die Isolation der Menschen voneinander in der bürgerlichen Gesellschaft allgemein zeigt). Die eine Seite der Isolation ist der ,,Wahnsinn" (von Hölderlin bis Nerval), die andere jene von Nietzsche gefeierte ,,Transzendenz der schöpferischen Lust", auf die sich noch Gottfried Benn in den ,,Problemen der Lyrik" beruft.

In dieser dionysisch gefärbten ,,Transzendenz" verbindet sich Orpheus mit Narziß. Der *orphische Narziß,* die künstlerische Ausprägung des ,,gelöst-oszillierenden Charakters" (Lallements Titel), wie der französische Situationist *Lallement* 1968 sich den neuen, nicht mehr anal-fixierten Menschen erhoffte als Utopie, ist der liebesfähig gewordene Narziß, der, durch sein Spiegelbild hindurch, es überwindend, in die Unterwelt, ins Totenreich, ins drohend Unbewußte, in die tote Vergangenheit hinabsteigt, um dort Eurydike oder überhaupt die tote Liebe zurückzuholen und die versteinerte Welt durch seinen liebenden Gesang ins Fließen zu bringen, die harte Oberfläche aufzubrechen – auch die der Sprache oder der geronnenen Bilder, ein destruktiver Akt zuerst – aus Liebe!

Ich meine, daß das frühromantische Ideal der reflektierten Unschuld, der ,,second innocence" (Shelley) diesem *orphischen Narzißmus* sehr nahekommt. Der orphische Narziß ist nicht der ,,oralregressive", konsumorientierte, selbstbezogene Nichterwachsenwerdende, wie wir ihn als Typ in der jugendlichen pop-scene oft männerbündlerisch-frauenverachtend und homoerotisch-kokettierend finden,[2] sondern er entspricht beispielsweise dem Idealbild des Novalis, dem nicht vorschwebte, einer geschlechtsspezifischen Entwicklung mit ihren Krisen aus dem Weg zu gehen (letztlich: geschlechtslos zu bleiben), sondern weibliche und männliche Geschlechtsentfaltung ohne rigide Rollenzuweisung zuzulassen – Friedrich Schlegel spricht in der „Lucinde" vom Ideal der sanften Männlichkeit und starken Weiblichkeit, die sich gemeinsam zur höheren Menschlichkeit entfalte.

Hier geht es nicht mehr um ein Ichideal, das möglichst „autonom" ist, sondern um das Sich-einander-Öffnen bis zur Kommunikation des Unbewußten miteinander. Novalis, Schelling und die Schlegels (die Brüder und ihre Frauen Caroline und Dorothea) sprachen diese Tendenz aus, wenn sie das „Symphilosophieren", „Sympoetisieren" und „Symleben" anstrebten. Ihre Briefe und schriftlichen „Gespräche" sind uns als „Sym-bol" (wörtlich: Zusammenfallen) dieser Sehnsucht erhalten geblieben.

Orpheus geht in die Unterwelt, ins Totenreich, öffnet sich dem *Toten*, Versteinerten, um die tote Liebe, Eurydike, zurückzuholen ins strömende Leben, ins Lebendige.

Er weiß von einer Zeit der liebenden Vereinigung der Menschen miteinander, der Dinge, der Welt. Er singt erinnernd, beschwörend von dieser Zeit, er singt von einer Herkunft, die wieder Zukunft als (wie Novalis hofft) Zu-Sammenkunft werden soll. Und mit diesem Gesang rührt er an das Verbannte, Versteinerte, Unerlöste in Menschen und Dingen. Er bringt die Steine zum Tanzen, er zähmt die wilden Tiere, er führt die Menschen zu liebender Vereinigung. Aber er selbst ist Medium dieser Sehnsucht nach liebender Erlösung, er selbst ist ihr Opfer, denn er überschritt das Verbot, das Gesetz: er dreht sich, von Sehnsucht überquellend, nach Eurydike um, als er sie zurückholen will, und nun verliert er sie ganz, er sieht sie, einen Augen-Blick und dann verschwindet sie auf immer. Sein Gesang wird Totenklage und damit noch überwältigender, noch herzzerreißender, noch verführerischer. In allen weckt es die dunkle Ahnung von einem möglichen „Leben in der Poesie", von der Erlösung durch die Liebe in einer entgrenzten Welt des Bezugs.

Dies ist die Geheimlehre, die ‚Orphik': die Lehre vom richtigen Leben, die einige immer wieder mit-reißt, die sie weitertragen, die sie verbreiten, sub-versiv, unter der versteinerten Oberfläche erstarrter Konventionen. Orpheus ist Sänger, Dichter, Arzt, Schamane, Priester, Philosoph. Die Orphik ist notwendigerweise Geheimlehre, sie muß von jeder Autorität verboten werden, denn sie ist antiautoritär, sie sucht ‚das Göttliche' in uns und nicht außer uns; die Hierarchie des Gottes, der Götter über uns dient jeder Form der Herrschaft, auch der über sich selbst, deshalb wird die Orphik von jeder Form der Herrschaft und Autorität zu jeder Zeit verfolgt, deshalb muß sie sich verkleiden, verstecken, in die Wüste, ins Exil gehen, ins Getto, in die Hohlräume unter der verkrusteten Oberfläche der Norm, der Gesetze, des als Norm Gesetzten, das alles Lebendige im Keim erstickt: es ver-keimt, sein Wesen vertrocknet unter dem Panzer der Versteinerung, wächst ins Innere. *In* uns liegt das Tote, das Vergessene, das Verdrängte, das uns doch drängt, abgetrennt von unserem Wissen, unserer erinnernden Liebe, das uns drängt, die Liebe zu finden, den Rausch, die Entgrenzung, das uns drängt zum ‚Wiederholungszwang' dieser Suche, die wir aber, gerade im Rausch, in der Ekstase, wo wir die Grenzen unserer Identität überschreiten, wo wir aus uns gehen und bei uns sind, panisch abbrechen aus Angst, wovor? Vor Identitätsverlust, vor Liebesverlust, vor Alleingelassenwerden in diesem wehrlos geöffneten Zustand? Sollte es die Erinnerung an diesen Moment wachrufen, in welchem wir aus der vergessenen frühen Mutter-Kind-Symbiose gestoßen wurden, ein ‚Einzelwesen' werden mußten? Sollte Orpheus der ‚transzendentale' Arzt sein, der uns den Weg zurück zeigt, den wir angstfrei wagen, weil der Wiederholungszwang aufhören kann endlich, weil es sich nicht wiederholt, weil wir ihn reflektiert gehen, weil wir endlich, zum zweiten Male gehen lernen?

Und wer ist Narziß? Narziß ist jener, der auf dem Weg zurück ins eigene Spiegelbild versinkt, in das Stadium nach dem Ausschluß aus der frühen Liebesvereinigung, Narziß, der in sich selbst das ‚Liebesobjekt' sucht, weil er Angst hat, daß alle anderen ihn verlassen. Narziß, dessen traurige Geliebte, der er sich kaum zuwendet, Echo heißt. Kann er nur sein eigenes Echo, sein Spiegelbild noch lieben?

Dieser Zustand ist ein später, er ist der des Nathaniel in E. T. A. Hoffmanns Sandmann, der auch deshalb in eine „narzißtische Regression" verfällt, weil, wie Freud sehr richtig sieht, der ödipale Konflikt nicht gelöst wurde. Was Freud indessen übersieht, ist die Rolle der Geliebten Clara (Vertreterin der Auf-Klärung, im Namen schon angedeutet), die ihn, der Erlösung in der Liebe sucht, der geliebt werden will, um liebesfähig zu werden, nicht versteht, seine sehnsuchtsvollen Ahnungen als Empfindeleien und kranke Melancholie wegrationalisieren will, weil sie von bloßer Ratio durchdrungen ist. Im narzißtischen Rückzug *bewahrt* sich Nathaniel auch sein Reich der Phantasie, aber diese Isolation macht ihn wahnsinnig.[3] Indessen ließe sich ein anderer (von der bürgerlichen Trennung in Gefühl und Verstand noch nicht affizierter) Narziß, eben jener der Mythologie denken, den Herbert Marcuse in seinem Kapitel über „Orpheus und Narziß" *neben* Orpheus stellt: „Orpheus und Narziß stehen für eine sehr andere Wirklichkeit (wie Dionysos, dem sie verwandt sind: der Antagonist des Gottes, der die Logik der Herrschaft, das Reich der Vernunft sanktioniert). Sie wurden niemals die Kulturheroen der westlichen Welt: Ihre Imago ist die der Freude und der Erfüllung, ist die Stimme, die nicht befiehlt, sondern singt; die Geste, die gibt und empfängt; die Tat, die Friede ist, und das Ende der Mühsal der Eroberung, ist die Befreiung von der Zeit, die den Menschen mit Gott, den Menschen mit der Natur eint... Die Urbilder des Orpheus und Narziß versöhnen Eros und Thanatos. Sie rufen die Erinnerung an eine Welt wach, die nicht bemeistert und beherrscht, sondern befreit werden sollte – eine Freiheit, die die Kräfte des Eros entbinden würde, die jetzt noch in den unterdrückten und versteinerten Formen des Menschen und der Natur gefesselt sind." (Marcuse: 160 ff).

Aber das wäre Liebe, nicht ‚bloße' Selbstbespiegelung, sie wäre entgrenzend, grenzüberschreitend, nicht verharrend, kreisend im frühen ungekränkten Zustand kindlicher Omnipotenz. Narziß macht *auch* den ersten Schritt zur Selbsterkenntnis, und eröffnet den Weg der reflektierten Rückkehr, der Befreiung. Gleichsam zeigt er, aber erst in der Moderne, die Tragik, daß die Menschheit im Zustand der

Entfremdung ihrer selbst bewußt zu werden beginnt.

Rousseaus ,,Bekenntnisse" sind das einflußreichste Zeugnis dieses ,,modernen" Zustandes, in welchem der Mensch sich erkennt, aber als vereinzelter Einzelner, als Alleingelassener, als von Gott, von der Mutter, vom Kollektiv Verlassener. Er sieht sich, aber er sieht, wie er sich selbst verliert hinter dem ,fremden Blick' der anderen, durch den er sich mehr und mehr sieht aus Sehnsucht, geliebt, anerkannt, verehrt zu werden. Mit der Einsamkeit nimmt diese Sehnsucht zu, verformt das Wesen, ent-fremdet es dem Menschen, stellt es ihm gegenüber als Gott, Teufel, Dämon. Nichts wird davon unberührt gelassen, die ,Narzißmus'-Problematik wird seitdem verbunden mit der Stellung des Künstlers am Rande der Gesellschaft, als ihr Alibi, daß sie doch noch nicht versteinert sei.

In dieser Sphäre, im inneren Exil der Kunst, in dieser Randzone mischen sich nun Orpheus und Narziß. Denn Orpheus kann nicht mehr der ,,selbstvergessene" Sänger sein. Wenn er (von der Aufklärung in die zu überwindende Mythologie verdrängt) in der Romantik wieder thematisiert wird, so ist er ein anderer geworden, eigentlich ist er, wie die romantische Poesie selbst, immer im Werden. Er ist zuerst Narziß, festgebannt vom eigenen Spiegel, aber auch auf dem Wege der Selbsterkenntnis. Erst die Liebe löst ihn vom Bann, durch sie wird er fähig, sein eigenes Spiegelbild zu durchschreiten, sich sehnsüchtig dem Toten zuzuwenden, um die tote Liebe zurückzuholen, wie Orphée im gleichnamigen Film Cocteaus.

Der Weg zurück ins Totenreich, ins Reich der Versteinerung ist gleichzeitig der Weg ins eigene Unbewußte, das, wie die Schichten des Bergwerks im ,Heinrich von Ofterdingen', je tiefer, desto versteinerter ist, desto unzugänglicher, überlagert von neuen Schichten. Der Weg dorthin ist gefährlich, von Tod und Wahnsinn bedroht, nur die *Reflexion* erleichtert ihn. In der Reflexion, die in der Romantik immer auch ,Reflexion der Reflexion' ist, macht sich das reflektierende Subjekt zum Objekt der Selbsterkenntnis, es geht also den Weg der Subjekt-Objekt-Trennung weiter, um dieser Trennung auf den Grund zu kommen, denn nur dies kann zu einer reflektierenden Vereinigung beider führen. Dieser Weg, der Weg von ,Isolation' und ,Zusammenhang' (Roland Barthes), wird vom Dichter sprachlich realisiert als Zerstörung der versteinerten Sprachoberfläche und Synthese einer neuen Sprache durch ,Romantisierung', Verfremdung der Sprache der Konvention. In der Moderne wird dies realisiert im Aufbrechen der grammatikalischen Regeln, die als Ausdruck gesellschaftlicher Regeln verstanden werden. Sprachliche Hierarchie und gesellschaftliche Hierarchie sind aufeinander bezogen, Ausbeutungsverhältnisse werden im Subjekt-Objekt-Verhältnis sprachlich verifiziert. Sprachliche Aufhebung dieses Verhältnisses heißt spielerisches Probehandeln; Reflexion auf das Unbewußte auch der Sprache – und Transzendenz sprachlicher Regeln zeigt die Relativität von Regeln als Gesetztem, Vereinbartem. So ist die Subjekt-Objekt-Trennung so wenig ,,natürlich" wie die Trennung des Menschen von der Natur (auch seiner eigenen, die er fürs ,Realitätsprinzip' zunehmend verdrängt) und das ,ozeanische Gefühl' der Verbundenheit mit dem Kosmos, das Freud als typisch für den primären Narzißmus sieht, gewinnt auf reflektierter Stufe, ein subversives Potential *gegen* die bestehende Trennung. Denn, wie Alfred Sohn-Rethel gegen die traditionelle Erkenntnistheorie formuliert, „für mich tritt an die Stelle der erkenntnistheoretischen Vexierfrage, wie das Subjekt und das Objekt zueinander kommen können, die umgekehrte Frage, wie sie auseinandergekommen sind (ich sehe daher auch für die Abbildtheorie keinen Platz), und nur diese Frage ist beantwortbar.… In der Geschichte des Ausbeutungsverhältnisses reift in der Negativität, daß sie sich den Menschen ihre Wirklichkeit im bloßen Wesen verdeckt und aufhebt, doch der Mensch zu dem Wesen heran, das die praktische Aufhebung der Ausbeutung selbst zu postulieren und zu realisieren vermag." (Warenform und Denkform: 24).

Auf diesem Weg, der ein Weg zurück ist zur Genesis der versteinerten Verhältnisse (in uns und um uns) begegnen wir dem Tod als dem Tod *der* Identität, die sich nach innen *und* außen verhärtet hat, denn dieser Weg ist der „Weg nach innen " (Novalis) in die tiefsten und härtesten Schichten des Unbewußten, die scheinbar tot (scheintot), weil „vergessen" in uns sind und doch auf unser Denken und Handeln wirken, aber unbewußt, das heißt uns selber fremd geworden, „entfremdet": die Kraft der Reflexion, schon jenseits aller normierten (dem Unbewußten gegenüber hilflosen) Rationalität, die diesen Weg ermöglicht, ist von den Romantikern als eine synthetisierende Kraft gesehen worden, in welcher Phantasie, Gefühl, Verstand ungetrennt wirken.

Der romantische Begriff der *Reflexion* signalisiert das (reflektiert) narzißtische Moment am orphischen Narzißmus. Das Zu-sich-selbst-Kommen der Dinge und Menschen geht nicht nur in ,opferbereiter' Liebe, vielmehr durch das eigene Spiegelbild hindurch; narzißtische Selbstbespiegelung, in der Literatur seit Rousseaus ,Bekenntnissen' „salonfähig", enthält auch das Moment der Selbstsuche und Selbstfindung. – Überwindung des regressiven Narzißmus: Einsicht, daß erst der Liebesfähige, d. h. jener, der sich nicht nur im anderen spiegelt, sondern diesen als von ihm unterscheidendes anderes Subjekt wahrnimmt, akzeptiert und liebt, sich wirklich selbst finden kann. Der sich selbst findet, erkennt auch die Welt und weiß das erlösende Wort: „Gelingts das Innere zu entblößen, / So bricht der Tag der Freiheit an." (Novalis: 203)

Die Genesis der Reflexion setzt die Subjekt-Objekt-Trennung voraus, aber sie selbst ist zugleich Medium ihrer Aufhebung. Novalis hat hier – Fichte mit Schelling „aufhebend" – naturphilosophische Gedankengänge weiterverfolgt. Ähnlich wie Schelling denkt er die Aufhebung der Trennung durch jene Reflexion, die fähig wäre, sich an ihre eigene Genesis zu erinnern, also den Ursprung der Trennung und, noch weiter zurück, an eine Natur, die von dieser Trennung noch nichts weiß (Schelling nennt sie deshalb „absolut"). Dies wäre die „reflektierte Regression": Freud versucht sie mit dem Entwurf der Psychoanalyse ,praktisch' zu realisieren. Novalis hat sie in seinem triadischen Geschichtsbild als Weg zum zukünftigen ,Goldenen Zeitalter' beschrieben, einem Zustand reflektierter Kindheit, zweiter Unschuld, Versöhnung mit der inneren und äußeren Natur, einem Zustand der

Freiheit, den wir „jetzt" im Medium der Kunst antizipieren, keiner Anpassung an die Realität (wie später tendenziell in der Psychoanalyse).

Die negative Wertung des Narzißmus beginnt nicht erst in der Psychoanalyse, und nicht erst durch sie hat sie einen Zusammenhang mit ‚Realitätstüchtigkeit'. Novalis und Friedrich Schlegel sind in ihrer Forderung nach der Verbindung von Kunst und Leben gegen den Alltag einer sich etablierenden Leistungsgesellschaft (wo Narziß keinen Platz hat) zu ihrer Zeit radikal. Jochen Hörisch weist darauf hin, daß sie über Freud hinausgeht und auf gegenwärtige Diskussionen vorausweist. „Schlegels positive Narzißdeutung (in der „Lucinde", G. D.) ist literaturgeschichtlich hinsichtlich der Dichtungen um 1800 ebenso singulär wie ihre Parallele zu aktuellen psychoanalytischen Versuchen frappiert, die Existenz von Objektbeziehungen nicht alternativ zum Narzißmus zu denken" (Hörisch: 116). Wie im ‚Heinrich von Ofterdingen' wird in der ‚Lucinde' das Stadium des Spiegelnarzißmus im Augenblick der Liebe durchschritten hin zu einer offenen „Selbstbeziehung" (Hörisch: 114), die erst wirkliche Selbsterkenntnis ermöglicht, und zwar im Medium der Er-innerung.

Reflexion ist die Voraussetzung der Erinnerung (analog der Psychoanalyse): als Erinnerte wird Eurydike, werden die Geliebten unsterblich, wird die Menschheitsgeschichte unsterblich, d. h. angeeignet im Medium individueller Reflexion. Der Weg in die Geschichte und der Weg ins eigene Innere bedürfen einander – Novalis stellt im „Heinrich von Ofterdingen" dar, was eigentlich undarstellbar ist und thematisiert dieses Problem gleichzeitig im Medium der Reflexion. Die Grenzüberschreitung nach innen *und* außen, wo sich Endliches und Unendliches berühren, der ‚Weg nach Hause', nach innen, ins eigene Selbst, in die eigene Geschichte (vgl. Relevanz des Mittelalters), die reflektierte Rück-Heimkehr (vgl. Psychoanalyse), der Weg in die eigene Kindheit *und* die der Menschheit eröffnen erst den wahren *Weg nach vorn,* in die Zukunft. Die Vergangenheit – verarbeitet – nicht mehr als blindes Weiterwirken, sondern der subjektive Umgang mit ihr, Versöhnung mit der eigenen Vergangenheit, auch der Vergangenheit der eigenen Trieb-Natur, macht Begegnung erst möglich. Erst im Wissen um das eigene Wesen kann das andere Wesen als anderes akzeptiert und geliebt werden. *Danach* ist die Selbstbegegnung zum anderen wieder möglich *ohne* den anderen als bloßes Spiegel-Echo narzißtisch zu mißbrauchen (wie Olimpia, im ‚Sandmann'). Dies ist der Weg, die *Grenzüberschreitung nach innen:* nicht die äußeren Identitätsgrenzen sind das Bedrohliche, sondern die inneren, die uns entfremdeten, fremdgewordenen, verdrängten. Das Eigenste, Vertrauteste, Innerste, Heimelige wird, da uns ver-heimlicht, das Unheimlichste.

Heinrich von Ofterdingen wagt den Abstieg nach innen, symbolisiert im Gang ins Bergwerk. Er ist Liebender, deshalb zum Dichter befähigt. Heinrich sieht in der blauen Blume nicht nur die Geliebte, Mathilde, sondern *er* ist „der Glückliche, dessen Wesen das Echo, der Spiegel des ihren seyn darf" – diese Selbstbegegnung in der Liebe ist deshalb Selbstfindung, weil sie den *anderen nicht* zum Objekt fixiert (= er darf sich nicht mehr bewegen, muß Statue, Puppe Olimpia werden), sondern sich selbst anbietet als Objekt in dem Wissen, eine unendliche Erweiterung des eigenen Ich durch das andere Subjekt zu erfahren; das sich gegenseitige Blickspiegeln zeigt den anderen, und das eigene, verborgene ‚andere' im Anderen als das Eigene, verborgen Gebliebene, durch die Liebe Befreite, Hervorgelockte. *Todes*überwindung (Mathilde stirbt und schickt ihn auf die Wanderung), weil man das Totenreich wagt, indem man die eigene Identität auflöst (Todesgefahr), da man sie dem anderen in der Liebe ganz weit öffnet: Auslöschung der Individualität, Orpheus durch das eigene Spiegelbild gehend, sich überschreitend aus Liebe. Einheit von Ich und Welt aber ist notwendig eine transitorische, sie darf so wenig als Besitz, als End-Gültiges, als heimatliches Nest gesehen werden wie die Liebe und die Geliebte.

Das *Außen* (= anderes Subjekt, als das andere anerkannt) wird zum *Innen,* zum Erkennen des bis dahin fremden, nun als eigen Erkannten, damit wird das Unbekannte bekannt, d. h. ein Teil des Romantisierens geschieht in der liebenden Begegnung. Wenn das Unbekannte (= das verdrängte Eigene *und* das Nichterkennen-Wollen des anderen als Anderes) vertraut ‚liebend' erkannt und dadurch Selbsterkenntnis möglich wird, so löst sich jener ganze Angststau, der sich vor dem Fremden, die Identität Bedrohenden gebildet hatte. Orphischer Narzißmus also letztlich auch eine Methode des richtigen Lebens (Liebens). Ist die Geheimlehre der „Orphik" Esoterik? Die Eingeweihten sind die wahrhaft Liebenden und jeder kann potentiell Eingeweihter werden. Reflexion und Ironie widersprechen dem nicht. Die Geheimlehre heißt: Hebe alles Bedingte auf, öffne dich für die Verwandlungen von Ich und Welt! Romantische Ironie ist deshalb durchaus eine mögliche Methode des orphischen Narzißmus. Indem die *normierten* Einteilungen der Welt (gut-böse, schön-häßlich…) als Setzungen höchst menschlicher, geschichtsbedingter Art durchschaut werden, kann man sie *spielerisch umkehren.* Satzungen, Gesetztes, ist Vereinbartes, Vertragliches. Sie werden dem romantischen Ironiker unerträglich, er stellt sie in Frage, wie er auch das Selbst-Gesetzte und Gemachte (das Kunstwerk) infrage stellt, indem er es als *Bedingtes* sieht und anerkennt. So erhält er die unbedingte Freiheit, sich darüber zu stellen, es zu relativieren wie die Welt. Die Achtung vor dem, was als Norm, als Gesetz, als *Wirklichkeit* gilt, weicht dem ironischen Spiel, sozusagen einem Probehandeln. Die Gesetze der Gesellschaft werden als Fiktionales durchschaut, man sagt wortlogisch „gesetzt, es wäre ganz anders". Aber dies führt nicht zu Gegengesetzen, zur Aufstellung einer Gegenwelt, sondern *zerbricht die Norm der Einteilung* (in rational/irrational, wirklich/fiktional). „Aber die höchste Schönheit, ja die höchste Ordnung ist denn doch nur die des Chaos, nämlich eines solchen, welches nur auf die Berührung der Liebe wartet, um sich zu einer harmonischen Welt zu entfalten, einer solchen, wie es auch die alte Mythologie und Poesie war." (Schlegel: 174 f)

Damit gibt es kein ‚Definitives' mehr, das ‚Definitive' wird als Vereinbarung durchschaut, als Gemessenes, Abgegrenztes, das dem dualistischen abendländischen Weltbild entspricht.

Das ‚*vernünftiges Chaos'* nun wäre im Unterschied zum un-unterscheidbaren Urschlamm jenes Chaos, das, ohne sich festzulegen, abzugrenzen, einzuteilen „sich selbst durchschaut" als das unendliche Vielfältige, alles Enthaltende – Ich – Chaos – Welt:‚ich bin' das vernünftige Chaos, in mir ist die Vielfalt der Welt, sie ist verkeimt, ‚verwest', eingefaltet statt entfaltet, solange ich sie nicht erkenne, produktiv mache.

Nimmt man hinzu, daß das begrifflich einteilende, abgrenzende, limitierte und limitierende Denken im Zusammenhang steht mit der Tauschgesellschaft, den a-priori-Verträgen der Tauschenden, der Vereinbarung, alles Qualitative auf vergleichbare Quantitäten zu reduzieren zum Zwecke des Tausches, dann wird klar, was es mit dem vergleichenden Denken auf sich hat. Die Vereinigung des Gegensätzlichen als Synthese ist eine Herausforderung für dieses vergleichende Denken. Das Paradox und das Oxymoron, romantisch-moderne Stilmetapher der Vereinigung des Gegensätzlichen (z. B. „schwarze Sonne", Novalis: 308) bekommen von hier ihren Sinn als Figuren der romantisch-ironischen Methode der Selbstaufhebung alles Fixierten, Normierten, Eingeteilten. Der Romantiker ist *zu Hause*, wenn er auf der *Reise* ins Land der Poesie sich befindet, seinen ‚Trip' macht in die ‚poetische Daseinsweise', dem ‚Leben in der Poesie' (wie E.T.A. Hoffmann es als Märchen im ‚Goldenen Topf' beschreibt), dem ästhetischen Zustand, der sich, so wollen es Friedrich Schlegel und Novalis, willkürlich herstellen lassen soll. Die Poesie soll in eben diesem konkreten Sinne „Gemütererregungskunst" sein, sie soll die Gemüter aus ihrem Fixiert- und Erstarrtsein im Alltag reißen und sie erregen, in den ästhetischen Zustand zu kommen, in welchem sie die Dinge neu wahr-nehmen: Poesie also ist *Methode,* Einübung in diese Daseinsweise, die sich als transitorische immer neu herstellt, immer neu hergestellt, hervorgebracht (Poiesis-Poesie) werden muß.

Das Unterwegs als Zuhause bedeutet die nie gestillte Sehnsucht nach dem Unendlichen als ‚Heimweh', die ständige neue Grenzüberschreitung zu sich selbst (scheinbar von sich weg durch Länder und Zeiten fallend-fliegend-erkennend, daß es Heimatländer sind – und die Gleichzeitigkeit des Vergangenen-Vertrauten und Zukünftig-Erahnten), die dauernde Verwandlung von Ich in Welt, in Du, zu Welt, Du in Ich, ins Eigenste, Innere, bestimmt die Poesie als Ziel zum u-topischen Ort schlechthin, zum Nirgendwo (Bestimmten), weil dauernden Unterwegs.

Die Reise ist das Ziel, es geht um Reisenlernen, Sehen-Lernen, sich selbst in den Zustand des Hervorbringens der Welt versetzen lernen. Das Ziel-Resulthafte wird damit aufgehoben. Konsequenterweise entspricht dieser Methode als ‚Resultat' das Fragment, der Brief, das Märchen und der Roman im Schlegelschen Sinne als Versuch der Aufhebung aller Gattungen.

„Geistige Gegenwart", als – wie Novalis sagt – „Atmosphäre des Dichters" schließt Vergangenheit und Zukunft ein, durch ein grenzüberschreitendes Auflösen der bestimmten Zeiten, Geschlechter, Rollen und Dinge, im Gegensatz zum Ausschlußverfahren des trennenden begrenzenden be-grifflichen Denkens, das Novalis „gewöhnliche Gegenwart" nennt, welche Vergangenheit und Zukunft „durch Beschränkung" verknüpft.

Hier wird deutlich, daß bei Novalis die *Geschichtsphilosophie* identisch ist mit der *Ästhetik* und der *Poesie* selbst, in welcher immer wieder der Gang der Poesie zu sich selbst, *das Unterwegs als die Heimat des Dichters* dargestellt wird.

Das transitorische Dasein des Dichters ist zwar noch ‚Ausnahmezustand' des Eingeweihten, daher auch schmerzvoll (weil oft einsam), es soll aber positiv gewandt werden: „Einst ist alles Daseyn poetisch". Das Goldene Zeitalter der Zukunft ist der Zustand einer zu sich selbst gekommenen Menschheit, welche die transitorische Existenz selbst als lustvoll erfährt, als dauernde Verwandlungsfähigkeit, als dauerndes Hervorbringen eigener Welten, ein Zustand, den man beispielsweise in der ‚Drogenkultur' zu antizipieren versucht, der aber oft in der Katastrophe endet, weil sich kein Weg der Integration zeigt, weil er oft auch nicht produktiv realisiert wird. Der Zustand des Übergangs, d. h. genauer des Über-Gehens, Transzendierens kann von den von der Normierung befreiten Subjekten als lustvoll erfahren werden, weil sie keine Angst vor Identitätsverlust mehr auf ein erstarrtes, versteinertes Dasein fixiert. Aus Angst vor dem Tode wagen die ‚Objekte' eines blinden Schicksals keine Bewegung mehr, d. h. sie sind eigentlich lebende Tote, Versteinerte, die erstarren, weil sie das Grenzüberschreitende nur als Auflösung der schwer in der Balance gehaltenen, ‚teuer erkauften' Identität begreifen können. Der orphische Narziß, seine Identität ständig überschreitend, steht am ortlosen Ort, in der Utopie: Nirgend-Ort, im All-Ort dauernder Grenzüberschreitung. Verwandlung: Herkunft-Zukunft-Zusammenkunft-Ankunft.

Die Seele als Brennpunkt von Innen und Außen, Endlichem und Unendlichem, das sich in poetisch-magischer Synthese durchdringt.

Magie ist: Herkunft und Zukunft zur Zusammenkunft zu synthetisieren – mit dem ‚Zauberstab der Analogistik'. Poesie als Unterwegssein ist deshalb immer Heimweg und Ankunft zugleich, reflektierte Rück-Schau im Sinne der Ontogenese (Kindheit) und Phylogenese (Menschheit in der Geschichte). Insofern ist der Dichter Re-präsentant dessen, was ‚nicht ist, aber sein soll', ‚Vergegenwärtiger' des zukünftigen Goldenen Zeitalters, das noch nicht ist, aber schon geahnt wird vom Dichter, der es als sein Herkunftsland pro-jektiert: „Das ganze Menschengeschlecht wird am Ende poetisch. Neue goldene Zeit" – (Novalis: 317) dies ist der Entwurf (Projekt) des Schlusses von Heinrich von Ofterdingen: wenn die Poetisierung der Welt ganz realisiert ist (denn *alle* Menschen sind ‚thronfähig' und potentiell Künstler) befinden wir uns im ‚Goldnen Zeitalter', das damit definiert und gleichzeitig in weite Ferne gerückt ist.

Durch diese Definition aber erhält das ‚Goldne Zeitalter' eine ganz andere Dimension als die häufig in der Sekundärliteratur angenommene; es ist *nicht* als geschichtliche Regression zu verstehen, weder in ein imaginiertes Mittelalter noch in einen paradiesischen Kindheitszustand der Menschheit. Vielmehr sind die rückwärtsgewandten utopischen Metaphern (Mittelalter, Paradies, Kindheit) in der Logik der triadischen Geschichtsphilosophie zu denken:
1) einst idyllisch glücklicher Zustand der Menschheit,
2) Trennung, Isolation voneinander, Zerrissenheit aber *auch* Reflexion, beginnende Selbsterkenntnis
3) utopischer Zustand neuerlicher Vereinigung, reflektiertes Paradies, zweite Unschuld.

Das Uneingelöste einer in der Zukunft sich erfüllenden Vergangenheit, die in dieser *nicht* realisiert war, entspricht der geschichtsphilosophischen Utopie.

Der orphische Narziß ahnt diese Verbindung von Herkunft und Zukunft (als Ankunft), aber er weiß, das auch er *selbst* unerlöst ist, selbst erst in der Liebe erlöst werden kann, die in diesem Leben unrealisierbar scheint. Von Orpheus, dem sozusagen noch naiven Sänger der Vorzeit, unterscheidet ihn das Bewußtsein seiner selbst als Zerrissenem in einer Zeit der Isolierung der Menschen voneinander, das Bewußtsein, daß, wie Adorno sagt, es kein richtiges Leben im falschen gebe, aber zugleich unterscheidet ihn, durch seine ‚Ausflüge' in den ästhetischen Zustand, in die Welt des Bezugs (von Wörtern, Dingen, Menschen), das konkrete Bewußtsein, wie es sein könnte, aber nicht ist. Das erhöht seine Zerrissenheit vielleicht noch – vor allem, wenn er einsam ist wie Hölderlin oder Kleist; auch Fr. Schlegels Identifikation mit ‚Hamlet' zeigt dies.

Das Heimweh (nach dem, was nicht ist, aber sein soll) mischt sich mit der orphischen Totenklage um die tote Liebe, die Unerlöstheit der Welt, mischt sich mit dem Klagelied über die Zerrissenheit des Bestehenden, zeigt damit den Traum vom goldenen Zeitalter sichtbar als *Traum*, der am Bestehenden rüttelt, seine Versteinerung um so unerträglicher macht. Es wird klar, daß das gegenwärtige Zeitalter der Entfremdung der Menschen voneinander und von den Dingen nicht ‚übergangen' werden, jedoch (als poetische Aufhebung) in Augenblicken transzendiert werden kann. Diese Geschichtsphilosophie ist nicht nur die von Fr. Schlegel und Novalis, wir finden sie auch bei den Dichtern Hölderlin, Kleist, Jean Paul, den Geschwistern Brentano, die ja teilweise eher an der Peripherie der Romantik anzusiedeln sind, bzw. als ‚nicht einzuteilende' Gestalten den Gedanken von ‚Epochen' der Dichtung in Frage stellen. Die ‚Jenaer Gruppe' indessen kann in etwa zusammen gesehen werden, hat sich selbst auch als ‚dichtendes Kollektiv' mit der Zeitschrift

Athenäum von den anderen ‚Zeitbewegungen' bewußt abgegrenzt. Clemens Brentano gehörte ihr kurz an, er verstand sich als Schüler Friedrich Schlegels und verteidigte die Gruppe in seiner ersten öffentlichen Literatursatire von 1800: Satiren und poetische Spiele von Maria. Erstes Bändchen. Gustav Wasa.

Kleist hat in seinem Aufsatz über das Marionettentheater den Weg von einstiger Unschuld und Harmonie durch Isolation, Trennung, ja ‚Automatisierung' (technischer Perfektabilität der sich aus dem eigenen Schwerpunkt ‚schön' bewegenden Marionette) hindurch in einen reflektierten paradiesischen Zustand der Vereinigung freier Subjekte metaphorisch umschrieben. Im Unterschied zum gängigen Rousseauismus seiner Epoche (dessen ‚zurück zur Natur' im übrigen mißverstanden wurde) hat er, ähnlich den Frühromantikern, die Notwendigkeit einer höchsten Reflexionsstufe – allerdings im Zustand der Selbstentfremdungen des Menschen im Zeitalter der vielgepriesenen Vernunft – betont. Dies entspricht der Idee von Novalis, daß es ohne Trennung (Ausbildung einer ‚polaren Sphäre') keine Verbindung gebe, denn die falschen Verbindungen müssen zerrissen werden, um die *freie* Verbindung zu ermöglichen.

Kleists Gedanke, daß wir ‚gleichsam nochmals vom Baum der Erkenntnis essen müßten' (das frühromantische Denken des Denkens, Reflexion der Reflexion etc. ließe sich hier zuordnen), um dann sozusagen ‚von hinten' ins Paradies zu gelangen, beschreibt nicht nur den geschichtsphilosophischen Weg des ‚rückwärts gekehrten Propheten' (den Benjamin in der Gestalt des Angelus Novus aktualisierte), er beschreibt antizipierend den Weg einer, auf die Phylogenese der Menschheit übertragene, reflektierenden *Psychoanalyse*, welche das Uneingelöste des Vergangenen (die unerfüllten Kindheitswünsche) nicht nur in der individuellen Kindheit sucht, sondern ebenso in der Geschichte der Menschheit. Auch in der Geschichte der Menschheit gibt es ‚Erwachsene' (in der Zivilisation ‚höher' entwickelte ethnische Gruppen), welche in das Natur–‚Paradies' der Primitiven eindringen, um ihnen den ‚Segen der Zivilisation' zu bringen und sie vom geschichtlichen Fortschritt als Realitätsprinzip – wenn nötig mit Feuer und Schwert – zu überzeugen. Diese Wunden, die sich die Menschheit schlug, sind nicht einfach mit den ‚Heilkräutern' eines ‚Zurück zur Natur' zu schließen. Diese Wunden, die auf dem Weg der inneren und äußeren Disziplinierung die Menschen zu KRANKEN machten, brachten ihnen gleichzeitig die Erkenntnis ihrer selbst; die müßige Frage, ob es sich dabei um eine nur geschichtliche oder logische Notwendigkeit handelte, ‚notwendig durch die Entfremdung hindurch', ist hier zu schwierig zu behandeln.

Nun stellt Kleist die Frage, wie wir ins Paradies zurückkehren können als quasi ‚Zivilisationswunde', und er beantwortet sie wie die Frühromantiker: indem wir den höchsten Grad der Erkenntnis erreichen, kommen wir, wie die künstliche Marionette, zu einer natürlichen Grazie zurück. Wir gesunden nach dem ‚heilpraktischen' (praktisch heilenden) Verfahren der Verstärkung des Gifts, das ins Heilmittel umschlägt: die Erkenntnis, die uns von uns selbst wegführte, uns voreinander und von uns selbst entfremdete (weil als einseitige naturunterdrückende Verstandeskraft ausgebildet), muß uns zu uns ‚zurück'-führen, aber eben auf höherer Stufe, zu einer ‚reflektierten Kindheit'. In diesem Sinne versteht Novalis den Dichter als ‚transzendentalen Arzt', der den Weg dorthin weiß, weil er sich, obwohl auch selbst krank, nicht von sich selbst *so* weit entfernt hat, wie die dem ‚normalen' Arbeitsprozeß unterworfenen Menschen. *Dichten* also, jenseits eines nur vordergründigen Engagements für tagespolitische Ziele, wird verstanden als Aufzeigen der *Methode herrschaftsfreier Aneignung der Natur, reflektierter Rückkehr ins Paradies*, d. h. ins poetische Dasein, in die nicht mehr angstbesetzte transitorische Existenz der ständigen Verwandlung der Welt, des Unterwegsseins zwischen Herkunft (Vergangenheit) und Ankunft, ‚geistiger Gegenwart', welche die Zu-Kunft ahnend antizipiert. Daß dies der dauernden *synthetisierenden* Anstrengung der produktiven Einbildungskraft und der Reflexion bedarf, zeigt, wie wenig regressiv-harmonistisch diese Methode zu verstehen ist.

Diese Methode, die identisch ist mit jener der ‚progressiven Universalpoesie' wie Schlegel sie im 116. Athenäumsfragment definiert, ist deshalb „unendlich progressiv", weil sie nie an ein benennbares ‚endliches' Ziel kommt, weil ihr Ziel im *Prozeß* des Transzendierens besteht, weil sie deshalb, wie Schlegel sagt „immer im Werden", nie „vollendet" sein will und wird, oder weil ihr Ziel ein unendlicher Durchgangspunkt ist, ein künstlich hergestellter Brennpunkt, in dem alle Phantasiekraft der Verwandlung sich sammelt. Schlegel spricht deshalb sehr oft von der ästhetischen Kraft oder der ‚ästhetischen Energie', die dazu nötig ist, das Fixierte aufzulösen, das Bestehende zu transzendieren, das Geronnen-Identische zu verflüssigen. Dieser Gedanke ist symbolisch in der Arion-Sage enthalten, wie sie im ‚Heinrich von Ofterdingen' die Kaufleute von Orpheus erzählen. Die Dichter sollen zu seiner Zeit „zugleich Wahrsager und Priester, Gesetzgeber und Ärzte gewesen sein" (162). Sie sollen nicht nur grausame Tiere gezähmt, sondern „selbst die totesten Steine in regelmäßige tanzende Bewegungen hingerissen haben" (161f).

Der moderne Dichter bringt, wie Marx es von sich als dem Kritiker der politischen Ökonomie erhofft, die ‚versteinerten Verhältnisse' zum Tanzen, indem er ihnen „ihre eigene Melodie vorspielt." Die Reflexion auf die Versteinerung und die ‚Verflüssigung' sind *poetische Handlungen* des Subjekts. Schlegel will es dahin bringen, sich *willkürlich* in alle Stimmungen versetzen zu können, um die Verwandlungen, die Grenzüberschreitungen, diese Identitätserweiterungen (Auflösung der versteinerten ‚Identität') zu realisieren.

„Der Sitz der Seele ist da, wo sich Innenwelt und Außenwelt berühren. Wo sie sich durchdringen, ist er in jedem Punkte der Durchdringung " (Novalis: 343). Dichtung soll die Gemüter ‚erregen', die *Grenzüberschreitung nach innen* zu wagen, die als *Identitätserweiterung nach außen* sich realisiert (Verinnerlichung, Erinnerung des ‚Äußeren' und Entäußerung des Er-innerten, ins Innere Eingelassenen, sind bei Novalis zwei notwendig aufeinander bezogene komplementäre Bewegungen). Die Aufhebung der Trennung zwischen Innen und Außen (ihre spielerische Umkehr, die Novalis artikuliert) realisiert sich als subjektiver Akt des Synthetisierens, als gleichzeitige Welt- und Ichsetzung, als bewußte, willkürliche Aufhebung einer als abgegrenzt und normiert vereinbarten Welt.

Das Subjekt wäre nicht mehr das chaophobische, um seine Identität bangende bürgerliche, es näherte sich dem „gelöst-oszillierenden Charakter" (Lallement: 1), aber genau dieser wurde damals und wird heute ausgegrenzt aus „Angst vor der Freiheit" – diese Ausgrenzung eben gefährdet seine Entfaltungsmöglichkeiten: „Die Angst, die carte d' identité nicht zu erhalten (die Verweigerung der gesellschaftlichen Anerkennung) ist das gefährlichste Moment innerhalb dieses Umwandlungsprozesses: denn der neue, vom Standpunkt der alten Identität aus gesehen ‚identitätsschwache', ‚identitätsdiffuse' Charakter wird von außen so negativ definiert, daß er selbst diesem Druck kaum standhält. Das Affiziertsein von jeder Art ‚Heilsbotschaft' zeigt die Reaktion aus dieser Angst: die Unterwerfungsgeste vor einer Autorität, die verspricht, das ‚Bestehende'… gemeinsam zu überschreiten…" (Dischner: 14). Der Weg Friedrich Schlegels in die katholische Kirche nach dem ‚Scheitern' der Jenaer Gruppe hat sicher auch hierin einen Grund.

Novalis meint diese Identitätserweiterung: „Über den ‚Weg nach innen' versucht das Subjekt sich in seiner Ganzheit zu erfassen, denn unter dem Diktat der Rationalität ist es zum verdinglichten Subjekt verkümmert. Durch die Zerrissenheit des Subjekts, … durch eine gesellschaftliche Gegenwart, die Personen auf Maschinen, ‚Automaten'… reduziert, erhält die Regression, die im Widerspruch zu dieser gesellschaftlichen Realität steht, eine progressive Funktion" (Beckmann: 176).

Es wäre wichtig, hier zu zeigen, inwiefern die ‚Ästhetik' und ‚Poetik' der Frühromantik mit dieser scheinbar gesellschaftsfernen Methode sich zu Recht als konkrete Kritik des Alltags, des Gewohnten, Normierten, Bestehenden versteht. Wenn wir Alfred Sohn-Rethel in seiner Analogie von *Warenform und Denkform* folgen, so wird klar, wie sehr dies alles kein ‚Überbauphänomen' ist, wie sehr es sich um Probleme der Basis handelt und wie sehr schon *vor* aller „Ideologisierung der Basis" (H.-J. Krahl) die Basis-Überbau-Konstruktion die Verhältnisse verfälschend simplifiziert, sobald wir versuchen, uns geschichtsphilosophischen, sozialpsychologischen oder ästhetischen Problemen ‚materialistisch' zu nähern. „Die Differenz von Basis und Überbau ebnet sich tendenziell insofern ein, als der Produktionsprozeß sich immanent ideologisiert: Mythen, Bilder und Symbole, formalisiert, zeichentheorethisch zusammengefaßt, geben jenem ihre Anweisungen" (Krahl: 119). Die solchermaßen instrumentalisierte Sprache entsinnlicht sich zunehmend, erstarrt zum Klischee der Gebrauchsanweisung für den Produktionsprozeß. Die ‚alte Sprache', die immer mehr vom Tauschwertcharakter der Gesellschaft annimmt, muß deshalb durch romantische Ironie verfremdet werden. Die romantische Ironie hebt das quantifizierende Denken auf, weil alles ‚Vergleichbare' nochmals relativiert wird. Das abendländisch-kausallogische Denken, so die These Sohn-Rethels, ist nicht möglich ohne den Äquivalenten-Tausch, in welchem Qualitäten auf Quantitäten reduziert werden, um sie miteinander vergleichen und austauschen zu können. Das quantifizierende Denken, das im *Geld* seine zugespitzte ‚Realabstraktion' erfährt (was Hegel fast unbewußt ausspricht, wenn er vom ‚Geld des Geistes' redet), ist die Voraussetzung für alle Naturwissenschaften, für Physik wie Mathematik.

Wenn Novalis das Gegenteil des quantifizierenden Denkens, das magisch-mythische Denken, auf *reflektierter* Stufe wieder herstellen will, so bewegt er sich bewußt in Paradoxien, die er mit Metaphern wie jener von der ‚magischen Zahl' umschreibt. Die Romantisierung der Naturwissenschaften, also der Versuch, quantitatives Denken im qualitativen aufzuheben ohne auf ersteres zu verzichten (es vielmehr zu nutzen), finden wir bei den romantischen Naturwissenschaftlern Ritter (dem Lehrer von Novalis) und Steffens, dem Vermittler der Schellingschen Naturphilosophie, die dem Jenaer Zirkel eng assoziiert waren. Wir finden sie in Fr. Schlegels Forderung (in der ‚Rede über Mythologie'), auch die Physik „in eine mystische Wissenschaft vom Ganzen" (Schlegel: 182) zu verwandeln, wir finden sie in Schellings Versuch einer Naturphilosophie.

Der Einfluß dieses Denkens, vor allem des Novalis'schen, reicht bis in die Moderne, z. B. zeigt sich dies im Einfluß von Novalis auf Musil und dessen Verbindung von Magie und Mathematik. „Echte Mathematik", sagt der Kabbalaleser Novalis, „ist das eigentliche Element des Magiers... Im Morgenlande ist die echte Mathematik zu Hause. In Europa ist sie zur bloßen Technik ausgeartet" (479). Und polemisch gegen eine mechanische Auffassung der Naturwissenschaften fragt Novalis: „Soll aller Unterschied nur quantitativ sein...?" (480)

Was ist für die Moderne, was für uns an diesem Denken so attraktiv? Ich meine, in der heutigen Technologiediskussion und Technokratiekritik ist dieses Denken zu Recht aktualisierbar. Es geht nämlich davon aus, daß die Quantifizierung zunehmend den ganzen Menschen erfaßt, eine Einsicht, die man zur Zeit der Früh-Romantik wohl als antizipierend bezeichnen darf (Vgl. dazu den Aufsatz von Gustav von Campe).

A. Sohn-Rethel zeigt, wie im System *Taylors*, die menschliche Arbeitszeit in der möglichst effektivsten Form zu quantifizieren, ein großer Vorteil im Sinne der Profitmaximierung steckte: Gibt es eine *Arbeitszeitnorm*, so kann der Mensch wie eine Maschine eingesetzt und in Kopf und Hand geteilt werden, er ist quasi nichts mehr als eine etwas imperfekte (da ‚menschliche') aber gleichzeitig austauschbare Maschine, „Teil einer Teilmaschine", wie Marx es im ‚Kapital' formulierte. Die Konfrontation eines „Daseins in der Poesie", eines transitorischen Zustands dauernder Verwandlungsmöglichkeit, einer Methode des Romantisierens, des reflektiert-mythischen, qualitativen Denkens ist wohl der größtmögliche Gegensatz, der sich zum Dasein in der automatisierten genormten Arbeit denken läßt, zur Gewöhnung an eine mörderische und selbstmörderische ‚Zivilisation', zum geronnenen, fixierten Zustand dauernder Wiederholung des Ewiggleichen (seien es die Handbewegungen des Fabrikarbeiters, des Zeichners am Reißbrett, des ‚Ordners' der Aktenordner, des Arbeitens in der undurchschaubaren Verwaltungsmaschinerie oder des riesigen Fabrikgeländes), der größtmögliche Gegensatz zur Methode des immer umfangreicheren auch denkerischen Einebnens alles Verschiedenen auf Vergleichbares, des unreflektiert-pseudomythischen Denkens in fixierten Klischees, in erlernten Vorurteilen, in verinnerlichtem Wahrnehmungsverhalten, in veräußerlichten Begriffen, die sich den Etiketten der Waren immer mehr angleichen, - auch in ihrem falschen Gebrauchswertversprechen, dem kein qualitativer eigen-tümlicher Inhalt mehr entspricht. Nietzsche sieht die „atemlose Hast der Arbeit" immer mehr als Lebenszerstörung: „Man schämt sich jetzt schon der Ruhe; das lange Nachsinnen macht beinahe Gewissensbisse. Man denkt mit der Uhr in der Hand, wie man zu Mittag ißt, das Auge auf das Börsenblatt gerichtet – man lebt wie einer, der fortwährend etwas ‚versäumen könnte' – und so wie sichtlich alle Formen an dieser Hast der arbeitenden zugrundegehen: so geht auch das Gefühl für die Form selber, das Ohr und Auge für die Melodie der Bewegungen zugrunde ... die eigentliche Tugend ist jetzt, etwas in weniger Zeit zu tun als ein anderer." (Nietzsche: 190f)

Durch die zugespitztere Trennung von Kopf- und Handarbeit, deren Relevanz für die zunehmende Entfremdung des Menschen und aller Bewußtseinsformen A. Sohn-Rethel nach Marx am radikalsten erkannt und interpretiert hat, gelingt es *jedem* qualitativen, alternativen, grenzüberschreitenden Denken immer weniger, überhaupt noch *gehört*, rezipiert zu werden. Und um so aktueller, um so wichtiger wird das frühromantische Denken, das angesichts der heraufkommenden ‚Maschinenzeitalters' die Gefahr der Denk- und Wahrnehmungsautomatisierung erkannte, die mit der Annäherung von Mensch und Maschine notwendig einhergehen mußte.

Daß die *Automate*, die Puppe, die Marionette, die Maschine bzw. das Maschinenmonster, (Mary Shelleys „Frankenstein" von 1818), aber auch der Vampir[5] Gestalten und Metaphern sind, die sozusagen mit der Romantik geboren werden, ist kein Zufall. Hat Jean Paul mit der ‚Automate' noch das festgelegte Zeremoniell der höfischen Gesellschaft kritisiert, den Mangel an Seele und Innerlichkeit zugunsten der feudalen äußerlichen Repräsentanz, so wird die Automate bei E.T.A. Hoffmann bereits Metapher für die *bürgerliche* Welt philiströsen Denkens und festgelegter Umgangsformen; härter können die bürgerlichen Teegesellschaften nicht kritisiert werden als mit dem Hinweis darauf, daß die Automate in ihnen ganz

‚natürlich' wirkt, d. h. die Puppe Olimpia (im ‚Sandmann') mit ihren vorgezirkelten Bewegungen und dem festgelegten Vokabular ungeheuer erfolgreich ist: Der Mensch, der sich in seinem Arbeitsprozeß der Automate, der Maschine, angleichen muß, wird nicht plötzlich in der Frei-Zeit phantasievoll und schöpferisch sein können. Dies überläßt man den Künstlern, die als Alibis des Bildungsbürgertums die Ideologie von schöpferischer Muße aufrechterhalten sollen. Da die im Entstehen begriffene Klasse der Proletarier von Kunst und Bildung ohnedies ausgeschlossen bleibt, und (im 16-Stunden-Tag) kaum zur Reproduktion der überstrapazierten Arbeitskraft in der Lage ist, kann sich die Kritik an der Automatisierung der Lebensformen noch nicht konkret auf die beziehen, die von ihr am härtesten betroffen sind. Es kann sich also dabei um nicht weniger als eine *antizipierende Kapitalismuskritik* handeln, die auf philosophischer Ebene als antizipierende Positivismuskritik, auf allgemein gesellschaftlicher als antizipierende Technokratiekritik zu bezeichnen ist. Dabei ist die Technokratiekritik sehr weit zu verstehen und reicht bis zu Positionen, die sich *heute* erst zu verbreiten beginnen – z. B. Foucaults Analyse jeder Form der Disziplinierung oder schon die Nietzsches, der den Weg von der abendländischen Moral zur Technokratie sehr deutlich als den der Selbstverstümmelung und Entsinnlichung beschreibt, und dabei immer wieder auf die Konsequenzen einer gewaltförmigen Herrschaft über die Natur (und die Menschennatur) hinweist: ,,Hybris ist heute unsre ganze Stellung zur Natur, unsre Natur-Vergewaltigung mit Hilfe der Maschinen und der so unbedenklichen Techniker- und Ingenieur-Erfindsamkeit ... Hybris ist unsre Stellung zu *uns,* denn wir experimentieren mit uns, wie wir es uns mit keinem Tier erlauben würden, und schlitzen uns vergnügt und neugierig die Seele bei lebendigem Leibe auf ... Wir vergewaltigen uns jetzt selbst, es ist kein Zweifel, wir Nußknacker der Seele, wir Fragenden und Fragwürdigen, wie als ob Leben nichts andres sei, als Nüsseknacken..." (Nietzsche 2:854 f). Die Vergewaltigung der äußeren und inneren Natur betrifft die ,Technokratie der Sinnlichkeit' (bis hinein in die Mikrokosmos der Wahrnehmungsgesten und ihrer Prä-Formation) nicht weniger als die zunehmende Technokratisierung des gesamten menschlichen Umgangs, der immer rigider wird, dessen Toleranzgrenzen gegenüber ,abweichendem Verhalten' immer niedriger werden. Der in der Romantik kritisierte ,Automatenmensch', ,Philister', ,Rechner', ja schließlich ,,Bürger" allgemein, trägt Züge dessen, was Marcuse den ,,eindimensionalen Menschen", David Riesman den ,,außengeleiteten Typ" nennt.

Sein ,,romantisches" Gegenbild ist der Künstler, der die Versteinerung der Welt und der Menschen aufbrechen will, und zwar schon durch seine *poetische Daseinsweise*, durch seine ,freie bewußte Tätigkeit', die als Probehandeln *gegen* den entfremdeten Arbeitsprozeß diesen in Frage stellen soll. Die Akzente sind verschieden verteilt. Bei E.T.A. Hoffmann finden wir mehr den Akzent auf der Kritik als auf der vorgezeigten Methode der transistorischen poetischen Existenz, die fast nur noch im Märchen *zitiert* wird, so unrealisierbar erscheint sie, oder die, ähnlich wie in den frühen Märchen Tiecks (die Hoffmann beeinflußten), mit dem *Wahnsinn* des Künstlers enden, der sich notwendig immer mehr von der ‚gewöhnlichen' Welt isoliert oder/und von ihr als Außenseiter stigmatisiert und ausgeschlossen wird.

Dagegen finden wir in der Jenaer Gruppe der Frühromantiker einen, wohl auch durch die Stärke der Gruppe und der sich gegenseitig bestätigenden und steigernden Gruppenmitglieder allgemeinen Optimismus, wo selbst der ‚Wahnsinn' positiv aufgenommen wird als magische Steigerung des Dichterischen; wir finden die Hoffnung, daß das ‚Leben in der Poesie' als das künftige ‚Goldene Zeitalter' der Menschheit am Horizont sichtbar sei. Die Morgenröte der Französischen Revolution, die mit Hegel fast alle Romantiker begeistert feierten, war zur Zeit der Jenaer Gruppe (1798) schon zu ‚blutrot', als daß sie mit dem ‚Goldenen Zeitalter' identifiziert werden konnte. Nicht der ‚Terreur', sondern die Erkenntnis, daß Freiheit sich vorwiegend auf die Gewerbefreiheit, und Gleichheit sich auf die Gleichheit des bürgerlichen Tauschhandels reduzierte im Laufe der sich etablierenden bürgerlichen Gesellschaft, dämpfte den revolutionären Enthusiasmus. Und fraglos war die ‚deutsche Rückständigkeit' und die politische Ohnmacht an der Situation, in welcher Intellektuelle und Künstler das politische Getto zu einem Freiraum des geselligen Lebens und der philosophisch-ästhetischen Spekulation umfunktionierten, nicht unbeteiligt. Im Unterschied zu England und Frankreich, wo das philosophisch-künstlerische Denken und Schaffen bezogen war auf das politische Tagesgeschehen, war es in Deutschland, d. h. in den zerstreuten absolutistischen Fürstentümern, davon ganz abgetrennt. In der sich als kritisch verstehenden Sekundärliteratur wird dies meist negativ ausgelegt und es ist häufig von der Realitätsflucht und der mit ihr verbundenen weltabgewandten romantischen Innerlichkeit die Rede.

Daß aber gerade eine (wenn auch erzwungene) Distanz zum Geschehen einen kritischeren Blick zuläßt auf den Zusammenhang von Geschehen und Geschichte, das zeigt die romantische Geschichtsphilosophie, die ja gleichzeitig Poetologie ist. In ihr wird die ,,Verwandlung" zum Programm auch des Geschichtsschreibers: er löst die ‚verständigen' Bilder auf, befreit sie von der Überfrachtung des Über-Lieferten, zeigt ihre verschüttete innere Transparenz in ihrer Relevanz für die Zukunft.

Die Distanz von den Ereignissen in Frankreich und von jeder praktisch-politischen Aktivität in Deutschland ermöglichte zweierlei: Sie ermöglichte ‚das Denken des Undenkbaren', nämlich der Revolution, die in der Mitte des Jahrhunderts, obwohl sie sich unterirdisch anbahnte, noch nicht als mögliche vorstellbar erschien. Das Unvorstellbare wurde vorstellbar, das Unmögliche möglich, das ‚Undenkbare' denkbar. Nun, es löste die Hoffnungen auf die große Weltrepublik und das Goldene Zeitalter nicht ein. Das Undenkbare schien also nicht denkbar, nur verkehrbar; mit seiner Realisation verflüchtigte sich sein Wesen, nämlich Freiheit und Gleichheit als die von mündigen Bürgern in der ‚freien Assoziation einer gewaltlosen Lebensgemeinschaft'.

Weil diese Revolution eine bloß-politische war, hatte in ihr ‚das Ökonomische' (nämlich im wörtlichen Sinne die französische Finanzbourgeoisie) gesiegt gegen das „Poetische" (die Vorstellung eines unentfremdeten Lebens in freier bewußter Tätigkeit und Gesellligkeit).

Um so schärfer wurde die Kritik der Enttäuschten – die Revolution ermöglichte also zweitens eine Kritik einer nur politischen Revolution, eine Kritik, die im zurückgebliebenen Deutschland konkret restaurative Wirkungen verstärkte, die aber, wenn man sie nicht nur mit dem entlarvend-dualistischen Blick betrachtet (restaurativ oder emanzipativ?), genau jene antizipierende Kapitalismuskritik enthält, von der als Technokratie- und Positivismuskritik oben die Rede war, und die aufs härteste konfrontiert wird mit dem utopischen Entwurf einer poetischen Weltrepublik.

Dieser Entwurf hatte seine geschichtsphilosophische Fundierung nicht nur in dem erwähnten triadischen Geschichtsbild (Paradies/Trennung, Entfremdung/reflektiertes Paradies, Goldenes Zeitalter), sondern auch dadurch, daß Individualgeschichte (künstlerische Sozialisation) und Menschheitsgeschichte aufeinander bezogen wurde. Die ‚Wunden', die die Menschheit sich gegenseitig zufügte (wiederholt in der schmerzlichen Verinnerlichung des ‚Realitätsprinzips' in jeder Kindheitsgeschichte), sollten im Jenaer Gruppenleben konkret rückgängig gemacht werden im kollektiven Versuch der Verbindung von Kunst und Leben. Dieser ungeheure Anspruch war zum Scheitern verurteilt, *auch* durch den Primat der Idee und der Reflexion über die konkreten menschlichen Bedürfnisse der Gruppenmitglieder. Am härtesten bekam dies Caroline Schlegel-Schelling zu spüren, die häufig als der Mittelpunkt der Gruppe bezeichnet wird. Als sie nicht mehr die ‚Rolle' spielte, die man ihr in dem labilen Gleichgewicht so origineller (und damit notwendig sehr verschiedenartiger) Individuen zugewiesen hatte, (die ihr auch schmeichelte) nämlich als ‚starke Frau' geistig-sinnlicher Mittelpunkt der ‚großen Familie' zu sein, wurde sie dafür vor allem von Friedrich Schlegel und Novalis fast durch Ächtung gestraft. Die Gruppe ist auch an dem daraus entstehenden Beziehungschaos zerbrochen: Friedrich, der um seines Bruders willen auf seine erste große Liebe verzichtet hatte, mußte nun sehen, wie der junge Philosophenfreund Schelling sie ihm und seinem Bruder (ihrem Mann) ‚wegnahm'. Und Dorothea schürte den daraus entstehenden Haß – erstens weil sie sowieso eifersüchtig auf Caroline war, Friedrichs wegen (trotz anfänglicher Sympathie) – und zweitens, weil sie es ungeheuerlich fand, daß Caroline ‚den Schelling' diesen genialen Brüdern Schlegel vorzog, vor allem Friedrich, den sie kritiklos anbetete.[5]a

So war die Revolution und die Gruppe gescheitert – die daraus entstehende

Resignation führte nun wirklich zur schlechten Regression, nämlich in den Schoß der katholischen Kirche (1808 konvertierten Friedrich und Dorothea Schlegel zum katholischen Glauben).[6]

Die Radikalität des frühromantischen Denkens aber wird nicht in Frage gestellt, wenn dessen Realisierung scheitert. Vielmehr sollte man den heroischen Versuch der Realisierung als *auch* geglückten interpretieren. Wenn das poetische Dasein notwendig ein Unterwegs ist, ein transitorischer Zustand auf der Grenzüberschreitung nach innen, dem keine Dauer zugestanden wird, so sehen wir diesen Zustand z. T. in der Jenaer Geselligkeit im Winter 1799 realisiert.

Die Radikalität der Gruppe bestand nicht nur im kollektiven Versuch des Zusammenlebens und -arbeitens. Die Gruppe zeichnet sich dadurch aus, daß sie konsequenter als alle Versuche vorher (K. Ph. Moritz' Erfahrensseelenkunde z. B.) der Frage nach dem *Unbewußten* nachgeht und diese Frage im Zusammenhang eines utopischen Lebensentwurfs und einer neuen Ästhetik stellt. Es ist der ‚Weg nach innen' (nach Hause), der als romantische Innerlichkeit mißverstanden wurde, und die Einsicht in seine Relevanz für das Leben und das ‚helle' Tagesbewußtsein, das sich vom Unbewußten frei glaubt und von ihm determiniert ist.

Der Entdeckung des Unbewußten in der Romantik mußte notwendig die Entdeckung des Ich, des Subjekts, vorausgehen. Ohne Rousseaus ‚Bekenntnisse', ohne den Beginn des autobiografischen Schreibens (dessen Genesis, worauf R. Minder hinwies, u. a. mit der pietistischen Gewissenserforschung und den moralisch begründeten Tagebüchern zusammenhängt), wäre das Unbewußte nicht entdeckt worden. – Die mythische Zeit lebt noch aus dem Unbewußten, die Epoche der Aufklärung leugnet es schlicht, indem sie sich befreit glaubt von allem, was sie selbst als ‚irrational' dunkel, mystisch, triebhaftet oder gar besessen stigmatisiert.

Das Tagesbewußtsein der Auf-Klärung verdrängte die ‚Nacht' des Unbewußten, die dann nur um so stärker unterirdisch wirkte. Sade, selbst noch halb Aufklärer, hat ihr Wirken in bezug auf seine Auswirkung deutlich genug dargestellt. In Tiecks Märchen erhält es die Metapher der ‚wilden Natur' im Gegensatz zu den gepflegten Parks und gezähmten Gärten (in deutlicher Anspielung auf die gestutzte Natur der französischen Gärten). Aber den, der einmal wagte, in seine eigene wilde Natur hinabzusteigen, wird es in den Gärten nicht lange halten; Christian im ‚Runenberg' versucht sein ‚bürgerliches Familienleben' nach den Ausflügen ins Gebirge zu etablieren. Es gelingt ihm nicht. Es ‚treibt' ihn ins Gebirge. Im wilden Gebirge findet er die Venus-gleiche schöne Frau und er findet Edelsteine. Aber als er sie aus dem Sack breitet (zurückgekehrt aus dem Gebirge), da waren es nur bunte Kieselsteine.

Die Spaltung in ein bürgerliches Leben mit Triebverzicht, gestutzten Gärten, Verdrängung des ‚Wunderbaren' und in ein ‚Leben in der Poesie', in welchem alle

Träume und Visionen des Unbewußten sich realisieren, diese *Spaltung* (nicht das Leben im Gebirge) führt zum *Wahnsinn*. Wie die meisten der Tieckschen Märchen, endet auch der ,Runenberg' in einer Katastrophe.

Wahnsinn, Mord und Selbstmord bezeichnen die wenig märchenhaften ,Schlüsse' der Tieckschen Märchen. Tieck gehörte zwar nicht zum ,Kern' der Jenaer Gruppe, aber er lebte zeitweise mit der Gruppe eng zusammen und sein engster Freund war Novalis, dessen Werke er nach Novalis' frühem Tode herausgab.

Novalis wendet die Entdeckung des Unbewußten ins Positive, es ist nicht mehr unheimlich, überschwemmend, Wahnsinn – bedrohend. Der Abstieg ins Unbewußte (ins eigene subjektive, das sich als ein kollektives, objektives erweist) ist die Voraussetzung, um Dichter zu werden, und es ist gleichzeitig der Weg der Dichtung zu sich selbst, nämlich im ,,Heinrich von Ofterdingen''.

Der Abstieg ins eigene Unbewußte hat notwendig etwas mit Narzißmus zu tun: Wer in den Brunnen blickt bzw. *ins Wasser* (welches durchgehende Metapher für das Unbewußte ist – weshalb die Überschwemmungs- und Ertrinkungsträume fraglos Metapher für die Bedrohung ist, vom Unbewußten überschwemmt, ,wahnsinnig' zu werden), sieht sein *eigenes Spiegelbild*. Das eigene Spiegelbild wird in den wenigsten Fällen Anlaß zur narzißtischen Selbstverliebtheit (Selbstbespiegelung) sein, sondern eher zu dem Gefühl des Unheimlichen Anlaß geben, das die Tieckschen Helden vor der Tiefe des (eigenen) Abgrunds in der wilden Natur empfinden. Der Abstieg des Dichters aber signalisiert gleichzeitig den *orphisch*-liebenden Abstieg ins Totenreich, um die tote Geliebte, Eurydike (verallgemeinert die tote Liebe) zurückzuholen auf die lebende Erde.

Narziß, ins eigene Spiegelbild verliebt, fällt in den Brunnen, in dem er sich anblickt und stirbt. Kaum ist er fähig, die Geliebte wahrzunehmen, die nach seiner Liebe dürstet. Sie hat auch den bezeichnenden Namen *Echo*. Der ,bürgerliche' Narziß (nicht jener der Mythologie) kann sich auch in den Geliebten nur selbst bespiegeln. Sie dürfen kein eigenes Leben haben, sie dürfen nur Echo seiner selbst sein, konsequenterweise werden sie am Ende Automaten und Puppen. Die Puppe Olimpia im ,Sandmann' haucht nur immer ,ja ja' zu den Versen, die Nathaniel ihr vorliest. Von ihr glaubt er sich verstanden!

Der liebesfähig gewordene Narziß wäre jener, der, wie Orpheus, ins Wasser des Unbewußten steigt, durch das eigene Spiegelbild hindurch, um zur Geliebten zu gelangen. Er wagt den Tod der eigenen Identität aus Liebe, er will die Geliebte suchen, und – hier verschmelzen die Mythen von Orpheus und Narziß – er findet *sich* selbst durch die Liebe. Auf der Suche nach der Geliebten findet Heinrich von Ofterdingen sich selbst (die Geliebte Mathilde stirbt, damit wird er zum suchenden Wanderer). Die Selbstbegegnung aber ist nur durch die Liebe möglich (das andere bleibt Selbstbespiegelung), und die Selbstbegegnung wiederum (vorgezeichnet im Abstieg mit dem Bergmann ins Bergwerk und allegorisch umschrieben im Märchen von Hyazinth und Rosenblüthchen in den ,Lehrlingen zu Sais') ist Voraussetzung dafür, daß er zum Dichter wird.

Nach der Zerrissenheit des bürgerlichen Subjekts in Gefühl und Verstand, Sinnlichkeit und Geistigkeit, Körper und Seele, ist die ,narzißtische Regression' auf sich selbst eine nahezu natürliche Folge. Und das Narzißmusproblem wird sich mit der immer stärker werdenden ,Vereinzelung' des ,einzelnen Einzelnen' weiter steigern (die Gegenwart bestätigt dies). Am Beginn der Entdeckung des Unbewußten wurde dieses Problem wohl schon deutlich empfunden (Freud selbst bestätigt dies in seiner Analyse von E.T.A. Hoffmanns ,Sandmann', im Aufsatz über das Unheimliche). Gleichzeitig aber gab es die große Hoffnung, daß das Erkennen des eigenen Unbewußten die Voraussetzung eines neuen friedlichen Zusammenlebens freier Subjekte sein würde, die, von keinem blinden (Trieb-) Schicksal mehr getrieben, als Subjekte der Geschichte zu neuem Leben in der Poesie fähig sein könnten, das die Jenaer Gruppe antizipierend zu praktizieren versuchte.

Insofern ließe sich von einem *orphischen Narzißmus* als poetologischen und anthropologischen Geschichtsentwurf der Frühromantik sprechen, vor allem bei Novalis und Friedrich Schlegel; der Idee also, daß der liebesfähig gewordene Narziß erlösende Funktion hätte wie einst Orpheus, der die wilden Tiere zähmte und durch seinen Gesang die Sehnsucht in den ,eingekerkerten' Dingen und Kreaturen weckte, ihre feste Form (Identität) zu verlassen und miteinander in liebenden Bezug zu treten.

Neu ist, daß *Reflexion* (analog der späteren Psychoanalyse, aber *nicht* im Sinne der Identitätsfindung, sondern im Sinne der Identitätsauflösung, Grenzüberschreitung) als der ,Weg ins Innere', als Methode des Abstiegs gesehen wird. Eine *reflektierte Regression* also, die in deutlicher Analogie gesehen werden kann zu dem, was Peter Schneider in seinem Aufsatz über Kulturrevolution (Kursbuch 16) als ,,progrediente Regression'' definiert. Es wäre das Ende des religiösen Schuld- und Sühnedenkens, eine selbstbewußte neue Kindheit. In diesem Sinn sagt Nietzsche: ,,Atheismus und eine Art *zweiter Unschuld* gehören zusammen.'' (Nietzsche 2: 831)

Wir finden auch bei den Frühromantikern einen kulturrevolutionären Anspruch, und es läßt sich fragen, ob Momente davon nicht gerade heute aktualisierbar sind, angesichts der Tatsache, daß die angebotenen politischen Alternativen (West/Ost) nirgends mehr vom Enthusiasmus der Utopie getragen werden und wir in der *Entdeckung* des Unbewußten wesentlich weniger weit gekommen sind als in seiner psychokratischen Beherrschung.

Der *orphische Narzißmus* ist in diesem Zusammenhang als Methode des liebend-poetischen Umgangs mit sich und den anderen zu sehen, einer Methode, welche ,die Kunst' als vom Leben abgetrenntes Gebiet ablehnt. Der Dichter, scheinbar mit einem esoterischen Anspruch bei Novalis versehen wie nie zuvor (nicht einmal bei Klopstock, der als einer der ersten das fast vergessene Motiv des Orpheus programmatisch aufgreift in der Ode „An des Dichters Freunde" von 1747), ist doch ‚nur' der ‚transzendentale Arzt', selbst ein noch-nicht Gesunder, der die Wunden heilen, ‚die reflektierte Rückkehr ins Paradies', vorbereiten will.

Der orphische Narzißmus möchte ein für allemal die Welt von Schuld und Sühne, Opfer und Blut überwinden. Deshalb ist der orphische Narziß auch nicht ‚selbstvergessen' wie Orpheus, der sich als Opfer anbietet, wenn er ins Totenreich geht. Nichts mehr soll durch ‚Opfer' ‚erkauft' werden. Die Selbstliebe soll der Selbsterkenntnis so verschwistert bleiben, daß sie den Anderen – den/die Geliebte(n) – zu sich einläßt ohne sich nur in ihr (ihnen) zu bespiegeln, im Gegenteil: der orphische Narziß (seiner selbst gewiß) kann sich, wie Heinrich von Ofterdingen, zum Spiegel und Echo der Geliebten (Mathilde) machen in der Gewißheit der Selbstfindung durch die Liebe. Liebe also als Liebe zum anderen (nicht Eigentum), als Zulassen-Können des anderen Subjekts mit seiner notwendigen Fremdheit, als Öffnung hin zu dem Anderen, d. h. als Öffnung der eigenen Identitätsgrenzen (als Tod der eigenen alten Identität, als Wiedergeburt einer neuen Identität durch die Liebesbegegnung).

Der Abstieg ins eigene Unbewußte (als dem eigenen Ungewußten, Fremdgeworden, Verdrängten) – und die Öffnung zum anderen geliebten Wesen sind komplementäre Vorgänge. Die Überschreitung der eigenen Identitätsgrenzen (in der Liebe) ist auch immer eine Grenzüberschreitung nach Innen, in das ‚Wasser des Unbewußten', das einem das Ungewußte (maskenlose, liebende) Spiegelbild zurückspiegelt. Wenn Dichten ‚ein Sehen höherer Art' ist, wie noch Achim von Arnim sagt, so ist die „Gemütererregungskunst", als welche Novalis Dichtung begreift, auch die Methode, wie man angstfrei die eigene Identität öffnet, um dieses andere ‚höhere' Sehen und Wahr-Nehmen zu ermöglichen. Denn unsere Identität ist ja zu einem größeren Teil als wir wahr-haben wollen, eine fremdbestimmte, von außen erzwungene, mühsam im Erziehungsprozeß erworbene. Die „carte d'identité" des Erwachsenseins, des anerkannten Eintritts in die bürgerliche Gesellschaft, ist sehr schmerzhaft erworben durch Triebverzicht, Phantasieverstümmelung, ‚Vergessen' der eigenen Möglichkeiten, soweit sie nicht „verwertbar" sind.

Die Künstler sind die, die quasi ohne „carte d' identité" ins Reich der Erwachsenen geschlüpft sind, aber doch immer wieder aus diesem Reich gedrängt werden, wenn sie sich nicht als Alibis der Kulturindustrie eignen. Die Künstler, mehr als die offiziellen stigmatisierten ‚Abweichler' (die man in Psychiatrien sperrt, damit sie den Ablauf nicht stören), bedrohen dieses Reich aber auch immer wieder, da sie spielerisch (ver-führerisch) vorführen (durch ihr Dasein, durch ihre tendenziell freie bewußte Tätigkeit durch ihre Werke, die an unterdrücktes Phantasiepotential anrühren und den Rest einer Freiheitssehnsucht wecken können), wie anders es sich im Reich der *reflektierten Kindheit* leben läßt, in dem man sein Wesen nicht verkümmern lassen muß, sondern entfalten kann, in dem man zu sich findet. Aber da es sich einsam in diesem Reich schlecht leben läßt, machen viele Kompromisse. Die Kompromißlosen aber sind durch die Isolation vom Wahnsinn bedroht, der ausgelöst wird durch die Zerrissenheit zwischen dem, was ist und dem, was sein könnte, was man vielleicht in Momenten mit der Kraft, seiner ,ästhetischen Energie' antizipierend realisieren konnte, und das in den Momenten der Zerrissenheit als etwas Unwiederbringliches verloren scheint. Auch bei Novalis, der, im Unterschied zu E. T. A. Hoffmann, die Realisierung des Goldenen Zeitalters, das ,Reich der Poesie' nicht als – zumal ironisch verfremdetes – Happy Ending am Schluß eines Märchens (Der goldene Topf) zitiert, wird dieses Reich der Poesie nicht verwirklicht, sondern nur, ,dunkel geahndet'. Dies entspricht der Geschichtsphilosophie des Novalis, daß nämlich das ,Poetisch-werden des Menschengeschlechts' als Verwirklichung der goldenen Zeit *Projekt* bleiben muß. Das *Projizieren*, in die Zukunft Entwerfen, ist selbst Teil des Poetisierens und deshalb noch Aufgabe des Dichters. Dieser fällt aber wie bei Schlegel mit dem Geschichtsschreiber zusammen, er ist identisch mit Schlegels ,,rückwärts gekehrtem Propheten''. *Ankunft* und *Zukunft* sind eins, können nur in Momenten des ästhetischen Zustands antizipiert, nicht aber als konkretes Ziel realisiert werden. ,,Was sich im Bleiben verschließt, schon ist*s* das Erstarrte'' heißt es programmatisch im XIII. der Rilkeschen ,Sonette an Orpheus' (2. Teil). Die utopische Spannung des Überall und Nirgendwo bleibt erhalten, und sie bestimmt die immer neue Anstrengung des Synthetisierens und Romantisierens. Der dichterische Prozeß *ist* diese Anstrengung, ist Pro-jekt, ist Beschwörung einer Zukunft als Zu-sammen-kunft befreiter Menschen, und die ,,ästhetische Energie'' speist sich auch aus dem dunklen Wissen um das ,,Herkunftsland der Poesie'' als dem Zustand ständiger Verwandlung. Der Dichter denkt das Undenkbare, er denkt in Paradoxien (fester Zustand und Verwandlung sind strenggenommen Paradoxa), die für ihn keine Widersprüche sind, weil er sich jenseits des abendländisch-dualistischen Alternativdenkens befindet, wenn er auch (im Zustand der Zerrissenheit) in dieses zurückfällt und daran leidet.

Offen bleibt die Frage, ob die ,goldene Zeit' überhaupt als ,Endzustand' gedacht werden kann. Ich wage es zu bezweifeln, weil die Dynamik und die Verflüssigung aller festen Zustände konstitutiv sind für die Poetisierung der Welt und das Poetischwerden der Menscheit. Es wäre vielmehr zu überlegen, ob diese Utopie nicht gleichzeitig ganz nah und ganz fern (als nicht fest erreichbares Ziel) zu denken ist. ,,In der künftigen Welt'', sagt Novalis ,,ist alles wie in der ehemaligen Welt und doch alles ganz anders. Die künfige Welt ist das vernünftige Chaos''. Das vernünftige Chaos als dasjenige, das ,,sich selbst durchdringt'', ist vermittelt mit der Durchdringung des Unbewußten, der inneren und äußeren Natur, und zwar jenseits der *Herrschaft* der Vernunft. Macht und Herrschaft sind überwunden, die ,Humanisierung der Natur' (antizipiert im orphischen Gesang, der die wilden

Tiere zähmt, den Dingen zum Bewußtsein ihrer selbst verhilft ohne Entfremdung vom Wesen) und die ‚Naturalisierung des Menschen' (die Versöhnung mit seiner Triebnatur, seinem Unbewußten, statt der Herrschaft über sie) ist das Programm, das erst beim jungen Schelling formuliert wird (der für Marx von entscheidendem Einfluß wird). Diese Utopie ist also nicht als ein Jenseitiges, ganz Anderes zu denken, sondern als *Kraft* der Phantasie des freigewordenen Menschen, mit seinen Projektionen angstfrei zu *spielen* und sie als das *Eigene* zu sehen, da der Blick ins ‚Wasser des Unbewußten' endlich das wahre Spiegelbild zurückwirft (der orphische Narziß wäre jener von Novalis ‚projektierte' „kanonische Mensch", der zu dieser Kraft der Selbstdurchdringung dank seiner „ästhetischen Energie" tendenziell schon befähigt ist). Er ist also fern, gleichsam jenseits der ‚Normalität' und insofern, als ‚transzendentaler Arzt', Diagnostiker seiner (kranken) Gegenwart, die den ‚Normalen' als das Gesunde erscheint. Vor aller ‚Heilung' ist es also nötig, die *Methode des diagnostischen Blicks* zu schärfen, der sich zurück (in die ‚Geschichte' der Krankheit) *und* vorwärts wendet in eine mögliche Zukunft der Gesundung. Der orphische Narziß, der sein Spiegelbild durchschritten hat, ist janusköpfig und nicht in die Gegenwart verstrickt.

Bei Adorno und bei Benjamin findet sich ein analoger Gedankengang, was den Zusammenhang der Frankfurter Schule mit frühromantischen Gedanken nahelegt (vgl. den Aufsatz von F. Wilkening). Sogar Adorno, der sich (wie Marx) über Utopien sehr vorsichtig äußert, bringt in der ‚Negativen Dialektik' die Utopie in die Nähe dieses jüdischen Theologumenon: „Im richtigen Zustand wäre alles wie in dem jüdischen Theologumenon, nur um ein Geringes anders als es ist, aber nicht das Geringste läßt sich vorstellen, wie es dann wäre." (Negative Dialektik: 238, ähnlich: Ästhetische Theorie, Ges. Schr. 7:16) Genau darin besteht die Schwierigkeit: die Utopie, fast greifbar, wird zum Undenkbaren, Unvorstellbaren, Undarstellbaren, weil sie *alles* verändern würde und *nichts* wie vorher gedacht werden könnte. Novalis stellt an den Dichter den Anspruch, dieses Undenkbare zu denken, weil er durch die *Liebe* mit allem in Bezug bleibe, was in der ‚wirklichen Welt' zerrissen sei: „Der Sinn für Poesie hat viel mit dem Sinn für Mystizismus gemein. Er ist der Sinn für das Eigentümliche, Personelle, Unbekannte, Geheimnisvolle, zu Offenbarende, das Notwendig-Zufällige. Er stellt das Undarstellbare dar. Er sieht das Unsichtbare, fühlt das Unfühlbare usw." (Novalis: 415).

Die Poesie ist „freie Regel – Sieg über die rohe Natur in jedem Worte – ihr Witz ist Ausdruck freier, selbständiger Tätigkeit-Flug-Humanisierung-Aufklärung-Rhythmus-Kunst" (415).

Deutlich steht das dichterische Handeln, das Synthetisieren, im Vordergrund dieser Überlegung „Wir *wissen* nur insoweit wir machen" Novalis: (438), das ist schließlich das, was den Dichter, den ‚kanonischen Menschen', auszeichnet. Er zieht alles in die Sphäre seines Inneren (und insofern verschwindet er selbst als Subjekt darin), um es dann dichterisch zu artikulieren (zu entäußern). Und dieses Innere ist (jenseits des Klischees romantischer Innerlichkeit) deutlich als Sphäre der *Tätigkeit* gekennzeichnet, in der alles aufgenommen wird. Das Innere wäre demnach nicht der Teil des *verdrängten* Unbewußten, sondern des zugelassenen Unbewußten, das uns selbst durch die Grenzüberschreitung nach innen nicht mehr fremd ist und deshalb auch nicht mehr ängstigt als das Fremde, Unheimliche, das wir blindlings nach außen projizieren. ,,Es kommt nur darauf an, ob wir etwas in die innere Sphäre unserer freien Tätigkeit aufnehmen – was sie hemmt – so leiden wir auch und sind unabhängig davon. Selbst das größeste Unglück muß aufgenommen werden in dieser Sphäre, wenn es uns eigentlich affizieren soll – sonst bleibt es uns fremd und außer uns." (Novalis: 438)

Dies gilt, nicht nur für die Dichter (es ist die Voraussetzung wahrer Dichtung, nicht zu verdrängen) – es gilt für die Menschen allgemein.

Der Zusammenhang von Verdrängung – Entfremdung – Leiden wird deutlich als der innere Zusammenhang gesehen, der die Menschheit daran hindert, ,,poetisch" zu werden.

Notwendig ist der orphische Narziß, der Dichter, der ,transzendentale Arzt', wie eingangs erwähnt, *androgyn*. Als androgyn wurde Novalis nicht weniger empfunden als zum Beispiel Caroline Schlegel-Schelling. Tieck, der von der Geschlechtsrollenauflösung in Schlegels ,Lucinde' so wenig hielt wie von den ,,männlichen Schlegel-Weibern" überhaupt, kann hier innerhalb der Jenaer Gruppe als Ausnahme gesehen werden.

Das Moment des Androgynen ist Teil der Rollenauflösung und Auflösung der alten (geschlechtsspezifisch festgelegten) Identität im orphischen Narzißmus. Es ist bezeichnend, daß Novalis im ,Heinrich von Ofterdingen' die Sage von Orpheus verschmilzt mit dem Sirenenmythos in der Odyssee. Der ,urweibliche' Sirenenmythos gab, bis zur Loreleisage, immer wieder das Muster ab für die männliche Phantasie vom männer- und realitätszerstörenden weiblichen Prinzip. Aber wie Horkheimer/Adorno in der ,Dialektik der Aufklärung' sehr schön darstellten,[6a] ist die Odyssee *auch* die der Menschheitsgeschichte auf dem Wege zum Realitätsprinzip, zum Patriarchat, zur damit verbundenen Herrschaft über Natur und Menschennatur, zur Disziplinierung und Entsinnlichung des Lebens. Die matriarchalisch wirkenden Sirenen singen von einem anderen, herrschaftsfreien Leben, das auch Odysseus (an der Schwelle zur Zivilisation) noch kennt.

Deshalb ist die Bedrohung durch die Sirenen einem ,,Glücksversprechen verschwistert" (Horkheimer/Adorno), daß es ein Leben geben könnte, das vom Lustprinzip bestimmt ist. Und ebenso ist Orpheus, wie Narziß (worauf Marcuse hinwies), Metapher für ein Leben jenseits des Leistungsprinzips. Der orphische Narziß hat das Rätsel der Sphinx gelöst (dessen Antwort ,,Selbsterkenntnis" heißt), und diese Lösung ist sozusagen der poetische Weg zum ästhetischen Zustand.

Wenn Novalis in seiner Orpheus-Rezeption im ‚Heinrich von Ofterdingen' Orpheus mit den Sirenen verschmelzen läßt, also dem als ‚urweiblich' Gekennzeichneten und Stigmatisierten, so könnte man von hieraus von einem *androgynen Denken* bei Novalis sprechen – orphischer und weiblicher Narzißmus (das narzißtische Moment: *Bewußtsein* von der ‚betörenden' Wirkung der Schönheit und der Schönheit des Gesanges von einem Leben in der Poesie, in einer Welt des verwandelnden Bezugs) verschmelzen hier. Nicht die thrakischen Frauen zerreißen Orpheus aus Eifersucht, weil er die homosexuelle Liebe einführte (so eine Version der Orpheussage); in der Version, die diese Sage im ‚Heinrich von Ofterdingen' erfährt, verstopfen sich die Schiffer, die Orpheus aus Habgier (!) töten wollen, die Ohren, weil Orpheus sie bittet, ,,ihm wenigstens zu erlauben, daß er noch vor seinem Ende seinen Schwanengesang spielen dürfe" (163). Die Schiffer gewähren ihm die Bitte, aber verstopfen sich die Ohren, denn sie ,,wußten recht wohl, daß wenn sie seinen Zaubergesang hörten, ihre Herzen erweicht und sie von Reue ergriffen werden würden." (163)

Den Schiffern vor der Sireneninsel verstopft Odysseus die Ohren, er selbst läßt sich an den Mast binden, um den Gesang zu hören, ohne sich von seiner (eingefahrenen) Richtung abbringen zu lassen (und vielleicht haben sie ja, wie Kafka meint, wirklich geschwiegen?, und das ‚Schweigen der Sirenen' war sehr viel schrecklicher für Odysseus als ihr Gesang?).

Orpheus im ‚Heinrich von Ofterdingen' springt nach dem Gesang freiwillig ins Meer, die Schiffer mit verstopften Ohren sehen zu. ,,Er hatte kaum die glänzenden Wogen berührt, so hob sich der breite Rücken eines dankbaren Untiers unter ihm hervor, und es schwamm schnell mit dem erstaunten Sänger davon" (163). Orpheus wird gerettet, die Schiffer aber streiten sich beim Teilen seiner Habe, *dieser* hatte sich in einem mörderischen Kampf geendigt, der den meisten das Leben gekostet" (163), die wenigen, die überlebten, ,,kamen mit leeren Händen und zerrissenen Kleidern ans Land" (164). Das Meertier aber bringt Orpheus seine Habe zurück.

Die Habgier, das Profitstreben, zerstört das ‚Leben in der Poesie', eine ,,mörderische Zivilisation" entsteht, in welcher, wie Hobbes fälschlich vom Urzustand sagte und die bürgerliche Gesellschaft exakt beschrieb, ein jeder ,,des anderen Wolf" wurde und immer wieder wird.

Auch in seiner Version der Orpheussage entwirft Novalis eine Allegorie in der Allegorie (des gesamten geschichtsphilosophisch-poetischen Entwurfs des ‚Heinrich von Ofterdingen'), die mit dem künftigen goldenen Zeitalter des geretteten Orpheus endet. Und in den dauernden Verwandlungen der Geschichte der Poesie (Heinrich selbst ist die Allegorie der Poesie), die darstellt, wovon sie spricht (hier berührt sie sich mit der so anderen ‚Lucinde' von Fr. Schlegel), verschmilzt nun auch diese Geschichte mit dem Ganzen. Im Schlußentwurf finden wir die Bemerkung „Alles fließt in eine Allegorie zusammen. Cyane (die sich als eine der Verwandlungen der geliebten Mathilde herausstellt, G. D.) bringt dem Kaiser den Stein, aber Heinrich ist nun selbst der Dichter aus jenem Märchen, welches ihm vordem die Kaufleute erzählten." (303) Dieses Märchen ist nichts anderes als die von Novalis veränderte, seinem geschichtsphilosophischen Entwurf angepaßte Orpheussage. Vor dem Gesang der Sirenen und dem Gesang des Orpheus müssen die barbarisch Zivilisierten sich die Ohren verstopfen, um nichts von Liebe und Freiheit zu hören, aber es zeigt doch, daß in ihnen die Sehnsucht danach noch nicht tot ist.[7]

Orpheus ist der Sänger, der um die tote Liebe und die Versteinerung der Welt klagt, und er ist gleichzeitig der Prophet, der durch seinen Gesang auf eine ferne lebendige Zukunft hindeutet.

Wie die Sirenen ein Glücksversprechen in einer vom Realitätsprinzip befreiten Gesellschaft bedeuten, so versteht auch H. Marcuse Orpheus als Einspruch gegen die Herrschaft des Leistungsprinzips.

Und Eurydike – die ‚tote Liebe'? In seinem Essay ‚Das Denken des Außen' hat Michel Foucault *Eurydike*, die Orpheus verlor, den Sirenen verglichen: „Anscheinend ist sie ganz das Gegenteil, da sie aus dem Reich des Schattens durch die Melodie eines Gesanges zurückgerufen werden muß, der den Tod zu verführen und einzuschläfern imstande ist, da der Held der Macht der Verzauberung nicht zu widerstehen wußte, ihrer eigenen Macht, deren trauriges Opfer er selber ist. Und dennoch ist sie den Sirenen nahe verwandt: wie diese nur die Zukunft eines Gesanges singen, läßt Eurydike nur das Versprechen eines Gesichtes sehen" (Foucault: 73). Orpheus, von Sehnsucht überwältigt, tut das Verbotene: er dreht sich nach dem geliebten Gesicht um, das damit für immer ins Dunkel der Totenwelt taucht: „für Orpheus beginnt mit dem absoluten Verlust die nie endende Wehklage... Und unter den Klagen des Orpheus erstrahlt der Ruhm, doch einen Augenblick das unzugängliche Antlitz gesehen zu haben, gerade als es sich abwandte und in die Nacht zurücktrat: ein Hymnus auf die Herrlichkeit ohne Namen und Ort" (Foucault: 73). Dieser Hymnus ist der auf die verlorene Liebe, auf das ‚verlorene Paradies', und damit gleichzeitig Hymnus auf die U-topie, den Nirgendort, den schwebenden Augenblick zwischen Vergessen und Erinnern „ohne Namen und Ort". Blanchots Erzählung ‚Die Frist' ist, wie Foucault sagt, „dem Blick des Orpheus geweiht": „jenem Blick, der auf der schwankenden Schwelle des Todes die entschwundene Gegenwart einzuholen sucht, der ihr Bild ans Licht des Tages zurückholen will, aber nur das Nichts behält, aus dem allerdings das Gedicht geboren wird. Hier aber hat Orpheus das Gesicht Eurydikes nicht in dem Moment gesehen, da sie ihm ins Unsichtbare entrissen wurde, er hat es von Angesicht zu Angesicht betrachten können, er hat in ihren Augen den offenen Blick des Todes gesehen, „den schrecklichsten, den ein lebendes Wesen aufnehmen kann" (Foucault: 73f).

Der orphische Narziß, der durch sein eigenes Spiegelbild geht wie „Orphée" in Cocteaus gleichnamigem Film, wagt, indem er dies tut, den eigenen Tod, um die tote Liebe zurückzuholen, und so ist es der *eigene* Tod, der ihm im Blick der Geliebten (deren Verlust er wagt aus Sehnsucht) begegnet. Indem er sein eigenes Spiegelbild als transitorisches nimmt, es also auszulöschen wagt in der Liebe zum anderen, sieht er dem eigenen Tod ins (Spiegel-)Gesicht, das identisch ist mit dem „unzugänglichen Antlitz". *In dieser Begegnung mit dem eigenen Tod im Blick der Geliebten wird er neu wiedergeboren:* Als der wunderbare Sänger, dessen Totenklage um die Geliebte zum magischen Gesang wird, der die erstarrten Dinge und Menschen vom Bann erlöst, weil er den Blick dorthin wagt, wo ihn alle abwenden: ins Totenreich, aus Liebe zum Leben, das unter der Erstarrung pulst; dieser Blick erlöst den orphischen Narziß selbst von dem erstarrten Spiegelbild, in dem er – als Narziß – verharrte und in dem er alles Lebendige, das *ihn* ansah nur als Spiegelbild wahrnehmen und fixieren konnte. Der liebesfähig gewordene Narziß, der, seiner selbst bewußt bleibend (im Akt des Transzendierens des eigenen Spiegelbildes), die eigene geronnene Identität – aus Liebe – auflöst (den Tod der Identität), wird, wenn er in den Augen der Geliebten „den offenen Blick des Todes" (Foucault: 74) gesehen hat, wiedergeboren. Er lernt dann sein Dasein als Unterwegs zwischen Tod und Wiedergeburt, zwischen Nichts und Utopie zu begreifen.

Der Weg des Heinrich von Ofterdingen *ist* dieses Unterwegs, ist dieser Klagegesang um die tote Liebe (Mathilde) und um die ‚entschwundene Gegenwart' dieser Liebe, die er durch eben diesen Gesang „heimzuholen sucht… ihr Bild ans Licht des Tages zurückholen will" (Foucault: 73f). Und es ist das (erlöst-)narzißtische Wissen, daß der Weg zur Geliebten der Weg zu sich selbst ist (der Weg des Zu-sich-Kommens der Poesie in der Allegorie des Heinrich von Ofterdingen). Das Wissen, daß im Entäußern des „Wegs nach innen" die Grenze zwischen Innen und Außen in *beide* Richtungen überschritten wird, und der Blick auf die Geliebte, die tote Liebe, die Öffnung nach außen, ihren Blick zurückwirft ins eigene Innere, und darin Tod und Wiedergeburt enthalten ist. Und da die Liebesbegegnung identisch wird mit der Selbstbegegnung (im orphischen Narzißmus), so ist der Vergleich zwischen Eurydike und den Sirenen ebenso konkret wie der zwischen Orpheus und den Sirenen. Denn alle verschmelzen im Brennpunkt der Allegorie der Poesie, in welcher der magische Blick auf die Dinge diese wieder zum Leben erweckt. Dies aber ist ein antizipierender Augen-Blick, dessen Verlöschen der orphische Gesang beklagt; dessen „Zukunft eines Gesanges" (Foucault: 73) aber eben dadurch versprochen wird, daß der Gesang nicht verstummt. Er bleibt im wahrsten Sinne des

Wortes „Zukunftsmusik" von einem ‚Leben in der Poesie', in dem das tote Sein, das gespenstische Nachleben der aus dem Paradies Vertriebenen, einem Leben in reflektierter Unschuld gewichen ist, und die ‚verbotenen Früchte der Erkenntnis' zu den ‚goldenen Äpfeln' geworden sind, mit denen die Liebenden spielen, keinen Gott mehr fürchtend: Wir sind die Götter und Teufel, von denen wir träumen.

Anmerkungen

[1] vergl. dazu Gisela Dischner: *Sozialisationstheorie und materialistische Ästhetik*, in: Bezzel Chris u. a.: Das Unvermögen der Realität, zu einer anderen materialistischen Ästhetik, Berlin 1974 (Wagenb. Politik 55)

[2] vgl. Thomas Ziehe: *Pubertät und Narzißmus*, Frankfurt 1974

[3] vgl. die Interpretation des ‚Sandmannes' von Hans Thies Lehmann in diesem Buch.

[4] Hannelore Schlaffer hat überzeugend nachgewiesen, daß Schlegel sie in der „Lucinde" in der Allegorie der drei Frauen Luise, Lisette, Lucinde beschreibt.

[5] vgl. Charles Nodier: *Vampirismus und romantische Gattung*, in: Sturm, D. u. Völker, K. (Hsg.): Vom Erscheinen der Vampire, Dokumente u. Berichte, München 1973

[5a] Vgl. G. Dischner: Caroline und der Jenaer Kreis. Ein Leben zwischen bürgerlicher Vereinzelung und romantischer Geselligkeit, Berlin 1979 (WAT 61)

[6] Vgl. den Aufsatz von M. Oesch über Hülsen, der in einem Brief darauf hinweist, daß die Freunde in *Jena* anders waren.

[6a] Vgl. auch K. Heinrich, Versuch über die Schwierigkeit nein zu sagen, Frf. 1963.

[7] In einem Gedicht von Nelly Sachs heißt es:

„Wenn die Propheten einbrächen
durch Türen der Nacht
mit ihren Worten Wunden reißend
in die Felder der Gewohnheit...
Wenn die Propheten einbrächen
durch Türen der Nacht
und ein Ohr wie eine Heimat suchten

Ohr der Menschheit du nesselverwachsenes,
würdest du hören...
Wenn die Propheten aufständen
in der Nacht der Menschheit
wie Liebende, die das Herz des Geliebten suchen
Nacht der Menschheit
würdest du ein Herz zu vergeben haben?"

(Fahrt ins Staublose: 92ff)

Literatur

Adorno, Th. W. *Negative Dialektik* Frankfurt 1973

Beckmann, Renate, Eckhardt, H. W., Keller Mario: *Frühe Kritik der bürgerlichen Gesell-schaft im Werk des Novalis,* unveröffentlicht. MS, Univers. Hannover 1978

Dischner, Gisela: *Der Neue Charakter – Rebell gegen die Tauschgesellschaft?* in: L'Invitation au Voyage zu Alfred Sohn-Rethel, Bremen 1979

Foucault, Michel *Von der Subversion des Wissens* München 1974

Hörisch, Jochen: *Die fröhliche Wissenschaft der Poesie Der Universalitätsanspruch in der frühromantischen Poetologie,* Frankfurt 1976

Horkheimer, M./ Adorno, Th. W. *Dialektik der Aufklärung* Amsterdam 1974

Marcuse, Herbert *Triebstruktur und Gesellschaft* Ein philosophischer Beitrag zu Sigmund Freud Frankfurt 1955

Nietzsche, Friedrich *Werke in 3 Bänden,* hrsg. v. Karl Schlechter München 1966, Bd. 2

Novalis *Werke und Briefe* München 1968

Sachs, Nelly *Fahrt ins Staublose,* Die Gedichte der Nelly Sachs Frankfurt 1961

Schlaffer, Hannelore *Frauen als Einlösung der frühromantischen Kunsttheorie,* in: Jahrbuch der Deutschen Schillergesellschaft, 21. Jrg. Stuttgart 1977

Schlegel, Friedrich *Gespräch über die Poesie,* in: Athenaeum II, Eine Zeitschrift (1798–1800) von A. W. Schlegel u. Fr. Schlegel Reinbek 1969

Sohn-Rethel, Alfred *Warenform und Denkform* Frankfurt 1971

Lallement, Jean Pierre, *Der gelöst-oszillierende Charakter,* Düsseldorf 1974 (Projektgruppe Gegengesellschaft).

Exkurs über E. T. A. Hoffmanns „Sandmann". Eine texttheoretische Lektüre.

Von Hans-Thies Lehmann

Für Genia

Ich habe vor, einige texttheoretische Überlegungen, die insbesondere an die Arbeiten von Julia Kristeva anknüpfen, im Rahmen einer Lektüre des „Sandmann" vorzulegen.

Ich habe nicht vor, mich dabei im Gebäude einer textlinguistischen oder texttheoretischen Metasprache einzuschließen. Stattdessen werde ich eine detaillierte – vielen vielleicht *zu* detaillierte – Analyse der Erzählung vorlegen. Das hat seinen Grund in meiner Überzeugung, daß die Theorie der Literatur einen Punkt erreicht hat, an dem sie den Zeichengebrauch ihres Gegenstandes selbst genauer verstehen muß, um ihr begriffliches Rüstzeug weiterzuentwickeln. Die Kriterien der Metasprache: Systemcharakter, Geschlossenheit, Identität der Aussage und Vermeidung von Äquivokationen – diese Kriterien, die ja solche der Wahrheit sind in einem bestimmten Verständnis, setzt moderne Literatur bewußt dem Zweifel aus. Unsere Aufgabe, so möchte ich behaupten, besteht darin, uns vom literarischen Text belehren zu lassen über das Zeichenmaterial, mit dem wir unsere Theorie bauen. Denn eine Gefahr scheint mir die zunehmende Tendenz hin zu formalisierenden Verfahrensweisen in der Literaturwissenschaft deutlich zu machen: die Metasprache unserer Theorie mit all ihren Eigenschaften ist eine sehr spezifische „Sprache" – im Sinne von langage. Reflektiert Literaturwissenschaft nicht, was in Sprache – als *langue* – an Elementen des Unbewußten, des Triebs und des nicht völlig beherrschten Spiels der Signifikanten eingeht, so erliegt sie leicht einem gefährlichen und sterilisierenden quid pro quo: Sie unterschiebt den besonderen Charakter des Sprachgebrauchs der Metasprache für den Charakter „der" Sprache überhaupt. Aus diesem Grunde möchte ich einen Text der „Romantik", der in vielem ein „moderner" Text ist, unter dem Gesichtspunkt lesen, was man aus ihm über die besondere Zeichenpraxis Text lernen kann; wie also der Signifikant, die materielle Seite des Zeichens, in ihm erscheint.

Thesenhaft möchte ich indessen als erstes einige Bemerkungen darüber machen, was ich unter der Zeichenpraxis Text verstehe, damit wenigstens andeutungsweise die Voraussetzungen meiner „Leseweise" kenntlich werden. Der Text ist eine Aktivität, bei der eine besondere Besetzung von Elementen der Sprache bewirkt, daß Lautgruppen, semantische Einheiten, Satzformen, überlieferte Redeweisen, Sprechtypen usw. im Text grundsätzlich *neu verteilt* werden. Im Verhältnis zur Alltagssprache (Kommunikation, Eindeutigkeit, Triebentleerung des Sprachmaterials – tendenziell wohlgemerkt) kehren sich im Text die Verhältnisse um. Das Material der Sprache erhält ein Eigengewicht, das zu begreifen ist als eine *Besetzung* bestimmter Sprachmomente im psychoanalytischen Sinn. Der *Wunsch* des Autors, ein bestimmtes Spiel zu spielen, überlagert die Sinnkonstitution. Das Unbewußte meldet sich in seiner Sprache – zu Wort. Dieser Prozeß einer Unterwanderung des sprachlichen Symbols manifestiert sich am deutlichsten in der modernen Lyrik, die ihrer schwierigen Kommunizierbarkeit zum Trotz immer mehr wahrgenommen wird als legitime und historisch notwendige Ergänzung der Freudschen Revolution. Beides, moderne Literatur und die Entdeckung des Unbewußten, das in Pathologie, Traum, Symptom und Witz arbeitet, hat unsere Beziehung zur Sprache radikal verändert. Der sprachliche Prozeß ist selbst eine triebbestimmte *Produktivität,* wie die vom Unbewußten mitbestimmte seelische Aktivität. Und so wenig die letztere nach Freud noch als unbegreiflicher Unsinn und sinnleere Abweichung von der Norm gelten kann, so wenig die moderne Literatur, die im System des Zeichens selbst mit Brüchen, Unvereinbarkeiten, Pausen und ver-rückten Figuren arbeitet, um eine Subjektivität sprechen zu lassen, die – gesellschaftspolitisch geredet – sowohl von der überpragmatischen Technokratie als auch vom Objektivismus des orthodoxen Marxismus zum Schweigen verurteilt ist. Vergegenwärtigt man sich einen Moment, in welchem Umfang kreative psychische Möglichkeiten in den sozialen Randbereichen der Droge, des Underground, der verschiedenen Subkulturen, und last not least: der künstlerischen Praxis absorbiert sind, so leuchtet ein: Die Suche nach einem Ausdruck, einer ,,Sprache'' jenseits der etablierten Stereotypie, selbst der Vernunft, stellt ein Potential dar, das noch kaum wirklich verstanden und in seinen politischen Möglichkeiten unbekannt ist. Der literarische Text ist einer der privilegierten Orte, an denen Erkenntnis über diesen Prozeß der Sprachsuche gewonnen werden kann. Es ist dazu allerdings notwendig, die Schriftsteller nicht als Kranke zu behandeln, deren Sonderbarkeiten der analysierende Literaturwissenschaftler zu erklären hätte. Nein, wir sehen besser in ihnen Ärzte, die, in wie immer begrenzter Form, neuen Ausdruck, neue Sprache, neue Subjektivität artikuliert haben, indem sie die *Grenzen* der Sprachordnung erforschten. Damit aber genug der Vorrede. Sehen wir nach Hoffmanns Erzählung.

Wer – oder was – ist der Sandmann? Alles beginnt mit der *Neugier.* Nathanael muß die seine schwer büßen. Er will sich ein Bild machen – wie der Leser. Und er will sich aussprechen, so wie der Erzähler der Geschichte vom Bedürfnis getrieben ist, das, was er einen ,,inneren Farbenglanz'' nennt, unverfälscht, unverfärbt an den Leser zu geben. Lust an Rede, Neugier und Lust auf ein Bild: Nathanael ist der Leser, dem *Bilder*bücher nicht reichen (die drückt ihm an den Coppelius-Abenden der schweigende Vater in die Hand) und der in Olimpias Worten oder vielmehr

Blicken *Hieroglyphen* lesen wird, Bilder-*Schrift*. Nathanael ist zugleich *Erzähler*. Er erfüllt den toten Stoff Olimpia in der Phantasie mit Leben, er gießt sein inneres Leben selber in eine prophetische Dichtung, und er ist als Briefschreiber der Autor des ersten Drittels der Erzählung.

Nun, die Neugier des Kinds erhält als Antwort – den *Schrecken*. Eine unheimliche Geschichte erfährt, wer dem Geheimnis des Vaters nachlauscht, wissen will, mit wem der Verkehr hat, selbst sehen will, statt nur zu hören und das Gehörte von den Erwachsenen, den „Riesen" fürs Kind, deuten zu lassen. Wer nicht hören will, muß sehen und wird vom „riesenhaften" Coppelius in den Tod gestürzt. Fragen wir aber trotzdem: Wer oder was ist der Sandmann?

Zunächst schließt er die Augen wie der Tod, der Schlaf, die Blindheit. In einer später gestrichenen Passage der Erstfassung der Erzählung berührt Coppelius die Schwester, worauf diese Geschwüre bekommt, erblindet und stirbt. Er bestraft die Kinder, wenn sie die Augen aufreißen, statt sie zu schließen. Nicht nur darf man nicht schauen, weil er Sand in die Augen streut. Außer dem Blick ist auch das Hören verboten: der Vater schweigt und erzählt keine Geschichten, wenn der Sandmann kommt. Dann füllt sich das Zimmer mit Nebel, statt mit Leben, Dampf aus der wortlos gepafften Pfeife. Und der Mund? Alle Näschereien werden vom Sandmann verdorben, vergiftet, eklig. Man sieht: die erste Bestimmung des Sandmanns ist, daß es bei ihm *keine unmittelbare Aneignung* der Dinge durch die Sinne gibt. Andererseits stellt er den Schrecken der Körperlichkeit selbst dar, denn seine Störungen vollbringt er mittels Berührung.

Der Sandmann ist aber noch etwas anderes, nämlich die lebendige *Entfärbung*. Er wird ein ums andere mal *grau*-lich genannt oder *grau*-sam, er hat *graue* Augenbrauen. Mehr noch: er trägt, wohl als Advokat, stets graue Kleider, „*aschgrauen* Rock, ebensolche Weste und gleiche Beinkleider, aber dazu *schwarze* Strümpfe und Schuhe mit kleinen *Stein*schnallen."[1] Stein und Asche und dazu ein „erdgelbes Gesicht". Wenn ein paar Farben da sind, so nur rote Wangenflecken, die an Krankheit und Tod gemahnen, und „grünliche" Katzenaugen.

Mehr aber noch als Entsinnlichung und Entfärbung, ist der Sandmann Häßlichkeit und Haß, Bedrohung des Körpers und der Seele: Tod und Teufel, ein dämonisches Prinzip – Formeln dieser Art kann man in der Geschichte an vielen Stellen nachlesen. Aber mit solchen „romantischen" Bestimmungen können wir uns nicht zufriedengeben, denn Hoffmann übersetzt ja so nur eine Metapher in eine andere: Sandmann = dämonisches Prinzip, oder Tod oder Teufel. Dies gehört noch zur Zeichenkette der Erzählung. Sie zu lesen heißt aber, eine andere Kette von Zeichen, einen neuen Text, mit ihr zu verschlingen. Lektüre muß deswegen dem Spiel der Zeichen nachgehen, aber einen der Eingänge – der Text hat viele Türen, in jeder Hinsicht – wählen, um einen fremden Blick hineinzuwerfen. Dann erst verwandelt sich der Automat[2], der tote Automatismus des Textes, wie Olimpia unter Nathanaels Blick, zum Leben. Wir wissen allerdings, heute im voraus, bei der ersten Lektüre erst am Ende, welches *Risiko* wir eingehen, wenn wir mit dem *lesenden* Blick durch den Spalt der Gardine auf Olimpia, auf den Text sehen. Wohl dem, den es wie „Freund Lothar" nicht zu sehr danach gelüstet, die Schwelle zu überschreiten, die Innen und Außen trennt, der wohl wie Clara Leben und Tod „fein säuberlich distinguieren" kann. Nathanael und den Leser jedoch führt Hoffmann mit seinem Text genau auf die Schwelle der gefährlichen Tür.

Auf dieser Schwelle mischen sich Subjekt und Objekt ununterscheidbar, und was Nathanael wie den Leser so betrifft, ist, wie sich zeigen wird, gerade die Unmöglichkeit, „so gar magistermäßig distinguieren", „logische Kollegia lesen" und „alles fein sichten und sondern" zu können.[3] Darin unterscheidet er sich von Clara und Lothar. Aber ich will nicht vorgreifen, denn wir wissen noch immer nicht, wer der Sandmann ist.

Entsinnlichung, Entfärbung, Dämon? Jedenfalls eine *Verdopplung.* Er verdoppelt den Vater, von dem es an der Stelle, wo beide mit verzerrten Gesichtern über ihrem Alchimistenherd brüten, direkt heißt: „Er sah dem Coppelius ähnlich"[4]. (Wir werden später kurz zu streifen haben, daß da in einer Art frauenloser Zeugung gleichsam ein Kind ausgebrütet wird.) Mit Coppola gibt es dann eine weitere Verdopplung, den „Revenant" von Coppelius. Und am Ende nimmt der Sandmann, wie es Nathanaels Dichtung bewußtlos schon vorher anzeigt und wie es die klarsichtige Clara vorhergesagt hat, den Platz von Nathanaels Selbst ein. Clara schreibt: „Gibt es eine dunkle Macht, die so recht feindlich und verräterisch einen Faden in unser Inneres legt, woran sie uns dann festpackt und fortzieht auf einem gefahrvollen verderblichen Wege (...), so muß sie in uns sich, wie wir selbst gestalten, ja unser Selbst werden."[5] Das geschieht, denn deutlich ist, daß Nathanaels letzte Worte „Sköne Oke – Sköne Oke" Worte Coppolas sind, des Sandmanns Worte, der nun *in* Nathanael spricht. Schon die Formeln des Wahnsinns „Feuerkreis dreh dich – Holzpüppchen dreh dich" sind in der Geschichte vorweggenommen worden, in Nathanaels Dichtung. Verdopplungen überall – der Sandmann ruft sie ins Leben. Wo er seine Macht entfaltet, finden sich stets Wiederholungen in immer neuer Abwandlung.

Darin sah Freud[6] einen der wesentlichen Gründe für seine unheimliche Wirkung. Ebenso bedeutsam aber ist der Umstand, daß er die Gestalt gewordene *Gestaltlosigkeit* ist. Sein Kopf heißt „unförmig", seine Erscheinung ist „gräßlich", breitschultrig, riesenhaft. Nichts paßt, riesige Größe, große Ohren, und zu allem noch „große, knotigte, haarigte" Fäuste. Unentschieden schwankt die Beschreibung zwischen Tier, Pflanze, Erdmasse und Mensch. Hinzukommt, daß, vor allem durch den wiederholt betonten „schweren" oder „scharfen Tritt", überhaupt die bloße *Gewichtsmasse* der Erscheinung betont wird.

Gestaltlose Masse scheint dieser Haufen aus Häßlichkeit, Formlosigkeit, Unübersehbarkeit und Riesenhaftigkeit zu sein. Mit Stein und Erde assoziiert, könnte man ihn auch als Teil jenes fernen Gebirges, der „*Riesen*stadt", wie es heißt, ansehen, in das Nathanael und Clara vom Turm aus blicken, und von wo aus er dann zu seinem letzten schrecklichen Auftritt in die Stadt kommt. So entgleitet der reale Umriß der Figur des Sandmanns in eine Art Formlosigkeit. Oder man sollte vielleicht sagen: er rinnt durch die Finger wie *Sand*. Denn Sandmann, das heißt ja wörtlich zunächst auch: der *Mann aus Sand,* so wie man von einem Schneemann spricht. Wirklich ist diese Konnotation in der ersten Fassung noch erhalten, in einer weiteren Charakterisierung des Coppelius, die die Momente Formbarkeit des Stoffes, Häßlichkeit, Zerfall, Entsinnlichung und Entfärbung vereint: „Zur Winterszeit pflegte er ganz weiß zu gehen – selbst Hut, Stock und Uhrband waren von weißer Farbe. Ich glaube, er hätte weiße Schuhe tragen mögen, wäre das nur irgend Sitte gewesen – Noch entsetzlich(er) war dann sein häßlich Gesicht anzuschauen. – Uns Kindern war er dann wie ein *scheußlicher Schneemann,* dem man das Gesicht mit Ziegel gefärbt und Kohlen statt der Augen eingesetzt."[7]

Im Winter bedeckt sich die Erde, der Sand mit Schnee. Die gleich dem Gesicht des Coppelius sonst „erdgelbe" Materie, grau, staubig, aschfarben, verliert alle Farbe. Das Unheimliche des Sandmanns ist gebunden an die Gestaltlosigkeit des Sands, der, beliebig formbar, durch die Faust rinnt, in Körner sich auflöst, die in die Augen spritzen. „,Augen her, Augen her!' rief Coppelius mit dumpfer, dröhnender Stimme (...) ,Nun haben wir Augen – Augen – ein schön Paar Kinderaugen.' So flüsterte Coppelius, und griff mit den Fäusten *glutrote Körner* aus der Flamme, die er mir in die Augen streuen wollte."[8]

Um jene Gestaltlosigkeit würdigen zu können, empfiehlt es sich, die einzelnen Auf-Tritte des Sandmanns etwas genauer zu verfolgen: Es muß auffallen, daß nicht ein einziges Mal die *Stimme* des Coppelius – das gilt für Coppola ebenso – erwähnt wird, ohne näher charakterisiert zu werden: Sie ist heiser, schnarrend und gellend, sie flüstert, zischt und lispelt, sie ist meckernd, dröhnend, dumpf. Das hämische oder teuflische Lachen wird ebenso als gellend oder ähnlich beschrieben – und das in jeder neuen Beschreibung. Auch bei der bekannten relativen Stereotypie, mit der Hoffmann sein Vokabular collagiert: dieses Vorgehen ist extrem auffällig, zumal es sich mit einem allgemeinen Getöse verbindet, das der Körper des Sandmanns mitbringt. Ist seine Stimme am Rand des unartikulierten Lauts, so wird der Lärm, den er bei sich führt, bis in die Konnotation des Anorganischen getrieben: „Wirklich hörte ich dann jedesmal etwas schweren langsamen *Tritts* die Treppe herauf*poltern...*" es ist ein „*dumpfes* Treten und Poltern" „Entsetzen ergriff mich, wenn ich ihn... meines Vaters Stubentür *heftig aufreißen* und hineintreten hörte." „Die Haustür *knarrte,* durch den Flur *ging es,* langsamen, schweren, *dröhnenden* Schrittes nach der Treppe... näher *dröhnten* die Tritte... es *hustete* und *scharrte* und

305

brummte seltsam draußen... heftiger Schlag auf die Klinke... die Tür springt *rasselnd* auf..."[9]

Man hört: Wie im Optischen Gestaltlosigkeit und Entfärbung, so im *Akustischen* das nicht Gegliederte. Der Sandmann ist *chaotische Klangmasse*, unartikuliert, so wie sie ist, bevor die Einschnitte der Bedeutung aus dem bloßen Lautmaterial sprachliche Signifikanten, Lautbilder, images acoustiques machen.

Es scheint, wir haben beieinander, was, nicht: wer, der Sandmann ist: ein Mangel, ein Fehlen. Es ist der Name für die Abwesenheit einer verstehbaren signifikativen Gliederung, eine Abwesenheit, die als Häßlichkeit erscheint. Warum aber kann Gestaltlosigkeit so sehr als Bedrohung erfahren werden?

Die *Einrede des Erzählers* thematisiert den Schrecken, den Nathanael erfährt. Man wird sehen, daß er sich an die Beziehung von *Bild und Rede* knüpft. Zunächst bringt der Sandmann Verderben: Lächerlichkeit, Angst, Tod und Wahnsinn. Diese Gefahren sind aber spezifisch mit dem *Versagen der Sprache,* des symbolischen, kommunikativen Bezugs verknüpft. Der Sandmann – das heißt Schweigen, Sprachzerstörung oder -verstümmelung, Stottern der Angst. Nathanael kann kein Bild geben. Wenn er sprechen soll, löst sich seine Artikulation nicht vom Erzittern des *Körpers:* ,,Nichts als den *unter Tränen hergestotterten Ruf: ,*Der Sandmann! der Sandmann!' konnte die Mutter aus mir herausbringen."[10]

Doch gerade vorher hatte es geheißen: ,,Gräßlich malte sich nun im Innern mir das *Bild* des grausamen Sandmanns aus..."[11]

Das innere Gebilde artikuliert sich nur in einem Stottern. Und hören wir nun, was der Erzähler, der doch wohl nicht der verrückte Nathanael ist, von seinem Erzählen zu sagen hat. So spricht er den Leser an: ,,Hast du, Geneigtester! wohl jemals etwas erlebt, das deine Brust, Sinn und Gedanken ganz und gar erfüllte, alles andere daraus verdrängend? (...) Und nun wolltest du das *innere Gebilde* mit allen glühenden *Farben* und Schatten und Lichtern *aussprechen* (...) Doch *jedes Wort, alles was Rede vermag,* schien dir *farblos* und *frostig* und *tot.* Du suchst und suchst, und *stotterst und stammelst,* und die nüchternen Fragen der Freunde schlagen, wie eisige Windeshauche, hinein in deine innere Glut, bis sie verlöschen will."[12]

Zum Sandmann wird das Ausgesprochene, zum Stottern das Gebilde. Ein sonderbarer Mangel an Ausdruck entsteht – nicht nur für Nathanael, sondern ganz ebenso für den Erzähler. Wo liegt das Problem? Was hier verlangt wird: daß sich ein inneres Bild oder Gebilde versprachlicht, ist es nicht das Selbstverständliche? Das innere Gebilde muß sich in einen *Klang* übersetzen, in Rede und Worte, deren Materialität die Klangmasse darstellt. An sich ist das nebelhafte Lautmaterial gestaltlos, unartikuliert. Ich möchte an Saussure erinnern, der in dem berühmten Kapitel über den ,,sprachlichen Wert" sagt: ,,Auch unser Denken ist, wenn wir von seinem Ausdruck durch das Wort absehen, nur eine gestaltlose und unbestimmte Masse, ein Nebel," nébuleuse.[13] Ebenso steht es um die Lautmasse. Erst die Sprache bringt es fertig – eine „einigermaßen mysteriöse Tatsache", meint Saussure – an der Berührungsfläche zwischen den beiden ungegliederten Massen der Laute und der chaotischen Vorstellungen eine Artikulation herzustellen.[14] Linguisten sprechen gelegentlich davon, die amorphe Gedankenmasse werde vom Sprachzeichen wie eine Handvoll Sand geformt. Dem Erzähler aber droht offenbar dies Grundlegende nicht zu gelingen. Er gerät in Triebsand. Er stottert und stammelt wie Nathanael, und wirklich finden sich die Spuren dieses Stotterns in der Menge von Reduplikationen, die der Text aufweist. Nathanael erklärt im Brief an Lothar, seine Rede drohe sich aufzulösen: „nur es denkend, *lacht es wie toll aus mir heraus*".[15]

Später wird der Erzähler bekennen: „Mir kam keine Rede in den Sinn, die nur im mindesten etwas von dem Farbenglanz des inneren Bildes abzuspiegeln schien."[16]

Wir müssen dieses innere Bild anscheinend genauer betrachten, um das Problem zu verstehen. Und da gibt es eine Überraschung. Höchst sonderbar nämlich wird dieses sogenannte Bild beschrieben: „Es gärte und kochte in dir, zur siedenden Glut entzündet sprang das Blut durch die Adern und färbte höher deine Wangen. Dein Blick war so seltsam, als wolle er Gestalten, keinem andern Auge sichtbar, im leeren Raum erfassen und die Rede zerfloß in dunkle Seufzer."[17]

Der gesuchte Signifikant hat gar nicht ein optisches Korrelat im Innern, wie die Rede vom Bild glauben machen könnte. Es geht vielmehr um ein tief im Organischen verankertes *Treiben*, innere Erhitzung, organisches *Pulsieren*. Der Text versucht, einen vom *Körper* bestimmten, von dessen vorsemantischen Gliederungen infiltrierten *Rhythmus* zur Sprache zu bringen, eine Art alchimistisches Feuer, für das der Körper den Schmelztiegel (Coppella) abgibt. Man könnte von einer skandierten organischen Matrix sprechen, die in *Seufzern* und *Blicken* zugleich als interpersonelles Feld bestimmt ist. Dieser Prozeß, eine „innere Glut" in rhythmischer Gliederung, soll sich in Sprache übersetzen. Man kann den Text also als Widerstreit und *Durchkreuzung eines solchen somatischen Prozesses* (Trieb, Soma, Unbewußtes) *mit der symbolischen Funktion* begreifen. Das vom Trieb und den organischen Prozessen skandierte Subjekt will das unmittelbar Erfahrene, das sogenannte Bild, in die Ordnung des kommunikativen Zeichensystems bringen, ohne durch diese Fixierung den Prozeß zum Stillstand zu bringen, die Glut zu löschen. Den Prozeß nun, den wir hinter der täuschenden Rede vom Bild ausgemacht haben, möchte ich mit der Terminologie von Julia Kristeva das *Semiotische* nennen: eine vor-semantische, rhythmisierte Artikulation des Körpers sucht sich in die Ordnung der Sprache einzuschreiben. Der Text ist jene Zeichenpraxis, die die Durchkreuzung und Durchquerung des *Symbolischen* zeigt. Mit dem Begriff des Symbolischen bezeichne ich, ebenfalls im Sinne Kristevas, das Sprachsystem, insofern es unter die Regeln sinnkommunizierenden Gebrauchs fällt.[18]

Nathanaels Dichtung, ziemlich exakt die *Mitte* der Erzählung einnehmend, ist deswegen von Interesse, weil sie dieses Widerspiel in nur leicht verschobener Metaphorik abbildet. Über ihr liegt noch einmal der Schein jenes Höllenfeuers, das Hoffmanns ganzen Text erleuchtet und Nathanael verbrennt. In seiner Dichtung stellt er zunächst das vernünftige, schöne, ausgewogene Leben dar: treue Liebe zu Clara. Am Traualtar aber erscheint der Liebesstörer Coppelius und vernichtet den seelischen Austausch mit Clara über den liebevollen und vernünftigen *Blick:*

„Endlich, als sie schon am Traualtar stehen, erscheint der entsetzliche Coppelius und berührt Claras holde Augen; *die* springen in Nathanaels Brust wie blutige Funken, sengend und brennend. Coppelius faßt ihn und wirft ihn in einen flammenden Feuerkreis, der sich dreht mit der Schnelligkeit des Sturmes und ihn sausend und brausend fortreißt."[19]

Man erkennt unschwer die Nähe dieses Feuers zu dem eben als das Semiotische benannten organischen Rotieren. Dieser Rhythmus raubt die Kommunikation, den symbolischen Austausch, weil er blind in sich kreist und die geschiedenen Subjekte verschmilzt, wenn Claras Augen/Blicke in Nathanaels Brust brennen. Die mit Vernunft, Maß, Ratio konnotierte Kommunikation – die sich und Sprache ironisch beherrscht wie Clara –, gerät in den Wirbel des somatischen Pulsierens. Der kommunikative Austausch, den die treue Liebe signalisierte, verwandelt sich in Getöse, das dem *Gedanken,* für den Clara, die gute Aufklärung, steht, keinen Raum läßt: „Es ist ein Tosen, als wenn der Orkan grimmig hineinpeitscht in die schäumenden Meereswellen, die sich wie *schwarze, weißhauptige Riesen* emporbäumen in wütendem Kampfe."[20]

Eine wahnsinnige *Schrift* ist das, weiß auf schwarz – bei der man an den Hoffmann-Verehrer Poe und seinen Maelstroem erinnern darf. Sie tritt an die Stelle der geordneten Artikulation. Es ist ein frappierendes Gegenbild fast zu einem berühmten Vergleich, mit dem sprachliche Artikulation einmal beschrieben wurde: „Man stelle sich etwa vor: die Luft in Berührung mit einer Wasserfläche; wenn der atmosphärische Druck wechselt, dann löst sich die Oberfläche des Wassers in eine Anzahl von Einteilungen, die Wellen, auf; diese Wellenbildung könnte einen Begriff von der Verbindung des Denkens mit dem Stoff der Laute, von der gegenseitigen Zuordnung beider, geben."[21]

Hier nicht. Die milde Brise, von der Saussure spricht, ist bei Hoffmann ein Sturm, der den Schaum des Wahnsinns dort auftreibt, wo das Zeichen bei Saussure den Gedanken-Laut bildet.

Nathanaels Dichtung geht aber weiter. Nathanael taucht aus dem semiotischen Meereswirbel wieder auf, aber nur, und das ist entscheidend, *indem er das ganze Getöse überhaupt anhält.* So wechselt er nur einen Tod, den im Meer des Wahnsinns, gegen einen anderen, freundlichen. Nach dem Zuruf Claras, er solle sie erschauen, heißt es: „Nathanael denkt: Das ist Clara, und ich bin ihr eigen ewiglich. – Da ist es, als faßt der *Gedanke* gewaltig in den Feuerkreis hinein, *daß er stehen bleibt,* und im schwarzen Abgrund verrauscht dumpf das *Getöse.* Nathanael blickt in Claras Augen; aber es ist der *Tod,* der mit Claras Augen ihn freundlich anschaut."[22]

Dieser Schluß seines Gedichts macht deutlich, daß Nathanael den Widerstreit von Semiotischem und Symbolischem als Spaltung erfährt. Er antizipiert sein Scheitern prophetisch und macht zugleich die *G e f a h r   d e s   T e x t e s* zwischen todleerer Kommunikation und tödlichem Wahnsinn deutlich.

Die bewundernswert präzise Darstellung des Problems bei Hoffmann reicht jedoch noch tiefer. Die Geschichte selbst führt in subtiler Weise vor, wie sich die Infiltration von Wahrnehmung und Sprache abspielt, und zwar dort, wo der Sandmann überhaupt ins Spiel kommt. Metonymisch steht der Sandmann zuerst für ein Schweigen.

An den Tagen, an denen er kam, ,,gab der Vater uns Bilderbücher in die Hände, saß stumm und starr in seinem Lehnstuhl und blies starke Dampfwolken von sich, daß wir alle wie im Nebel schwammen. An solchen Abenden war die Mutter sehr traurig und kaum schlug die Uhr neun, so sprach sie: ,Nun Kinder! – zu Bette! zu Bette! der Sandmann kommt, ich merk es schon.' Wirklich hörte ich dann jedesmal etwas schweren langsamen Tritts die Treppe heraufpoltern; das mußte der Sandmann sein."[23]

Der Sandmann als inneres Bild, das zum Sehen treibt, hat, wie man sieht, einen ganz anderen als visuellen Ursprung. Er kommt zuerst in doppeltem *Klingen* daher: im Wort der Mutter und im Poltern. Das Mutterwort ist melodiös und rhythmisch: *Zu Bétte – zu Bétte. Der Sándmann kommt, ich mérk es schon.* Zugleich gibt es das bloße Geräusch. Lust und Schrecken am Klang stehen am Anfang. Für Nathanael ist der Sandmann Realität durch das Geräusch. Dann folgt seine Frage nach dem Wer und Wie, und er bekommt eine sehr be-zeichnende Antwort: ,,,Es gibt keinen Sandmann, mein liebes Kind', erwiderte die Mutter: ,wenn ich *sage,* der Sandmann kommt, so will das nur heißen, *ihr seid schläfrig* und könnt die Augen nicht offen behalten, als hätte *man* euch *Sand* hineingestreut.'"[24]

Der Sandmann ist: nur ein Wort, rhetorische Figur für Müdigkeit, Neutrum, flatus vocis? Das glaubt das Kind nun nicht, denn: ,,ich hörte ihn ja immer auf der Treppe". Der Text Hoffmanns zielt darauf ab, dieses Tönen mit dem Wort zu verknüpfen. Weil es das Geräusch gibt, ist das Symbolisierte *etwas*. Magisch, wie in der Rede des Psychotikers, verschmilzt Wortvorstellung und Sachvorstellung. Jetzt erst ist der Boden für das Bild bereitet. Indessen bedarf es noch der Worte der Wartefrau. Erst nach ihrem *Märchen* schließlich malt sich in Nathanael ,,das Bild des grausamen Sandmanns". Ich wiederhole noch einmal die Kette:

1 – Schweigen / Bilderbücher
2 – Rhythmus, Geräusch / Wort, Symbol
3 – rhetorische Figur

4 – Märchen

5 – inneres Bild.

Bevor der Sandmann als Erscheinung manifest wird, ist er bereits als Glied in einer Kette von Substitutionen oder besser: Produktionen verstanden. Worte, Zeichen, genauer: Signifikanten haben das innere *Bild* produziert, und die Lust wird immer stärker, diesem Realität zu verschaffen, also zu *sehen*. Von Anfang an ist *das Visuelle auch Produkt der Sprache*. *Das Sehen ist selbst Wiederholung* und Verdopplung. Diese Determination des Sehens durch die Sprache bleibt in der ganzen Erzählung erhalten. Die Priorität der Worte über den Blick manifestiert die Geschichte in immer neuen, freilich nicht immer augenfälligen Variationen. Man denke an die unheimliche Wirkung des Wetterglashändlers Coppola und seiner *Brillen*. Nathanael bekommt einen Angstanfall, weil sie scheinbar ebenso vervielfacht ausschauen wie die schwarzen Augenhöhlen in des Vaters Zimmer: ,,Tausend Augen blickten und zuckten krampfhaft und starrten auf zum Nathanael; aber er konnte nicht wegschauen von dem Tisch, und immer mehr Brillen legte Coppola hin, und immer wilder und wilder sprangen flammende Blicke durcheinander und schossen ihre blutroten Strahlen in Nathanaels Brust.''[25]

Aber nur weil Coppola kurz zuvor mit bestimmten *Worten* seine Brillen *angekündigt* hat, nämlich ,,hab auch sköne Oke – sköne Oke!'', kann die unheimliche Wirkung entstehen. Der *Laut* erst, der sprachlichen Signifikant, ruft den animistischen Blick herbei. (Es handelt sich um einen verstümmelten *Klang*. Oke ist eine berlinisch, nach Ogen, gebildete Verzerrung von Augen. Oge hatte Hoffmann in der ersten Fassung geschrieben, dann schon dort in Oke geändert.[26]) Der Laut erst verwandelt das tote Glas, in dem das Licht funkelt, in funkelnde Blicke, kaltes Glas in heiße Funken. Auch hier erweist sich das überaus streng durchgeführte System des Textes. Denn eine genaue Analogie verbindet den früheren Dialog mit der Mutter, in dem sie *ihre Rhetorik erklärt*, mit der Erläuterung Coppolas, was sein Wort zu bedeuten hat: ,,Nu – Nu – Brill – Brill auf der Nas su setze, das sein meine Oke – sköne Oke!''[27] Aber die Eigenmacht des Signifikanten hat sich schon festgesetzt. Wie dem Schrecken des kleinen Nathanael die Worte, die den Blick bestimmten, vorausgingen, so nimmt hier die vom Wort hervorgerufene Verkennung der Gläser für lebendige Blicke den imaginär belebenden Blick Nathanaels auf Olimpia vorweg. Sobald er durch Coppolas Glas auf den Automaten blickt, ist er wie im *Traum* und ,,festgezaubert''.

Ebenso ist die Herrschaft des Worts erkennbar in der nächsten Terrorszene. Nathanael ist in Spalanzanis Haus gekommen, um Olimpia einen Ring seiner Mutter zu schenken, und ihr damit ewige Liebe anzutragen: ,,Schon auf der Treppe, auf dem Flur, vernahm er ein wunderliches *Getöse* (...) Ein Stampfen – ein Klirren – ein Stoßen-Schlagen gegen die Tür, dazwischen Flüche und Verwünschungen...''[28]

Nun, die beiden ,,Väter'' des Automaten, Spalanzani und Coppola, streiten sich um Olimpia, vor allem um ihre Augen, wie zuvor der Vater und Coppelius um Nathanael. Noch ist Nathanael draußen, er *hört* nur. Folglich schreibt Hoffmann: ,,Es waren Spalanzanis und des gräßlichen *Coppelius* Stimmen, die so durcheinander schwirrten und tobten. Hinein stürzte Nathanael von namenloser Angst ergriffen."[29]

Nun *sieht* er also und siehe da: ,,Der Professor hatte eine weibliche Figur bei den Schultern gepackt, *der Italiener Coppola* bei den Füßen..." Nathanael ist entsetzt, ,,als er die *Figur* für Olimpia erkannte... aufflammend in wildem Zorn wollte er den Wütenden die *Geliebte* entreißen". Also ist in diesem Moment des *Sehens* die Figur für Nathanael nicht Puppe, sondern nach wie vor die *Geliebte* Olimpia. In den folgenden Sätzen ist stets von der ,,Figur" die Rede. Einmal nur sagt sich Nathanael ,,sie war eine leblose *Puppe*". Man beachte aber, daß dieser Ausdruck zwar suggestiv ist, streng genommen aber auch einfach so viel wie ,,tot" heißen kann, also keinen letzten Aufschluß gibt, ob Nathanael Olimpia als *Automat* erkannt hat. Im nächsten Moment brüllt ihn Spalanzani an, und nun *hört* Nathanael wieder, also heißt es: ,,Ihm nach – ihm nach, was zauderst du? – *Coppelius* – *Coppelius*, mein bestes Automat hat er mir geraubt –"[30]

Der Klang ist es, die *Stimme*, die den Doppelgänger ins Leben ruft, aus Coppola das Doppel von Coppelius macht und auch die *eindeutige* Kennzeichnung von Olimpia als Automat findet *einzig* in Spalanzanis Rede, also im Hören Nathanaels statt. Später wird von Lothar und den anderen nie mehr von der Olimpia-Episode gesprochen: ,,Niemand erinnert ihn auch nur durch den leisesten *Anklang* an die Vergangenheit". Und als Nathanael auf das Vergangene zu sprechen kommt, erfährt man: ,,Siegmund ließ ihn nicht weiter *reden,* aus Besorgnis, tief verletzende Erinnerungen möchten ihm zu hell und flammend aufgehen."[31]

Auf diese Weise erhält der Leser keinen einzigen völlig unbezweifelbaren Hinweis, daß Nathanael überhaupt Olimpia als Automat erkannt hat, ob nicht sein verkehrender und verzehrender Blick *unbelehrt* bleibt. Der Schluß der Erzählung jedenfalls wird beweisen, daß der Versuch, den *Blick* gegen das Spiel der Signifikanten abzudichten, fehlschlagen muß. Auch in noch so versteckter Form regelt es, was man sieht. Die Schlußszene ist übrigens von Freud sonderbar falsch gelesen worden. Nathanael und Clara besteigen den ,,Ratsturm". Freud erzählt weiter, wie wohl viele andere es auch tun dürften, und wie ein so bekanntes Werk der Hoffmann-Forschung wie das von Werner es ebenfalls tut: ,,Oben zieht eine merkwürdige Erscheinung von etwas, was sich auf der Straße heranbewegt, die Aufmerksamkeit Claras auf sich. Nathanael betrachtet dasselbe Ding durch Coppolas Perspektiv, das er in seiner Tasche findet, wird neuerlich vom Wahnsinn ergriffen, und mit den Worten Holzpüppchen, dreh' dich, will er das Mädchen in die Tiefe schleudern."[32]

Wir dürfen, so Freud, annehmen, daß es *der Anblick des Coppelius ist,* der den

Wahnsinn zum Ausbruch bringt. Wie aber erscheint dieser Blick Nathanaels bei Hoffmann?

„Da standen die beiden Liebenden Arm in Arm auf der höchsten Galerie des Turmes und *schauten* hinein in die duftigen Waldungen, hinter denen das blaue Gebirge, wie eine *Riesen*stadt, sich erhob. ‚Sieh doch den sonderbaren *kleinen grauen Busch*, der ordentlich auf uns los zu schreiten scheint', frug Clara. – Nathanael faßte mechanisch nach der Seitentasche; er fand Coppolas Perspektiv, er schaute *seitwärts* – *Clara* stand vor dem Glase! – Da zuckte es krampfhaft in seinen Pulsen und Adern – totenbleich starrte er Clara an, aber bald glühten und sprühten Feuerströme durch die rollenden Augen, gräßlich brüllte er auf, wie ein gehetztes Tier... .“[33]

Was hat Clara gesagt? „Kleiner grauer Busch"? *Grau* ist aber die Farbe des Sandmanns, und wie sich der Busch auf der Erde findet, so hat der Sandmann ein „erdgelbes Gesicht". Vor allem aber der *Busch* zeigt, wie das Verdrängte überall hervorsticht, denn im erdgelben Gesicht wachsen ja dem Coppelius „*buschige* graue Augenbrauen". Sein Doppelgänger, der Wetterglashändler Coppola aber verfügt über „kleine Augen" unter den „*grauen* langen *Wimpern*", die „stechend hervorfunkelten". Einmal Brauen, einmal Wimpern: die Etymologie lehrt, daß beide Worte mit demselben *Stamm* gebildet sind. Wimper heißt eigentlich etwa „gewundene Braue" oder „Haarbraue". Kleiner grauer Busch – wieder setzt die dieses mal, am Ende des Wegs in Wahnsinn und Selbstmord, sehr versteckte *Nennung des Sandmanns* den *verkehrenden* Blick in Gang. Denn im nächsten Augenblick schreit Nathanael „Holzpüppchen dreh dich" und der Leser erkennt, daß Coppolas Perspektiv nicht nur den Automaten in Leben, sondern jetzt für Nathanael die lebendige Clara in den toten Automaten verwandelt hat. Nicht der Anblick des Sandmann, wie Freud sagt, sondern der Blick auf die Frau, auf Clara, löst den Wahnsinn aus. Dieser Blick ist vom Spiel der Laute geleitet. Der Sandmann ist das Unheimliche, daß die Wahrnehmung von den Strukturen der Sprache geleitet, verleitet, irregeleitet werden kann.

Es ist faszinierend, mit welcher Stringenz der Hoffmannsche Text seine Strukturen organisiert und durchhält. Die besondere Verknüpfung von Wort und Bild, wie sie hier dargestellt wurde, ist allerdings in dieser Weise noch nicht beachtet worden. Das mag daran liegen, daß sie sich nur einem Lesen aufschließt, das aufmerksam ist auf die Materialität des Signifikanten. Aber auch, wenn man nur das Motiv des Blicks überhaupt, der Augen, Gläser, Perspektive, Barometer und Spiegel im Text verfolgt, kann man Peter von Matts Ansicht zustimmen, der gefragt hat, ob überhaupt „vor dieser Geschichte je ein Leitmotiv in solcher Dichte, Vielseitigkeit und Stimmigkeit in der Literatur eingesetzt worden ist".[34]

Es war zu sehen, wie Hoffmann das „innere Gebilde" des Erzählers als eingelassen in das organische Pulsieren darstellt, wo das Blut durch die Adern springt, der Blickstrahl dem anderen in die Brust fährt, Erhitzung, Entzündung und Rhythmus herrschen. Darum droht der Sprachzerfall, weil die Zeichenkette ein *Unrepräsentables*, den *eigenen pulsierenden Körper*, in die Ordnung des Symbolischen *übersetzen* soll, in ein vernunftvolles, geordnetes System von Zeichen. Wir haben uns auf die Gefahr konzentriert, die dem Text droht, daß das „Semiotische" die Symbolfunktion überwältigt. Der symbolische Prozeß ist jedoch nicht nur bedroht vom Rückfall ins sinnleere Klingen und das Chaos des körperlichen, vorsprachlichen Daseins. Es gibt eine *zweite Gefahr*, und die ist im *Blick auf den Automaten* figuriert: daß sich das Subjekt seiner Identität narzißtisch dadurch versichert, daß es in einer allzu bruchlosen Identifizierung mit der Ordnung des Symbolischen (und des Sozialen) die *Angst* vor dem Chaos, das ihm der eigene Körper ist, zu bannen versucht. Dann wird das Ich zum Automat und der Andere zu seinem Spiegel. Zu dieser Überlegung ist ein kleiner Exkurs in die Psychoanalyse unumgänglich. Jacques Lacans Konzeption des *Spiegelstadiums* geht von der Beobachtung aus, daß kleine Kinder, deren motorische Unvollkommenheit sie den eigenen Körper als *desintegriert* und chaotisch erleben läßt, etwa ab sechs Monaten ihr *Spiegelbild* erkennen. Jubelnd begrüßen sie in ihm eine Einheit, *Gestalt* und statuenartige Festigkeit, die ihrer unmittelbaren Selbstwahrnehmung abgeht.[35]

Wiederum tritt so die Funktion des Blicks hervor. Lacan zeigt, daß es gerade der *Blick* ist, der die Einführung der „Menschenjungen" mit ihrem Körper in die sozio-symbolische Ordnung ermöglicht. Zwischen Organismus und Umwelt wird eine Beziehung hergestellt, die in Zusammenhang steht mit dem zerstückelten Bild des Körpers, den Phantasmen einer aggressiv konnotierten Desintegration. Diese gibt sich in den Zeichen des Unbehagens und der motorischen Inkoordination der ersten Lebensmonate deutlich kund. Das innere Pulsieren wird als bedrohlich erlebt, erregt Angst, die ihre immer unvollkommene Auflösung in der Fixierung einer „Gestalt" findet, einer Identität, die insofern sich selbst voraus ist, als die Ruhe der Gestalt in Widerspruch steht zur Erfahrung der weitgehenden motorischen Hilflosigkeit des noch nicht beherrschten Körpers.

„Die totale Form des Körpers, kraft der das Subjekt in einer Fata Morgana die Reifung seiner Macht vorwegnimmt, ist ihm nur als „Gestalt" gegeben, in einem Außerhalb, wo zwar diese Form eher bestimmend als bestimmt ist, wo sie ihm aber als Relief in Lebensgröße erscheint, das sie *erstarren* läßt, und einer Symmetrie unterworfen wird, die ihre Seiten *verkehrt* – und dies im Gegensatz zur Bewegungsfülle, mit der es sie auszustatten meint."[36]

Man wird unschwer die Nähe der Geschichte von Nathanael zu dieser Analyse erkennen. Das Phantasma des zerstückelten Körpers taucht unmittelbar auf, wenn Coppelius in der Urszene des Lauschens Nathanael gewaltig packt, „daß die Gelenke knackten", um wie er sagt, „den Mechanismus der Hände und der Füße recht (zu) observieren", ihm Hände und Füße abschraubt, und sie, „Bald hier, bald dort" wieder einsetzt.

„...'s steht doch überall nicht recht! 's gut so wie es war! – Der Alte hat's verstanden!' So *zischte* und lispelte Coppelius; aber alles um mich her wurde schwarz und finster, ein jäher Krampf durchzuckte Nerv und Gebein – ich fühlte nichts mehr."[37]

Die Rettung bringt das Gesicht der Mutter, die sich schon im nächsten Satz über den kleinen Nathanael beugt. Dieser in jedem Sinn umfassende: *vereinheitlichende* Blick, der die Angst vor der Desintegration bannt, ist das Korrelat des Spiegelbilds. Der ganzheitliche Umriß der Spiegelgestalt führt eine *imaginäre* Einheit und Gliederung der Glieder vor den *Blick*.[38]

Freilich ist diese Einheit als nur imaginäre instabil. Die Gestalt im Spiegel hat zwei Aspekte: sie formt die mentale Permanenz des Ich, sein Funktionieren in der Ordnung des Symbolischen, vor, zugleich aber präfiguriert sie auch „dessen entfremdende Bestimmung". Sie konstituiert die Einheit des Selbst, des Körpers, die jubelnd begrüßt wird, tut dies jedoch zugleich, indem sie eine „orthopädische" Ganzheit herstellt, einen starren *Panzer wahnhafter Identität*, einen Apparat, für den die unkontrollierte Triebregung als solche zur Gefahr wird. Das Ich steht in der Gefahr, in der permanenten aggressiven *Reduktion* des Anderen auf sein Spiegelbild den Realitätsbezug zu verlieren. Wenn der Schrecken über die irreduzible Differenz des anderen nicht ertragen wird, reduziert sich die Beziehung auf den Automatismus einer narzißtischen Selbstbespiegelung und Projektion. Die Spiegelgestalt geht, wie Lacan sagt, „schwanger mit den Entsprechungen (correspondances), die das Ich (je) vereinigen mit dem Standbild (statue), auf das hin der Mensch sich projiziert, wie mit den Phantomen, die es beherrschen, wie auch schließlich mit dem Automaten, in dem sich, in mehrdeutiger Beziehung, die Welt seiner Produktion zu vollenden sucht."[39]

Das verzweifelte *Starren* Nathanaels ist von einem *Erstarren* nicht zu trennen. Ist der Advokat die Bedrohung des Realitätsbezugs durch die Ungestalt des somatischen Pulsierens/des bloßen Tönens, so steht ihm im Automat die genau entsprechende Bedrohung gegenüber: durch die reine, symmetrisch perfekte Gestalt, den lustlosen Automatismus der Sprache. Hier schließt sich der leblose Panzer des Ich, das in differenzloser Identifizierung sich auf Kosten des lebendigen Austausches aufrichtet. Daß es eine solche Spiegelung ist, die der Blick in Olimpias Augen erfährt, sagt die Erzählung ausdrücklich. Hier wird der Blick auf die Frau zur aggressiv identifizierenden Handlung, wo die Frau nur soweit lebt, wie die Erhitzung durch den Mann reicht. Olimpias Kälte scheint Nathanael zu schwinden, wenn er mit seinen Händen die frostige „Bildsäule", wie Olimpia genannt wird, umfaßt, wenn er wie Pygmalion ihre kalten Lippen mit seinem Kuß erwärmt. Darum hat er sehr recht mit seiner Feststellung: „Nur *mir* ging ihr Liebesblick auf und durchstrahlte Sinn und Gedanken, nur in Olimpias Liebe *finde ich mein Selbst wieder.*"[40]

Aber in dieser auf die duale, unmittelbare Spiegelbeziehung verwiesenen Begegnung gibt es keine symbolische Vermittlung, keinen Austausch, sondern nur wechselseitiges Starr- und Steifwerden. Reiner *Sexus* ist in diesem Blick gemeint, Reduzierung und phantasmatische Belebung des Liebesobjekts mit dem eigenen Leben. Hier gibt es keine *Brechung* der dualen Relation durch das Dritte eines symbolischen Netzes. Der Automat ist *der reine Körper.*

Vorweg nimmt das Bild des Automaten hier, Jahrzehnte vor der Erfindung der Daguerreotypie, den Apparat, der „das Bild des Menschen aufnimmt, ohne ihm dessen Blick zurückzugeben".[41] Walter Benjamin notiert den Chok mit der Erinnerung daran, daß dem „Blick die Erwartung innewohne, von dem erwidert zu werden, dem er sich schenkt". Der *stumpfsinnige,* man könnte auch sagen: *matte* Blick bedeutet den Ausfall wirklicher Reflexivität. Dafür ist seine Färbung sexuell. „Der Stumpfsinn", schreibt Baudelaire in einer seiner ersten Veröffentlichungen, „ist oft eine Zier der Schönheit. Ihm hat man es zu verdanken, wenn die Augen trist und durchsichtig wie die schwärzlichen Sümpfe sind oder die ölige Ruhe der tropischen Meere haben."[42] Im Bann dieser Augen, so Benjamin, hat sich der Sexus in Baudelaire vom Eros losgesagt. Nathanaels Kommunikation bleibt die des unmittelbaren stumpfsinnigen Blicks, fixiert auf den Sexus.

Im Spiel von Hoffmanns Text wird aber die entscheidene Beziehung hergestellt zwischen der Verstümmelung des Austauschs im allzu klaren Spiegel und der *Verstümmelung der Sprache.* Vom Wort Sprache bleibt lediglich *Ach-Ach,* welches nur ein einziges Mal erweitert wird zu einem Gute *Nacht.* Als Nathanael von *Siegmund,* dem Freund, wegen seiner sonderbaren Vorliebe zur Rede gestellt wird, schimpft er die anderen kalte, *prosaische* Menschen und verweist auf die eigene *Poesie:* „Euch mag es nicht recht sein, daß sie nicht in platter Konversation faselt, wie die andern flachen Gemüter. Sie spricht *wenig Worte,* das ist wahr; aber diese wenigen Worte erscheinen als *echte Hieroglyphe der innern Welt* voll Liebe und hoher Erkenntnis des geistigen Lebens in der Anschauung des ewigen Jenseits. Doch für all das habt ihr keinen *Sinn* und alles sind verlorene Worte."[43]

Hier ist das Problem zu greifen: Ach, Oge, Auge, Oke, Sprache und Bild fallen zusammen im phantasmatischen Ideal der *Bilderschrift,* Schrift, die keine sein soll, sondern ohne Differenz dem verlangenden Blick ohne Rest präsent macht (qua Anschauung), was doch immer auf das Spiel der Sprache mit seiner konstitutiven Nichtpräsenz, Nicht-Anschauung verwiesen ist. Was in der Blickbeziehung Nathanael – Olimpia repräsentiert wird, ist die Verwerfung und zugleich Verabsolutierung des Symbolischen.

Wir konnten die Figur des Sandmanns dechiffrieren in einer Kette von Elementen, die auf die Gefährdung der Sprache durch die unabschließbare Formbarkeit des Signifikantenmaterials verweisen. Olimpia, die perfekte Gestalt, zeigt sich nun als dieselbe Gefahr des Sprachverlustes unter verschobenem Blickwinkel: Das ordnende Ich wird zwanghafte Fixierung der Gestalt, fungiert als Einschnürung und Automatismus des Symbolischen. Aber die Sprache als Automatismus entpuppt sich als – keine Sprache. Das verpanzerte Ich ist ohne wirkliche Sprache, und wenig fehlt, so würde man in Olimpias Ach das entstellte Ich erkennen. Der Sandmann weckt den Todestrieb als unbelebte Materie ohne Gestalt, Olimpia als überlebendige vollkommene Gestalt. *Zwischen* und *in* beiden zugleich ist das Leben, spielt die Sprache. Die Bilderschrift führt in die Totenstarre des Anorganischen bzw. in die Sprachlosigkeit. Leicht gerinnt der Poesie schöner Rhythmus des Sinns zum „geistlosen Takt der Maschine", den alle außer Nathanael an Olimpia wahrnehmen. Leicht wird die Suche nach dem einzig treffenden, unverwechselbaren Ausdruck (das ist der Name) zur zerstörerischen Sehnsucht, die lästige Artikulation der Sprache überhaupt abzuschütteln: das unvermeidliche Nacheinander der Zeichen, ihre Verweisungen in einem letztlich nicht beherrschbaren, intersubjektiven Sprachfeld, ihre Indirektheit und Unvollkommenheit.

Aber der Wahnsinn, und nichts anderes wäre die Verwerfung des Symbolischen, wäre nicht das Problem einer solchen Erzählung wert, stellte er nicht eine Bedingung der textuellen Produktion selbst dar: dem Zerlaufen und Verformen *wie* der toten Perfektion, dem nicht bildbaren Rotieren des Körpers *wie* der fixierenden Gestaltung *muß* der Text sich aussetzen, um seine Produktivität zu entfalten. Seine Nähe zu Wahnsinn und Psychose, die auch Hoffmanns Poetik thematisch war, rührt daher. Wie eng die Gefährdung an das *Ideal der Hieroglyphe* selbst gebunden ist, legt der Erzähler selbst schonungslos offen, wenn er die Suche nach dem *ersten,* dem Schöpfungswort, thematisiert: „Aber es war dir, als müßtest du nun *gleich im ersten Wort alles* Wunderbare, Herrliche, Entsetzliche, Lustige, Grauenhafte, das sich zugetragen, recht *zusammengreifen,* so daß es, wie ein *elektrischer Schlag,* alle *treffe.* Doch jedes Wort, alles was Rede vermag, schien dir farblos und frostig und tot."[44]

Die äußerste Spitze des „Symbolischen" trifft sich mit dem „reinen" Pulsieren des „Semiotischen" – im Tod. Zwischen beiden Modalitäten kreuzt der Text. Der Text steht auf der Schwelle, besteht im Blick durch den Spalt, entsteht dadurch, daß sich der Prozeß des Subjekts in einer Praxis manifestiert, in welcher die Ordnung des Signifikanten – das Symbolische – unterm Druck der prä-symbolischen, triebhaften Rhythmisierungen – des Semiotischen (wie J. Kristeva den Begriff gebraucht) – sich verschiebt, ohne daß die „vernünfige" Ordnung ganz vernichtet wird wie im Wahnsinn oder umgekehrt das Chaotische so beherrscht, daß der Text nur tote Wiederholung des symbolischen Rasters bleibt. Die Nähe solchen Produzierens zu Wahnsinn und Sprachverlust mobilisiert die Angst, die in der unheimlichen Erzählung Gestalt gewinnt. Automat und Advokat repräsentieren Skylla und Charybdis der textuellen Produktivität: das Semiotische kann eingeordnet, seine Lebendigkeit kastriert werden. Dann reduziert sich der Text auf den Automatismus des Symbolischen. Oder das Semiotische vernichtet die symbolischen Strukturen vollends. Dann entsteht eine andere, manische Langeweile, die sinnleere Sprache des Wahnsinns.

Die Bedrohung ist die *Verführung*. Diese resultiert gerade aus der Verwobenheit der Symbolfähigkeit mit der Körperlichkeit. Darum errichtet dieses Werk keineswegs, wie jüngst in einer Deutung behauptet wurde[45], eine Poetologie, die Wahnsinn von Dichtung so scheidet, daß Dichtung durch *Reflexion* ihrer inneren Welt sich vom Wahnsinn abhebe. Solch ein Begriff von Reflexion setzt all das voraus, was Hoffmanns Text zweifelhaft macht. Das Problem, dem sich Dichtung zu stellen hat, wird auf diese Weise unzulässig dem der diskursiven Sprache angeglichen. Der Text Hoffmanns weist in eine andere Richtung: Käme es nur auf den guten Willen zur Reflexion an, dann wäre es mit Nathanael und Clara sicher gutgegangen. Reflexion aber – das gerade ist in gewisser Weise Olimpia: gläserner Reflex, der nur von einer sich starr behauptenden Identität animiert und illuminiert wird.

Das Ideal der geistigen Gesundheit, das Clara repräsentiert, ist offenkundig höchst gebrochen. Das Ende Nathanaels ist eingebettet zwischen Szenen, die an übertreibender Idylle nichts, aber auch gar nichts zu wünschen übrig lassen: kleines Gütchen, glückliche Heirat, milder Freundeskreis, behobene Geldsorgen, und nach der Katastrophe: glückliches Elternpaar mit glücklichen Kindern vor der stillen Türe. Familie, Logik, die gute Aufklärung, fein säuberlich scheiden, das ist Clara. Ihre *Ironie* veranlaßt die anderen, Gescheites von sich zu geben. Aber sie dürfte es schwer haben: wenn die Zerrissenheit des *Semiotischen* sie nicht mit sich in die Tiefe reißt, kann sie zwar der Bruder retten. Aber nimmt sie dann nicht die Gefahr der Langeweile auf sich, die sie doch selbst als das *Tödlichste* ansieht?

Sicherlich wird hier der wie Nathanael „innerlich zerrissenen" Romantik und der toten Klassizität der „schönen Bildsäule" Olimpia mit Claras vernunftgetränkter Ironie ein nicht erreichbares künstlerisches Ziel entgegengesetzt. Aber schon die Ironie gegen Clara verbietet, darin ein Programm des Autors zu sehen. Im Gegenteil: Hoffmanns Text scheint mir sehr körpernah. In vielfältiger Weise ist der *Körper*, sein von Impulsen, Erhitzungen und Abkühlungen betroffenes präsymbolisches Dasein, der Zeichenkette des Textes eingeschrieben. Nicht erst die Wettergläser, also *Barometer,* in denen Quecksilber bei Erwärmung aufsteigt und fällt, verweisen darauf. Immer wieder äffen die Worte im Text selbst mimetisch das Pulsieren. Es sind vor allem die zahllosen Wiederholungen, die das Sprachfeld wie einen Körper rhythmisieren: Ach, Ach, Hilfe, Hilfe; Saus und Braus; zu Bette, zu Bette; rettet, rettet; endlich, endlich; Vater, Vater; sei ruhig, sei ruhig; halt ein, halt ein; lustig, lustig; ich greife nur ein paar heraus. Dann die Anfälle von Wahnsinn, tobendes *Gebrüll,* dann das von Hoffmann mit Vorliebe gebrauchte Bild: ,,wie aus Springquellen strömte das Blut empor'', überhaupt das Sausen und Brausen des Bluts, das Erbeben, Zittern und Zerrissenheit, Schwindel und Sturz. Wie sehr innerer und äußerer Prozeß sich ineinander winden, besonders eindringlich am Schluß: Wenn *Copp*elius Nathanael am Anfang nur metaphorisch den *Kopf,* nämlich Sinn und Gedanken, *zerschmettert,* so am Ende buchstäblich, wenn er dafür sorgt, daß Nathanael mit zerschmettertem Kopf (*Kopp* würde man in Berlin gesagt haben) auf dem Pflaster liegt.

Nathanael erlebt die Lust als Schrecken. Und dieser Schrecken geht letztlich zurück auf den *Körper* selbst, seine im genauen Sinn Un-Sichtbarkeit; Triebhaftigkeit, sexuelle Differenz, Wirbeln: diese Körpererfahrung entgleitet aller Symbolisierung. Es fällt nun auf, daß der Tod Nathanaels mit einer eigenartigen Symbolik verknüpft ist; Hinaufsteigen und Abstürzen. Der ganze Text wimmelt von Treppen und Stürzen, Auf und Ab. Ob Coppola oder Coppelius: sie kommen die Treppen heraufgepoltert oder stürzen sie hinunter, Nathanael droht den Optikus hinabzuwerfen, in Spalanzanis Haus gibt es das Auf und Ab im Treppenhaus, und zuletzt springt Nathanael einige Male in die Höhe, bevor er stürzt. Diese Bildlichkeit ist besonders auffällig, wo Hoffmann Nathanael, nur um noch einmal etwas zu *schauen,* den Turm *hinauf*schickt, um ihn in den Tod *stürzen* zu lassen. Diese Rhythmik kann nicht zufällig sein, womit ich nicht auf eine Intention Hoffmanns, sondern eine Logik des Textes anspiele. Auf die Gefahr hin, daß man in Langeweile verfällt: es handelt sich um eine phallische Symbolik. Das Steigen und Stürzen verbindet sich mit einer anderen Kette von Bildern, die nun schon fast nurmehr *eindeutig* zu nennen ist: der Sandmann wird stets in derselben Bewegungsform gezeigt: Von irgend woher kommt er daher, kommt angeschritten, immer näher. Dann kommt der *eine* Moment, wo er *da* ist: unter den Menschen auf dem Marktplatz ,,*ragte riesengroß* der Advokat Coppelius *hervor*''. Und *nach* der Szene ist der Sandmann regelmäßig spurlos verschwunden. Die Signifikantenkette artikuliert den sexuellen Rhythmus, bezogen auf den Phallus.[46]

In die Sprache schreibt sich durch Rhythmisierungen, Klangbilder und Anspielungen der Körper ein. Darin besteht die ,,Lust am Text''. Hoffmann hebt an ihr die Gefahr, das Unheimliche hervor: Sprachverlust und Wahnsinn droht, weil der Körper mit seinem Rhythmus zum Ausdruck drängt, und dabei die symbolische Ordnung gefährdet, wie nach Freud das Es die Ich-Instanz überfluten und das Subjekt in die Psychose stürzen kann. Der Körper soll aber, anders als in Metasprache, in Hoffmanns Text nicht ausgeschlossen bleiben: Gerade darum kann er die Ebenen des ,,Zeichenmachens'' in ihrer Spaltung und gegenseitigen Infiltration zur Darstellung bringen. Das Wesen dieser Infiltration aber ist vorab eine Bedrohung der Anmaßung des ,,klaren'' Begriffs, der automatischen Ratio, die wähnt, sie sei

sich selbst durchsichtig, während sie *ihre* Dunkelheiten nur verleugnet.
,,Wie in eines matt geschliffnen Spiegels dunklem Widerschein'' lautet eine berühmte Formel für die Realitätsauffassung des Dichters in dieser Geschichte. Ein
rätselhafter Satz, der soviel deutlich macht, daß er der Forderung der idealistischen
Begriffsästhetik nach Licht und Scheinen *nicht* entspricht. Niemand sah die Bedrohung, die von solchen Texten für die Ordnung des Begriffs ausgeht, schärfer als der
Philosoph des absoluten Geistes. In den unheimlichen Geschichten der Hoffmann-
schen Phantastik vollzieht sich eine einschneidende Abwertung von Hegels illusio-
närem Anspruch des Begriffs. Metakommunikativ das Dunkle aufzuheben – diesem Anspruch setzt Hoffmanns Sprache den entgegen, den *Körper* im Text zum
Sprechen kommen zu lassen. Nicht so radikal wie andere Autoren des 19. und 20.
Jahrhunderts, ordnet der romantische Autor den Prozeß einem thematisch funk-
tionierenden Erzählfluß unter, es blieb aber, wie die folgenden Passagen aus der
Hegelschen Ästhetik zeigen, genug, um die idealistische Dialektik aufs tiefste zu
provozieren. Hegel schreibt:
,,Vorzüglich jedoch ist in neuester Zeit die innere haltlose Zerrissenheit, welche
alle widrigsten Dissonanzen durchgeht, Mode geworden und hat einen Humor der
Abscheulichkeit und eine Fratzenhaftigkeit der Ironie zuwege gebracht, in der sich
Theodor Hoffmann z. B. wohlgefiel.''[47]
,,In einer anderen Art ist dieser Mangel an innerer substantieller Gediegenheit des
Charakters auch dahin ausgebildet, daß jene sonderbaren höheren Herrlichkeiten
des Gemüts auf eine verkehrte Weise sind hypostasiert und als selbständige Mächte
aufgefaßt worden. Hierher gehört das Magische, Magnetische, Dämonische, die
vornehme Gespenstigkeit des Hellsehens, die Krankheit des Schlafwanderns usf.
Das lebendig seinsollende Individuum wird in Rücksicht auf diese dunklen Mächte
in Verhältnis zu etwas gesetzt, das einerseits in ihm selber, andererseits seinem Innern ein fremdartiges Jenseits ist, von welchem es bestimmt und regiert wird. In
diesen unbekannten Gewalten soll eine unentzifferbare Wahrheit des Schauerlichen liegen, das sich nicht greifen und fassen lasse. Aus dem Bereiche der Kunst
aber sind die dunklen Mächte grade zu verbannen, denn in ihr ist nichts dunkel,
sondern alles klar und durchsichtig, und mit jenen Übersichtigkeiten ist nichts als
der Krankheit des Geistes das Wort geredet und die Poesie in das Nebulose, Eitle
und Leere hinübergespielt, wovon Hoffmann und Heinrich von Kleist in seinem
,Prinzen von Homburg' Beispiele liefern.''[48]
Ich meinerseits hoffe, daß die vorliegende Lektüre ein wenig ,,Lust am Text'' bereitet hat, und daß sie ein Beispiel geliefert hat für den eingangs erwähnten Gedanken von Gilles Deleuze, daß wir in den Autoren nicht Kranke, sondern Ärzte erblicken sollten, die uns über unseren Zeichengebrauch etwas zu lehren haben, und
die wir nicht neutralisieren sollen mit Hilfe einer fixen Zeichentheorie, die bewußtlos an der Durchsichtigkeit der Metasprache ausgerichtet ist. Insofern habe ich al-

lerdings nicht nur über den Sandmann gesprochen und möchte darum mit den Worten eines gewissen Professors der Poesie und Beredsamkeit schließen, der, nachdem er zuvor eine Dose zugeklappt und sich geräuspert hat, feierlich betont: „Hochzuverehrende Herren und Damen! merken Sie denn nicht, wo der Hase im Pfeffer liegt? Das ganze ist eine Allegorie – eine fortgeführte Metapher! Sie verstehen mich! – Sapienti sat!"[49]

Anmerkungen

[1] E. T. A. *Hoffmann*, Fantasie- und Nachtstücke. hg. v. Walter Müller-Seidel. Darmstadt 1971 (im Folgenden zitiert als H), S. 334f. Hervorhebungen hier wie in allen folgenden Hoffmann-Zitaten vom Verfasser.

[2] Vgl. Peter *von Matt*, Die Augen der Automaten. E.T.A. Hoffmanns Imaginationslehre als Prinzip seiner Erzählkunst. Tübingen 1971, S. 163

[3] H S. 342

[4] H S. 336

[5] H S. 340

[6] Vgl. Sigmund *Freud*, Das Unheimliche. in: Studienausgabe Bd. IV S. 243 – 274. bes. S. 257ff zum Komplex Doppelgänger, Wiederholungszwang und Animismus.

[7] Vgl. E. T. A. *Hoffmanns* Sämtliche Werke. Hist.-krit. Ausgabe von Carl Georg *von Maassen*. Dritter Band Nachtstücke. München und Leipzig 1909, S. 356/57

[8] H S. 336

[9] Zitate H S. 332-334

[10] H S. 333

[11] H S. 333

[12] H S. 343

[13] Vgl. Ferdinand de *Saussure*, Grundfragen der allgemeinen Sprachwissenschaft. 2. Aufl. Berlin 1967, S. 133. Saussure schreibt „nébuleuse", was einen astronomischen Nebel meint. Diese nébuleuses scheinen eine neblige Masse zu sein, lösen sich aber im Teleskop zu einzelnen Fixsternen auf.

[14] *Saussure*, a. a. O. S. 133f.

[15] H S. 331

[16] H S. 344

[17] H S. 343

[18] Vgl. dazu Julia *Kristeva*, La révolution du langage poétique. Paris 1974. Abschnitt A.

[19] H S. 347

[20] H S.347

[21] *Saussure*, a. a. O. S. 134

[22] H S. 348

[23] H S. 332

[24] H S. 332

[25] H S. 351

[26] Inwiefern der Umstand, daß Linsenschleiferei ein vor allem von Juden ausgeübtes Metier war, auf die Erzählung eingewirkt hat, habe ich nicht verfolgt. Vielleicht soll in den Sprachverstümmelungen, von denen es noch andere gibt (Ei Thanelchen usw.), auch ein jiddisches Moment anklingen?

[27] H S. 351

[28] H S. 358

[29] H S. 358

[30] H S. 359

[31] H S. 361

[32] *Freud*, a. a. O. S. 253

[33] H S. 361f

[34] *von Matt*, a. a. O. S. 34

[35] Jacques *Lacan*, Das Spiegelstadium als Bildner der Ichfunktion, wie sie uns in der psychoanalytischen Erfahrung erscheint. in: ders., Schriften 1, Frankfurt/M. 1975, S. 61–70.

[36] *Lacan*, a. a. O. S. 64

[37] H S. 336

[38] Vgl. dazu J. P. *Bauer* in Etudes Freudiennes.

[39] *Lacan*, a. a. O. S. 65

[40] H S. 357

[41] Vgl. Walter *Benjamin*, Charles Baudelaire. Ein Lyriker im Zeitalter des Hochkapitalismus. Frankfurt 1969, S. 156

[42] *Benjamin*, a. a. O. S. 159 f.

[43] H S. 356f

[44] H S. 344

[45] Vgl. D. *Kittler* (Hg.) u. a., Urszenen. Frankfurt/M. 1977

[46] Zu der ersten Lauschszene, die von *Kittler* mit Recht im Sinne Freuds als „Urszene" interpretiert wird, hat Hoffmann beim Erzählen dieser Szene einmal eine Zeichnung hingeworfen. Man erkennt deutlich, daß der Vater in demütiger Unterwerfung, gleichsam als Frau, erscheint, Coppelius mit allen Anzeichen des Beherrschenden, Männlichen und Phallischen ausgezeichnet ist. Links und Rechts erkennt man je eine *Öffnung*. Die eine ist das Versteck des Jungen hinter der „Gardine, die einem gleich neben der Türe stehenden offenen Schrank, worin meines Vaters Kleider hingen, vorgezogen war." (H S. 334) Man beachte, daß Nathanael buchstäblich in die Kleider seines Vaters schlüpft. Zugleich ist die *Öffnung* der Gardine in sonderbarem Oval gezeichnet. Der Blick auf den *Körper* des Vaters ist wie der Blick in den Körper der Mutter *und* aus ihm heraus. Die rechte Öffnung ist der Wandschrank, den die Erzählung als *coppo*, als Augenhöhle definiert wird. Nun kann man damit die Deutung beenden und festhalten, hier sei eben die Urszene beobachtet: Nathanael nimmt den Vater als Frau (Vagina), Coppelius als Vater (Phallus) wahr. Der Verkehr zwischen beiden wird beobachtet, der Schrecken über die Erfahrung der Differenz, das Geheimnis der Geburt und die Kastration sind erkannt. Man muß aber sehen, daß es eine weitere wichtige Öffnung in dieser Zeichnung gibt. Während der Vater deutlich verhüllt ist, bildet die Kleidung des Sandmanns eine deutliche Öffnung auf das Geschlecht, die unverkennbar vagina-ähnliche Umrisse hat. Umgekehrt die geschlossene Figur des Vaters. Die alchimistische *Mischung* liegt auf der Hand, Männlichkeit und Weiblichkeit zirkulieren, Geburt und Geschlecht verbinden sich, eine unlösbare Vıeldeutigkeit verhindert die Fixierung der sexuellen Identität. Es sei noch bemerkt, daß *Spalanzani* historisch als einer der ersten Versuche mit *künstlicher Befruchtung* unternahm. Das Unheimliche, das Nathanael zu Gesicht bekommt, ist zugleich *nichts* und der *Körper:* Was sieht, ist die Differenz, die sich schon wieder auflöst, der Blick auf die Produktion des eigenen Lebens. Nicht das *Bild* ist das Unheimliche. Die Bedrohung geht von der Erkenntnis aus, daß das Bild eben kein Bild ist, daß der Blick immer nur einen *Unterschied* trifft, das Subjekt hinter die ursprüngliche Verwebung, den ursprünglichen Text aus Körper und Laut, Motorik,

„Der Sandmann", Federzeichnung von E. T. A. Hoffmann. 1815 vor Mitte November. Entnommen aus: Handzeichnungen E. T. A. Hoffmanns, hrsg. von Hans von Müller, Neuausgabe von Friedrich Schnapp. Hildesheim, Gerstenberg Verlag 1973, Bl. 43.

Rhythmus und Gestalt *nicht* herauskommt. Der Text nimmt die Herausforderung an, die Spaltung und Zerrissenheit ihm stellen. Er überläßt sich einer Produktivität, die am Rand des Begriffs, der Identifizierung operiert. Er setzt die sexuelle Identität, die durchsichtige Klarheit des Begriffs, aufs Spiel. Nicht durch die Verdopplung der symbolischen Ordnung in der Metasprache der Reflexion kommt die Produktivität des Textes zustande, sondern durch die Arbeit, das *Gewühl* der Signifikanten in ihrer Materialität, in die sich der Körper mit seinem Rhythmus *einschreibt.*

[47] G. W. F. *Hegel,* Ästhetik. Band 1. Berlin und Weimar 1965, S. 220
[48] ebd. S. 238f
[49] H. S. 360

2. „Poesie = Gemüthererregungskunst"
Frühromantik und Surrealismus

Von Gisela Dischner

Die Gefahr der falschen Aktualisierung, der rückwärts gekehrten Projektion (statt der ‚rückwärts gekehrten' Prophetie) ist gerade dann gegeben, wenn Analogien zur Gegenwart sich aufdrängen. Ich meine aber, man entgeht dieser Gefahr, wenn man die Dialektik vom Vergangenen und Zukünftigen begriffen hat in dem, was Novalis „geistige Gegenwart" nennt. In der ‚ungeistigen Gegenwart' dagegen, wo die Alltagsgewohnheiten auf allen Ebenen zu einer Abstumpfung der Wahrnehmung führen, erschlagen die Gespenster der Vergangenheit die lebende Gegenwart, statt daß sich in ihr das Uneingelöste des Vergangenen endlich realisiere. In der sinnvollen Aktualisierung des Vergangenen geht es um dies Uneingelöste, Vergessene, Verdrängte, Diffamierte, „Gescheiterte".

Aber es geht *nicht* um Identifikation, sondern um Wahlverwandtschaft, nicht um Angleichung des einen ans andere, sondern um „Spuren"-Protokolle. Die subversive Tradition der ‚antiautoritären' politästhetischen Moderne ist eine solche Spur. Sie wird nicht zurückverfolgt bis zu den ‚Häretikern' oder, auf ästhetischer Ebene, den ‚Manieristen'. Vielmehr bis dorthin, wo diese Tradition virulent genug wird, um sich nicht mehr ohne weiteres unterdrücken zu lassen: bis zur Frühromantik, wo sie selbstbewußt wird und sich im Entwurf einer neuen ästhetisch bestimmten Anthropologie programmatisch äußert, und zwar durch eine Gruppe, nicht nur als vereinzelte, leidenschaftliche und in Leiden endende Stimme (wie von Hölderlin oder später von Nietzsche). Das Selbstverständnis der *Jenaer Gruppe,* der ‚rebellischen' Frühromantiker, hat dies mit der Pariser Gruppe der Surrealisten um Breton gemein: daß sie mit einem gesellschaftspolitischen Anspruch der Erneuerung des Lebens, der Idee von der Geburt des neuen Menschen auftritt und sich kämpferisch verhält in bezug auf eine Kritik des Alltagslebens. Deshalb sollen die Programme, Theorien und poetischen Darstellungen *dieser* beiden Gruppen vor allem betrachtet werden.

Was diese ‚subversive Tradition' von der Tradition unterscheidet, die von der Klassik zum Realismus führt (ich bin mir der Vereinfachung dieser Einteilungen bewußt), ist eine Methode, die Welt anders und neu wahrzunehmen. Diese Methode, die in die Wirklichkeit eingreift, *diese* verändert und *den,* der sie anwendet, hat nichts mit der Abbildung der Welt zu tun, aber auch andererseits nichts mit der Setzung der „Welt des schönen Scheins" jenseits der Wirklichkeit. Das letztere wird ihr zu Unrecht oft unterstellt, vor allem der frühromantischen Kunsttheorie. Die Suche nach der blauen Blume wurde zu einem Totalsymbol der ‚deutschen' Suche nach vagen Fernen und zur Tendenz in eine weltabgewandte Innerlichkeit verfälscht, die es ermöglichte, die Keime des Faschismus hier angelegt zu sehen.

Herbert Marcuse hat dies in seiner Dissertation „Der deutsche Künstlerroman" von 1922 schon klar erkannt, wenn er über den „Heinrich von Ofterdingen" schreibt: „...diese Sehnsucht (Heinrichs) ist nicht ziellos unendlich, sie führt nicht aus der Wirklichkeit hinaus, sondern in sie hinein, durch sie hindurch; die blaue Blume wächst nicht in idealischer Einsamkeit und lebensfernen Phantasiereichen, sondern mitten in der verwirrenden Schönheit dieser Welt, wenn auch nur der Berufene sie sieht: er muß in den Berg hinein, nicht über ihn hinüber. Die blaue Blume wächst greifbar innerhalb der Welt, das idealische Reich ist keine irreale Phantasie, sondern erhebt sich unmittelbar aus der Wirklichkeit" (Marcuse 114).

Der „Berufene" ist der Dichter, er sieht, was die anderen nicht sehen, aber sein Dichten bedeutet für ihn, die anderen sehend zu machen. Die ‚Exklusivität' einer nicht gewöhnlichen Seh-Wahrnehmungs-Erkenntnisweise der Welt und des Selbst soll nicht perpetuiert werden: *alle* sollen ‚Berufene' werden, alle sehend, alle sind ‚thronfähig' wie der ‚Monarchist' Novalis sagt, der sich keinen König ohne Republik vorstellen kann, ohne die Tendenz, sich allmählich selbst aufzuheben. Die ständige *Verwandlung der Welt* in eine Welt der Poesie hat diese neue Wahrnehmungsweise der Welt (Šklovskij wird später sagen ‚des Gegenstandes') zur Voraussetzung.

Der *Künstler als Magier* wird in der Frühromantik wie im Surrealismus verstanden als einer, der, scheinbar die Welt ‚verzaubernd', diese eigentlich entzaubert, d. h. der zeigt, daß die Welt als versteinerte, verzauberte, als Welt ‚unter dem Bann' (Adorno) durch die Methode einer anderen Erkenntnis- und Wahrnehmungsweise zu verflüssigen ist (die Welt, die Beziehungen, die Sprache, die Wahrnehmung- und Verhaltensgewohnheiten).

Scheinbar wird die ‚vertraute' Welt uns entrückt, in Wahrheit wird ihr Entfremdungscharakter enthüllt und tendenziell aufgelöst. Wir sollen von Objekten eines schein-naturwüchsigen Schicksals zu Subjekten der Geschichte werden, das Leben soll, wie Novalis sagt, „kein uns gegebener, sondern ein von uns gemachter Roman" (Novalis 1976: 152) sein. Also das Gegenteil von weltabgewandter Innerlichkeit und Realitätsflucht, auch das Gegenteil eines Verrats an der Aufklärung: „Der Traum der Blauen Blume war mithin kein Zeichen der Weltflucht, des Ausweichens in ein von Realität unbeflecktes Märchenland, vielmehr verstand sie ihn als Symbol einer umfassenderen Weltzuwendung. Und nicht gegen die Intellektualität des Aufklärungszeitalters richtete sie (die Frühromantik, G. D.) sich, sondern gegen eine voreilige Selbstbeschränkung der Intellektualität auf ein mechanistisch-manipulatives Verhältnis zur Realität" (Höck: 89).

Dieses instrumentelle Verhältnis zur Realität hat zur Konsequenz die Entfremdung von uns selbst, sozusagen als eine Farce auf die seit dem Schamanismus geübte Ekstase (ein Außer-sich-sein, das aber fremdbestimmt ist, der Wahn der Normalität).

Die romantische Poesie als „Gemühtererregungskunst" (Novalis 1976: 131) will uns aus der Selbstentfremdung zu uns zurückführen, locker machen für einen – psychoanalytisch gesprochen – freien Umgang mit unserer Libido jenseits des Reichs der Notwendigkeit, nur unsere fundamentalen Bedürfnisse zu befriedigen. Wenn das Ich nach Freud (‚Das Ich und das Es') vor allem als Leib-Ich zu definieren ist, das im System der Wahrnehmung seinen Ursprung hat und die Beziehungen zwischen dem Leibe und anderen Körpern vermittelt, dann bedeutet die Methode der neuen Wahrnehmungsweise eine innere Revolution des Menschen, eine Rückkehr zur Natur (zur eigenen Triebnatur und zur äußeren von uns gemachten Natur) im Medium von Reflexion und gleichzeitiger Gefühlserregtheit, sie wäre ein ‚Traum nach vorn' (Bloch), der uns radikal aus dem Selbstverständnis des Bestehenden löste und erlöste.

Diese Rückkehr, ‚reflektierte Regression', weiß von dem Verlust der ‚ersten' Natur, betrauert ihn aber nicht, sondern synthetisiert das Verlorene als Uneingelöstes mit dem Zukünftigen, schafft sich eine neue Welt, eine neue Natur, eine neue Landschaft. ‚Heimat' als diese hergestellte Landschaft des Imaginären ist nicht jenes Blut- und Bodenhafte, auf das man die Romantik als Prä-Faschistisches festlegen wollte, in einer Ideologiekritik des wahrhaft ‚hilflosen Antifaschismus'.

Die ‚subversive Tradition' zu aktualisieren heißt in diesem Zusammenhang, unsere „Heimat" zu konstruieren, die jenseits des zwanghaften Festhaltens an der von außen definierten ‚Identität' des ‚Normalen' angesiedelt ist, in der wir zunehmend zu Automaten der Technokratie reduziert werden, deren Identität am Grad des ‚Funktionierens' gemessen wird. Novalis hat für die ‚Heimat', die gleichzeitig in uns (aber unbewußt) und um uns ist, wenn wir sehen lernen, manche Symbolisierungen; so den Orient, den die Mignon-verwandte Gestalt Zulina dem Heinrich von Ofterdingen als Land der Poesie und „Kolonie des Paradieses" schildert, aber auch das verräumlichte ‚goldene Zeitalter' der Zukunft, das die Dichter in einer „geistigen Gegenwart" antizipieren.

Marcuse deutet die Heimat in ‚Heinrich von Ofterdingen' als die idealische Welt, die gleichzeitig der ästhetische Zustand ist, den der Dichter vermitteln will: „Die idealische Welt, die sein Vaterland ist, ist kein ins Unendliche zerflatterndes Gefühl, sie ist ihm sichtbar und wahr, sie ist überall um ihn, und alle Wege führen ihr einmal zu" (Marcuse: 119).

In diesem Sinn ist Dichtung „willkührlicher, thätiger produktiver Gebrauch unserer Organe" (Novalis 1976: 129). Die Grundkraft ist dabei die Phantasie, die uns erlaubt, die Welt nach unserer dichterischen Willkür bewußt zu verwandeln in eine Märchenwelt, in einen Zaubergarten, in die ‚magische Landschaft'.

Paris ist die magische Landschaft des Surrealismus, der städtische Alltag wird ‚entwirklicht' darin, mythologisiert, zufällige Gegenstände werden zu magisch-künstlerischen (objets trouvés), zufällige Begegnungen zu traumhaften im Reich der Poesie, das mitten in einem Café oder in einem Stadtpark errichtet wird, im Alltag des Wunderbaren, den nur wenige entdecken – „und die Pforten und Eingänge des Parks, und die Poesie, die für euch, die ihr aus gewöhnlichen Orten stammt, unzugänglich sind, während sie für mich... ihr werdet's nicht glauben..." (Aragon: 223).

Diesen esoterischen Gestus hat man den Surrealisten nicht weniger verübelt als den Frühromantikern, beiden warf man ‚Aristokratismus' vor, ein elitäres, undemokratisches Bewußtsein.

Der zweiundzwanzigjährige Novalis schreibt am 1. August 1794 an seinen Freund Friedrich Schlegel, der, wie er, die restaurative Phase *nach* der „Schreckensherrschaft" kritisiert (nicht „die" Französische Revolution) und auf eine radikale Entwicklung hofft: „Mich interessiert jetzt zehnfach jeder übergewöhnliche Mensch – denn eh die Zeit der Gleichheit kommt, brauchen wir noch übernatürliche Kräfte. Du glaubst nicht, lieber Junge, wie ganz ich jetzt in meinen Ideen lebe. Es sind die Tage des Brautstandes – noch frei und ungebunden und doch schon bestimmt aus freier Wahl – Ich sehne mich ungeduldig nach Brautnacht, Ehe und Nachkommenschaft. Wollte der Himmel, meine Brautnacht wäre für Despotismus und Gefängnisse eine Bartholomäinacht, dann wollte ich glückliche Ehestandstage feiern. Das Herz drückt mich – daß nicht jetzt schon die Ketten fallen wie die Mauern von Jericho. So leicht der Sprung, so stark die Schwungkraft – und so stark der weibische Kleinmuth. Staarbrillen sind nötig – zum Staarstechen ist die Zeit noch nicht. Aber immer ein Zirkel – zum Freidenken gehört Freiheit, zur Freiheit Freidenken – zum Zerhauen ist der Knoten – Langsames Nisteln hilft nichts." (Novalis 1976: 18f).

Der „übergewöhnliche Mensch" ist durchaus im Sinne von Nietzsches „Übermensch" gemeint, der ein ‚Kind', nämlich ein Künstler ist, und die notwendigen „übernatürlichen Kräfte" sollen eben zum Ausbruch aus dem beschriebenen ‚Zirkel' führen: der Ausbruch ist heute noch nicht gelungen.

Die ‚Esoterik' gehört zur Zeit des Übergangs wie die Kunst selbst, die sich, dies ist frühromantisches wie surrealistisches Programm, ins Leben auflösen soll – in ein Leben ‚in der Poesie'. Die Dichter antizipieren dies Reich, zeigen die Methode der Einübung, das neue Sehen, die Verwandlung der Welt, in welcher die Poesie als „thätiger Sinn des Gefühls" (Novalis 1976: 120) alle erfaßt hat: „Bisher haben wir nur einzelnes *Genie* gehabt – der Geist soll aber total *Genie* werden" (a. a. O. 121). Noch ist der „umgekehrte Gebrauch der Sinne den meisten ein Geheimniß" (a. a. O., 119), d. h. der Gebrauch, der quasi disfunktional gegen den Nutzen und den Wahrnehmungs- und Handlungsautomatismus gerichtet ist. Aber das

Potential ist in allen: „Fast jeder Mensch ist in geringem Grad schon Künstler"
(a. a. O.). Insofern der Künstler „den Keim des selbstbildenden Lebens in seinen
Organen belebt – die Reitzbarkeit derselben *für den Geist* erhöht" (a. a. O.) hat, ist
er der „übergewöhnliche Mensch" und erfährt „die Begebenheiten der äußern
und innern Welt auf eine sehr verschiedne Weise vom gewöhnlichen Menschen"
(Novalis 1976: 118).

Der Dichter ist deshalb Vor-Bild, er weist voraus auf ein anderes Leben, er stellt
das Undarstellbare dar, das, was nicht ist, aber sein soll, doch die Materialien dazu
sind die romantisierten, künstlerisch verformten Gegenstände des ‚alltäglichen'
Lebens.

„Nichts ist romantischer, als was man gewöhnlich Welt und Schicksal nennt –
Wir leben in einem colossalen Roman. Betrachtung der Begebenheiten um uns her.
Romantische Orientierung, Beurtheilung und Behandlung des Menschenlebens...
Sorgfältiges Studium des Lebens macht den Romantiker, wie sorgfältiges Studium
von Farbe, Gestaltung, Ton, und Kraft den Maler, Musiker und Mechaniker"
(Novalis 1976: 162).

Es geht also nicht um dichterische Erfindung *neuer* Welten, Gegenstände, Beziehungen, sondern um Verfremdung der alten, so daß sie in einem neuen Licht erscheinen, so daß alles Vorgegebene, Genormte, Vorgegebene in einem neuen Licht
erscheint, das Selbstverständliche, Gewöhnliche fremd und fragwürdig wird, umgekehrt das Fremde, Vergessene, Unvertraut-Unheimliche und deshalb oft Verdrängte nah und seltsam vertraut wirkt. Wenn wir durch die „Gemüthererregungskunst" in diesen ästhetischen Zustand gelangen, wo das identifizierende
Denken ad absurdum geführt und der Wahrnehmungs- und Handlungsautomatismus durchbrochen wird, sind wir aus jenem Zirkel der Unfreiheit ausgebrochen,
der uns an das Gewohnte und Bestehende *fesselt,* in Bann schlägt, das Leben „unterm Bann" als selbstverständliches Schicksal hinnehmen läßt.

Die Gemüthererregungskunst, die Kunst des Romantisierens, der ‚thätige Ge-
brauch' aller Sinne ist also durchaus politisch zu verstehen, im Sinne einer radikalen
Veränderung des Menschen und der Gesellschaft, auch wenn kein Rezept für die
‚Rahmenbedingungen' angeboten wird.

„Die Welt muß romantisiert werden. So findet man den ursprünglichen Sinn
wieder, Romantisieren ist nichts, als eine qualitative Potenzierung. Das niedere
Selbst wird mit einem besseren Selbst in dieser Operation identificiert. So wie wir
selbst eine qualitative Potenzreihe sind. Diese Operation ist noch ganz unbekannt.
Indem ich dem Gemeinen einen hohen Sinn, dem Gewöhnlichen ein geheimnißvol-
les Ansehn, dem Bekannten die Würde des Unbekannten, dem Endlichen einen
unendlichen Schein gebe, so romantisiere ich es – Umgekehrt ist die Operation für
das Höhere, Unbekannt Mystische, Unendliche – dies wird durch diese Verknüpfung logarhythmisiert – Es bekommt einen geläufigen Ausdruck, romantische Phi-

losophie *Lingua romana*, Wechselerhöhung" (Novalis 1976: 151).

Diese frühromantische Verfremdungstheorie berührt sich mit Friedrich Schlegels Begriff des Paradoxen und den Formen romantischer Ironie. Ihre gemeinsame Tendenz ist, das unwahrnehmbar Gewordene wieder wahrnehmbar, das Entsinnlichte wieder sinnlich, das Abgegriffene wieder be-greifbar, das Selbstverständliche wieder fragwürdig und umgekehrt das Fragwürdige selbstverständlich, das Fremde vertraut, das Unheimliche heimelig, das Triviale heilig, das Alte neu erscheinen zu lassen: „Alle höchsten Wahrheiten jeder Art sind durchaus trivial, und eben darum ist nichts notwendiger, als sie immer neu und wo möglich immer paradoxer auszudrücken, damit es nicht vergessen wird, daß sie noch da sind und daß sie nie eigentlich ganz ausgesprochen werden können" (Athenäum II: 214). „Ironie ist die Form des Paradoxen. Paradox ist alles, was zugleich gut und groß ist" (Athenäum II: 243).

Diese der Abbildtheorie entgegengesetzte Verfremdungstheorie hat der russische Dichter und Filmregisseur Viktor Sklovskij 1925, also zur Zeit des Surrealismus, in seiner „Theorie der Prosa" am präzisesten artikuliert: „Es ist nicht der Sinn des Bildes, seine Bedeutung unserem Verständnis näherzubringen, sondern eine besondere Wahrnehmung des Gegenstandes zu bewirken, ein *Sehen*, nicht aber ein bloßes *Wiedererkennen*.... Wenn wir die Klanggestalt und den Wortbestand, die Wortstellung und die semantische Konstruktion der dichterischen Sprache untersuchen, stoßen wir überall auf dasselbe Merkmal des Künstlerischen: es wurde bewußt geschaffen, um die Wahrnehmung vom Automatismus zu befreien..." (Sklovskij: 21ff).

Ein Jahr vorher schreibt André Breton im „Ersten Manifest des Surrealismus" (1924) gegen den Abbildrealismus und die Wiederkehr des Bekannten: „Die unausrottbare Manie, das Unbekannte aufs Bekannte, aufs Klassifizierbare zurückzuführen, schläfert das Gehirn ein" (Breton 1977: 14f).

Bretons Zivilisationskritik befindet sich in der Tradition der Frühromantik, ist ebenfalls eine Synthese aus Poesie, Anthropologie und Philosophie, enthält den Entwurf des neuen Menschen, der sich über das Reich der Notwendigkeit (des ,Realen') ins Sur-Reale erhoben hat (der ,operative' Schriftsteller, in die Wirklichkeit eingreifend, sie neu konstruierend); seine Rationalismuskritik mutet durchaus romantisch an: „Wir leben noch unter der Herrschaft der Logik... Der nach wie vor führende absolute Rationalismus erlaubt lediglich die Berücksichtigung von Fakten, die eng mit unserer Erfahrung verknüpft sind... Unter dem Banner der Zivilisation, unter dem Vorwand des Fortschritts ist es gelungen, alles aus dem Geist zu verbannen, was zu Recht oder Unrecht als Aberglaube, als Hirngespinst gilt, und jede Art der Wahrheitssuche zu verurteilen, die nicht der gebräuchlichen entspricht" (Breton: 15).

Diese Kritik ist keine an der Wissenschaft, sondern eine an ihrer Reduktion aufs

Quantifizierbare, Kommensurable. Eher findet sich auch bei Breton eine ähnliche Forderung wie die des Novalis nach einer Totalwissenschaft, nach der Aufhebung der Trennung der Wissenschaften untereinander und der Wissenschaften von der Kunst. Ähnlich der Marxschen Forderung, die Wissenschaft müsse wieder sinnlich werden, fordert Novalis: „Die Wissenschaften müssen alle poetisiert werden" (Novalis 1976: 36). Und Novalis dachte mit seinem Enzyklopädieprojekt durchaus an die Realisierung dieser Forderung: „Ich denke hier Wahrheiten und *Ideen im Großen – genialische* Gedanken zu erzeugen – ein lebendiges, wissenschaftliches Organon hervorzubringen – und durch diese synkritische Politik der Intelligenz mir den Weg zur *ächten Praxis* – dem wahrhaften Reunionsprozess – zu bahnen" (Novalis 1976: 55). Wenn die „vollendete Form der Wissenschaft" poetisch sein soll, gibt es keinen Dualismus mehr von Ratio und Irrationalem, dieser Dualismus selbst geht von einer „irrationalen Rationalität" (Marcuse) aus, die auf einer *Chaophobie,* einer Angst vor dem Chaos beruht, die sich in der hochentwickelten Industriegesellschaft und ihren immer undurchschaubareren Mechanismen in einem Maß gesteigert hat, daß jede Abweichung von dem als Norm (als ‚Normal') Vereinbarten diffamiert und klinifiziert wird. Damit erhöht sich die Anfälligkeit für Regressionsformen, die unmittelbare Befriedigung versprechen gegen die ‚kalte Welt' der Technokratie. Angesichts dieser falschen und gefährlichen Alternative wird die frühromantische Sozialutopie (um eine solche geht es auch in den poetologischen Äußerungen) einer Verbindung von Gefühl und Reflexion, Körper und Geist, Analyse und Imagination umso relevanter. Die poetische Dialektik von Selbsterkenntnis und Welterkenntnis (Weg nach innen und Blick nach außen, Entäußerung) soll die Selbstentfremdung aufheben, das Spiel und die Willkür im Umgang mit den eigenen, freigesetzten Möglichkeiten erlauben: „Selbstempfinden – wie Selbstdenken – aktives Empfinden. Man bringt das Empfindungsorgan wie das Denkorgan in seine Gewalt" (Novalis 1976: 122).

Der Gedankengang Bretons ist diesem verwandt: „Der Mensch fügt und verfügt. Es hängt von ihm ab, ob er sich ganz gehören, das heißt, die jeden Tag furchterregende Zahl seiner Begierden im anarchischen Zustand halten will. Die Poesie lehrt es ihn.... Man gebe sich doch nur die Mühe, die Poesie zu *praktizieren.* Ist es nicht an uns, die wir bereits davon leben, zu versuchen, dem größere Geltung zu verschaffen, was am meisten für uns zeugt?" (Breton 1977: 21)

Wenn wir uns, wie es auch Friedrich Schlegel fordert, willkürlich in Zustände und Stimmungen versetzen können, so ist der Satz des Novalis „Die Poesie ist das ächt absolut Reelle" (Novalis 1976: 122) poeto-logisch, und die Relevanz des Traums, des Unbewußten und der Wahrheit ‚freier' Assoziationen und willkürlicher Paradoxien weist auf den Surrealismus voraus. Denn dieser beruht nach Breton „auf dem Glauben an die höhere Wirklichkeit gewisser, bis dahin vernachlässigter Assoziationsformen, an die Allmacht des Traumes, an das zweckfreie Spiel des Denkens. Er zielt auf die endgültige Zerstörung aller anderen psychischen Mechanismen und will sich zur Lösung der hauptsächlichen Lebensprobleme an ihre Stelle setzen" (Breton: 26f). Im berühmten 116. Athenäumsfragment über die „progressive Universalpoesie" hat Friedrich Schlegel sich ähnlich programmatisch und mit dem Anspruch auf Universalität in bezug auf die Verbindung von Poesie und Leben geäußert: „Ihre Bestimmung ist nicht bloß, alle getrennten Gattungen der Poesie wieder zu vereinigen... Sie will und soll auch... die Poesie lebendig und gesellig und das Leben und die Gesellschaft poetisch machen... Sie umfaßt alles, was nur poetisch ist, vom größten wieder mehrere Systeme in sich enthaltenden Systeme der Kunst bis zu dem Seufzer, dem Kuß, den das dichtende Kind aushaucht in kunstlosem Gesang... Die romantische Dichtart ist noch im Werden; ja das ist ihr eigentliches Wesen, daß sie ewig nur werden, nie vollendet sein kann... Sie allein ist unendlich, wie sie allein frei ist und das als ihr erstes Gesetz anerkennt, daß die Willkür des Dichters kein Gesetz über sich leide..." (Athenäum I: 118f).

Die Poesie als romantisierende Bewußtwerdung des Unbewußten, als Organ der Selbsterkenntnis und Selbstdarstellung muß notwendig die Grenzen der künstlerischen Gattungen überschreiten: „Ganz Abdruck des Gemüths", fordert Novalis, „wo Empfindung, Gedanke, Anschauung, Bild, Gespräch, Musik etc. unaufhörlich schnell wechselt und sich in hellen, klaren Massen neben einander stellt" (Novalis 1976: 94).

Der „Abdruck des Gemüths" hat mit Naturnachahmung nichts zu tun: „Ja keine Nachahmung der Natur. Die Poesie ist durchaus das Gegenteil" (Novalis 1976: 90). Novalis weist in manchen poetologischen Äußerungen noch über die surrealistischen Vorstellungen hinaus auf die ,konkrete Poesie' der Moderne (in Frankreich ist diese Verbindung bekannter, da man dort von Rimbaud bis Breton sich immer wieder direkt auf Novalis berief): „Erzählungen ohne Zusammenhang, jedoch mit Association, wie *Träume*, Gedichte – blos *wohlklingend* und voll schöner Worte – aber auch ohne allen Sinn und Zusammenhang – höchstens einzelne Strofen verständlich – sie müssen, wie lauter Bruchstücke aus den verschiedenartigsten Dingen (seyn). Höchstens kann wahre Poesie einen *allegorischen Sinn* im Großen haben und eine indirecte Wirckung wie Musik etc. thun..." (Novalis 1976: 102).

Der tschechische ,Surrealist' Karl Teige hat mit seinen ,Manifesten des Poetismus' 1928 versucht, gegen die Funktionalisierung der Kunst in der vulgärmarxistischen Ästhetik jene Verbindung von Kunst und Leben zu propagieren, deren erste Anfänge wir in der Frühromantik sehen: „Die Schönheit der Poesie ist ohne Intention, ohne große Phrasen, tiefe Absichten Apostolate. Spiel schöner Worte, Kombination der Vorstellung, Gewebe der Bilder und meinetwegen *ohne Worte*.

Man braucht dazu einen freien jonglierenden Geist, der nicht beabsichtigt, die Poesie auf rationale Belehrungen anzuwenden und sie mit Ideologie zu infizieren...

Die Süße der Gekünsteltheit und die Spontaneität des Gefühls. Mitteilung, Gedicht, Brief, Liebesgespräche, Improvisation des nächtlichen Bummels, Causerie, Phantasie und Komik, luftiges und leichtes Spiel mit den Karten der Erinnerung, die herrliche Zeit, wenn die Menschen lachen: die Woche in Farben, Lichtern und Düften.... Poetismus ist, wir wiederholen, im schönsten Sinn des Wortes die Kunst zu leben, modernisierter Epikureismus... die Moral bildet sich nur durch die freundschaftlichen Beziehungen des Zusammenlebens, von Mensch zu Mensch, ein entzückender, weitherziger bon ton" (Teige: 48f).

Auch wenn Teige betont, der Poetismus sei nicht ‚romantisch', so ist er es doch, ganz besonders in der Analogie zur frühromantischen Geselligkeit, zur ‚Symphilosophie' und ‚Sympraxis', der antizipierten Verbindung von Kunst und Leben. Geselligkeit war, noch vor dem engsten Zusammensein der Jenaer Gruppe im Sommer 1799, ein ausgesprochenes Bedürfnis in bezug auf die eigene Kreativität. In einem Brief vom 24. Februar 1798 an A. W. Schlegel klagt Novalis: ,,Es fehlt mir nur so sehr an Büchern – noch mehr an Menschen, mit denen ich philosophiren, an denen ich mich electrisiren könnte. Ich producire am meisten im Gespräch und dies fehlt mir hier ganz..." (Novalis 1976: 35).

Im Mai desselben Jahres schreibt er an Friedrich Schlegel: ,,Für einen Begriff weis ich Dir noch insbesonders Dank, der bey mir schön ausgeschlagen ist – das ist Dein Begriff von der römischen Satyre..." (Novalis 1976: 40). Poesie zu praktizieren hieß hier, romantische Geselligkeit leben, hieß, die Kunst zu leben. An Caroline Schlegel schreibt Novalis am 20. Januar 1799: ,,Die Poësie mit lebendigen Kräften, mit Menschen, und sonst gefällt mir immer mehr. Man muß eine pöetische Welt um sich her bilden und in der *Pöesie* leben" (Novalis 1976: 58). Ebenso gehört dazu die ,,Zeit zum ideenreichen Müßiggange" (Novalis 1976: 59), dessen Lob Friedrich Schlegel in der ‚Lucinde' ein ganzes Kapitel widmete (vgl. Kaltenbrunner).

Die romantische Universalpoesie, die surrealistische Forderung, Poesie zu praktizieren und Teiges Definition des Poetismus als einer ,,Poesie für alle Sinne" (Teige 106) stimmen in ihrer Tendenz, die Trennung von Leben und Kunst und die Trennung der Individuen voneinander aufzuheben, überein. Es soll bei dieser Revolutionierung und Mythisierung des Alltagslebens (Kritik des bestehenden Alltags, Entwurf eines zukünftigen) eine ,,*Poesie fürs Hören... Poesie fürs Riechen... Poesie für den Geschmack*" (Teige: 106) geben; Ähnliches fordert Huysmans in seinem Roman ,,Gegen den Strich", allerdings unter bewußt ,,dekadenten" Vorzeichen – sein Held des Esseintes erinnert eher an Beckfords Kalifen Vathek (Dischner: 44) als an die Forderungen Teiges, die aber auf Novalis zurückweisen: ,,*Poesie für den Geschmack:* Wenn wir bei bestimmten Individuen nicht an der unmittelbaren Verbindung des Sehens mit der Sensibilität und mit dem Persönlichkeitskern zweifeln, können wir auch annehmen, daß große Esser und Gourmet der

Geschichte vollkommene Gastronomen und lüsterne Pantagruelisten sich an der vollkommenen Kommunikation von Geschmack und Seele erfreuen können... Die Freude einer guten Mahlzeit ist nicht weniger erhaben und weniger ästhetisch als jede andere, wenn die Freude überhaupt der höchste menschliche Wert genannt werden kann, von jenen, die man mit dem Lebensziel mißt: mit dem Glück... *Poesie für den Tastsinn:* ihr Entdecker ist Marinetti, der sie 1921 *Taktilismus* nannte... Unser Tastsinn ist durch die Zivilisation sehr dressiert... Die taktile Poesie, die aus delikaten, seidigen, rauhen, warmen oder kalten Stoffen, aus Seide, Velours, Bürsten, leicht elektrisierten Drähten u. ä. komponiert ist, kann unsere taktile Emotionalität trainieren und ein Maximum an sinnenhaften und spirituellen Freuden bieten.... *Der befreite Tanz* ... eigenständige, dynamische körperliche Poesie... öffnet die Tore der Sinnlichkeit..., deren Medium die tastbare Körperlichkeit von Fleisch und Blut ist..." (Teige: 106ff).

Der angeblich so jenseitssüchtige Schwärmer der blauen Blume, Novalis, hat ganz wahlverwandte Gedanken: „Tanz – Essen – Sprechen – gemeinschaftlich empfinden und arbeiten – zusammenseyn – sich hören, sehn, fühlen etc. – alles sind Bedingungen und Anlässe, und selbst schon Funktionen – der Wirksamkeit des *Höhern-* zusammengesetzten Menschen – des Genius etc. Theorie der Wollust, *Amor ist es,* der uns zusammendrückt. In allen obgedachten Functionen liegt Wollust *(Sympathie)* zum Grunde...." (Schriften III: 425, Nr. 797).

Man kann sich in einen ästhetischen Zustand durch ‚Willkür' versetzen, in dem alles romantisiert erscheint, der Alltag (auch der ‚Sprachalltag') dysfunktional wird und die Zerstörung der Sinnlichkeit im ‚zivilisatorischen Prozeß' für Augenblicke zurückgenommen ist, unsere Seele unseren Körper im Brennpunkt sinnlicher Wahrnehmung gleichsam berührt. Die Feststellung von dem, was wir schon kennen (der Aha-Effekt) weicht, wie der konkrete Dichter Franz Mon feststellt, in diesen Konstellationen der „Feststellung von dem, was es noch nicht gibt: das es erst gibt, indem es festgestellt wird. Man entdeckt dabei die infinitesimale Beschaffenheit dieser Gegenstände, mit der sie unaufhörlich jede Art von eingerichteter Sprache desavouieren. Indem sie sich nur an den Sprachmedien zeigen, saugen sie diese in ihr Nochnichtgegebensein hinaus, ironisieren, was hervortritt, durch das Wissen, daß es überhaupt erst hervortritt und genau so gut nicht hervorgetreten sein könnte und jagen die Sprache in den Abgrund der winzigsten Artikulationen... Das eben noch stumpf Lesbare zittert in der Erwartung des Textes, der nicht vorgesehen war. Das Plakat ist plötzlich etwas Zerreißbares, es widersteht meinen Händen und singt plötzlich. Es antwortet auf Fragen, die ihm noch nie gestellt worden sind. Die Zeitung: Dünntrockenes mit feinen schwarzen Sprenkelungen, die ich kenne; sie öffnen sich vor der Schere, und ich erkenne sie dabei wieder, aber was ich jetzt lese, kannte ich eigentlich noch nicht, es kommt nur entlang diesem Schnitt vor. Ziffernfolgen stellen sich ein, die ich nicht mehr aussprechen, doch immer noch oder gar jetzt überhaupt erst lesen kann", (Mon: 41).*

In diesem Sinn definiert Mon ‚das Konkrete' (die ‚Konkrete Poesie'): ‚‚Das Uneindeutige ist das Konkrete. Was identifiziert ist, ist auch bereits verschwunden... Das Konkrete ist das, an das nicht gedacht wird" (Mon: 40). Es geht auch der ‚Konkreten Poesie' wie Šklovskij, um ‚‚eine besondere Wahrnehmung des Gegenstandes...., ein *Sehen*, nicht aber ein bloßes *Wiedererkennen*" (Šlovskij: 21). Absicht ist, ‚‚sie dem Verstehen *nicht* näher zu bringen" (a. a. O.). Novalis glaubt, seine glücklichen Ideen dem Umstand zu verdanken, daß er ‚‚einen Eindruck nicht vollkommen gegliedert und durchgängig *bestimmt*" empfängt, sondern ‚‚durchdringend in Einem Puncte – unbestimmt – und absolut fähig" (Novalis 1976: 49). Diesen Brennpunkt – denn von ihm ist die Rede – nennt Joyce ‚‚Epiphanie", Erscheinungsbild. Seine ‚Epiphanien-Lehre' geht von einem sozusagen ‚objektiven Zufall' aus, der aber, im Unterschied zum klassischen Kairos, künstlich hergestellt wird aus einer bestimmten Konstellation, deren Brennpunkt nicht vorbestimmt ist.

Das innere Gestimmtsein (dessen Voraussetzung der ‚‚ideelle Müßiggang" ist) und die ‚Willkür' des Dichters provozieren diesen Moment – die Surrealisten befanden sich sehr oft in dieser Stimmung, für den ‚objektiven Zufall' empfänglich zu sein, ein Handschuh, eine ungewiß beleuchtete Straße, ein Blick, all dies konnte zum auslösenden Moment für die Mythisierung des Alltags, die Poetisierung der Welt werden. ‚‚Der Dichter betet den Zufall an", sagt Novalis, und er konnte die surrealistischen Konsequenzen dieses Grund-Satzes seines magischen Idealismus vielleicht noch gar nicht ahnen. Die poetisch provozierte Magie (Berührung der elektrifizierbaren Phantasie mit einem scheinbar beliebigen Gegenstand) ist jedenfalls ein gemeinsames ‚antirealistisches' Moment und man konstatiert den ‚‚Haß auf das Wunderbare" (Breton: 18) der Menschen, die blind in ihrem Gewohnheitsautomatismus verharren und sich nicht rühren lassen (Heine nannte sie ‚‚unentzündbare Wichte"). Im ‚Pariser Landleben' finden wir Aragons poetische Reflexion darüber: ‚‚Die Menschen leben inmitten magischer Abgründe mit geschlossenen Augen. Sie gehen treuherzig mit schwarzen Symbolen um und ihre unwissenden Lippen beten, ohne es zu wissen, schreckliche Beschwörungsformeln nach, Formeln, die wie Revolver sind. Es ist erschreckend, wenn man eine Bürgerfamilie sieht, die morgens ihren Milchcafé schlürft, ohne das Unbegreifliche zu bemerken, das durch die roten und weißen Karos der Tischdecke schimmert..." (Aragon: 216). In den Blütenstaub-Fragmenten des Novalis findet sich ein für die Ästhetik der Moderne wichtiger Satz: ‚‚Alle Zufälle unseres Lebens sind Materialien, aus denen wir machen können, was wir wollen. Wer viel Geist hat, macht viel aus seinem Leben. Jede Bekanntschaft, jeder Vorfall wäre für den durchaus Geistigen er-

* Vgl. Gisela Dischner: Über die Unverständlichkeit. Zur Krise der Repräsentanz, in: Text und Kritik, Zschr. f. Lit., hrsg. H. L. Arnold, Nr. 60 Franz Mon (Oktober 1978)

stes Glied einer unendlichen Reihe, Anfang eines unendlichen Romans" (Athenäum I: 63).

Und sicher ist es kein ‚Zufall', wenn Breton im Ersten Surrealistischen Manifest in einer Fußnote Novalis zitiert im Zusammenhang der „idealen Anzahl" der dem Surrealisten „zugemessenen Erlebnisse" (Breton: 37): „Es gibt eine Reihe idealischer Begebenheiten, die den Wirklichkeiten parallel läuft. Selten fallen sie zusammen. Menschen und Zufälle modifizieren die idealische Begebenheit, so daß sie unvollkommen erscheint und ihre Folgen gleichfalls unvollkommen sind. So bei der Reformation. Statt des Protestantismus kam das Luthertum hervor" (Novalis, zit. nach Breton: 37).

In diesem Sinne bringt der Zufall – und deshalb ist er poetisch – das hervor, was Franz Mon als „das Konkrete" definiert: „das, an das nicht gedacht wird" (Mon: 40). Nun erscheint die Poesie als „Gemütherregungskunst" (Novalis 1976: 131) nochmals in einem anderen Licht: sie ist die Kunst des richtigen Lebens und Wahrnehmens, die den Alltag verwandelt, unter dem automatisierten, entsinnlichten den subversiv darunter versteckten, unsichtbaren aufpürt, der in den Stand der zweiten Unschuld, der reflektierten Sinnlichkeit erhoben und verwandelt werden soll –: „Das Alltägliche, man wird dem Alltäglichen nie nahe genug kommen" (Aragon: 186).

Literatur

Aragon, Louis Pariser Landleben. *Le Paysan de Paris* Deutsch v. R. Wittkopf, Nachwort v. E. Lenk München 1969

Athenäum Eine Zeitschrift v. A. W. Schlegel und Fr. Schlegel, hrsg. C. Grützmacher, I u. II, Reinbek 1969

Breton, André *Die Manifeste des Surrealismus,* Deutsch v. Ruth Henry, Reinbek 1977 (dnb 95)

Dischner, Gisela: William Beckford, *Die Geschichte des Kalifen Vathek,* Ein Schauerroman aus dem Britischen Empire, Berlin 1975 (WAT 10)

Höck, Wilhelm *Kunst als Suche nach Freiheit,* Entwürfe einer ästhetischen Gesellschaft von der Romantik bis zur Moderne, Köln 1973 (Du Mont aktuell)

Marcuse, Herbert *Der deutsche Künstlerroman* Frühe Aufsätze, Schriften Band I Frankfurt 1978

Mon, Franz *Texte in den Zwischenräumen* (1961), in: Texte über Texte, Neuwied u. Berlin 1970

Novalis Hsg. v. Hans-Joachim Mähl, in: Dichter über ihre Dichtungen, Bd. 15, München 1976

Novalis *Schriften.* Die Werke Friedrich von Hardenbergs, Hsg. v. Paul Kluckhohn und Richard Samuel, Band III Stuttgart 1968

Šklovskij, Viktor *Theorie der Prosa* (1925), hsg. u. aus dem Russischen übersetzt v. Gisela Drohle Frankfurt a. Main 1966

Teige, Karel *Liquidierung der ‚Kunst' Analysen,* Manifeste, Mit ein. Nachwort v. P. Kruntorad Frankfurt 1968 (e. s. 278)

IV. Frühromantik, Surrealismus und Studentenrevolte oder die Frage nach dem Anarchismus.

Von Richard Faber

> „Romantik. – Für mich besteht dieses
> Wort auch heute noch. Es hat seine
> Verdienste. In alten Zeiten nannten
> die Russen einen an Ketten hängenden
> eisenbeschlagenen Balken, mit dem sie
> die festen Mauern feindlicher Städte
> brachen, ‚roman'. – Roman – das war
> damals ein Mauerbrecher. Später ist er
> immer mehr gesunken und schließlich
> ein Buch geworden. Und jetzt ist es
> Zeit, ihm die ursprüngliche Bedeutung
> wiederzugehen. Romantik!"
>
> W. Kawerin

„Es träumt sich nicht mehr recht von der blauen Blume. Wer heut' als Heinrich von Ofterdingen erwacht muß verschlafen haben."[1] Mit diesen kategorischen Sätzen beginnt W. Benjamin 1927 seine surrealistische Kritik des „Traumkitschs". Zur gleichen Zeit, nur ein Jahr später, stellt K. Mannheim die Prognose, daß die „utopische Intensität" allmählich gesenkt und die Utopie schließlich ganz aufgesaugt werde.[2] – Benjamin und Mannheim meinen Verschiedenes; diagnostiziert der eine die Ungleichzeitigkeit der Jugendbewegung und „Neuromantik" überhaupt, so der andere im Verschwinden der Utopie den Triumph des Konservatismus, also in gewisser Weise auch der „Neuromantik". Deswegen schließen sich die Diagnosen aber nicht notwendig aus. Die sich wenige Jahre später installierende Herrschaft der faschistischen Ungleichzeitigkeit beweist es, gerade weil ihre Alpträume gegenüber dem blauen Dunst der Neukonservativen noch einmal negativ qualifiziert sind. [2a] Ihr „Traumkitsch" schlägt um in terroristische Realität.

Zum Zweck seiner Kritik unterstellt Benjamin zweifellos die „neuromantische" Interpretation des Novalis'. Ob er sie an und für sich teilt, bleibt zu bezweifeln, schreibt der „messianische Materialist", als den ihn Fritz Vilmar tituliert, doch in seiner Dissertation: Der „Gesichtspunkt" für eine „geschichtsphilosophische" „Wesensbestimmung" der (Früh-) Romantik „dürfte in dem romantischen Messianismus zu suchen sein."[3] – Aber wie auch immer, zumindest ermöglicht die Identität im Messianischen ein „Gegen-den-Strich-Bürsten" der Hardenberg'schen Werke. Und bis zu einem gewissen Grad hat dies Th. Mann 1922 in seiner Rede *Von deutscher Republik* schon betrieben. Mit wahrer Vehemenz kämpft er gegen ‚»die Haltlosigkeit gewisser himmelblauer Vorurteile" „in Hinsicht auf das Wesen der Romantik": „Dichtung und Kunst... romantische Dichtung wenigstens, *deutsche* Kunst – nicht wahr, sie sind doch Traum, Einfalt, Gefühl oder noch besser ‚Gemüt'; sie haben mit ‚Intellekt' den Teufel etwas zu schaffen, welcher vielmehr, ganz ähnlich wie die Republik, als eine Angelegenheit scharfer Judenjungen durchaus zu erachten und patriotisch zu mißbilligen ist. Und wie, wenn man sich überzeugen müßte, daß die deutsche Romantik eine ausgemacht intellektualistische Kunst- und Geistesschule war?"[4] – Mann will mit Novalis den Intellekt retten, mehr, – diese Rettung ist Mittel zum höheren Zweck –, die junge Republik; „denn die Demokratie, die Republik in Beziehung setzen zur deutschen Romantik – hieße das nicht, sie auch stutzigen und trutzigen Volksgenossen plausibel machen?"[5] – Der „Obskurantismus, mit seinem politischen Namen Reaktion geheißen", soll nicht länger „den edlen und geisteszarten Namen der Romantik" verdienen.[6] „... warum sollen nicht auch wir (Republikaner) den Novalis zitieren?"[7] Ja, „uns" kommt dies eigentlich zu, jedenfalls mehr als jener „Roheit", die gegen die Republik konspiriert. Was Vilmar dem späten Benjamin zusprechen wird, daß er im antifaschistischen Kampf die Vernunft „triebhafte Kräfte" und den sozialistischen Glauben „Sinnlichkeit" habe gewinnen lassen[8], das antizipiert Mann in der Auseinandersetzung mit den Völkischen des Jahres 22; die Feme der pränazistischen Freikorps wird ausdrücklich genannt[9] –: „Es ist nicht nur nicht genug, sagt Walt Whitmann..., daß das neue Blut, der neue innere Bau der Demokratie lediglich durch politische Mittel, oberflächliches Wahlrecht, Gesetzgebung und so weiter belebt und zusammengehalten wird, sondern es ist mir völlig klar, daß seine Kraft unzureichend, sein Wachstum fraglich und sein wesentlicher Zauber unentfaltet bleiben muß, wenn dieses Neue nicht tiefer geht, nicht mindestens ebenso fest und klar in den Menschenherzen und ihrem Fühlen und Glauben Wurzel faßt wie der Feudalismus oder die Kirchlichkeit zu ihrer Zeit...' "[10]

Und Mann fährt fort: „Man kann, denke ich, dem Neuen in Deutschland behilflich sein, seinen ‚wesentlichen Zauber' zu entfalten, indem man es anzuschließen sucht an eine Sphäre und Epoche, deren geistiges Niveau das höchste bei uns je erreichte war..., und die unserem Herzen in gewissem Maße immer Heimat bleiben wird, – an die Sphäre der deutschen Romantik."[11] Sie ist, „so sonderbar es herkömmlichem Vorurteil klingen mag, wesentlich nicht historisch bestimmt, sondern *zukünftig,* und dies so sehr, daß man sie als die revolutionär*ste* und radikal*ste* Bewegung des deutschen Geistes bezeichnen kann."[11] – Th. Mann, der große „Unpolitische" von vor kurzem, voll Furcht, „aus geistigem Freiheitsbedürfnis dem Obskurantentum Waffen geliefert zu haben"[11a], wendet das, was bisher auch ihm selbst als typisch deutsch gegolten hat, in sich selbst um, in nichts deutlicher als darin, daß er den französischen Einschlag der deutschen Romantik, der nach den

Betrachtungen apriori ausgeschlossen ist, positiv hervorkehrt: ,,...man wird Hardenbergs Staatsdenken als eine Art romantischen Jakobinertums ansprechen dürfen."[12] (Wie eine Bestätigung der französischen Seite werden Parolen der Mai-Revolution 68 klingen.)

Manns völlig vereinzelter Versuch, die Frühromantik und mit ihr eine ganze Tradition des 19. Jahrhunderts umzufunktionieren, mußte vergebens sein; der lautstarke Widerspruch der hauptsächlich studentischen Zuhörerschaft deutet dies bereits 1922 an. 1933 verläßt er wie Benjamin und Mannheim Deutschland vor den an die Macht gekommenen Freikorpsführern. Und nach 1945 ,,feiert posthum" – Manns offizielle Ehrungen können nicht darüber hinwegtäuschen – ,,die zerborstene Revolution von rechts über die von links literarische Erfolge".[13] Und nicht nur literarische; im Zeichen des Existenzialismus wird noch einmal jenes ahistorische Etwas, jener ekstatische Punkt, der einst den Mystiker beherrschte, in absoluter Nacktheit in die Mitte des Erlebens gestellt und dadurch jedes Aktions- und Objektivationsgebiet der Kultur völlig mediatisiert, d. h. ,,sein-gelassen", – bis auch das ,,ahistorische Etwas" abebbt, süßlich wird oder sich in pure Erbaulichkeit verliert[14], die – etwa im Feiern einer ,,Heilen Welt" – das Bestehende als solches sanktioniert. – Auch Manns schärfste Warnung vor deutscher Innerlichkeit, der *Doktor Faustus*, im letzten Stadium ihrer Katastrophe geschrieben, ist umsonst gewesen. Und doch wäre selbst eine Rezeption des späten Mann zu wenig. Mit Recht nämlich nannte er sich den ,,letzten *bürgerlichen* Schriftsteller".[15]a – Schon 1918 wäre jene ,,*revolutionäre* Romantik"[16] an der Zeit gewesen, die der junge Ernst Bloch im ,,Geist der Utopie", zur gleichen Zeit wie Manns ,,Betrachtungen" entstanden, und dann – ein Jahr vor der Rede *Von deutscher Republik* – im *Thomas Münzer* entwickelte. Sie ist gleichbedeutend mit dem ,,messianischen Materialismus", den Vilmar Benjamin zusprechen wird. – In der *Utopie,* wie im *Münzer* macht Bloch – ,,durch eine ihm eigene innere Affinität" zum Chiliasmus[17] – seinen Exodus aus der modernen Lebensmitte[18] rückgängig, besonders auf dem Gebiet des Politischen. – Vor dem Hintergrund des marxistischen Sozialismus, der – wie fragwürdig auch immer – eben in Rußland die Macht ergreift, verbindet er erneut mystische Innerlichkeit und revolutionäre Praxis. In dieser ausdrücklichen Rezeption der ,,schwärmerisch"-apokalyptischen Tradition des Christentums hat Bloch aber einen Vorgänger in Novalis, was Thomas Mann bemerkt, wenn er von seinem positiven Verhältnis zum Christentum spricht, positv ,,im Sinne der Demokratie und eines revolutionären Maximal-Sozialismus. ,Absolute Abstraktion', sagt er, ,Vernichtung des Jetzigen, Apotheose der Zukunft, dieser eigentlichen besseren Welt: dies ist der Kern der Geschichte[19] des Christentums... Die christliche Religion... ist der Keim alles Demokratismus, die höchste Tatsache der Popularität.'"[20] – Und dennoch hat Bloch Novalis in seiner groß angelegten Hoffnungs--Enzyklopädie offensichtlich ,,vergessen", in der die ,,revolutionäre Romantik" des Frühwerks *Maß und Bestimmung*[21] finden soll. Vergessen, obwohl Novalis in ihr nicht nur eine Gestalt der Hoffnung unter andern wäre; in seinem Werk ist viemehr Blochs Enzyklopädie selber antizipiert, wenn auch, als *„verfrühter* Versuch"[22], nur fragmentarisch.

Der Grundgedanke von Novalis' Leben hat alle Synthese- und Friedenshoffnungen der Geschichte in sich aufgenommen, alle Wunschbilder der Vergangenheit ergriffen und sich assimiliert[23]: die antike Idee des goldenen Zeitalters, die christliche Vorstellungsform des tausendjährigen Reiches, die Bilder arkadischer Naturverbundenheit, des „ewigen Lebens" usw. Im Grunde dasselbe schreibt Bloch am Ende seine *Prinzips Hoffnung* über das eigene Werk: „Glück, Freiheit, Nicht-Entfremdung, Goldenes Zeitalter, Land, wo Milch und Honig fließt, das Ewig-Weibliche, Trompetensignal im Fidelio und das Christförmige des Auferstehungstags danach: es sind so viele und verschiedenwertige Zeugen und Bilder, doch alle um das her aufgestellt, was für sich selber spricht, indem es noch schweigt."[24]

Auch in der jungen Linken wurde die utopische Vorläuferschaft des Novalis nicht erkannt. Der Ruf: „Macht die blaue Blume rot"[25] war sinnlos; denn sie ist es bereits (weshalb – richtig verstanden – schon ihr Verblühen und das Nachlassen der „utopischen Intensität" identisch waren). – Viele der Pariser Wandinschriften des 68er Mai waren reine, nämlich Hardenberg'sche Romantik, z. B. „le rêve est réalité." (Novalis: „Die Welt ist Traum/Der Traum ist Welt."[25]) Deswegen wurde die Hauptparole der Studentenrevolte im Titel meines „Novalis"-Essays diesem selbst in den Mund gelegt, was einem bloßen Chronisten *ana*chronistisch erscheinen mag: *„L'imagination prend le pouvoir."* – Novalis dekretierte – H. Marcuse zitiert diese Stelle –: „Aus der produktiven Einbildungskraft müssen alle inneren Vermögen und Kräfte und alle äußeren Vermögen und Kräfte deduziert werden"[26].

Th. Manns Frage, an die deutschen Studenten von 1922: „Wußtet ihr, daß es demokratische Schwärmerei, daß es eine Rauschphilosophie des Sozialismus gäbe?"[27] war 1967/68 überflüssig geworden. „Es schienen jetzt" nicht nur, wie Bloch die „grundlegende" Wandlung ausdrückte „die Fackeln des Hambacher Festes"[28] – an die Tradition der Urburschenschaft konnte auch der bürgerliche Republikaner Mann verweisen[29] –, sondern „die Fackeln der *Linken*"[28], und die waren inzwischen nicht mehr mit denen des Vormärz identisch, was Bloch selbstverständlich wußte[29a]. Im Anschluß an seine Rede von „revolutionärer Romantik" sprachen wir 1970 von einer revolutionären *Neu*romantik. Nach K. Barth darf man das ernsthaft erst da, wo die Romantik im Sinn und Geist von *Novalis* wieder aufgenommen wird.[30] Prinzipiell war dies, wenn auch unbewußt, geschehen, und zwar, wie beim jungen Bloch – Barth überbietend – im Hindurchgang durch den Marxismus: „Die romantische Idee einer ‚Wissenschaft der Einbildungskraft' kann nur dann empirische Wirklichkeit gewinnen, wenn die Bilder der Imagination „in geschichtlich wirksame Fähigkeiten und Entwürfe übersetzt werden."[31] – Eine

Aufgabe, bei deren Lösung man sich noch in den Prolegomena befindet, heute wie 1968. [31]a Doch der prinzipielle Wandel ist nach wie vor erstaunlich genug, gerade im (pseudo-) romantischen Deutschland allgemeinen Konservatismus und Schlimmerem: Das utopische Bewußtsein hat überhaupt wieder Stimme und Arm, seien sie auch noch so schwach. Doch gleichfalls in diesem Land besonders wird es darauf ankommen, *keinen* neuen Faschismus „hervorzukitzeln", sei es gewollt oder ungewollt. Nur dann wird der einmal begonnene Wandel wirklich ein Beweis dagegen sein, daß sich „dieses Volk immer gleich bleibt", wie ein „Stiller im Lande" angesichts der Studentenrevolte meinte. Für Leute wie ihn war sie gerade ein Beweis da-*für*. [31]b

Bei ihnen „hält" sich sicher etwas „durch", – die „Angst vorm' Chaos'". [32] In den 30er Jahren war es die vorm „bolschewistischen"[32]a, und heute ist sie es wieder, umso leichter alsdie Wirklichkeit des Sozialismus die Marxsche Idee zu einem Traum macht [33]. Stärker denn je manifestiert sich der Sozialismus als verruchte Ordnung. Aber eben nicht deswegen wird er gefürchtet. Würde man ihn als Überbürokratie apostrophieren, müßte man notwendig Verdacht schöpfen, daß auch die eigene Ordnung, gerade als solche, „chaotisch" ist. – Man fürchtet den „Abgrund" – der Revolution natürlich –, obwohl gerade aus ihm „der Morgen kommt; und zwar nicht nur der kühle, sondern der tönende, bunte, das *Märchen* des Morgens."[34] Diese indikativische Sicherheit hat Bloch später selbst dadurch eingeschränkt, daß er den Hölderlin'schen Satz: „Wo die Gefahr ist, wächst das Rettende auch" umkehrte in: „Wo das Rettende ist, wächst die Gefahr auch." Aber die Revolution bleibt conditio sine qua non der fundamentalen Änderung, nämlich Realisierung der „maximalsozialistischen" Utopie. *Daß* sie heute erneut so dringend erstrebt wird, rührt von ihrem extremen Gegenteil her, das Topie ist: „...angesichts der mit Händen zu greifenden Katastrophen... scheint es so zu sein, daß gewisse utopische Entwürfe zum erzwungenen Minimum der Existenzfristung geworden sind; daß das kostspieligste, großzügigste und zerbrechlichste Leben die beinahe einzige Form des Überlebens bleibt." [35]

Die Revolution ist vom Opfer herausgefordert und will es beseitigen, deshalb kann sie aber auch selbst nicht darauf verzichten: „Die ächte Philosophie hat Phoenix Natur".[36] – In diesem – nur scheinbar metaphysischen – Satz des Novalis, wie in Blochs Chaos'-Dialektik, zeigt sich, daß wir – noch revolutionär – in archaischen, also „finsteren Zeiten" leben und die hellen nur durch sie hindurch erreichen können, dies aber – im Unterschied zu allem Archaischen – eben dadurch, daß sie mehr als bloß noch einmal in die „göttliche Welt-Ordnung" integrierte Augenblicke der „Unordnung" sind. Saturnalien genügen nicht nur nicht, sondern sind auch stabilisierender Zynismus. Die Revolution hat den Zyklus des Opferns und Geopfertwerdens zu sprengen: In „der *apokalyptischen* Schau" ist „die verkehrte Welt... die ,geklärte' und die ,berichtigte' Welt"[37]. – Nie wird sich mit letzter Sicherheit vorhersehen lassen, ob die notwendig einzusetzende Gewalt auch tatsächlich eine befreiende ist, die aus dem Teufelskreis führt, und ihn nicht nur weitertreibt. Aber die negative Möglichkeit mahnt zur Vorsicht. Sie täte es mehr, wenn Vorsicht nicht schon lange dem Fatalismus gewichen wäre: ,,Die ihr hier eintretet, laßt alle Hoffnung fahren!"

Bereits die Schriften der Frühromantiker durchzittert eine erregte Ungeduld und läßt sie erneut ,,die Urfrage der Apokalyptik"[39] nach dem Wann stellen. Doch wie im *4. Buch Esra* auch bei ihnen der Ruf zur *Geduld*. Dort ermahnt der Engel den Autor: ,,Du wirst doch nicht mehr eilen wollen, als der Schöpfer."[40] Hier Novalis die ,,Genossen seines Glaubens": ,,Wann und wann eher? danach ist nicht zu fragen. Nur Geduld, sie wird, sie muß kommen, die heilige Zeit des ewigen Friedens..."[41]. Hier aber eben weiterhin, ja verstärkt der Ruf nach Heiterkeit *und* Mut, Wort *und* Tat[42]; menschliche Geschichte und Erlösung folgen nicht beziehungslos aufeinander, jener auf diesen Äon. Der romantische Messianismus ist aktivisch und die Utopie ,,Hebel..., das messianische Reich aufzurichten." Sicherlich kämpft man nicht mit jenem ,,geduldlosesten, rebellischsten... Willen zum Paradies"[43], der es magisch herbeizwingen will, wie Münzer und die Täufer, – die das ja nur konnten, da sie die historischen Bedingungen unreflektiert außer acht ließen, mit Gottes Einbruch und Gericht rechnend. Immer *noch* war das erwartete Reich das seine; aber auch der romantische Wille zum Paradies ist ,,ernstlich"[43]und kein durch den St. Nimmerleinstag frustrierter: ,,Dafür ist das Zeitalter noch nicht reif, sagen sie immer. Soll es deswegen unterbleiben? – Was noch nicht sein kann, muß wenigstens immer im Werden bleiben."[44]

H. W. Kuhn verwechselt Novalis' geduldige Ungeduld mit ,,quietistischer Haltung"; er sieht nur das Geduldige, das er bezeichnenderweise als ,,Ausweichen in eine verheißungsvolle, geschichtsphilosophische Prognose"[45] interpretiert. – Habe Novalis früher die Gegenwart mit der ,,transzendentalen Poesie" bezaubern wollen, so begnüge er sich jetzt (in der *Europa*) ,,mit der Verkündigung seiner Ahnungen". ,,Der Zauberer" sei ,,zum Prediger geworden"[46]. – Es muß bezweifelt werden, ob zwischen beiden überhaupt ein Unterschied besteht[47], aber wie auch immer, Novalis ,,verkündigt" in einer ganz eigenen, agitatorischen[48] – freilich zugleich esoterischen[49] – Weise. Er bleibt Intellektueller, und er muß es; denn – fast überflüssig, davon zu sprechen – Deutschland, das eigentlich gar nicht existiert, fehlt das ,,revolutionäre Subjekt", erst recht eines für die sozialistische Revolution; ihr fehlen zusätzlich die Produktionsbedingungen. – Novalis kann zu dieser Zeit gar nicht anders, als in der später von Marx und Engels kritisierten Weise ,,Utopist" zu sein. (Ob heute wiederum nicht der ,,wissenschaftliche" Sozialismus *utopisch* zu kritisieren wäre – nachdem er schon zu Marx und Engels Zeiten sich evolutionistisch, ja mechanistisch mißverstand[50]?)

Aber ist der Gehalt der Hardenberg'schen Schriften – wenn auch utopisch – überhaupt ein politischer? – Entschieden negativ antwortet wieder Kuhn: ,,Wahre Politik, wie Novalis sie sich dachte, ist eigentlich gar keine Politik mehr."[51] – Etwas ist in diesem Verdikt richtig; es gibt zweierlei Begriffe von Politik, einen ,,klassischen", wie ihn Kuhn selbst vertritt, und einen andern, eben romantischen. – ,,Politisches Denken fragt nach den Alternativen, die eine konkrete Situation freiläßt, und wählt aus ihrer Vielfalt in Ansehung des wohlverstandenen eigenen Interesses die optimale Möglichkeit für das Handeln."[52] So Kuhn. Im strikten Gegensatz dazu denkt Novalis an eine umfassende, eben revolutionäre Veränderung, der jedes partielle, der Situation angepaßte Handeln nur dienen kann, doch dies auch muß.[53] Damit zusammenhängend, nicht das wohlverstandene eigene Interesse ist Kriterium seiner Politik, sondern das menschheitliche. Doch – wir wiederholen – Novalis selbst *denkt* nur an jene Veränderung und projektiert diese Politik bloß. Er ist und bleibt, bei all seinem Praxis evozierenden Denken, Theoretiker, und dies noch einmal in der versucherischen, bruchstückhaften, symbolischen, aber eben gerade darin radikalen Weise des Dichters: Man erfährt von ihm nichts über ökonomische Verhältnisse, nichts über die Organisation der Praxis, aber das entscheidend Neue, wirklich freies Handeln Konstituierende über die Geschichte und ihre Zukünftigkeit. Er vermittelt den möglichen *Sinn* revolutionäre Praxis, also ,,echte...soziale...und kulturelle...Ideologie"[54].

,,Sinn...ist *Perspektive*... Diese Perspektive geht schrittweise auf vor dem Denken und Tun dessen, was aktuell nottut, aber stets muß in diesem Denken und Tun das Totum dessen, was überhaupt nottut, ein Gemeintsein und Eingedenken haben, damit sowohl Sinn als Perspektive, die Perspektive als Sinn da seien." – ,,Fehlen...das umfassende Bewußtsein und das Bewußtsein des Umfassenden eines solchen utopisch-real fundierten...Sinns, dann sind auch die jeweils einzelnen und besonderen Sinngehalte des historischen Fortschritts ohne letzthinningen Gehalt..."[55]. Aber selbst Novalis' durchgängigen Grundzug des Utopischen zieht C. Schmitt in Zweifel: Die Utopie ,,soll noch real werden, das ist nichts, was den Romantiker interessiert"[56]. Schmitt hat Novalis nun einmal zum pränihilistischen Ästheten und Spieler abgestempelt[57], von vorn herein wird der Mystiker nicht ernst genommen und so natürlich auch nicht die ihm eigene epochale Reziprozität von existenzieller und sozialer Eschatologie[58], aus der die Ethik des ursprünglichen Revolutionärs hervorgeht.[58]a

Ihre umgreifende Tugend heißt – ständig falsch verstanden, bis in die internen Auseinandersetzungen des Sozialismus heinein –,,Geduld". Sie ist sozial-eschatologisch, nicht quietistisch gemeint und betrifft deshalb nur das Ertragen zwischen dem je Erreichbaren und dem überhaupt Erhofften [58]. – Indem Geduld wesentlich solches ,,Ertragen", eben Hoffnung ist, gewinnt sie Züge der ,,Wette", wie sie L. Goldmann – Pascals 233. *Pensée* auf Bloch applizierend – als das Eigentliche und

Wesentliche seiner „docta spes" erkennt[59]. Auch die Sicherheit seiner Wette ist „absolute, absolut unsichere Sicherheit"[60]: „Nichts und Alles, Chaos und Reich liegen im ehemals religiösen Projizierungsgebiet auf der Waagschale; und es ist die menschliche Arbeit in der Geschichte, welche die Schale des Nichts oder des Alles gewichtig beeinflußt."[61] Deshalb aber, sobald die Wette einmal eingegangen ist, und man kann ihr nicht ausweichen, höchstens sich für das Nichts entscheiden – wenn das eine Entscheidung ist – werden alle objektiven Gründe aufgesucht, um den Glauben zu verstärken, der die Grundlage dieser Wette ist.[62] Die Hoffnung wird belehrt und gelehrt, wodurch sie ihr Tun rechtfertigt, und dadurch dieses wiederum sie.

Indem Hoffnung Hoffnung und nicht „pure abgekürzte Zuversicht"[63] ist, verbürgt sie dem Handeln mit „Wort und Tat" *(Europa)* die Freiheit, ohne die das Ziel nicht eintreffen kann[64]. Daß es eintreten könne ohne sie, ist der große Irrtum aller, die eine selbsttätige geschichtliche Entfaltung fetischisieren[65], also auch des „orthodoxen" historischen Materialismus. – Im Rückblick auf „die sozialdemokratische Theorie, und noch mehr die Praxis" vor 1933 schreibt W. Benjamin, daß sie „von einem Fortschrittsbegriff bestimmt" wurde, „der sich nicht an die Wirklichkeit hielt, sondern einen dogmatischen Anspruch hatte. Der Fortschritt, wie er sich in den Köpfen der Sozialdemokraten malte, war, einmal, ein Fortschritt der Menschheit selbst (nicht nur ihrer Fertigkeit und Kenntnisse). Er war, zweitens, ein unabschießbarer (einer unendlichen Perfektibilität der Menschheit entsprechender). Er galt, drittens, als ein wesentlich unaufhaltsamer (als ein selbsttätig eine gerade oder spiralförmige Bahn durchlaufender)." [66] Konkret war es „die technische Entwicklung", die „als das Gefälle des Stromes" galt, „mit dem" die Sozialdemokratie „zu schwimmen meinte. Von da war es nur ein Schritt zu der Illusion, die Fabrikarbeit, die im Zuge des technischen Fortschritts gelegen sei, stelle eine politische Leistung dar."[67] Mit Recht spricht Benjamin solchem Vulgärmarxismus bereits „die technokratischen Züge" zu, „die später im Faschismus begegnen werden."[68] Vernichtend sein Urteil, „daß der sture Fortschrittsglaube dieser" – sozialdemokratischen –, „Politiker, ihr Vertrauen in ihre ‚Massen-Basis' und schließlich ihre servile Einordnung in einen unkontrollierbaren Apparat drei Seiten derselben Sache gewesen sind."[69] Doch muß das Urteil – ganz in Benjamins Sinn[69]a – auf den sowjetischen Kommunismus ausgedehnt werden, der nach – und im Verrat der Revolution gleichfalls einer „evolutionistischen Automatik"[70] anheimgefallen ist: „...der sowjetische Weg des Sozialismus scheint sich nur noch als eine Methode abgekürzter Industrialisierung für *Entwicklungs*länder zu empfehlen, die, weit entfernt von der Verwirklichung einer in Wahrheit emanzipierten Gesellschaft, sogar hinter die rechtsstaatlichen Errungenschaften des Kapitalismus in den legalen Terror einer Parteidiktatur zurückgeführt hat."[71] Und selbst die „behutsame" Hoffnung, daß „die alten Utopien der besten Ordnung und des ewigen Friedens, der höchsten Freiheit und der vollkommensten Glückseligkeit", die „als rationale Motive" der, „wie immer zum sekundären Mythos entstellten Theorie unveräußerlich zugrunde" zu liegen scheinen, eine Revision dieser Theorie und ihrer Praxis bewirken könnten[72], wartet vergeblich auf ihre Erfüllung.[73] Nach wie vor wird der rezipierte Utopismus als „Revisionsimus" abgetan, etwa im Angriff M. Buhrs auf E. Bloch: „ Ist es nicht eigentlich Pessimismus, wenn der Optimismus nicht im Hier und Jetzt, sondern im Dunkel und Geheimnis ferner Zukunft fundiert wird?"[74] – Dabei ist man es selbst, der sich „kleinbürgerlich", nämlich philisterhaft ein X für ein U (die Utopie) vormacht[75]: Nicht nur der „faule Westen" fühlt sich wohl „im stimulierten Wohlgefühl einer hygienisch perfektionierten Entfremdung", das die Gefahren verdrängt, „die sich im Fixierbild der negativen Utopien vom Typ der ‚brave new world' spiegeln"[75a] Ja, man ist zur Annahme gezwungen, daß gerade im „real existierenden Sozialismus" nicht einmal mehr darüber gestaunt wird, „daß die Dinge, die wir erleben, im 20. Jahrhundert ‚noch' möglich sind", und doch wäre selbst dies keineswegs „philosophisch": Solches Staunen „steht nicht am Anfang einer Erkenntnis, es sei denn der, daß die Vorstellung von Geschichte, aus der es stammt, nicht zu halten ist."[76] – Nachdem aber noch nicht einmal gestaunt wird, ist es nur selbstverständlich, daß gerade diese Vorstellung vom „orthodoxen" Materialismus gehalten wird. Würde sie aufgegeben, müßte man am Schluß „Pessimist" werden, das hieße aber, um die unbezweifelte Macht der unfehlbaren Interpreten des naturalisierten Geschichtsverlaufs wäre es geschehen: Fiele die Präjudikation der Geschichte, fielen auch ihre Präjudikatoren. – Was man von da her an Bloch in Wahrheit kritisiert, ist, daß seine, *wie* schon Hardenbergs Thesen den Widerspruch politisch adaptierter Zielhypothesen aufdecken, die den Frieden (z. B.) in einem „Plane" verkünden, obwohl jeder verabsolutierte Plan die Voraussetzung des Friedens: die Freiheit, vernichtet.[76a] – Statt der planmäßigen Entwicklung kann nur der „Sprung" in Freiheit, und d. h. überhaupt die „Zielhypothese" realisieren.[77] „Der Begriff des Sprungs" aber ist „vom Wunder her gelernt worden; in einer *rein* mechanischen Kausalwelt, in einer dem Wunder in jeder Form kontrastierenden, hat…der Sprungbegriff daher keinen Platz, wohl aber in einer nicht mehr statisch, auch nicht mehr finit begriffenen."[78] „Theologisch" wird jener Bloch zum Gegner, der, sich selber korrigierend, das „zaristisch-sozialistische"[79] Sowjetreich nicht mehr als „Reich der Freiheit" betrachtet, weil diese, wenn es wirklich sein soll, keinen Platz für „das gleichsam Kathedralische" hat, „das eben im *Reich* der Freiheit, der Freiheit als einem Reich sich ausdrückt."[80] Solche und ähnliche Argumentationen durchschaut er (jetzt) als Sophismen und setzt sie in Analogie zur Romanisierung des seine Eschatologie vergessenden Christentums[81]: „Das Regime von Nummer Eins (Stalins) hatte die Idee des sozialen Staates besudelt wie die mittelalterlichen Päpste die Idee des Reichs Christi auf Erden."[82] Und worauf sich seine Freunde – die Joachimiten z. B. – gegen den Papst beriefen, darauf beruft sich auch Bloch gegen einen technokratisch verkommenen Marxismus: „Das Reich des gelichteten Inkognito der Menschen – und Welttiefe", wohin „die gesamte Religionsgeschichte gewandert", das Reich „braucht Platz. So großen, daß alle bisherigen Äußerungen und Extensionen dafür nicht ausreichen, so kleinen wiederum, so intensiv durchdrungenen, daß *nur* die Engführung der christlichen Mystik ihn andeutet"[83]: Das „Nunc stans „der Mystik" ist „die Präzisionsformel für immanenteste Immanenz, das ist für die zeitlich so ferne und noch schlechthin unausgemachte Welt ohne jede mögliche Entfremdung."[84] Bloch stellt theoretisch Marx' vergessene universell-utopische Revolution[85] wieder her, was auch M. Buhr feststellt, wenn er Bloch kritisch bescheinigt, er habe die „Anschauung von der Überführung der politischen Revolution in eine ‚heilige Revolution' zum Zwecke der Wiederherstellung der Religion"[86] von Novalis übernommen.[87] Nur daß Buhr eben nicht erkennt, wie marxisch das ist, wieviel weniger, daß schon für Novalis die *doppelte* Aufhebung von Blochs „Metareligion" konstitutiv war. Bereits für Novalis ist Theologie „Zukunftslehre der *Menschheit*": „Alles was von Gott praedicirt wird, enthält die menschliche *Zukunfts*lehre"[88]. – Bloch schreibt – im dritten Band des „Prinzips Hoffnung": „…Meta-Religion…wird Gewissen der letzten utopischen Funktion in toto: diese ist das menschliche Sichselbstüberschreiten, ist das Transzendieren im Bund mit der dialektisch transzendierenden Tendenz der von Menschen gemachten Geschichte, ist das Transzendieren ohne alle himmlische Transzendenz, doch mit Verständnis ihrer: als einer hypostasierten Vorwegnahme des Fürsichseins."[89] – Und diese „vollkommene Utopie oder Utopie der Vollkommenheit, die die Religion in den Himmel gesetzt hat, schlägt" eben in der Mystik „in den Kern der Menschen, *wie* ins Problem-*Subjekt* der Natur zurück"[90]: „Die wahrhafte ‚Goldzeit' der historischen Anthropologie kann nicht ohne die ebenso wahrhafte ‚Goldzeit' einer neuen humanistischen Kosmologie erfaßt werden. Einer solchen also, die die *humane* Geschichtszeit als ihr einflußreiches *Vorher* hat und so die Geschichte zuletzt positiv-möglicherweise auch in natura, in einem Weltmaß erfüllt, statt negativ- möglicherweise begräbt."[91] – Bloch expliziert Novalis' divinatorisches Wort, der Mensch sei „der *Messias* der Natur"[92]; der Mensch, der mit ihr „ver*bündet*" ist (wie der Bergmann des „Ofterdingen"[93]). „*Neues Testament* – und neue Natur – als *neues Jerusalem*."[93]

Mit der *Marx'*schen Kurzformel heißt das Novalisische Ziel: „Naturalisierung des Menschen, Humanisierung der Natur." Noch schärfer Marx' Rede von der „Resurrektion der Natur"[94], die deutlich paulinisches Erbe ist (*Röm.* 8, 19-23). „Das *Paradies* ist das Ideal des Erdbodens"[95], heißt es bei Novalis und: „Die Natur wird moralisch seyn – wenn sie aus *ächter Liebe* zur Kunst – sich der Kunst hingiebt – thut, was die Kunst will – die Kunst, wenn Sie aus ächter Liebe zur Natur – für die Natur lebt, und nach der Natur arbeitet. Beyde müssen es zugleich aus eigner *Wahl* – um iher Selbst willen – und aus fremder Wahl um des Andern willen, thun. Sie müssen in sich selbst mit dem Andern und mit sich selbst im Andern zusammentreffen."[96] – Das ist, wenn man will, die ontologische Version der Utopie, die G. Dischner als ,,Orpheischen Narzißmus" bezeichnet[97]. 1928 konnte K. Mannheim prognostizieren: ,,Wir gehen einem Stadium entgegen, in dem das Utopische sich durch seine verschiedenen" – auch reaktionären – ,,Gestalten völlig (zumindest im Politischen völlig) destruiert."[99] Was Mannheim kommen sah, ist der ideologische Zustand vom ,,*Ende* der Ideologie", wie er für die Zeit nach dem II. Weltkrieg tatsächlich ,,festgestellt" werden sollte. Doch auch Mannheims antizipatorisches Urteil über diesen Zustand trifft zu: ,,...die völlige Destruktion der Seinstranszendenz in unserer Welt" führt ,,zu einer Sachlichkeit..., an der der menschliche Wille zugrunde geht.[100] Hierbei zeigt sich auch der wesentlichste Unterschied zwischen den beiden Arten der Seinstranszendenz: Während der Untergang des (Rechtfertigungs-) Ideologischen nur für bestimmte Schichten eine Krise darstellt, und die...Sachlichkeit für die Gesamtheit immer eine Selbstklärung bedeutet, würde das völlige Verschwinden des Utopischen die Gestalt der gesamten Menschwerdung transformieren. Das Verschwinden der Utopie bringt eine statische Sachlichkeit zustande, in der der Mensch selbst zur Sache wird."[101] – Zwischen Mannheims Voraussagen und ihrem Eintritt kam die schlimmste, weil irrationalste und gewalttätigste Ideologie zur Herrschaft, die die Geschichte bisher gekannt hatte, die faschistische. Ihre ,,modernisierte" Form, die mehr denn je eine Chance hat, kann aber gerade nicht durch Theorie und Praxis einer technokratischen ,,Sachlichkeit" verhindert werden.[102] Sie selbst vergegenständlicht ja ausdrücklich den Menschen und seine Geschichte, macht sie zu ,,Sachen", wie Mannheim analysiert hat. Mit Worten E. Blochs: ,,Es gibt einen alles außer sich selbst vernichtenden Rationalismus. Für seine... Phantasie- und Symbollosigkeit war der Triumpf der Nazis die Quittung."[103] ,,Doch existiert neben der cartesischen noch eine andere, ritterliche Ratio."[104]

Außer Bloch ist es vor allem Benjamin gewesen, der mitten in der ,,Epoche des Faschismus" an der Entwicklung jener Ratio arbeitete. F. Vilmar interpretiert: ,,...der Theroretiker der Gesellschaft, zumal der sozialistische, darf, wenn er die Macht des Faschismus je begreifen und brechen will, die übermächtigen außerrationalen Triebgewalten und Sehnsüchte des Menschen in unseren großen Kollektiven nicht außerachtlassen, sondern muß sie durch eine Sprache zu mobilisieren versuchen, die den Inbegriff der Vernunft: die Erlösung, das Reich der Freiheit leuchtender, lustvoll und berauschend an Greifbarem reflektiert, das Gespenst der Langenweile aus der Utopie bannend, indem Selbstbestimmung und Frieden als größeres Abenteuer, besserer Rausch vorgestellt werden, denn die blinde Gefolgschaft und der ewige Kampf der Faschisten. Wenn die Vernunft selbst nicht triebhafte Kräfte, der Glaube nicht Sinnlichkeit gewinnt, hat ein gelöstes soziales wie personales System keine Chance. Denn den Stachel der Verelendung, den Marx als automatisch revolutionär werdende Triebenergie zugrundelegte, haben die Machthaber, wohl-belehrt, aus dem Bewußtsein der (spät- und staatskapitalistischen) Massen zu entfernen verstanden: durch Sozial- und Lohnpolitik im kleinen, durch Verschleierung aber der... Kriegs-, Krisen- und Diktaturkatastrophen im großen. Wie sie darüber hinaus die Sehnsucht der Menschen zu lenken, surrogathaft zu befriedigen wissen, ist offensichtlich. Die progressiven Bewegungen haben demgegenüber bis heute" nicht die Aufgabe erfüllt, den Menschen „in ihren alltäglichen Erfahrungen und gewöhnlichen wie geheimen Sehnsüchten den aufs Ganze gehenden Heilswillen...zu erschließen und leidenschaftlich zu machen."[106]

Wenn Vilmars Benjamin-Aufsatz auch zu „alt" ist, um unmittelbar Habermas' „linkem Faschismus"-Verdacht anheimzufallen, den dieser mit Bezug auf den – der Frühromantik verbundenen – Utopischen Sozialismus[107] und dann mit Bezug auf George Sorel gegen Dutschke und seine Freunde kehrte[108], so sind auch schon Vilmars frühe Postulate ohne Sorel kaum vorstellbar.[109] – Zweifellos war er der erste, der in seinen *Reflexions sur la violence* (1908) forderte: „...man muß Gesamtheiten von Bildern aufrufen, die imstande sind, *als Ganzes und durch die bloße Intuition*...die Masse der Gesinnungen hervorzurufen, welche den verschiedenen Kundgebungen des vom Sozialismus gegen die moderne Gesellschaft begonnenen Krieges entsprechen."[111] Und W. Benjamin, der „Theologe der (Studenten-)Revolution"[111], sympathisierte nicht nur vor seiner Annäherung an den Marxismus mit der anarchosyndikalistischen Doktrin Sorels (*Zur Kritik der Gewalt*), sondern noch eine seiner letzten Arbeiten (*Charles Baudelaire. Ein Lyriker im Zeitalter des Hochkapitalismus*) läßt sich als „Palimpsest" lesen: Unter dem ouverten Marxismus wird die frühere Sympathie für den Mythos vom Genralstreik und die eigene Konzeption von der „Aufgabe der Weltpolitik, deren Methode Nihilismus zu heißen hat", wiederum lesbar.[112]

Mit Sicherheit Benjamin im Hinterkopf, der in der Kollektivrezeption die *Möglichkeit* sah, das antizipatorische Moment der Kunst in materielle Gewalt umzusetzen[113], vielleicht auch den – gleichfalls stark von Sorel beeinflußten – Frantz Fanon als Vorbild, der mit Hilfe einer „Kampfliteratur" die „Phantasie am Vorabend des entscheidenden Kampfes um die nationale Befreiung" Afrikas „ankurbeln" wollte[114], nannte der in der Studentenbewegung engagierte Kritiker Peter Schneider als Aufgabe der Literatur in der kulturrevolutionären Phase wieder die „propagandistische"[115]: „In dem Maße, wie der Spätkapitalismus...die Wünsche auf dem infantilen Standpunkt festhält, ensteht für die Literatur...die Aufgabe, die alten, in den Kunstwerken aufbewahrten Wünsche und Sehnsüchte der Menschheit wieder hervorzuholen, um sie endlich der Verwirklichung zugänglich zu machen."[116]

Wie sehr Schneider auch den Surrealisten folgte, als er forderte: „Wenn...die Phantasie aus der Gesellschaft so vollständig vertrieben ist, daß die Kunst zur Vertretung der Bürokratie im Reich Einbildung wird, dann müssen die Wünsche und Phantasien ihre Form als Kunst sprengen und sich die politische Form suchen"[117], – genauso wenig wie ihnen, die von „revolutionären Schriftstellern" zu „militanten Politikern" *wurden*[118], ist es Schneider und Genossen gelungen, „den Kontakt mit den proletarischen Massen zu gewinnen"; obwohl sie – wie jene – einsahen, daß dies „nicht mehr *kontemplativ* zu bewältigen" ist.[119]

Der prokommunistische Benjamin (von 1927, 1929 u.s.w.) läßt – in bezug auf den Surrealismus – keinen Zweifel: „Bei d...er *Umwandlung* einer extrem kontemplativen Haltung in die revolutionäre Opposition spielt die Feindschaft der Bourgeoisie gegen jedwede Bekundung radikaler geistiger Freiheit eine Hauptrolle. *Diese* Feindschaft drängte den Surrealismus nach links."[120] Aber Benjamin betont auch: „Hier wurde der Bereich der Dichtung von innen gesprengt, indem ein Kreis von eng verbundenen Menschen ,Dichterisches Leben' bis an die *äußersten* Grenzen des Möglichen trieb."[121] „Von *innen*" wurde „der Bereich der Dichtung... gesprengt"; hierauf legt K.-H. Bohrer den besonderen Akzent: Die „Politisierung" des Surrealismus, von der schon Benjamin sprach[120], war „gleichzeitig die Explosion nach außen, ins Nicht-Literarische." Und „nur dort, wo die Literatur hermetisch geworden ist", vollzieht sich „gleichzeitig die Explosion nach außen, ins Nicht-Literarische" – das ist Bohrers „interessanter Befund" – „strukturell angelegt in der deutschen Frühromantik, in den Schriften des Novalis vor allem."[122]

Über die Beziehung der Studentenbewegung zum *Surrealismus* schreibt Bohrer: „Der Ruf der französischen Studenten ,Die Wirklichkeit ist tot, es lebe die Phantasie' oder der Wandspruch ,Die Freude an der Zerstörung ist eine schöpferische Freude' zitierten...die surrealistische Tradition dort, wo ihr Zentrum lag."[123] Der Ruf bezog sich dort auf sie, wo der zentrale Unterschied zur alten Linken liegt: in der Betonung des Lust– gegenüber dem Realitätsprinzip. Daß sie vielfach allzu undialektisch vorgenommen wurde, ja exklusiven Charakter annahm, ist richtig, freilich gerade deswegen, da die ab 1969/70 grassierende Bekehrung zur zentralistischen Kaderpartei, in der das Klassenbewußtsein *als* Kontrollinstrument des Realitätsprinzips seinen Halt hat[124], mit auf das Scheitern der subjektivistischen Bedürfnisbefriedigung hic et nunc zurückging. Wie H. J. Krahl möchten wir von einer „kurzgeschlossenen autoritativen *Reaktion* auf die sich isolierenden und atomisierenden individuellen Emanzipationsansprüche" sprechen, „die, anstatt diese in ständiger argumentativer Auseinandersetzung über sich selbst politisch aufzuklären, sie vielmehr umstandslos ausrotten will und realitäts*blind* gegen das entpolitisierte Bewußtsein der Lohnabhängigen und die bildungsgeschichtlichen Aktualisierungsbedingungen eines Klassenbewußtseins auf das formalistische Modell einer zentralistischen und disziplinierten Kaderpartei im enthistorisierten Bezugsrahmen der Oktoberrevolution zurückgreifen will..."[125].

Konsequenterweise wird gegen die (eigene) Antiautoritäre Bewegung nur wiederholt, was bereits der Stalinismus gegen den *Surrealismus* vorgebracht hat, sowie umgekehrt die Studentenbewegung an seine ,,Tradition''[126] anknüpfte. – Selbst Chr. Caudwell, der kein Gefolgsmann Shadnows war, bezeichnete ,,den Surrealisten'' als den ,,letzten bürgerlichen Revolutionär'' und deswegen als ,,*Anarchisten*''[127]: ,,Der Anarchist ist ein von der bürgerlichen Gesellschaft so angewiderter Bürger, daß er das bürgerliche Credo ganz wörtlich durchsetzt: völlige ,persönliche' Freiheit, völlige Auflösung aller gesellschaftlichen Beziehungen. Der Anarchist ist noch revolutionär, weil er das destruktive Element und die völlige Verneinung der bürgerlichen Gesellschaft verkörpert...aber es ist auch ein Merkmal des Surrealismus ebenso wie des Anarchismus als politischer Philosophie, daß er sich *in der Praxis* selbst negiert.''[128]

Hier entdeckt er, ,,daß es für den Aufbau einer neuen Gesellschaft nicht genügt, die überlebte lediglich zu zerstören, sondern daß dafür eine Organisation erforderlich ist. Die bloßen Notwendigkeiten der Aufgabe zwingen ihn zuerst in die Gewerkschaften und veranlassen ihn, Räte zu schaffen. Das war in der russischen Revolution festzustellen, als die meisten ehemaligen Sozialrevolutionäre durch die Logik der Ereignisse gezwungen wurden, den Standpunkt der Bolschewiken zu beziehen und erneut in Spanien, wo die Anarchisten in Barcelona eine starke Zentralregierung als Hilfe für die Organisierung der Miliz, der Verteidigung und der Versorgung unterstützen mußten und in jeder Weise gezwungen waren, ihre eigenen Anschauungen zu verneinen... Auf die *gleiche* Weise'', so resümiert Caudwell, ,,ziehen sich die surrealistischen Dichter, wenn sich eine revolutionäre Situation entwickelt, entweder auf die Seite der Reaktion und des Faschismus zurück (wie viele in Italien), oder sie werden in die Reihen des Proletariats geworfen wie Aragon in Frankreich.''[129]

Caudwell vereinfacht grob,[130] was freilich impliziert, daß er nicht einfach Unrecht hat; auch Benjamin betont: ,,Immer wieder wirkte entscheidend in die literarischen Strömungen des dritten Jahrzehnts (dieses Jahrhunderts) der Anarchismus'' – und: ,,...die zunehmende *Überwindung* des Anarchismus kennzeichnet den Weg des Surrealismus von seinen Anfängen bis zur Gegenwart.''[131] Ja, auch Benjamin läßt keinen Zweifel daran, daß sie nötig war: ,,Den Akzent...ausschließlich'' auf die ,,anarchische Komponente'' des ,,revolutionären Aktes'' legen, ,,das hieße, die methodische und disziplinäre Vorbereitung der Revolution völlig zugunsten einer zwischen Übung und Vorfeier schwankenden Praxis hintansetzen.''[132] Andererseits, Benjamin anerkennt nachdrücklich auch die ,,rauschhafte Komponente'' als notwendig, die identisch mit der ,,anarchischen'' ist; der Surrealismus hat sich zurecht bemüht, ,,die Kräfte des Rausches für die Revolution zu gewinnen'', und deswegen preist ihn Benjamin – mit diesen kategorische Sätzen: ,,Seit Bakunin hat es in Europa keinen radikalen Begriff von Freiheit mehr gegeben.

Die Surrealisten haben ihn. Sie sind die ersten, das liberale moralisch-humanistisch verkalkte Freiheitsideal zu erledigen, weil ihnen feststeht, daß ,die Freiheit, die auf dieser Erde nur mit tausend härtesten Opfern erkauft werden kann, uneingeschränkt, in ihrer Fülle und ohne jegliche pragmatische Berechnung will genossen werden, solange sie dauert'. Und das beweist ihnen, ,daß der Befreiungskampf der Menschheit in seiner schlichtesten revolutionären Gestalt (die doch, und gerade, die Befreiung in *jeder* Hinsicht ist), die einzige Sache bleibt, der zu dienen sich lohnt'."[132]a

Benjamin ist nie einfach ein Gegner des Anarchismus gewesen, ja ,,regelmäßig hebt er seine anarchistischen Sympathien gerade dann hervor, wenn er sich dem Kommunismus nähert, *damit* sie sich im Grenzraum bewähren. So schreibt er im Zusammenhang mit seinem eventuellen Eintritt in die KP, daß er sich ,des ,,frühern" Anarchismus nicht schäme, sondern die anarchistischen Methoden zwar für untauglich, die kommunistischen ,,Ziele" aber für Unsinn und für nichtexistent halte. Was dem Wert der kommunistischen Aktion darum kein Iota benimmt, weil sie das Korrektiv seiner Ziele ist und weil es sinnvoll politische Ziele nicht gibt' (*Br.* 426). Wie im *Surrealismus*-Aufsatz die Einigung von anarchistischer ,Revolte' mit der ,methodischen und disziplinären Vorbereitung der Revolution' (*AN* 212) gefordert wird, werden hier die politischen Methoden der Kommunisten dem antiteleologischen Telos zugeführt, Staat und Politik samt ihren Zielvorstellungen endgültig zu entmündigen. Einmal finden sich bei Benjamin Marx und Bakunin (*AN*, 212), ein anderes Mal Marx und *Blanqui* (*GS*, 1,2 700) zusammen. Auf den Einwand, historischen Konflikten werde durch solche imaginären Bündnisse ausgewichen, gäbe es eine geschichtliche Antwort. Was sich historisch nicht vertragen hatte und im *Staats*sozialismus nicht zu versöhnen war, sollte zumindest subjektiv zusammengehalten werden."[133]

Summa summarum: Benjamin ,,*vereinte* die letztlich aufeinander zustrebenden Kräfte der Opposition. Denn auch Marx, nicht nur den Anarchisten, ,schwebt' kein kleinbürgerlich verklärtes Zukunftsbild ,vor', und die Parole Blanquis, der auf *Anarchie* hinauswill, heißt: Organisation." [134] Anders ausgedrückt: Benjamin stand ,,zwischen" – falschen – ,,Fronten" und deswegen *prinzipiell* richtig. – Erst die französische Mai-Revolte vereinigte wieder ,,rote und schwarze Fahnen, die Symbole der Sozialisten und der Anarchisten. Diese Allianz bezeichnet" – gleichsam im Gefolge des späten Benjamin (der ,,Thesen") – ,,den Protest gegen die zum Spiegelbild des autoritären Staates degenerierte kommunistische Partei und sie bezeichnet die Möglichkeit, durch...antiautoritäre Provokationen" ,,eine revolutionäre Situation zu schaffen...Die schwarze Fahne bezeichnet aber auch die fehlende Umsetzung des direkten Protestes in eine verbindliche Strategie und Organisation."[135]

Diese Sätze aus W. Dreßens Vorbemerkung zu ,,Antiautoritäres Lager und

Anarchismus" gelten noch heute oder sollten heute *wieder* gelten. Wie der Rückblick auf Benjamin ist auch der auf die Studentenrevolte einer nach vorn. „Links" *hat* „noch alles sich zu enträtseln...".[136]

Anmerkungen

[1] W. Benjamin, *Angelus Novus...*, 1966, S. 158
[2] K. Mannheim, *Ideologie und Utopie*, [4]1965, S. 214
[2]a Im Blick auf den Prä- und Profaschismus O. Spenglers schrieb E. Bloch „schon" 1923: „...die Romantik *neuerer* Reaktion hat gar nichts von der Ahnin geerbt, ist weder tatsächlich noch verschwärmt noch universalgeistig, sondern einfach dumpf, eingekapselt, geistlos und unchristlich, vermag aus dem Pathos ihrer ‚Bodenständigkeit' schließlich doch nur den Untergang des Abendlandes hervorzulocken, in völlig kreatürlicher Beschränktheit, irreligiöser Erloschenheit: vergangene Knospe, vergangene Blüte und für heute nur zivilisatorisches Welksein, Marine und den Pessimismus historischer Registratur als einziges Ziel, für Europa aber den baldigen ewigen Tod." (*Geist der Utopie*, 1923, S. 4)
[3] W. Benjamin, *Der Begriff der Kunstkritik in der deutschen Romantik* 1920, S. 6, Fn. 3 – Entschiedener der Brief an Ernst Schoen vom 7. 4. 1919 (Briefe I..., 1966, S. 208)
[4] Thomas Mann, *Werke*, Das essayistische Werk, Taschenbuchausgabe in 8 Bänden, 1968, Politische Schriften und Reden 2, S. 120
[5] Th. Mann, ebd., S. 115
[6] Th. Mann, ebd., S. 105. – Ist es für ihn, O. Spengler konkret, doch nur „Lächerlich, von einem Zusammenhang des Lebens, von letzter geistiger Einheit, von jenem Menschentum zu reden, das, nach *Novalis*, der höhere Sinn unseres Planeten, der Stern ist, der dieses Glied mit der oberen Welt verbindet, das Auge, das er gen Himmel hebt." (Ders., *Werke*, Schriften und Reden zur Literatur, Kunst und Philosophie 1, S. 226) – Der „Obscurantismus" – und wieder Spengler speziell – hält es mit dem „Tier-Geiste", gegen den Novalis *polemisierte*. Th. Mann zitiert das entsprechende Fragment in „Nietzsche's Philosophie im Lichte unserer Erfahrung" – Spengler ist Nietzsches „kluger *Affe*":„ ‚Das Ideal der Sittlichkeit', sagt er, ‚hat keinen gefährlicheren Nebenbuhler als das Ideal der höchsten Stärke, des kräftigsten Lebens, was man auch das Ideal der ästhetischen Größe (im Grunde sehr richtig, der Meinung nach aber sehr falsch) benannt hat. Es ist das Maximum des Barbaren und hat leider in diesen Zeiten der verwildernden Kultur gerade unter den größten Schwächlingen sehr viele Anhänger erhalten. Der Mensch wird durch dieses Ideal zum Tier-Geiste – eine Vermischung deren brutaler Witz eben eine brutale Anziehungskraft für Schwächlinge hat' – Das ist nicht zu übertreffen", wie Mann anmerkt. (*Werke, Schriften und Reden zur Literatur, Kunst und Philosophie 3*, S. 40)
[7] Th. Mann, *Werke*, Politische Schriften und Reden 2, S. 109
[8] F. Vilmar, *Messianischer Materialismus*, in: Frankfurter Hefte 11, 1956, S. 629
[9] Th. Mann, *Werke*, Politische Schriften und Reden 2, S. 105
[10] Th. Mann, ebd., 115
[11] Th. Mann, ebd., S. 105
[11]a Th. Mann, *Werke, Schriften und Reden zur Literatur, Kunst und Philosophie 1*, S. 375
[12] Th. Mann, *Werke, Politische Schriften und Reden 2*, S. 116
[13] J. Habermas, *Theorie und Praxis*, [2]1967, S. 338

[14] Vgl. K. Mannheim, *Ideologie und Utopie*, S. 223

[15] Ausführlich kritisiert in: R. Faber, *Politische Idyllik. Zur sozialen Mythologie Arkadiens*, 1977, S. 8ff., 82ff., 116ff. und 158ff.

[15a] Inwiefern auch Manns Antifaschismus hilflos war – gerade im Vergleich zu W. Benjamin, dazu vergleiche I. Wohlfarth, Der ,,Destruktive Charakter". Benjamin zwischen den Fronten, in: ,,Links hatte noch alles sich zu enträtseln...". Walter Benjamin im Kontext. Hrsg. von B. Lindner, 1978, S. 77/8.

[16] E. Bloch, *Thomas Münzer als Theologe der Revolution*, 1963, S. 243

[17] K. Mannheim, *Ideologie und Utopie*, S. 185, Fn. 7

[18] Vgl. K. Mannheim, ebd., S. 223

[19] Nach M. Preitz' Abdruck des Hardenberg'schen Briefes an F. Schlegel vom 20. 1. 1799 heißt es statt ,,...Kern der Geschichte des Christentums" ,,...der Geheiße des Christentums..." (F. Schlegel und Novalis. Biographie einer Romantikerfreundschaft in ihren Briefen, Darmstadt 1957, S. 152)

[20] Th. Mann, *Werke, Politische Schriften und Reden 2*, S. 118

[21] E. Bloch, *Thomas Münzer...*, S. 243

[22] W. Benjamin, *Briefe* I, S 138

[23] Vgl. H. J. Mähl, *Die Idee des goldenen Zeitalters im Werk des Novalis*, 1965, S. 252

[24] E. Bloch, *Das Prinzip Hoffnung*, 1959, S. 1627

[25] Deutscher Germanistentag, Berlin 1968

[26] Novalis, *Schriften* 1968, 3. Bd., S. 413 – H. Marcuse, *Triebstruktur und Gesellschaft. Ein phil. Beitrag zu Siegmund Freud*, 1965, S. 159. – Ausdrücklich von der Beziehung Freuds zur Romantik und der Notwendigkeit für die Psychoanalyse, sich dieser Vergangenheit bewußt zu werden, handelt N. O. Brown, *Zukunft im Zeichen des Eros*, 1962; vor allem Seiten 48, 88, 111/2, 120/1, 216, 222, 382. Die Rolle des Novalis besonders wird gewürdigt S. 215 und 385.

[27] Th. Mann, *Werke, Politische Schriften und Reden 2*, S. 119

[28] 1967 vor Tübinger Studenten; ,,Notizen" (Tübinger Studentenzeitung)

[29] Th. Mann, *Werke, Politische Schriften und Reden 2*, S. 106

[29a] Schon 1934, wie im Aufsatz ,,Aus der Geschichte der großen Verschwendung" nachzulesen ist (Erbschaft dieser Zeit, 1973, S. 88/9). – 1936 heißt es im Aufsatz ,,Ein *altes Lied*": ,,...man vergesse nicht, bei der niederdrückenden Aktualität vergilbter Aufrufe" des ,,Hambacher Festes": ,,auch die Mittel der Revolution sind andere geworden als die bürgerlich-klagenden, bürgerlich-unwissenden und idealen von damals." (*Vom Hasard zur Katastrophe*. Politische Aufsätze aus den Jahren 1934–1939, 1972, S. 118)

[30] Vgl. K. Barth, *Die Geschichte der evangelischen Theologie im 19. Jhdt.*, ²1959, S. 306

[31] H. Marcuse, *Der eindimensionale Mensch*. ²1967, S. 259/60

[31a] ,,Zehn Jahre danach" heißt es in J. A. Schüleins sozialpsychologischer Analyse ,,Von der Studentenrevolte zur Tendenzwende oder der Rückzug ins Private" immer noch: ,,Kritische Phantasie allein reicht nicht mehr aus. Alternativen nur zu denken bzw. zu symbolisieren ist nicht mehr genug. Um sie realisieren zu können, bedarf es vor allem *praktisch produktiver Kompetenz*. Man muß nicht nur mehr oder weniger vage wissen, wo man hin will, sondern muß einen praktischen Weg dorthin – der Umwege und Widrigkeiten einkalkuliert – entwickeln können." (Kursbuch 48, 1977, S. 112)

[31b] Heute, nach der R. A. F. ist sie es umso mehr; doch immer noch zu unrecht, auch wenn es völlig umsonst wäre zu leugnen, daß der ,,Terrorismus" *eine* mögliche Konsequenz der Revolte war und ist.

[32] E. Bloch, *Letzte Quere: Angst vorm ,,Chaos"*, in: Erbschaft dieser Zeit, 1935

[32]a Ausführlich: R. Faber, *Roma aeterna. Zur Kritik der „Konservativen Revolution"* (erscheint demnächst), I, 3e – und natürlich J. Schumachers, von Bloch bis in die Titelgebung beeinflußtes Buch „*Die Angst vor dem Chaos*. Über die falsche Apokalypse des Bürgertums", 1972.

[33] Vgl. H. Marcuse, *Der eindimensionale Mensch,* S. 203

[34] E. Bloch, *Letzte Quere...,* S. 304

[35] J. Habermas, *Theorie und Praxis,* S. 230

[36] Novalis, *Schriften,* 2. Bd. Das phil. Werk I, 1960, S. 632

[37] J. Taubes, *Abendländische Eschatologie* 1974, S. 51

[38] —

[39] J. Taubes, ebd., S. 32

[40] Vgl. G. Scholem, *Zum Verständnis der messianischen Idee im Judentum,* in: Eranos-Jahrbuch XXVIII, 1959, S. 211

[41] Novalis, *Die Christenheit oder Europa,* in: RK 130/131, S. 52

[42] „Die ächte Geduld zeugt von großer *Elasticitaet."* (Novalis, *Schriften.* 3. Band. Das philosophische Werk II..., 1968, S. 291)

[43] E. Bloch, *Thomas Münzer...,* 1921, S. 75

[44] Fr. Schlegel, *334. Athenäumsfragment*

[45] H. W. Kuhn, *Der Apokalyptiker und die Politik. Studien zur Staatsphilosophie des Novalis,* 1960, S. 208

[46] Ebd.

[47] Vgl. unseren vorigen Beitrag, S. 89/90, Fn. 93.

[48] „Wie sehr Novalis auf praktische, in die Zukunft weisende Wirksamkeit aus war, zeigen auch weitere Pläne: Da der (*Europa-*) Aufsatz nicht im *Athenaeum* erscheinen konnte, wollte er ihn mit anderen ‚öffentlichen Reden' drucken lassen, z. B. ‚an Buonaparte, an die Fürsten, ans europäische Volk, für die Poesie, gegen die – alte – Moral, an das neue Jahrhundert'." (G. Schulz, *Novalis...,* 1969, S. 130)

[49] Schon für Novalis galt, was R. Tiedemann von Benjamin schreibt: „Die...Kommunikation mit dem Kollektiv blieb Benjamins („enigmatischer Sprache") versagt, es blieb jene Esoterik, von der Benjamin früh wußte, daß sie abzulegen er nicht vermöchte, sie zu verleugnen ihm untersagt sei, sie zu rühmen, ihn richten würde. Aber durch diese Esoterik hindurch hält er den Ausgeschlossenen so genau die Treue, wie das heute irgendeinem gegeben ist." (*Studien* zur Pilosophie W. Benjamins, 1965, S. 101) – In seiner Diss. über den „Begriff der Kunstkritik in der deutschen Romantik" hat er selbst „den Begriff der Mystik und Esoterik bei Fr. Schlegel analysiert und damit ein Gebiet seines eigenen Denkens berührt." (Fr. Geyrhofer, *Magischer Materialismus* in: Literatur und Kritik, 1967, S. 239; vgl. auch N. W. Bolz, *Über romantische Autorschaft,* in: Urszenen. Literaturwissenschaft als Diskursanalyse und Diskurskritik..., 1977, S. 44 ff. und – vor allem – J. Hörisch, *Die fröhliche Wissenschaft der Poesie. Der Universalitätsanspruch von Dichtung in der frühromantischen Poetologie,* 1978, S. 141.)

[50] Vgl. A. Wellmer, *Kritische Gesellschaftstheorie und Positivismus,* 1969, S. 77/8. – E. Bloch meinte bereits 1930: „...der Erfolg der nationalsozialistischen Ideologie quittiert, seines Teils, den allzu großen Fortschritt des Sozialismus von der Utopie zur Wissenschaft..." (*Erbschaft dieser Zeit,* 1973, S. 66). Ebendeswegen, neben vielen anderen Rettungs-, alias Umfunktionierungsversuchen Blochs, auch der der Romantik. – Gleiches gilt für H. Marcuse, der 1967 vor Berliner Studenten ausdrücklich die *Umkehrung* des Engelsschen Weges von der Utopie zur Wissenschaft verlangte. (*Das Ende der Utopie.* Mit Diskussionsbeiträgen von R. Dutschke... u. a., hrsg. von H. Kurnitzky und H.

Kuhn; zu Marcuses – positiver – Rezeption des utopischen Sozialismus und der Romantik – in diesem Zusammenhang – vgl. R. Faber, *Subversive Ästhetik. Zur Rekonstruktion kritischer Kulturtheorie*, in: Kursbuch 49.) – Inwiefern diese – durchaus dialektische – Forderung gut marxisch (nicht marxistisch!) ist, da Marx Utopie *und* Romantik nie einfach verabschiedet hat, dazu vgl., neben den Beiträgen G.-K. Kaltenbrunners und P. Röders, auch R. Kalivoda, *Marxismus und Libertinismus*, in: Der Marxismus und die moderne geistige Wirklichkeit, 1970, S. 85ff.

[51] H. W. Kuhn, ebd., S. 150

[52] Ebd., S. 18

[53] „Ein absoluter Trieb nach Vollendung und Vollständigkeit ist Kranckheit, sobald er sich zerstörend, und abgeneigt gegen das Unvollendete, unvollständige zeigt. – Wenn man etwas bestimmtes thun und erreichen will, so muß man sich auch provisorische, bestimmte Grenzen setzen." (Novalis, *Schriften*. 3. Bd...., S. 384/5)

[54] E. Bloch, *Geist der Utopie...*, S. 429

[55] P. Bloch, *Differenzierungen im Begriff Fortschritt*, in: Sitzungsberichte der Deutschen Akademie der Wissenschaften zu Berlin. Klasse für Phil., H. 5 (1955), S. 41

[56] C. Schmitt, *Politische Romantik*, 1925, S. 104

[57] Vgl. unseren obigen Beitrag, S.

[58] Vgl. W. Malsch, „*Europa*". *Poetische Rede des Novalis...*, S. 30/1

[58]a „Mystik" zeigt, „soweit sie nicht absolut quietistisch und indifferent...ist, deutliche Neigung zur Gesellschaftskritik. Ihre apokalyptischen Elemente können einen starken revolutionären Chiliasmus tragen..." (C. Schmitt, ebd., S. 81/2).

[59] Vgl. L. Goldmann, *Weltflucht und Politik. Dialektische Studien zu Pascal und Racine*, 1967, S. 100

[60] Ebd., S. 99

[61] E. Bloch, *Das Prinzip Hoffnung* III, S. 1532

[62] Vgl. L. Goldmann, ebd., S. 99/100

[63] E. Bloch, *Atheismus im Christentum...*, 1968, S. 321

[64] W. Malsch, ebd., S. 25/6

[65] F. Vilmar, ebd., S. 631

[66] W. Benjamin, *Illuminationen. Ausgewählte Schriften*, 1969, S. 275/6

[67] Ebd., S. 274

[68] Ebd.

[69] Ebd., S. 273. – „Das Vertrauen auf die quantitative Akkumulation liegt sowohl dem sturen Fortschrittsglauben wie dem Vertrauen auf die ‚Massenbasis' zugrunde." (W. Benjamin, G. S. I, 3, S. 1232)

[69]a Vgl. G. Scholem, *Walter Benjamin – die Geschichte einer Freundschaft*, 1975, S. 274/5.

[70] F. Vilmar, ebd., S. 631

[71] J. Habermas, *Theorie und Praxis...*, S. 165

[72] Ebd.

[73] „Schuld ist ein gesellschaftlicher Verblendungszusammenhang. Der mythische wissenschaftliche Respekt der Völker vor dem Gegebenen, das sie doch immerzu schaffen, wird schließlich selbst zur positiven Tatsache, zur Zwingburg, der gegenüber noch die revolutionäre Phantasie sich als Utopismus vor sich selbst schämt und zum fügsamen Vertrauen auf die objektive Tendenz der Geschichte entartet. Als Organ solcher Anpassung, als bloße Konstruktion von Mitteln ist Aufklärung so destruktiv, wie ihre *romantischen* Feinde es ihr nachsagen." (M. Horkheimer u. Th. W. Adorno, *Dialektik der Aufklärung. Philosophische Fragmente*, 1947, S. 56)

[74] M. Buhr, *Kritische Bemerkungen zu E. Blochs Hauptwerk...*, in: Deutsche Zeitschrift für Philosophie, 1960, S. 379. – Noch dreizehn Jahre später wird in Buhrs Weise – jetzt gegen die neueste westdeutsche Novalis-Rezeption – polemisiert; der eigentliche Adressat ist nicht zufällig H. Marcuse. (Vgl. U. Heukenkamp, *Die Wiederentdeckung des „Wegs nach innen". Über die Ursachen der Novalis-Renaissance in der gegenwärtigen bürgerlichen Literaturwissenschaft*, in: Weimarer Beiträge 19, 12/1973, S. 105ff. – Unmittelbar vorweg genommen ist Heukenkamps Polemik in drei Besprechungen des West-Berliner „Arguments" von Th. Metscher, B. Frei und J. Behrens; Nr. 66, S. 551ff.) Nicht ganz ein Jahr später deutet sich freilich – in den „Weimarer Beiträgen" – eine Wende an, den die „Romantik-Rezeption im Spätwerk von Anna Seghers", der Vorsitzenden des DDR-Schriftstellerverbandes, unmittelbar veranlaßte. W. Kusche schreibt (7/1974, S. 58ff.) über „Die ‚blaue Blume' und das ‚wirkliche Blau'"; wir zitieren einige Kerngedanken: Anna Seghers steht „polemisch gegen verfälschende oder oberflächliche Beziehungen zum romantischen Erbe" – das ein „schwieriges" ist, aber eben deswegen „eine...kritisch-produktive...Romantik-Rezeption unter den heutigen sozialistischen Bedingungen" erfordert, nämlich „den realen, humanistischen Kern romantischen Strebens und seiner phantastischen Darstellungsweise aufzudecken". – Solches setzt sich fort und findet einen – wohl nicht nur vorläufigen – Höhepunkt in H. G. Werners Beitrag (von April 1976), „Zum Traditionsbezug der Erzählungen in Christa Wolfs ‚Unter den Linden'" (S. 36ff). Das liegt einfach schon am Gegenstand, der hohen Erzählkunst Ch. Wolfs, die identisch mit ihrer – subversiven – *Rezeptions*kunst ist; doch hat bis zu diesem Zeitpunkt auch die Literaturwissenschaft der DDR gewaltige Fortschritte gemacht, zusätzlich, wenn nicht vorrangig herausgefordert durch die Romantikrezeption der Neuen BRD-Linken. G. Hartung liefert in seinem Beitrag „Zum Bild der deutschen Romantik in der Literaturwissenschaft der DDR" (Weimarer Beiträge 11/1976, S. 167ff.) einen vorzüglichen Forschungsbericht, der in seiner Tendenz das Avancierteste darstellt, was sich in DDR-Publikationen zum Thema finden läßt. G. Heinrichs 1976 erschienenes Buch: „Geschichtsphilosophische Positionen der deutschen Frühromantik" wirkt dagegen geradezu „orthodox", wenngleich die Apologetik sich sehr verfeinert hat: Die Frühromantik sei für ihre Zeit durchaus auch progressiv gewesen, ja teilweise progressiver als vergleichbare Richtungen, doch sei dies eben nur für ihre Zeit der Fall gewesen. Heute seien alle romantischen Errungenschaften im „Marxismus-Leninismus" positiv aufgehoben, genauso wie die teilweise verwandten des Utopischen Sozialismus. (Heinrichs anti-„linksradikale" Tendenz wird ausdrücklich auf den Seiten: 31, 40, 117, 144, 210/11.) Eine Behauptung, die am 25. 3. 1976 – von C. Traeger – schließlich auch im „Neuen Deutschland" vorgetragen wird; von demselben Professor also, der 1961 von Novalis nur als preußischem und präfaschistischem Konterrevolutionär sprechen konnte. (Vgl. „Novalis und die ideologische Restauration. Über den romantischen Ursprung einer methodischen Apologetik", in: Sinn und Form 13 und – kritisch – R. Faber, *Novalis: Die Phantasie an die Macht*, 1970, S. 54–6.) Jetzt erklärt er dessen „Geniale Dichtung an geschichtlicher Wende" zu einem Grunddatum der „sozialistischen Nationalkultur" der DDR. (Vgl. auch seinen ausführlicheren und weniger deklamatorischen Aufsatz „*Ursprünge und Stellung der Romantik*", in: Weimarer Beiträge 2/1975, S. 37ff.)

[75] Vorweg repliziert der III. Teil des Prinzips Hoffnung auf Buhrs Kritik: „Optimismus ist...nur als militanter gerechtfertigt, niemals als ausgemachter; in letzterer Form wirkt er, dem Elend der Welt gegenüber, nicht bloß ruchlos, sondern schwachsinnig." (S. 1624)

[75]a J. Habermas, *Theorie und Praxis...*, S. 165

[76] W. Benjamin, *Illuminationen* ..., S. 272

[76]a Vgl. W. Malsch, ebd., S. 26

[77] „Die klassenlose Gesellschaft ist nicht das Endziel des Fortschritts in der Geschichte", heißt es knapp bei W. Benjamin, „sondern dessen sooft mißglückte, endlich bewerkstelligte Unterbrechung." (G. S. I, 3, S. 1231)

[78] E. Bloch, *Das Prinzip Hoffnung III*, S. 1545

[79] E. Bloch, *Atheismus im Christentum...*, S. 17

[80] Der stalinistische Bloch freilich, der dem Novum „demokratischer Zentralismus" allzu unkritisch gegenüberstand (*Prinzip Hoffnung II*, S. 620), meinte: „Die Wege zu diesem Reich sind gleichfalls nicht liberal; sie sind Eroberung der Macht im Staat, sind Disziplin, Autorität, zentrale Planung, Generallinie, Orthodoxie... gerade totale Freiheit verliert sich nicht in einen Haufen hüpfender Beliebigkeit und in die substanzlose Verzweiflung, die an deren Erde steht, sondern siegt einzig im Willen zur Orthodoxie." (*Prinzip Hoffnung II*, S. 618)

[81] Der Marxismus hat „haufenweise mit dem Übergang des Christentums zur römischen Staatreligion die Entstellung geteilt..." (E. Bloch, *Atheismus im Christentum*, S. 315)

[82] A. Köstler, *Sonnenfinsternis*, 1948, S. 229

[83] E. Bloch, *Das Prinzip Hoffnung III*, S. 1533

[84] E. Bloch, ebd., S. 1540

[85] Vgl. P. C. Ludz, *Religionskritik und utopische Revolution*, in: Probleme der Religionssoziologie. Sonderheft 6 der Kölner Zeitschrift..., 1962, S. 97.

[86] Bereits Erbschaft dieser Zeit schloß Bloch mit folgenden Sätzen: „Auch ohne Klerus wird in der klassenlosen Gesellschaft die Frage des Wohin und Wozu brennen, ja, sie wird die mächtigste sein und unerbittlicher als heute, wo ein großer Teil des Bürgertums – aus klarsten Klassengründen – sie kastriert hat." – „Es gibt riesige Täuschung der Unwissenheit, Betrug an falscher Phantasie, Weihrauch über durchschaubaren Gefühlen. Doch es gibt auch rote Geheimnisse in der Welt, ja, nur rote." (*Erbschaft dieser Zeit*, 1935, S. 310).

[87] M. Buhr, ebd., S. 375

[88] Novalis, *Schriften*. 3. Band..., S. 297

[89] E. Bloch, *Das Prinzip Hoffnung*, S. 1521/2

[90] Ebd., S. 1540

[91] E. Bloch, *Differenzierungen im Begriff Fortschritt...*, S. 40

[92] Novalis, ebd., S. 590

[93] Novalis, *Heinrich von Ofterdingen*, in: RK 130/131, S. 134. – „Der *Gärtner* ist der Genius der Pflanzenwelt", heißt es an anderer Stelle (*Schriften*. 3. Band..., S. 89).

[94] K. Marx, *Die Frühschriften*. Hrsg. von S. Landshut, 1964, S. 237

[95] Novalis, *Schriften*, 3. Band..., S. 446

[96] Ebd., S. 253

[97] Vgl. ihren obigen Beitrag gleichen Namens.

[98] —

[99] K. Mannheim, *Ideologie und Utopie...*, S. 216

[100] „Ein stillgestandenes Bewußtsein bemüht sich um die bloße Reproduktion der Welt in vorwiegend technischer und organisatorischer Daseinsbewältigung." (H. Schelsky, *Auf der Suche nach Wirklichkeit*, 1965, S. 411)

[101] K. Mannheim, ebd., 225

[102] Im Gegenteil: „Der wahre Mythos des 20. Jahrhunderts zeichnet sich...nicht durch die

einfache Rückkehr zu Naturverhältnissen aus, sondern durch die Verwandlung des Gegenwärtigen in ein schicksalhaft Geltendes, in natürliches Dasein." (O. Negt, *Gesellschaftsbild und Geschichtsbewußtsein der wirtschaftlichen und militärischen Führungsschichten,* in: Der CDU-Staat 2, 1969, S. 401)

103 M. Landmann, *E. Bloch im Gespräch,* in: E. Bloch zu ehren, 1965, S. 368. – „Wie Prohibition seit je dem giftigeren Produkt Eingang verschaffte, arbeitet die Absperrung der theoretischen Entwicklungskraft dem politischen Wahne vor." (M. Horkheimer u. Th. W. Adorno, *Dialektik der Aufklärung...,* S. 7)

104 M. Landmann, *Ernst Bloch im Gespräch,* in: Ernst Bloch zu ehren, 1965. S. 368

105 Vgl. E. Nolte, *Der Faschismus in seiner Epoche...,* 1963.

106 F. Vilmar, ebd., S. 628/9

107 Auf diese Verbindung hat in letzter Zeit vor allem die DDR-Forschung hingewiesen; neben dem Buch von G. Heinrich vgl. den auch schon erwähnten „Weimarer" Beitrag C. Traegers (2/1975, S. 37ff.). Knapp und richtig lautet die These: „... in der progressiven Romantik fanden viele Lehren des utopischen Sozialismus ihren Widerhall." (A. S. Dmitriev, *Deutsche Romantik und europäische Literatur,* in: Weimarer Beiträge 2/1977, S. 105; die modifizierte Romantikrezeption in der DDR geht auch auf die immer schon anders geartete Bewertung der Romantik in der UdSSR und vor allem in Polen zurück.)

108 Vgl. J. Habermas, *Protestbewegung und Hochschulreform,* 1969, S. 148/9.

109 Voraussetzung dafür ist, daß Sorel nicht der war, für den er normalerweise gilt: ein (Pro-)„Faschist". Zur Widerlegung dieser Legende vgl. E. H. Posse, *Sorels „Faschismus" und sein Sozialismus,* in: Archiv für die Geschichte des Sozialismus und der Arbeiterbewegung 15 (1930), S. 161ff.

110 G. Sorel, *Über die Gewalt...,* 1968, S. 138

111 Vgl. H. Salzinger, in: Kürbiskern 4/1968.

112 Vgl. R. Tiedemann, *Nachwort,* in: W. Benjamin, Charles Baudelaire. Ein Lyriker im Zeitalter des Hochkapitalismus, 1969, S. 186.

113 Vgl. H. Lethen, *Zur materialistischen Kunsttheorie Benjamins,* in: Alternative 56/57, S. 231.

114 F. Fanon, *Die Verdammten dieser Erde...,* rororo 1209/10, S. 184, 197.

115 Daß sie zugleich die utopische ist, und daß das – H. C. Buch entgegen – kein Widerspruch ist, dazu vgl. „Die Schwierigkeit Kunst zu machen – Antriebe ihrer Vergesellschaftung...", 1973, S. 418/9.

116 P. Schneider, *Kursbogen zu Kursbuch 16*

117 P. Schneider, *Die Phantasie im Spätkapitalismus und die Kulturrevolution,* in: Kursbuch 16, S. 27

118 W. Benjamin, *Angelus Novus...,* S. 291

119 Ebd., S. 214

120 Ebd., S. 208

121 Ebd., S. 201

122 K. H. Bohrer, *Die gefährdete Phantasie, oder Surrealismus und Terror,* 1970, S. 47. Über Novalis' Weg nach *außen* vgl. R. Faber, *Novalis...,* S. 17ff.

123 Ebd., S. 38. – Vgl. außerdem H. Marcuse, *Versuch über die Befreiung,* 1969 und R. Faber, *Subversive Ästhetik...,* sowie vor allem P. Bürger, *Der französische Surrealismus.* Studien zum Problem der avantgardistischen Literatur, 1971; Bürgers – nicht unproblematisches – Buch *beginnt* mit den Sätzen: „Spätestens mit den Maiereignissen 1968 liegt die Aktualität des Surrealismus offen zutage. Nicht weil Aussprüche von Surrealisten während dieser Zeit an den Mauern öffentlicher Gebäude standen, sondern weil hier

Aspirationen, die der Surrealismus seit den 20er Jahren verkündet, massenhaft Ausdruck gefunden haben..." (S. 7).

[124] Vgl. O. Negt/A. Kluge, *Öffentlichkeit und Erfahrung. Zur Organisationsanalyse von bürgerlicher und proletarischer Öffentlichkeit*, 1972, S. 412/3

[125] H.-J. Krahl, *Konstitution und Klassenkampf. Zur historischen Dialektik von bürgerlicher Emanzipation und proletarischer Revolution...*, 1971, S. 280/1

[126] W. Benjamin, *Angelus Novus...*, S. 209

[127] C. Caudwell, *Bürgerliche Illusion und Wirklichkeit. Beiträge zur materialistischen Ästhetik*, Reihe Hanser 76, S. 112

[128] Ebd., S. 113

[129] Ebd., S. 113/4

[130] Gleichsam auf seine Version des ,,Totalitarismus"-Verdachtes replizierend, bemerkt K.-H. Bohrer knapp: ,,...die marxistische Entscheidung ist nicht austauschbar mit jener Entscheidung, die die Futuristen trafen" (ebd., S. 47): für den Faschismus.

[131] W. Benjamin, ebd., S. 287

[132] Ebd., S. 212

[132a] Ebd.; Benjamin zitiert aus A. Bretons ,,*Nadja*", 1974, S. 109.

[133] I. Wohlfarth, in: ,,*Links hatte noch alles sich zu enträtseln...*"..., S. 78/9

[134] Ebd., S. 79

[135] W. Dreßen, *Antiautoritäres Lager und Anarchismus...*, 1968, S. 6

[136] Vgl. den mehrfach zitierten Sammelband B. Lindners, vor allem dessen Vorwort, S. 7ff., speziell S. 9

Überarbeitete Fassung von R. F., *Novalis* ..., S. 7 – 14 und 76 – 89.